1 독해가 왜 중요한가?

그야말로 '독해 전성시대'입니다. 여기저기에서 독해가 중요하다고 합니다. 대학수학능력시험(수능)에서 상위권의 등급을 가르는 변수가 바로 국어 독해이기 때문이기도 하고, 독해력이 모든 교과 학습의 기초가 된다는 생각이 널리 퍼져 있기 때문이기도 하지요. 따라서 교과서를 읽어도 무슨 내용인지 이해가 가지 않는 학생이라면, 또는 시험에서 문제가 무엇을 묻는 것인지 이해가 되지 않는다면 무엇보다 먼저 독해력을 길러야 합니다.

2 독해력을 기르려면 어떻게 해야 할까?

당연히 독해를 잘하는 사람이 날 때부터 정해져 있지는 않습니다. 무턱대고 책만 많이 읽는다고 누구나 독해 고수가 되지는 않아요. 제대로 된 독해 방법을 익혀야 독해 고수가 될 수 있답니다. 중요한 것은 어떤 방법으로 독해력을 기르는 것이 가장 효과적인가 하는 것입니다.

3 현명한 선택 〈비문학 독해 DNA 깨우기〉

〈비문학 독해 DNA 깨우기〉 시리즈는 독해에 필요한 '글 분석 능력', '배경지식', '어휘력'을 효과적으로 기를 수 있도록 설계하였습니다. 풍부한 예시를 들어 독해의 원리와 기술 및 기출 유형을 친절하게 설명하였으며, '독해 실전'을 두어 반복적이고 단계적으로 '글 분석 능력'을 기를 수 있게 하였습니다. 특히 '독해 실전'에서는 국어뿐만 아니라 수학, 사회, 과학, 역사, 기술·가정 등 중학교 과정의 전 교과와 관련된 제재를 선정·수록하였기 때문에, 자연스럽게 학습 단계에 맞는 '배경지식'을 기를 수 있을 거예요. 또한 각 권마다 부록으로 〈미니 어휘집〉을 마련하여 '어휘력'도 꼼꼼하게 챙기도록 했지요.

자, 그럼 여러분! 이 책과 함께 우리 안의 독해 DNA를 깨우러 출발해 볼까요?

이 책을 검토해 주신 분들

학부모 검토단

강수정(서울) 김유정(경남) 박혜진(경기) 오중환(서울) 이은정(인천) 정희정(대구)
권신자(경기) 김은재(경기) 백송희(인천) 유정은(서울) 이진희(경기) 조은경(광주)
김경미(경기) 김지현(경기) 백재은(서울) 유지선(인천) 이진희(부산) 조은영(서울)
김미경(부산) 김현정(서울) 선정훈(인천) 윤영아(전남) 임미희(서울) 조현진(서울)
김미성(서울) 김혜경(서울) 손영미(경북) 이경미(서울) 임민숙(서울) 주현욱(경기)
김미정(서울) 김혜순(경기) 손영선(서울) 이민우(전북) 전선하(경기) 진선미(서울)
김병규(경기) 김혜진(대구) 송록희(서울) 이에스더(서울) 전혜정(경기) 최동옥(서울)
김성희(부산) 박세희(인천) 신현정(경기) 이연재(경기) 정경화(서울) 최은정(경기)
김성희(광주) 박주나(전북) 심미선(경기) 이윤정(대전) 정미영(경북) 황서영(서울)
김유아(서울) 박현정(경기) 양영화(충북) 이은봉(경기) 정진욱(서울) 황현숙(서울)

교강사 검토단

강　미(서울) 김정욱(경기) 박정미(전북) 윤인영(서울) 이종민(울산) 정수진(경북)
강상훈(서울) 김증민(세종) 백승미(경기) 이경주(대전) 이주희(경북) 정승훈(서울)
강은숙(서울) 김혜정(부산) 백승재(경남) 이기연(강원) 이진영(경기) 제갈민(대구)
구준호(서울) 김　흙(경기) 봉정훈(경기) 이도실(전남) 이한준(서울) 조은영(경기)
김광철(광주) 김희연(경기) 성은주(서울) 이병준(경기) 이현지(경기) 진순희(서울)
김나래(서울) 문민호(서울) 신영은(경기) 이성훈(경기) 이희용(경기) 차성만(서울)
김다혜(서울) 박경원(강원) 오성민(서울) 이송훈(경기) 임반석(경기) 한지담(경남)
김명호(부산) 박노덕(대구) 오승영(충북) 이시진(서울) 임채원(서울) 허승우(충남)
김문기(경기) 박상준(부산) 오지희(제주) 이영완(서울) 임현락(경기) 홍성훈(부산)
김민성(경기) 박수정(서울) 오현경(서울) 이영지(경기) 장정아(서울) 홍승억(경기)
김병수(울산) 박수진(경남) 유정희(부산) 이유림(울산) 전정배(부산) 황재준(인천)
김윤정(경기) 박윤선(광주) 윤미정(서울) 이정민(서울) 정경은(경기)

기획·편집 김덕유, 김선주, 김새봄, 박소연, 우영은, 배은수, 명세진, 송보미
표지 디자인 김희정, 김지현 **내지 디자인** 박희춘, 이은정, 이혜진 **조판** 대진문화(구민범, 강성희)

해법 중학 국어

비문학 독해 DNA 깨우기

2

독해 기술

비문학 **독해 DNA** 깨우기 _ ② 독해 기술

교과 내용과 연계하여 **배경지식**을 쌓고, 단계별로 차근차근 독해 기술을 익힌다!

1 중학교 교과 학습 배경지식을 고루 쌓을 수 있게 하였습니다.

_ 이 책에는 중학교 교과 내용과 연계된 지문이 50% 이상 수록되어 있습니다. 이를 읽으면서 비문학 독해 실력을 기를 뿐만 아니라 교과 학습과 관련된 배경지식까지 쌓을 수 있습니다.

_ 지문들은 국어뿐만 아니라 수학, 사회, 역사, 과학, 기술·가정, 미술 등의 교과에서 배우는 내용 가운데 학생들의 흥미와 호기심을 끌 만한 것으로 선정하였습니다.

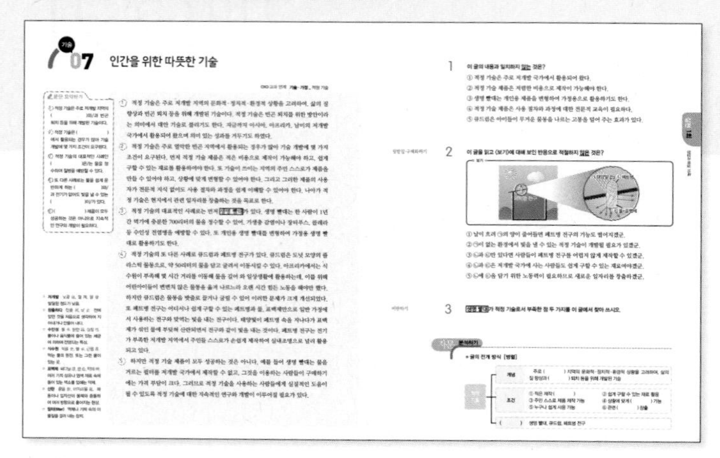

독해 실전

- 읽기만 해도 다양한 배경지식이 쌓이는 지문 선정
- 다수의 모의고사 출제진과 비문학 교재 집필진, 국어 교과서 집필진이 엄선한 문제 수록

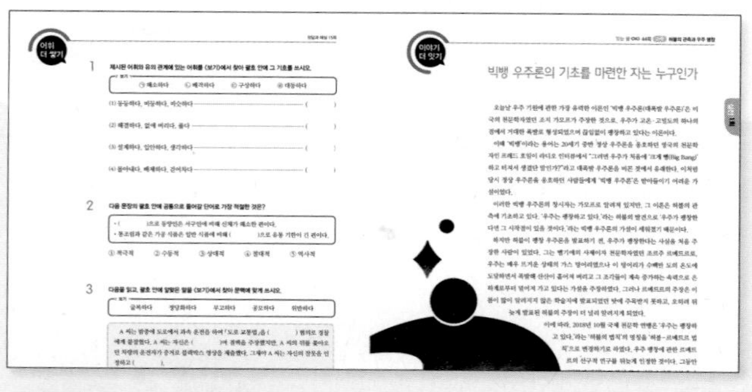

어휘 더 쌓기 / 이야기 더 잇기

- 독해의 기초가 되는 '어휘'를 모아 한번 더 정리
- 지문과 관련한 흥미 있는 읽기 자료 수록

비판적 사고력 키우기, '찬성 vs 반대'

- 중학생 수준에서 생각해 볼 만한 사회 현상이나 문제들에서 주제를 뽑아, 이에 대한 상반된 입장의 두 글을 제시
- 주제에 대한 자신의 입장을 정리해 봄으로써, 비판적 사고력 향상 가능

2 독해 이론을 수록하여 흔들림 없는 독해력을 기를 수 있게 하였습니다.

_ 이 책에는 글을 빠르고 정확하게 읽는 방법을 알려 주는 독해 기술이 담겨 있습니다. 독해 기술을 제대로 사용하면 길고 복잡한 글도 빠르고 정확하게 읽어 내는 독해 실력을 갖출 수 있습니다.

_ 독해 기술에는 '문장' – '문단' – '글' 단위로 글을 단계적으로 독해하는 기술을 담아 글을 읽는 방법을 체계적으로 익힐 수 있게 구성하였습니다.

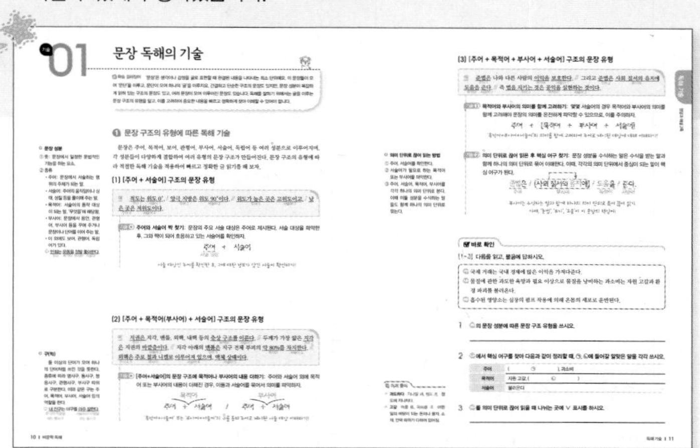

독해 기술

- 효율적인 읽기 방법을 사용하여 독해 실력을 탄탄하게 해 줄 '독해 기술' 수록
- 글에 제시된 정보를 정확하고 빠르게 파악하는 훈련을 통해, 지문을 읽고 문제를 푸는 능력 향상

정답과 해설

- 지문에 대한 자세한 해설과 함께 독해 기호를 적용하여 주요 내용을 한눈에 파악할 수 있게 제시
- 문제 해결 방법과 함께 정답과 오답의 이유를 친절하게 알려 주어, 학습자 스스로 완벽한 독해 학습 가능

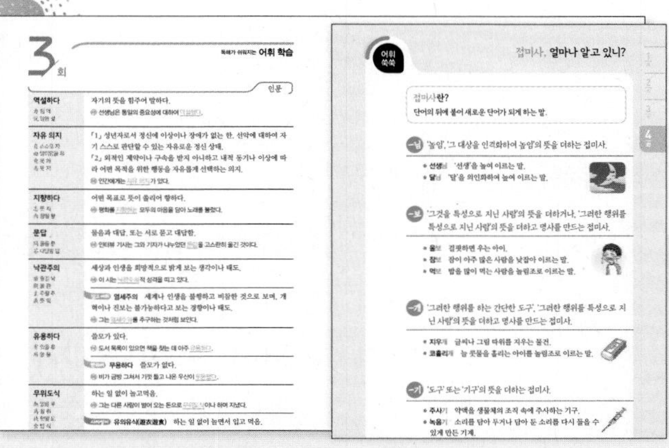

부록 〈독해가 쉬워지는 어휘 학습〉

- 이 책에 나온 어휘 중 중학생 수준에서 반드시 알아야 할 것들을 연관된 한자 성어, 속담, 관용 표현 등과 함께 정리하여 미니 어휘집 형태로 제공
- 어휘집을 휴대하여 틈틈이 학습함으로써 독해의 기본이 되는 어휘력 향상

이 책의 차례

1 이 책은 이론 편과 실전 편으로 구성되어 있으며, 1일 2지문, 30일 학습을 권장합니다.
2 실전 편 각 1회는 인문, 사회, 과학, 기술, 예술의 각 영역별 2지문과 통합 1지문으로 구성하였습니다.
3 중학교 교과 연계 지문은 제목 옆에 ★표를 하였으며, 8쪽에 자세한 교과 연계표를 수록하였습니다.

독해?! 기술을 정확히 알면 실전은 문제 없지!

독해 기술

독해 실전 1회

독해 실전 2회

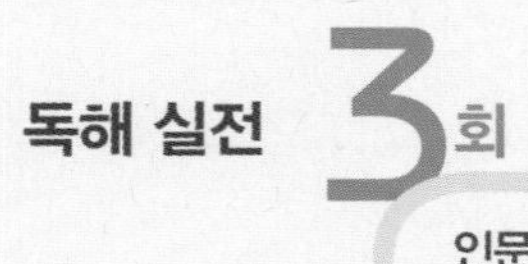

독해 실전 3회

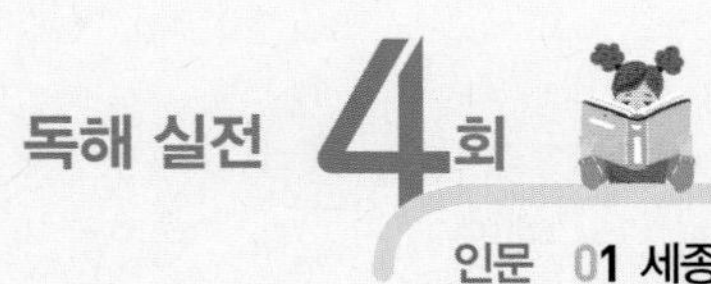

독해 실전 4회

학습 계획표

학습 계획 A

권장 학습 계획표 _하루 두 지문, 30일 완성

독해 기술	1일	2일	3일	4일	5일	6일
날짜	/	/	/	/	/	/
학습 내용	기술 01 10쪽~13쪽	기술 01 14쪽~16쪽	기술 02 17쪽~20쪽	기술 02 21쪽~24쪽	기술 03 25쪽~28쪽	기술 03 29쪽~32쪽
점검						

실전 1회	1일	2일	3일	4일	5일	6일
날짜	/	/	/	/	/	/
학습 내용	인문 34쪽~37쪽	사회 38쪽~41쪽	과학 42쪽~47쪽	기술 48쪽~51쪽	예술 52쪽~55쪽	통합 56쪽~60쪽
점검						

실전 2회	1일	2일	3일	4일	5일	6일
날짜	/	/	/	/	/	/
학습 내용	인문 62쪽~65쪽	사회 66쪽~69쪽	과학 70쪽~75쪽	기술 76쪽~79쪽	예술 80쪽~83쪽	통합 84쪽~88쪽
점검						

실전 3회	1일	2일	3일	4일	5일	6일
날짜	/	/	/	/	/	/
학습 내용	인문 90쪽~93쪽	사회 94쪽~97쪽	과학 98쪽~103쪽	기술 104쪽~107쪽	예술 108쪽~111쪽	통합 112쪽~116쪽
점검						

실전 4회	1일	2일	3일	4일	5일	6일
날짜	/	/	/	/	/	/
학습 내용	인문 118쪽~121쪽	사회 122쪽~125쪽	과학 126쪽~131쪽	기술 132쪽~135쪽	예술 136쪽~139쪽	통합 140쪽~144쪽
점검						

이 책을 어떻게 공부하면 좋을지 학습 계획을 세워 봅시다.

학습 계획 β

나만의 학습 계획표

✎ 학습 방법 등을 고려하여 나만의 계획을 세워 보세요.

날짜	/	/	/	/	/	/
학습 내용	~	~	~	~	~	~
점검						

날짜	/	/	/	/	/	/
학습 내용	~	~	~	~	~	~
점검						

날짜	/	/	/	/	/	/
학습 내용	~	~	~	~	~	~
점검						

날짜	/	/	/	/	/	/
학습 내용	~	~	~	~	~	~
점검						

날짜	/	/	/	/	/	/
학습 내용	~	~	~	~	~	~
점검						

수록 지문의 중학교 교과 내용 연계표

실전 1회

02 좋은 것과 옳은 것	중학교 도덕 ① _ 도덕적 의무
03 대한민국은 민주 공화국이다	중학교 사회 ① _ 민주주의와 국가
05 롤러코스터 200% 즐기기	중학교 과학 3 _ 운동과 에너지
06 허블의 관측과 우주 팽창	중학교 과학 3 _ 우주 팽창
07 인간을 위한 따뜻한 기술	중학교 기술·가정 ② _ 적정 기술
08 현실이 아닌 또 다른 현실	중학교 기술·가정 ② _ 정보 통신 기술 시스템
09 바로크 음악의 '바로크'는 무슨 뜻일까	중학교 음악 ① _ 음악의 종류
10 쪼개어 보고 합쳐서 그린다	중학교 미술 ① _ 미술의 변천과 맥락

실전 2회

02 '장가가기'와 '시집가기'	중학교 역사 ② _ 여러 나라의 생활(결혼 풍습)
04 자본주의 경제 체제의 작동 원리	중학교 사회 ② _ 시장 경제와 가격
05 사우나가 목욕물보다 덜 뜨거운 이유	중학교 과학 2 _ 열과 온도
06 수영장 속에도 과학이 있다	중학교 과학 1 _ 여러 가지 힘
07 데이터를 줄 세우는 두 가지 질서	중학교 정보 _ 문제 해결과 프로그래밍
09 미술은 꼭 아름다워야 하나	중학교 미술 ② _ 미술의 변천과 맥락, 작품 해석

실전 3회

01 아무리 힘들어도 삶은 의미 있는 거야	중학교 도덕 ② _ 삶의 의미
03 젠트리피케이션의 빛과 그림자	중학교 사회 ② _ 도시의 다양한 경관
04 법원과 헌법 재판소	중학교 사회 ① _ 법과 재판, 법원과 헌법 재판소의 역할
05 열쇠와 자물쇠 속의 수학, 경우의 수	중학교 수학 2 _ 확률과 그 기본 성질
06 콩팥 안에서는 어떤 일이 벌어지고 있을까	중학교 과학 2 _ 호흡과 배설
07 전자기 유도가 밥도 한다?	중학교 과학 2 _ 전기와 자기
10 동양 산수화에서의 점경 인물	중학교 미술 ① _ 미술의 변천과 맥락

실전 4회

01 세종 대왕이 훈민정음을 만든 이유	중학교 국어 2 _ 한글 창제
02 정신 기능이 정지된 시체는 인간일까	중학교 도덕 ② _ 인간 중심주의적·생태 중심주의적 자연
03 메세나를 통한 기업의 이윤 추구	중학교 사회 ② _ 기업의 역할과 사회적 책임
04 시장은 어떻게 만들어지는 것일까	중학교 사회 ② _ 시장의 의미
05 삼각대는 어디에서든 안정적이라고?	중학교 수학 2 _ 도형의 닮음, 무게 중심
06 적도가 더 뜨거워지지 않는 이유	중학교 과학 2 _ 대기와 해수의 순환
08 이것은 비행기인가 열차인가, 하이퍼루프	중학교 기술·가정 ② _ 수송 기술
10 회화의 대상을 강조하고 싶다면?	중학교 미술 ② _ 조형 요소와 원리의 효과

※ 교과 이름 옆의 숫자는 권 구분 표시입니다. 국어, 수학, 과학 등은 학년을 구분하여 1, 2, 3으로 표기하고, 교과서가 두 권으로 구성된 사회, 도덕, 기술·가정, 미술 등은 ①, ②로 표기하였습니다.

독해 기술

기술 01 문장 독해의 기술

학습 길라잡이 '문장'은 생각이나 감정을 글로 표현할 때 완결된 내용을 나타내는 최소 단위예요. 이 문장들이 모여 '문단'을 이루고, 문단이 모여 하나의 '글'을 이루지요. 간결하고 단순한 구조의 문장도 있지만, 문장 성분이 복잡하게 얽혀 있는 구조의 문장도 있고, 여러 문장이 모여 이루어진 문장도 있습니다. 독해를 잘하기 위해서는 글을 이루는 문장 구조의 유형을 알고, 이를 고려하여 중요한 내용을 빠르고 정확하게 찾아 이해할 수 있어야 합니다.

1 문장 구조의 유형에 따른 독해 기술

문장은 주어, 목적어, 보어, 관형어, 부사어, 서술어, 독립어 등 여러 성분으로 이루어지며, 각 성분들이 다양하게 결합하여 여러 유형의 문장 구조가 만들어진다. 문장 구조의 유형에 따라 적절한 독해 기술을 적용하여 빠르고 정확한 글 읽기를 해 보자.

문장 성분

① 뜻: 문장에서 일정한 문법적인 기능을 하는 요소.
② 종류
- 주어: 문장에서 서술하는 행위의 주체가 되는 말.
- 서술어: 주어의 움직임이나 상태, 성질 등을 풀이해 주는 말.
- 목적어: 서술어의 동작 대상이 되는 말. '무엇을'에 해당함.
- 부사어: 문장에서 용언, 관형어, 부사어 등을 꾸며 주거나 문장이나 단어를 이어 주는 말.
- 이 외에도 보어, 관형어, 독립어가 있다.

예 민희는(주어) 운동을(목적어) 정말(부사어) 좋아한다(서술어).

(1) [주어 + 서술어] 구조의 문장 유형

예 적도는(주어 1) 위도 0°(서술어 1), / 양극 지방은(주어 2) 위도 90°이다(서술어 2). // 위도가 높은 곳은(주어 3) 고위도이고(서술어 3), / 낮은 곳은(주어 4) 저위도이다(서술어 4).

기술 주어와 서술어 짝 찾기: 문장의 주요 서술 대상은 주어로 제시된다. 서술 대상을 파악한 후, 그와 짝이 되어 호응하고 있는 서술어를 확인하자.

주어(서술 대상) + 서술어

서술 대상인 주어를 확인한 후, 그에 대한 정보가 담긴 서술어 확인하기!

(2) [주어 + 목적어(부사어) + 서술어] 구조의 문장 유형

예 지권은(주어 1) 지각, 맨틀, 외핵, 내핵 등의 층상 구조를(목적어) 이룬다(서술어 1). // 두께가 가장 얇은 지각은(주어 2) 지권의 바깥층이다(서술어 2). // 지각 아래의 맨틀은(주어 3) 지구 전체 부피의 약 80%를(목적어) 차지한다(서술어 3). // 외핵은(주어 4, 5) 주로 철과 니켈로(부사어) 이루어져 있으며(서술어 4), 액체 상태이다(서술어 5).

구(句)

둘 이상의 단어가 모여 하나의 단어처럼 쓰인 것을 뜻한다. 종류에 따라 명사구, 동사구, 형용사구, 관형사구, 부사구 따위로 구분한다. 이와 같은 구는 주어, 목적어, 부사어, 서술어 등의 역할을 한다.

예 내 친구는(주어의 역할을 하는 명사구) 야구를 아주 잘한다(서술어의 역할을 하는 동사구).

기술 [주어+서술어]의 문장 구조에 목적어나 부사어의 내용 더하기: 주어와 서술어 외에 목적어 또는 부사어의 내용이 더해진 경우, 이들과 서술어를 묶어서 의미를 파악하자.

'목적어+서술어' 또는 '부사어+서술어'의 구를 통해 주어로 제시된 서술 대상 이해하기!

(3) [주어 + 목적어 + 부사어 + 서술어] 구조의 문장 유형

예 준법은(주어 1) 나와 다른 사람의 이익을(목적어) 보호한다(서술어 1). // 그리고 준법은(주어 2) 사회 질서의 유지에(부사어) 도움을(목적어) 준다(서술어 2). // 즉 법을 지키는 것은(주어 3) 공익을(목적어) 실현하는 것이다(서술어 3).

기술 ① **목적어와 부사어의 의미를 함께 고려하기:** 몇몇 서술어의 경우 목적어와 부사어의 의미를 함께 고려해야 문장의 의미를 온전하게 파악할 수 있으므로, 이를 주의하자.

주어 + [목적어 + 부사어 + 서술어]

'목적어+부사어+서술어'의 의미를 함께 고려하여 주어로 제시된 대상에 대해 이해하기!

기술 ② **의미 단위로 끊어 읽은 후 핵심 어구 찾기:** 문장 성분을 수식하는 말은 수식을 받는 말과 함께 하나의 의미 단위로 묶어 이해한다. 이때, 각각의 의미 단위에서 중심이 되는 말이 핵심 어구가 된다.

준법은(주어) / [사회 질서의 유지에](부사어) / 도움을(목적어) / 준다(서술어).

부사어는 수식하는 말과 함께 하나의 의미 단위로 묶어 끊어 읽기.
이때, '준법', '유지', '도움'이 이 문장의 핵심어!

의미 단위로 끊어 읽는 방법
① 주어, 서술어를 확인한다.
② 서술어가 필요로 하는 목적어 또는 부사어를 파악한다.
③ 주어, 서술어, 목적어, 부사어를 각각 하나의 의미 단위로 본다. 이때 이들 성분을 수식하는 말들도 함께 하나의 의미 단위로 묶는다.

바로 확인

[1~3] 다음을 읽고, 물음에 답하시오.

㉮ 국제 거래는 국내 경제에 많은 이익을 가져다준다.
㉯ 물질에 관한 과도한 욕망과 필요 이상으로 물질을 낭비하는 과소비는 자원 고갈과 환경 파괴를 불러온다.
㉰ 흡수된 영양소는 심장의 펌프 작용에 의해 온몸의 세포로 운반된다.

1 ㉮의 문장 성분에 따른 문장 구조 유형을 쓰시오.

2 ㉯에서 핵심 어구를 찾아 다음과 같이 정리할 때, ㉠, ㉡에 들어갈 알맞은 말을 각각 쓰시오.

주어	(㉠), 과소비
목적어	자원 고갈, (㉡)
서술어	불러온다

3 ㉰를 의미 단위로 끊어 읽을 때 나뉘는 곳에 ∨ 표시를 하시오.

어휘 풀이
- **과도하다** | 지나칠 過, 정도 度 | 정도에 지나치다.
- **고갈** | 마를 枯, 목마를 渴 | 어떤 일의 바탕이 되는 돈이나 물자, 소재, 인력 따위가 다하여 없어짐.

② 복잡한 문장을 끊어 읽는 기술

독해를 하면 길고 복잡한 문장을 만나게 되는데, 바로 '이어진문장'과 '안은문장'이 얽혀 있는 경우이다. 이와 같은 복잡한 문장일수록 앞에서 공부한 문장 구조의 기본 유형에 유의하여 의미 단위를 구별하며 독해할 수 있어야 한다.

이어진문장
주어와 서술어의 관계를 갖는 절(節)이 둘 이상 연결 어미에 의하여 결합된 문장을 말한다.
예 꽃이 피고(절 1) 새가 운다(절 2).

(1) 이어진문장

예 인권 침해는(주어 1) / 국가 기관에 의하여(부사어 1) 발생하기도 하고(서술어 1), / (인권 침해는)(생략된 주어 2) 개인이나 단체에 의하여(부사어 2) 발생하기도 한다(서술어 2).

기술 ① 주어와 서술어를 확인하여 문장 쪼개기: 이어진문장은 문장의 앞뒤에 주어와 서술어의 관계가 여러 번 나온다. 이에 유의하여 주어와 서술어를 확인하고 이어진문장을 쪼개자.

인권 침해는(주어 1) / ~ 발생하기도 하고(서술어 1), / (인권 침해는)(생략된 주어 2) ~ 발생하기도 한다(서술어 2).

주어와 서술어를 확인하는 것은 문장을 쪼개고 의미 단위를 구별하는 가장 기본적인 작업!

이어진문장에서 뒤 문장의 주어가 앞 문장의 주어와 같으면 생략되는 경우가 있어요.

기술 ② 의미 단위로 끊어 읽기: 문장의 앞뒤에서 서술어와 호응하는 목적어, 부사어를 찾아 의미 단위로 끊어 읽자.

인권 침해는 / 국가 기관에 의하여(부사어) 발생하기도 하고, / 개인이나 단체에 의하여(부사어) 발생하기도 한다.

부사어를 찾아 서술어로 사용된 '발생하다'와 묶어 의미 단위로 끊어 읽기!

이와 같이 문장의 앞뒤에서 서로 대비되는 내용에 주목해서 읽어야 해요. 시험 문제는 꼭 이렇게 대비되는 내용에서 나와요.

안은문장
하나의 문장 안에 주어와 서술어의 관계가 두 번 이상 이루어지며, 어떤 절(안긴문장)을 포함하는 문장을 말한다.
[ ]: 안긴문장
예 [영희가 그린](주어 1+서술어 1) 풍경화가(주어 2) 전람회에서 특선으로 뽑혔다(서술어 2).

(2) 안은문장

예 전동기는(주어 1, 2) / 자기장 안의 코일이(주어 3) 받는(서술어 3) / 힘을 이용하는(서술어 2) / 대표적인 장치이다(서술어 1).

기술 ① 주어와 서술어를 확인하여 문장 쪼개기: 안은문장에 포함되어 있는 '안긴문장'의 주어와 서술어를 확인해야 하는데, 주어가 생략된 경우가 있으므로 이에 유의하자.

안은문장 / 안긴문장

전동기는(주어 1) [(전동기는)(생략된 주어 2) ~ 〈코일이(주어 3) 받는(서술어 3)〉 ~ 이용하는(서술어 2)] ~ 장치이다(서술어 1).

주어와 서술어의 관계가 여러 차례 나타날 때, 호응하는 것들을 정확하게 짝 짓기!

안긴문장의 서술어 '이용하는'의 주어가 생략되어 있는데, 이때 '힘을 이용하는' 대상은 '전동기'이므로 '전동기는'이 주어예요. 이와 같이 안긴문장도 주어가 생략될 수 있음에 유의해야 해요.

기술 ② 의미 단위로 끊어 읽기: 안긴문장의 주어, 서술어, 목적어, 부사어를 파악하여 의미 단위를 구별하며 끊어 읽고, 각 의미 단위의 핵심 어구에 주목하자.

이 문장의 핵심 어구는 '전동기', '코일', '힘을 이용', '장치'!

(3) 이어진문장 + 안은문장

예 스마트 그리드는(주어) / 전기의 생산, 운반, 소비 과정에 / 정보 통신 기술을 / 접목하여(서술어 1) / 공급자와 소비자의 상호 작용을 / 가능하게 하는(서술어 2) / 지능형 전력망 시스템이다(서술어 3).

여러 문장이 얽혀 있을 때, 공통된 주어가 있을 수 있어요. 이것을 먼저 확인해야 해요.

기술 ① 주어와 서술어를 확인하여 문장 쪼개기: 이어진문장과 안은문장이 복잡하게 얽혀 있을수록 주어와 서술어의 관계를 잘 파악하자.

[〈스마트 그리드는(공통 주어) ~ 접목하여(서술어 1) ‖ ~ 가능하게 하는(서술어 2)〉 / ~ 시스템이다(서술어 3).]

〈 〉: 이어진문장 [ ]: 안은문장

주어와 서술어의 관계를 파악하는 것은 복잡한 문장의 의미 단위를 구별하는 기본 작업!

의미 단위로 끊어 읽는 것에 능숙해지면 단위를 끊는 표시를 하지 않아도 단위들 간의 관계를 고려하여 문장의 의미를 정확하게 파악할 수 있게 된답니다.

기술 ② 의미 단위로 끊어 읽기: 안긴문장이 서술어, 목적어, 부사어의 역할을 할 수 있음에 유의하여 주어, 서술어, 목적어, 부사어를 찾아 각각을 하나의 의미 단위로 파악하여 끊어 읽자.

스마트 그리드는(공통 주어) / 전기의 생산, 운반, 소비 과정에(부사어) / 정보 통신 기술을(목적어 1) / 접목하여(서술어 1) ‖ 공급자와 소비자의 상호 작용을(목적어 2) / 가능하게 하는(서술어 2) / 지능형 전력망 시스템이다(서술어 3).

의미 단위 간의 관계를 고려하여 문장을 끊어 읽고 핵심 어구를 찾아 이해하기!

바로 확인

[4~6] 다음을 읽고, 물음에 답하시오.

㉠적외선은 가시광선의 빨간빛 바깥쪽에 있는 빛이다. ㉡적외선은 혈액 순환을 돕고 통증을 감소시키는 효과가 있기 때문에 병원에서 치료하는 데 활용된다.

4 ㉠을 의미 단위로 끊어 읽을 때 나뉘는 부분에 ∨ 표시를 하시오.

5 여러 문장으로 구성되어 있는 ㉡에서 각 문장의 공통된 주어를 찾아 쓰시오.

6 ㉡의 의미를 다음과 같이 요약할 때, 괄호 안에 알맞은 말을 쓰시오.

적외선이 병원의 치료에 활용되는 (   )

어휘 풀이

- **접목하다** | 접할 接, 나무 木 | 둘 이상의 다른 현상 따위를 알맞게 조화하게 하다.
- **가시광선** | 가히 可, 볼 視, 빛 光, 줄 線 | 사람의 눈으로 볼 수 있는 빛의 줄 모양.

❸ 문장 속 정보 간의 관계에 따른 독해 기술

문장 속 정보들은 서로 어떤 관계를 맺고 있는데, 이를 파악하는 것은 문장의 의미를 구체적이고 정확하게 이해하는 데 도움이 된다. 문장을 의미 단위로 끊어 읽으며 핵심 어구를 중심으로 하여 이들 정보 간의 관계 유형을 구분해 보자.

⊕ 나열
문장에서 여러 항목을 죽 벌여 놓은 것을 말한다.

(1) 나열

예 국회는(주어) / 입법을 위한 법률 제정 및 개정권(나열 1), / 정부가 제출한 예산안에 대한 심의·확정권(나열 2), / 정부가 세금을 제대로 사용하였는지 심사하는 결산 심사권(나열 3) 등의 / 권한을(목적어) / 갖고 있다(서술어).

개념이나 대상을 설명할 때 구체적인 예를 나열을 하는 경우가 많아요. 이때 나열된 것들은 글을 이해하는 데 주요 역할을 한다는 것을 기억하세요.

기술 ⊙ **의미 단위별로 핵심 어구 파악하기**: 주요 문장 성분 외에 나열되어 있는 것들을 각각 하나의 의미 단위로 보고, 의미 단위 각각의 핵심 어구를 파악하자.

핵심 어구
국회, 법률 제정 및 개정권, 심의·확정권, 결산 심사권, 권한, 갖고 있다

주어와 서술어, 목적어 외에 대등한 관계로 나열된 것들을 핵심 어구로 파악!

⊕ 대비
문장에서 두 가지의 차이를 밝히기 위해 서로 맞대어 비교하는 것을 말한다.

(2) 대비

예 식물 세포는(주어 1) 효소를 이용하여 세포벽을 제거한 후(부사어) 두 세포를 하나로 융합할 수 있지만(서술어 1), // 동물 세포는(주어 2) 세포벽이 없어(부사어) 식물 세포보다 간단하게 융합할 수 있다(서술어 2).

대상의 차이점은 독해할 때 주목해서 읽어야 해요. 대부분의 경우 대상의 차이점은 시험 문제에 출제 요소로 활용된답니다.

기술 ⊙ **차이점을 중심으로 독해하기**: 대비되는 대상을 확인한 후, 이들의 차이점을 나타내는 말에 주목하자.

식물 세포	⟷ 대비	동물 세포
세포벽을 제거 (세포벽 제거 후 융합)		세포벽이 없어 (세포벽 제거 없이 융합)

☑ 바로 확인

7 다음 문장의 핵심 어구를 아래와 같이 정리할 때, ㉠에 들어갈 말을 찾아 쓰시오.

> 고전주의 예술에서는 대상을 잘 모방하는 것을 중시한 반면, 낭만주의 예술에서는 예술가의 감정이나 느낌을 자유롭게 표현하는 것을 중시했다.

고전주의 예술	⟷	낭만주의 예술
대상을 잘 모방하는 것		㉠

어휘 풀이
- **융합하다** | 녹을 融, 합할 合 | 다른 종류의 것이 녹아서 서로 구별이 없게 하나로 합하여지다. 또는 다른 종류의 것을 녹여서 서로 구별이 없게 하나로 합하다.

(3) 전제와 결론(판단)

전제
문장에서 어떤 판단이나 결론을 논리적으로 성립하게 만들기 위해 먼저 내세우는 것을 말한다.

예 스포츠 정신을 훼손하는 행위를 하면 연맹 규정에 따라 실격 처리된다.(대전제) 남녀 복식 4개 조는 고의로 지기 위해 불성실한 경기를 펼쳐 스포츠 정신을 훼손했다.(소전제) 따라서 남녀 복식 4개 조는 실격 처리될 것이다.(결론)

이와 같이 전제로부터 판단이나 결론을 이끌어 내는 전개 방식을 연역 추론이라고도 해요.

기술 ⦿ **전제와 결론의 타당성 따지기:** 전제를 확인한 후, 판단이나 결론이 전제로부터 나온 것인지 따져 보자.

전제		결론(판단)
• 대전제: 스포츠 정신을 훼손하는 행위를 하면 실격 처리된다. • 소전제: 남녀 복식 4개 조는 스포츠 정신을 훼손했다.	➡	남녀 복식 4개 조는 실격 처리될 것이다.

고의로 지기 위해 불성실한 경기를 펼친 것은 스포츠 정신을 훼손하는 행위!
따라서 전제로부터 이끌어 낸 결론은 적절하다고 판단할 수 있다.

(4) 인과(원인과 결과)

예 알루미늄과 같은 금속에는 자유롭게 움직일 수 있는 전자가 많이 있다. 전기를 띠지 않은 알루미늄 깡통에 (−)전하로 대전된 플라스틱 막대를 가까이 가져가면(원인) // 깡통의 (−)전하는 플라스틱 막대에 의한 척력을 받아 플라스틱 막대로부터 먼 곳으로 이동한다.(결과)

이 글을 읽으면서 (−)전하와 (−)전하는 척력으로 서로를 밀어낸다는 원리를 찾아낼 수 있어야 해요. 실제로 인과 관계가 드러난 글에는 원리가 담긴 경우가 많아요.

기술 ⦿ **인과 관계 중시하기:** 원인으로부터 발생할 수 있는 결과인지를 따져 인과 관계를 정확하게 이해하고, 해당 정보를 중요하게 여기자.

원인		결과
전기를 띠지 않은 알루미늄 깡통에 (−)전하로 대전된 플라스틱 막대를 가까이 가져가면	➡	깡통의 (−)전하는 플라스틱 막대로부터 먼 곳으로 이동한다.

글에 담긴 인과 관계의 정보를 통해 원리를 확인할 수 있다!

바로 확인

8 다음 문장을 의미 단위로 나누었을 때, 그 의미 단위들이 맺고 있는 관계로 적절한 것은?

> 상부에 쌓인 눈이 하부의 눈에 가하는 압력이 커지면 하부의 눈은 얼음으로 변하게 된다.

① 나열 ② 대비 ③ 인과 ④ 전제와 결론

어휘 풀이
- **대전** | 띠 帶, 전기 電 | 물체가 전기를 띠는 현상.
- **척력** | 물리칠 斥, 힘 力 | 같은 종류의 전기나 자기를 가진 두 물체가 서로 밀어내는 힘.

[1~4] **다음 글을 읽고, 물음에 답하시오.**

(가) 근로자가 사용자와 개별적으로 근로 조건에 관한 계약을 체결할 경우에 근로자는 사용자에 비해 사회·경제적으로 열등한 지위에 있기 때문에 불리할 수밖에 없다. ㉠이러한 처지를 보완·강화해 주는 것이 헌법에서 보장하고 있는 노동 삼권이다. ㉡헌법은 근로 관계에서 경제적으로 약자인 근로자의 권리를 보장하기 위하여 근로자에게 노동 삼권을 부여하고 있다. ㉢노동 삼권에는 단결권, 단체 교섭권, 단체 행동권이 있다.

(나) 우리가 사용하는 에너지 자원에는 석탄, 석유, 천연가스와 같은 화석 에너지와 핵융합을 이용한 원자력 에너지 등이 있다. 그런데 ⓐ화석 에너지는 연소 시 환경 오염 물질을 발생시키고 매장량이 한정되어 있어 각 나라는 ⓑ신재생 에너지의 개발과 보급에 큰 관심을 기울이고 있다.

풀이 tip

문장을 의미 단위로 나눌 때에는 문장 성분을 먼저 확인해 보는 것이 좋다.

1 **㉠을 네 개의 의미 단위로 나누고, 문장의 주어에 호응하는 서술어를 찾아 쓰시오.**

2 **㉡을 의미 단위로 나눌 때, 의미 단위 각각의 핵심 어구끼리 바르게 묶인 것은?**

① 헌법 / 근로 관계에서 / 근로자의 권리를 / 보장 / 부여
② 근로 관계에서 / 근로자의 권리를 / 노동 삼권을 / 부여
③ 헌법 / 근로 관계에서 / 경제적으로 약자 / 노동 삼권을 / 부여
④ 헌법 / 근로자의 권리를 / 보장 / 근로자에게 / 노동 삼권을 / 부여
⑤ 근로 관계에서 / 경제적으로 / 근로자 / 보장 / 노동 삼권을 / 부여

3 **㉢을 읽고 이해할 때 유의해야 할 점으로 가장 적절한 것은?**

① 개념에 대한 이해를 바탕으로 하여 대상들 간의 공통점을 파악한다.
② 나열된 것들을 각각 하나의 의미 단위로 보고 핵심 어구로 중시한다.
③ 원인으로부터 발생할 수 있는 결과인지를 따져 인과 관계를 이해한다.
④ 대비되는 두 대상을 확인한 후 이들의 차이점을 나타내는 말을 중시한다.
⑤ 전제를 확인한 후 판단이나 결론이 전제로부터 나올 수 있는지를 따진다.

4 **ⓐ, ⓑ의 논리적 관계가 성립하기 위해 필요한 전제를 다음과 같이 추론했을 때, 괄호 안에 들어갈 말을 (나)에서 각각 찾아 쓰시오.**

(   )은/는 (   )을/를 대체할 수 있다.

어휘 풀이

- **체결하다** | 맺을 締, 맺을 結 | 계약이나 조약 따위를 공식적으로 맺다.
- **연소** | 태울 燃, 불사를 燒 | 물질이 산소와 화합할 때에, 많은 빛과 열을 내는 현상.
- **매장량** | 묻을 埋 감출 藏, 분량 量 | 지하자원 따위가 땅속에 묻혀 있는 분량.
- **보급** | 채울 補, 줄 給 | 물자 등을 계속 보태어 줌.

기술 02

문단 독해의 기술

학습 길라잡이 '문단'은 여러 문장들이 모여 이루어지는 만큼 그 구조도 다양해요. 문단 내 문장에 대한 이해를 종합하는 것은 문단에 대한 이해로 이어집니다. 여기서는 문장에 대한 이해를 문단에 대한 이해로 확장·심화하는 방법을 공부할 거예요. 이러한 문단 독해의 기술을 익혀 자신의 것으로 만들다 보면 어느새 독해력이 크게 향상한 자신의 모습을 만나게 될 거예요.

정답과 해설 3쪽

1 문단 구조의 유형에 따른 독해 기술

'구슬이 서 말이라도 꿰어야 보배'라는 말이 있듯이, 문장들 각각에 대해 아무리 이해를 잘했다 하더라도, 이해한 내용들을 종합하여 생각하지 못한다면 독해를 잘했다고 할 수 없다. 따라서 문단 구조의 유형을 알고, 이를 고려하여 문장들에 대한 이해를 종합할 수 있어야 한다.

(1) 반복하기

중요한 내용은 반복되는 법이에요. 이에 유의하여 나타내는 의미가 유사한 말들이 반복되면 그것들을 짝 지어 핵심 내용을 파악하도록 해요.

예 3차원 프린터는 입체 도면만 있으면 빠른 시간 안에 적은 비용으로 시제품을 만들 수 있다(㉠). 그리고 이미 제작된 제품도 쉽게 수정할 수 있다(㉡). 제품 디자인을 변경하거나 생산한 제품에서 오류를 발견하였을 경우, 컴퓨터로 도면만 수정하면 바로 제품을 다시 만들 수 있다(㉡′). 이렇게 제작 과정이 간단할 뿐 아니라 비용과 시간을 대폭 절약할 수 있기(㉢) 때문에 여러 회사들이 3차원 프린터를 이용해 다양한 시제품과 모형을 생산하고 있다.

기술 ⊙ **나타내는 의미가 유사한 부분들을 짝 짓기:** ㉢에서는 ㉠, ㉡의 내용을 요약적으로 제시하며 반복하고 있고, ㉡′ 역시 ㉡과 사용된 어휘는 다르지만 같은 내용이다. 이렇게 반복되는 말들은 대부분 문단의 핵심 내용이 되므로, 서로 짝을 지어 읽으며 주목하자.

의미가 유사한 말들을 짝 지으며 읽기!

(2) 견주기

'프로파일'과 관련하여, 서양과 동양을 견주고 있는 문단이에요. 이와 같이 견주는 문단은 대상의 특징이나 견해 또는 주장을 설명하는 글에 자주 나와요.

예 미술에서 '프로파일(profile)'은 사람의 측면을 묘사함으로써 인물의 핵심적인 특징을 뽑아낸 그림을 가리킨다. 서양(㉠)에서는 중세 말에서 르네상스 무렵에 이런 프로파일 초상화가 많이 그려졌다(㉠′). 그에 비해 우리나라를 비롯한 동양(㉡)에서는 프로파일 초상화가 거의 발달하지 않고 정면상이 발달(㉡′)하였다. 대상의 인품과 특징을 압축적으로 나타내기에 정면상이 더 적합하다고 여겼기 때문이다.

기술 ⊙ **공통점 또는 차이점을 나타내는 말들에 주목하기:** 두 대상을 견주는 내용은 공통점이나 차이점을 나타내는 말들에 주목하자.

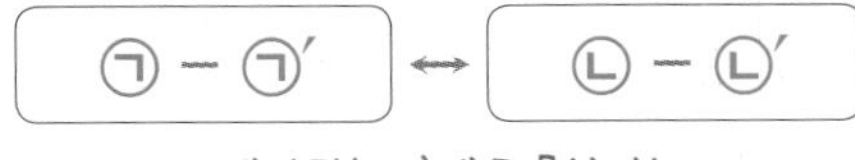

대비되는 짝에 주목하기!

풀이 tip
문단에서 반복되는 내용의 경우, 동일한 말로 반복되기도 하지만 유사한 의미로 반복되기도 하므로, 이를 고려한다.

바로 확인

1 다음에서 ㉠의 의미를 반복적으로 제시한 말로 볼 수 있는 것은?

정보 과잉으로 인해 현대인들은 ㉠'업그레이드 강박증'이라는 새로운 스트레스에 시달린다. 사람들은 끊임없이 새로운 정보를 추구하며, 이를 위해 정보 기술의 발달에도 민감해지고 있다. 그리하여 잠시라도 인터넷 통신망에서 벗어나면 정보에 뒤처진다는 정보 불안 의식이 확산되고 있는 것이다.

① 정보 과잉 ② 정보 불안 의식 ③ 정보 기술의 발달

(3) 이유·원인 밝히기

소비자가 지수물가가 체감물가와 다르다고 생각하는 이유를 설명하는 문단이에요. 현상과 이유에 주목해서 핵심 내용을 찾아 읽는 독해를 해야 해요.

예 통계청에서는 정기적으로 지수물가(주제어)를 발표하는데, 소비자는 지수물가가 실생활에서 느끼는 체감물가와 다르다고 생각한다(현상). 그 이유는 무엇일까? 그 이유는 지수물가는 가격 변동을 측정하기 위하여 통계적 방법으로 처리된 평균적인 물가로, 대표적인 품목만을 대상으로 삼기 때문이다(이유 ①). 모든 소비자가 동일한 품목의 물건을 구매하지는 않는다. 그러므로 모든 소비자에게 지수물가를 공통적으로 적용할 수는 없다(이유 ②). 중학생이 있는 집에서는 교복, 참고서, 학용품 등의 가격 변화에 민감하지만 중학생이 없는 집에서는 이를 실감할 수 없다.

기술 ⊙ 사실·현상을 확인한 후 이유·원인 밝히기: 사실·현상으로 제시한 부분을 확인한 후, 그 이유를 나타내는 핵심 어구를 파악하자.

사실·현상	이유
지수물가가 체감물가와 다르다고 생각함.	① 지수물가는 대표적인 품목만을 대상으로 삼음. ② 모든 소비자에게 지수물가를 공통적으로 적용할 수 없음.

'사실·현상-이유', '원인-결과'의 관계를 맺고 있는 문단 구조에 주목!

(4) 뒷받침·구체화하기

나노 기술이 다양한 분야에 응용 가능하다고 제시한 후, 그것의 구체적인 내용을 설명하고 있는 문단이에요.

예 나노 기술은 다양한 분야에 응용 가능한 기술로 주목받고 있다(중심 내용). 정보 통신 분야(구체적 내용 ①)에서는 우주에서도 통화가 가능한 휴대 전화, 각자 자기 나라 말로 외국인과 자유롭게 대화할 수 있는 실시간 동시 통역기(①의 사례) 등을 개발 중이다. 의학 분야(구체적 내용 ②)에서는 공기는 통하고 바이러스는 걸러 주는 투명 마스크, 몸속 구석구석을 관찰, 진단, 수술하는 의료용 로봇(②의 사례) 등이 개발되고 있다. 산업 분야(구체적 내용 ③)에서는 멀리서도 리모컨 하나로 색을 바꿀 수 있는 자동차, 빛을 받으면 스스로 표면을 깨끗하게 하는 청소용품(③의 사례)에 대한 연구가 진행되고 있다.

기술 ● **중심 내용에 대응하는 구체적인 내용 짚기**: 중심 내용을 확인한 후 그에 대응하는 구체적인 내용을 짚어 연결하자.

나노 기술은 다양한 분야에 응용 가능	① 정보 통신 분야: 휴대 전화, 동시 통역기 ② 의학 분야: 투명 마스크, 의료용 로봇 ③ 산업 분야: 자동차, 청소용품

중심 내용과 이에 해당하는 구체적인 내용을 짚으며 읽기!

정답과 해설 3쪽

바로 확인

2 **다음에서 ㉠의 이유로 가장 적절한 것은?**

일반적으로 금리가 낮을 때 저축률이 줄어든다고 본다. 그런데 한국은행의 자료에 따르면 ㉠금리가 낮은 수준일 때에도 저축률이 상승한 경우가 있다. 살아가다 보면 예기치 않은 소득 감소나 질병 등으로 인해 갑자기 돈이 필요한 상황이 생길 수 있다. 따라서 금리가 낮음에도 불구하고 사람들이 저축을 하는 것은 장래에 닥칠 경제적 위험에 대비하기 위한 적극적 의지가 반영된 것이라 할 수 있다.

① 사람들이 단기적인 금전상의 이익을 중시해 저축을 하기 때문이다.
② 장래의 경제적 위험에 대비하려는 적극적 의지가 저축에 반영되기 때문이다.
③ 저축만으로는 예기치 않은 소득 감소 상황에 효과적으로 대응하기 어렵기 때문이다.

(5) 단계적으로 설명하기

'가다 서다'를 반복하는 차가 있을 때, 그 효과가 뒤차들에게 파동의 형태로 전달되는 과정을 단계적으로 설명하고 있는 문단이에요. 이와 같이 과정에 따라 단계적으로 설명하는 글은 단계를 구별하면서 읽을 수 있어야 해요.

예 교통을 연구하는 물리학자들의 연구에 따르면, 속도를 일정하게 유지하지 않는 차에 의해 교통 체증이 유발될 수 있다고 한다. 가령 ㉠어떤 자동차가 '가다 서다'를 반복한다.(1단계) / 그에 따라 ㉡뒤차들도 안전거리를 유지하기 위해 속도를 늦추거나, 너무 떨어진 앞차와의 거리를 좁히기 위해 속도를 높인다.(2단계) 이는 차들의 밀도를 증가시켰다 감소시켰다 하여 일종의 물결파를 만들게 한다. / 이와 같은 ㉢파동이 만들어지면 이것은 충격파처럼 계속해서 뒤쪽의 차들에 전달되고,(3단계) / ㉣어느 지점에서는 고밀도의 교통 체증이 만들어지는 것이다.(4단계) 이쯤 되면 처음 교통 체증을 유발한 차가 어느 차였는지 알 수 없게 되고 전체적으로 도로는 교통 정체 현상을 빚게 된다.//

어휘 풀이
- **체증** | 막힐 滯, 증세 症 | 교통의 흐름이 순조롭지 아니하여 길이 막히는 상태.
- **정체** | 머무를 停, 막힐 滯 | 사물이 발전하거나 나아가지 못하고 한자리에 머물러 그침.

기술 ● **단계를 끊으며 단계 간의 차이점에 주목하기**: 구조적으로 단계가 드러나는 글은 단계를 끊어 읽으면서 차이점을 나타내는 말들을 핵심 어구로 주목하자.

1단계: ㉠ → 2단계: ㉡ → 3단계: ㉢ → 4단계: ㉣

단계를 구별하여 과정을 파악하며 읽기!

(6) 비판하기

역사 서술에 대한 근대 역사가들의 입장과 이를 비판하는 내용이 드러난 문단이에요. 비판의 대상과 입장, 그리고 이것의 문제점과 상반된 입장의 내용을 확인하며 읽도록 해요.

예 역사 서술 방법 중에 가장 널리 알려진 것은 근대 역사가들이 표방한 객관적인 역사 서술 방법일 것이다. 이들에게 역사란 과거의 사실을 어떤 주관도 개입시키지 않은 채 객관적으로만 서술하는 것이다. 하지만 역사가는 특정한 국가와 계층에 속해 있고 이에 따라 특정한 이념과 가치관을 가지므로 객관적일 수 없다. 역사가의 주관적 관점은 역사 연구 자료를 선별하는 과정에서부터 이미 개입되기 시작하며, 사건의 해석과 평가라는 역사 서술에 지속적으로 영향을 주게 된다. 따라서 역사 서술에 역사가의 주관은 개입될 수밖에 없으므로 완전히 객관적인 역사 서술은 불가능한 일이다.

(비판할 대상 / 비판할 대상의 입장 / 비판 대상의 문제점 / 상반된 입장(비판 내용))

기술 **비판 대상과 입장을 확인한 후, 상반된 입장에서 비판 대상의 문제점 파악하기:** 비판하는 대상과 입장을 확인한 후, 상반된 입장의 핵심 내용을 고려하여 비판의 대상이 되는 입장의 문제점을 지적하자.

비판 대상의 입장		비판 대상의 문제점과 상반된 입장
역사란 과거의 사실을 어떤 주관도 개입시키지 않은 채 객관적으로만 서술하는 것이다.		• 비판 대상의 문제점: 역사가는 특정한 이념과 가치관을 가지므로 객관적일 수 없다. • 상반된 입장: 역사 서술에 역사가의 주관은 개입될 수밖에 없으므로 완전히 객관적인 역사 서술은 불가능한 일이다.

비판할 대상의 문제점과 상반된 입장의 내용 파악하기!

바로 확인

풀이 tip

먼저 ㉠의 입장을 확인한 후, 이것과 상반된 입장을 찾아 핵심 내용을 파악한다.

3 다음을 읽고 ㉠에 대해 비판할 때, 그 내용으로 적절한 것은?

㉠정보 사회론자들은 기술이 사회의 발전과 진보를 창조하는 원인이라고 주장한다. 이들의 주장처럼 뉴미디어와 정보 기술이 민주주의에 결합된 '전자 민주주의'는 기술적 차원에서 현대 민주주의의 여러 문제점을 해결해 줄 수도 있다. 그러나 기술이 아무리 발달하더라도 기술 자체보다는 기술을 사용하는 사회 구성원들의 의식과 사회 구조가 정치에 더 큰 영향을 준다. 그렇기 때문에 전자 민주주의의 미래는 정보 사회론자들의 주장처럼 결코 희망적이며 낙관적인 것만은 아니다. 전자 민주주의의 미래는 사회 구성원들의 합리적인 의식과 사회 구조적으로 바람직한 정치 환경이 조성되느냐에 따라 결정될 것이다.

① 기술의 발전이 정치 발전에 미치는 영향은 정보 기술 발전에 따라 점점 커진다.

② 민주주의를 운영하는 사회 구성원들의 의식과 정치 환경에 따라 전자 민주주의의 미래에 대한 전망이 결정될 것이다.

③ 사회의 발전을 이끄는 기술이 결합된 전자 민주주의가 안정적으로 시행되어야 바람직한 정치 환경이 만들어질 수 있다.

어휘 풀이

- **표방하다** | 나타낼 標, 패 榜 | 어떤 명목을 붙여 주의나 주장 또는 처지를 앞에 내세우다.
- **선별하다** | 가릴 選, 나눌 別 | 가려서 따로 나누다.

❷ 문단 내용의 유형에 따른 독해 기술

문단에서 어떤 내용을 제시하고 있는지를 파악하는 것은 독해의 중요한 과정 중 하나이다. 각 문단 내용의 유형을 파악하고, 이에 따른 유형별 독해 기술을 적용해 보자.

(1) 개념 + 원리·방법

사례를 들어 이자와 이자율의 개념을 설명하고 있어요. 그러므로 사례를 통해 개념을 정확하게 이해해야 해요. 그리고 이를 바탕으로 하여 이자율이 변동하는 원리와 이자율이 정해지는 방법을 정확하게 이해하면 됩니다.

예 영희는 한 달 용돈으로 5만 원을 받았다. 영희는 평소 갖고 싶던 가방을 사지 않고 은행에 저축하기로 결정했다. 이를 1년 뒤 찾으면 5만 2천 원을 돌려 준다고 했기 때문이다. 이때 원래의 돈(원금) 5만 원에 더해져 나온 돈인 2천 원이 이자인데, 이처럼 ㉠돈을 빌려 주거나 빌리면 그 대가로 받거나 주는 것이 바로 이자이다.(이자의 개념) ㉡원금에 대한 이자의 비율을 '이자율' 혹은 '금리'라고 부른다.(이자율의 개념) 2천 원은 5만 원의 4%이니, 영희가 받는 연간 이자율은 바로 4%이다. 이자율도 수요 공급의 법칙을 따른다. ㉢돈을 빌리려는 사람이 많으면 이자율이 오르고, 돈을 빌리려는 사람이 적으면 이자율이 떨어진다.(이자율 변동의 원리) ㉣돈을 빌리려는 사람과 돈을 빌려 주려는 사람의 수가 같을 때 이자율이 정해진다.(이자율이 정해지는 방법)

기술 ⦿ **개념에 대한 이해를 바탕으로 하여 원리·방법 이해하기**: 핵심 어구를 통해 개념을 이해한 후, 원리·방법을 정확하게 파악하자.

개념(㉠, ㉡) + 원리·방법(㉢, ㉣)

원리는 '~면 ~(이)다.'의 문장 형식으로 제시되는 경우가 많으므로, 이러한 문장 형식에 주목하기!

(2) 개념 + 견해·주장

'행동 유도성'의 개념을 제시한 후, 그에 관한 노먼의 견해·주장을 제시하고 있는 문단이에요. 노먼이 행동 유도성에 대해 어떤 견해를 제시했는지를 파악하는 데 초점을 맞추어 독해를 해야 합니다.

예 사람들은 흔히 도서관에 가면 공부가 잘된다고 한다. 도서관은 책으로 가득 차 있으며, 분위기가 정숙하고, 공부에 몰두하는 사람들이 많기 때문이다. 이처럼 ㉠어떤 사물이나 환경의 형태나 이미지가 인간의 행동 변화를 이끌어 내는 힘을 '행동 유도성'이라고 한다.(행동 유도성의 개념) 행동 유도성은 노먼에 의해 디자인 분야에서 널리 쓰이게 되었다. ㉡노먼은 행동 유도성을 '인간이 제품을 적절하게 작동시키도록 암시를 주거나 적절한 행동을 하도록 유도하는 사물의 특성'이라고 재해석했다.(행동 유도성에 관한 노먼의 견해·주장) 즉 노먼이 강조한 것은 사물의 행동 유도성 그 자체가 아니라 제품의 디자인적 측면의 행동 유도성이다.

기술 ⦿ **개념에 대한 이해를 바탕으로 하여 견해·주장 이해하기**: 핵심 어구를 중심으로 하여 개념을 이해한 다음, 견해·주장을 정확하게 파악하자.

개념		견해·주장
'행동 유도성'의 개념(㉠)	+	'행동 유도성'에 관한 노먼의 견해·주장(㉡)

개념은 견해·주장을 정확하게 이해하는 바탕이 된다!

풀이 tip

이 문단에는 개념과 주장이 나타나 있다. 따라서 핵심 어구가 되는 말을 중심으로 하여 개념을 이해하고, 이것과 관련지어 주장을 확인해 본다.

바로 확인

4 **다음에 나타난 '아들러'의 입장을 아래와 같이 요약할 때, ㉠, ㉡에 들어갈 말을 각각 쓰시오.**

아들러는 열등감이 우월감을 갖고 싶어 하는 인간의 욕구 때문에 생기는 것으로, 병적인 것이 아니라 모든 인간이 가지고 있는 일반적인 심리라고 생각했다. 인간은 자신을 둘러싼 이들에게 뒤처져 있다는 생각을 하게 되면 그들보다 더 우월해 보이고 싶어 하는데, 이때 열등감은 우월감을 갖기 위해서 목표를 설정하고 그 목표가 구체화되는 것을 돕는 역할을 한다. 이렇게 의지를 가지고 열등감을 극복하여 남에게 인정받으려는 마음의 움직임이 인간을 행동하게 만드는 추진력인데, 아들러는 이를 '권력에의 의지'라고 했다. 이러한 아들러의 입장에 따르면, 이는 인간을 움직이는 최대의 동기가 된다.

(㉠)은/는 우월감을 갖기 위해 목표를 설정하고 구체화하는 데 도움을 주며, 이러한 목표를 이루고자 하는 (㉡)은/는 인간을 움직이는 동기가 된다.

(3) 기능(역할) + 과정

휴대 전화를 통해 공간 정보의 제공이 이루어지는 과정을 '위치 정보 시스템'과 '지리 정보 시스템'의 기능을 중심으로 설명하고 있는 문단이에요. 위치 정보 시스템은 공간에 대한 정보를 수집하고, 지리 정보 시스템은 정보를 저장, 분류, 분석하죠. 이러한 기능을 바탕으로 하여 과정의 단계를 정확하게 이해하는 읽기를 해야 해요.

예 휴대 전화를 통한 공간 정보의 제공은 '위치 정보 시스템(GPS)'과 '지리 정보 시스템(GIS)' 등을 기반으로 하여 이루어진다.(핵심 문장) 길 찾기를 예로 들어(예시의 방법) 이 과정을 살펴보자.
㉠휴대 전화 애플리케이션을 이용해 사용자가 가려는 목적지를 입력하고 이동 수단으로 버스를 선택했다면, / 우선 ㉡사용자의 현재 위치가 위치 정보 시스템에 의해 실시간으로 수집된다. / 그리고 목적지와 이동 수단 등 사용자의 요구와 실시간으로 수집된 정보에 따라 ㉢지리 정보 시스템은 탑승할 버스 정류장의 위치, 다양한 버스 노선, 최단 시간 등을 분석하여 제공한다. 더 나아가 교통 정체와 같은 돌발 상황과 목적지에 이르는 경로의 주변 정보까지 분석하여 제공한다.//

기술 **기능(역할)을 중시하며 각 과정을 이해하기:** 장치나 시스템의 구성 요소가 수행하는 기능(역할)에 주목하여 과정을 정확하게 이해하자.

휴대 전화를 통해 공간 정보를 제공하는 기능과 그 과정

애플리케이션을 이용해 목적지를 입력하고 이동 수단으로 버스 선택(㉠) ➡ 사용자의 현재 위치가 위치 정보 시스템에 의해 실시간으로 수집(㉡) ➡ 지리 정보 시스템이 탑승할 버스 정류장의 위치, 버스 노선, 최단 시간, 주변 정보를 분석하여 제공(㉢)

장치나 시스템의 구성 요소가 언급되면 그것의 기능(역할)에 주목하여 과정을 이해하기!

(4) 문제점(한계) + 대안(방안)

무분별한 부정 경쟁이 소비자의 이익을 해치고 경제 파탄까지 초래할 수 있다는 문제점을 언급한 후, 그 해결 방안으로 부정 경쟁 방지법을 제시하고 있는 문단이에요. 이와 같이 '문제점(한계)'과 '대안(방안)'에 관한 내용이 함께 나오면 두 내용을 연결해서 독해할 수 있어야 해요.

예 경쟁은 자본주의 시장 경제에서 필수적인 요소이다. 하지만 무분별한 부정 경쟁은 경제 주체들에게 불필요한 비용을 부담하게 함으로써 소비자의 이익을 해칠 수 있고, 결국 사회적인 경제 손실로 이어져 경제 파탄을 초래할 수도 있다.(무분별한 부정 경쟁이 초래하는 문제점) 따라서 경제 주체들이 각자 안전하게 보장된 환경에서 자유롭고 효율적인 경제 활동을 영위하기 위해 공정한 경쟁 질서를 확립하는 것이 필요한데, 이를 위해 제정된 법이 바로 부정 경쟁 방지법이다.(공정한 경쟁 질서를 위한 대안)

기술 ⊙ **문제점(한계)과 대안(방안)을 연결해 독해하기**: 현상, 제도, 대상, 기술 등의 문제점(한계)이 드러난 문단에는 일반적으로 대안(방안)이 함께 제시된다. 따라서 이러한 내용의 문단은 문제점(한계)과 대안(방안)을 연결하여 글을 이해하자.

문제점(한계)	대안(방안)
무분별한 부정 경쟁은 소비자의 이익을 해치며, 경제 파탄을 초래할 수 있다.	공정한 경쟁 질서를 확립하기 위해 부정 경쟁 방지법이 제정되었다.

문제점(한계)에 대한 내용을 짚고, 대안(방안)에 관한 내용에 주목!

바로 확인

5 다음을 바탕으로 하여 ㉠에 대해 설명한 내용으로 적절하지 않은 것은?

한국인들에게 무쇠솥은 하나의 물건이 아니라 '뛰어난 밥맛'을 떠올리게 하는 물건이다. 압력 밥솥과 전기밥솥 등 편리한 조리 기구들이 많이 나와 있지만 밥맛에 있어서는 언제나 무쇠솥에 지은 밥이 최고다. 흔히 볼 수 있는 전기밥솥의 광고에서 '무쇠솥에서 만든 것처럼 맛있는 밥맛'을 강조하는 것은 이러한 사실을 잘 보여 주는 것이다.

이렇게 뛰어난 무쇠솥 밥맛의 비밀 중 하나로 ㉠묵직한 솥뚜껑의 무게를 꼽을 수 있다. 1기압에서 물은 100°C가 되면 끓게 되고, 그 이상으로 온도가 올라가지 않는다. 하지만 무거운 솥뚜껑을 올려놓게 되면 뚜껑의 무게 때문에 솥 안의 수증기가 밖으로 쉽게 빠져나가지 못하게 된다. 갇힌 수증기는 솥 안의 기압을 1기압 이상으로 올려 주고, 이 때문에 물의 온도는 100°C 이상으로 올라갈 수 있게 된다. 이렇게 높은 온도에서 쌀이 빠르게 익으면, 더 찰지고 향기도 좋은 무쇠솥 밥이 완성된다.

① ㉠으로 인해 솥 안의 기압은 1기압 이상으로 올라갈 수 있게 된다.
② ㉠은 쌀을 높은 온도에서 빠르게 익혀 찰기와 향기가 뛰어난 밥이 되게 한다.
③ 솥 안의 수증기가 ㉠으로 인해 빠져나가지 못함으로써 물의 온도를 100°C로 유지시킬 수 있다.

풀이 tip
장치를 설명하는 글에서는 구성 요소의 기능을 반드시 이해해야 한다. 따라서 기능과 관련한 정보를 찾으며 읽는다.

어휘 풀이
- **무분별하다** | 없을 無, 나눌 分, 다를 別 | 서로 다른 일이나 사물을 구별하여 가름이 없다.
- **부정 경쟁** | 아닐 不, 바를 正, 다툴 競, 다툴 爭 | 옳지 못한 방법으로 동업자의 이익을 해치는 영업상의 경쟁.
- **영위하다** | 경영할 營, 할 爲 | 일을 꾸려 나가다.

독해 tip

㉮와 같은 글은 현상의 발생 원인과 과정에 주목해서 독해하면 좋다.

㉯는 공리주의에 대해 예를 들어 설명하고 있으므로, 중심 개념을 구체화한 내용과 연결하여 독해하면 좋다.

[1~3] 다음 글을 읽고, 물음에 답하시오.

㉮ 지구 온난화가 태풍을 강하게 만드는 데 영향을 미치고 있을까? 지구 온난화와 태풍의 연결 고리는 해수면 온도다. 태풍은 적도 부근의 바다가 태양열을 받아 수증기로 증발하면서 발달하는 열대 저기압이다. 이때 해수면의 온도는 27℃가 넘는다. 수증기가 증발해 상승하게 되면 저기압 지역이 생겨나고 이 저기압은 주변의 덥고 습한 공기를 계속 빨아들인다. 이렇게 공기가 몰려들고 상승하는 과정에서 강한 회오리바람과 수분을 품게 된 저기압은 점차 고위도로 이동하게 된다. 이 중에서 최대 풍속이 초속 17m 이상으로 발달한 것이 태풍이다. 지구 온난화로 해수면 온도가 상승하여 더 많은 수증기가 발생하므로 지구 온난화는 태풍을 강하게 만든다고 할 수 있다.

㉯ 행위의 도덕적 가치 기준을 그 행위의 유용성에 두는 공리주의에서는 어떤 행위를 할 때 ㉠그 행위자나 연관된 당사자의 특수한 이해관계나 욕구, 정서적 유대 등을 무시한다. 예를 들어 ⓐ두 사람이 물에 빠졌을 때, 한 사람은 애인이고 다른 한 사람은 모르는 사람이다. 그런데 ⓑ내가 지금 타고 있는 구명보트는 2인용이어서 두 사람을 모두 구할 수가 없다. ⓒ누구를 구할 것인가라는 질문에 대해 공리주의에서는 누구든 좋다고 대답한다. 왜냐하면 ⓓ행위의 평가의 대상이 되는 것은 어떤 '상태'로서의 결과이지 ⓔ나와 행위 연관 당사자 사이의 정서적 유대 따위가 아니기 때문이다.

1 ㉮에서 반복적으로 나타난 말이 아닌 것은?

① 지구 온난화 ② 해수면 온도 ③ 수증기 증발
④ 저기압 ⑤ 최대 풍속

2 ㉮와 같은 문단을 읽는 방법으로 적절한 것을 〈보기〉에서 모두 골라 그 기호를 쓰시오.

보기
ㄱ. 두 대상 간의 차이점을 나타내는 말들에 주목한다.
ㄴ. 대상의 특징을 구체화한 사례들의 공통점을 파악한다.
ㄷ. 현상을 초래하는 원인과 관련하여 제시된 원리에 주목한다.
ㄹ. 단계 간의 차이점에 유의하여 현상의 생성 과정을 이해한다.

3 ⓐ~ⓔ 중, ㉠을 구체화한 내용으로 가장 적절한 것은?

① ⓐ ② ⓑ ③ ⓒ ④ ⓓ ⑤ ⓔ

어휘 풀이
- **유용성** | 있을 有, 쓸 用, 성질 性 | 쓸모가 있는 특성.
- **공리주의** | 공로 功, 이로울 利, 주될 主, 뜻 義 | 쾌락, 행복, 이익 따위를 가치 기준으로 삼는 학설.
- **이해관계** | 이로울 利, 해칠 害, 빗장 關, 맬 係 | 서로 이해가 걸려 있는 관계.

기술 03

글 독해의 기술

학습 길라잡이 문단 하나로 글이 되기도 하지만, 보통 여러 문단이 모여 하나의 글을 이룹니다. 따라서 글의 독해를 잘하기 위해서는 문장과 문단을 이해하고, 이들의 관계를 파악하여 글 전체의 내용을 이해할 수 있어야 해요.

정답과 해설 5쪽

1 글의 전개 구조에 따른 독해 기술

한 편의 글을 정확히 이해하려면 문장과 문단들의 짜임인 글의 전개 구조를 파악해야 한다. 글의 전개 구조를 알면 논지의 흐름을 빠르고 정확하게 파악할 수 있다.

(1) 병렬

땀이 인간에게 없어서는 안 되는 것이란 사실을 병렬적으로 설명하고 있는 글이에요.

예 ㉮ 여름이 되면 가만히 있어도 흐르는 땀 때문에 힘든 경우가 많다. 그러나 사실 땀은 인간에게 고민거리가 아니라 없어서는 안 되는 소중한 것이다.
중심 내용 – 땀이 인간에게 소중한 이유

㉯ 기온이 높아지면 체온과 외부 온도의 차이가 줄어들기 때문에, 땀이 흐르고 이 땀이 증발하면서 열을 빼앗아 간다. 이처럼 땀은 인간에게 중요한 냉각 체계인 것이다.
① 땀은 인간에게 중요한 냉각 체계임.

㉰ 땀은 인간의 진화에도 영향을 미쳤다. 인간은 진화하면서 뇌의 크기가 커졌는데, 온도에 취약한 뇌가 지금처럼 진화할 수 있었던 것은 땀의 역할이 있었기 때문이다. 뇌의 온도를 유지하기 위해 땀을 흘려 혈액의 온도를 조절하고 이를 식힌 것이다.
② 땀은 인간의 진화에 영향을 미침.

㉱ 땀의 또 다른 기능은 감정을 나타낸다는 것이다. 불안이나 흥분을 느끼면 교감 신경계가 자극되어 땀샘에서 땀이 배출되는데, 이러한 땀을 '감정적 땀'이라고 한다.
③ 땀은 인간의 감정을 나타냄.

● 이 글의 전개 구조

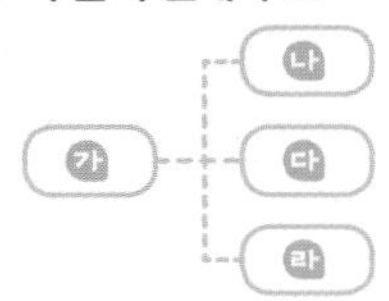

기술 ⊙ 중심 화제와 관련 지어 문단들의 관계 파악하기

병렬 구조는 각 문단의 핵심 내용이 중심 화제와 관련해 대등한 관계를 맺음을 이해하기!

바로 확인

1 ㉠, ㉡의 개념 형성 방법을 정리한 다음 괄호 안에 알맞은 말을 각각 쓰시오.

사물이나 대상의 개념들은 어떻게 생겨날까? 먼저 ㉠'사과', '배'와 같은 사물의 개념 형성에 대해 생각해 보자. '사과', '배'라고 하면 우리는 감각 경험을 통해 인식할 수 있는 어떤 모양이나 맛을 가진 과일을 떠올리는데, 이는 이것들의 공통 성질이다. 따라서 사물의 개념은 각각의 공통 성질을 바탕으로 만들어짐을 알 수 있다.

상상의 존재인 ㉡'도깨비', '인어' 같은 대상의 개념은 어떻게 만들어질까? 이들은 감각 경험의 대상은 아니지만, 각각이 지닌 공통된 성질을 감각적으로 떠올릴 수 있다. 이는 상상을 통한 감각 경험의 변형과 결합으로 개념이 만들어짐을 나타낸다.

- ㉠ – (   )을/를 통해 인식할 수 있는 공통의 성질을 토대로 만들어진다.
- ㉡ – (   )을/를 통한 감각 경험의 변형과 결합으로 만들어진다.

어휘 풀이

● **취약하다** | 무를 脆, 약할 弱 | 무르고 약하다.

(2) 대비

묵란화의 일반적인 특징과 함께 추사 김정희의 예술 세계의 변화에 대해 설명하는 글이에요. 2, 3문단을 읽을 때는 두 문단 간에 대비되는 짝에 주목해야 합니다.

예 먹으로 난초를 그린 묵란화는 군자가 마땅히 지녀야 할 품성을 담고 있는 그림이다. 묵란화의 주요 창작층은 문인들이었으며, 묵란화는 문인들이 인문적 교양과 감성을 드러내는 수단이었다.
묵란화의 일반적인 특징

추사 김정희가 25세 되던 해에 그린 〈석란(石蘭)〉은 당시 청나라에서도 유행하던 전형적인 양식을 따른 묵란화이다. 화면에 공간감과 입체감을 부여하는 잎새들은 가지런하면서도 완만한 곡선을 따라 늘어져 있으며, 꽃은 소담하고 정갈하게 피어 있다.
대상 ① / 대비 / 대상 ①에 나타난 특징

평탄했던 젊은 시절과 달리 김정희의 예술 세계는 49세부터 장기간의 유배 생활을 거치면서 큰 변화를 보인다. 생을 마감하기 일 년 전인 69세 때 그렸다고 추정되는 〈부작란도(不作蘭圖)〉는 이러한 변화를 잘 보여 준다. 거친 필법으로 오른쪽 아래에서 시작된 몇 가닥의 잎은 왼쪽에서 불어오는 바람을 맞아, 오른쪽으로 뒤틀리듯 구부러져 있다.
대비 / 대상 ② / 김정희의 예술 세계의 변화 / 대상 ②에 나타난 특징

기술 ⊙ **문단 간에 대비되는 짝에 주목하기:** 대비되는 두 대상을 짚은 후, 두 대상의 차이점을 나타내는 말들을 핵심 어구로 주목하자.

〈석란〉 ↔ 〈부작란도〉

문단 간에 대비되는 두 대상과 그 차이점을 나타내는 말들을 주목!

바로 확인

2 **다음 ㉠, ㉡에 대한 설명으로 적절하지 않은 것은?**

우리가 흔히 사용하는 일반 ㉠종이는 여러 목재에서 화학적 방법을 통해 얻은 섬유의 집합체인 '펄프'로 만들어지며, 산성인 상태로 제작되기 때문에 완성된 종이도 pH 4.5~5의 산성을 띠게 된다. 이런 산성 종이들은 자체적인 변질에 의해서 100년 이상 보존되기가 힘들다. 오래된 책방에서 쉽게 볼 수 있는 누렇게 변질된 책들은 이렇게 산성을 띈 종이의 운명을 보여 준다.

그러나 ㉡한지 제작 과정은 염기성 상태에서 시작된다. 일반적인 종이는 종이 제작에 필요한 식물 섬유를 뽑아내기 위해 펄프를 빻고 찧는 등 물리적인 힘을 가하는 데 반해, 한지는 '닥나무'를 염기성을 가진 잿물(pH 9~10)에 넣어 삶아 식물 섬유를 손상 없이 뽑아내기 때문이다. 이렇게 섬유를 손상 없이 뽑아낸 후, 최종적으로 중성을 띠는 닥풀에 담가 만들어 낸 한지의 pH는 7.89로, 중성을 띤다. 이렇게 중성을 띠는 한지는 화학적으로 매우 안정되어 있어 오랜 시간 동안 변질되지 않고 보존될 수 있다.

① ㉠은 자체 성분으로 인해 시간이 지나면서 변질이 일어나 오래 보존하기 어렵다.
② ㉡은 재료를 잿물에 삶아 염기성 상태에서 시작하지만 최종적으로 중성을 띤다.
③ ㉠과 ㉡은 모두 물리적 힘을 가해 식물 섬유를 뽑아낸다는 점에서 공통점을 갖는다.

어휘 풀이

- **pH** | 물질의 산과 염기의 진하고 연한 정도를 나타내는 단위로, 순수한 물의 pH인 7(중성)을 기준으로 pH 값이 7보다 작은 용액을 산성, 7보다 큰 용액을 염기성이라 한다.
- **변질** | 변할 變, 바탕 質 | 성질이 달라지거나 물질의 질이 변함. 또는 그런 성질이나 물질.
- **닥풀** | 식물에서 추출한 끈적끈적한 점성의 액체로, 한지를 만들 때 식물 섬유를 물속에 풀었다가 건지는 과정에서 사용한다.

(3) 과정

시간의 흐름에 따라 역사 서술이 어떻게 변화했는지 설명하는 글이에요. 헤로도토스의 《역사》가 서술되기 이전과 이후의 차이점, 로마 시대 이전과 이후의 차이점처럼 단계 간의 차이점을 파악하며 독해를 해야 해요.

정답과 해설 6쪽

예 기원 전 5세기, 헤로도토스는 페르시아 전쟁에 대해 《역사》라는 제목의 책을 썼다. ㉠이전까지는 주로 신화를 바탕으로 한 서사시(이야기시)가 창작되었지만, 헤로도토스는 《역사》를 통해 ㉡가까운 과거에 일어난 사건을 직접 확인·탐구하여 인과적인 형식으로 서술하는 새로운 이야기 양식을 만들어 내었다.

그런데 ㉢로마 시대 역사가들 중 대부분은 역사를 서술할 때 독자의 마음을 움직일 수 있도록 감동적이고 설득력 있는 표현을 사용하였는데, 이런 경향은 ㉣중세 시대에도 계속되었다. 이들은 이야기를 감동적이고 설득력 있게 쓰는 것이 사실을 객관적으로 기록하는 것보다 더 중요하다고 보았다. 하지만 ㉤15세기 이후부터는 과거를 정확히 탐구하려는 생각과 과거 사실을 객관적으로 바라보려는 태도가 역사를 서술하는 데 있어 다시금 중요하게 여겨지게 되었다.

기술 ● **단계를 파악하고 단계 간의 차이점에 주목하기:** 여러 문단에 걸쳐 단계가 나타날 수 있으므로, 각 단계를 파악하고 단계 간의 차이점을 나타내는 말에 주목하자.

㉠ → ㉡ → ㉢ → ㉣ → ㉤

단계 간의 차이점으로 변화 파악하기!

바로 확인

3 다음 글을 이해한 내용으로 알맞지 않는 것은?

오늘날의 민주 정치는 어떻게 발전해 왔을까? 민주 정치는 고대 그리스의 아테네에서 시작되었다. 당시에는 시민이라면 누구나 직접 나라의 중요한 일을 결정하고 공직자가 될 수 있었지만, 여성, 노예, 외국인은 시민으로 인정되지 않았다.

고대 아테네 이후 사라졌던 민주 정치는 근대에 이르러 시민 혁명으로 다시 등장하게 되었다. 상공업으로 부를 쌓은 시민 계급이 경제 활동의 자유와 정치에 참여할 권리를 요구하며 왕이 지배하는 봉건적 질서에 저항하였고, 이를 계기로 시민이 참여하는 의회 중심의 대의 민주 정치가 형성되었다. 그러나 당시 시민은 재산을 가진 남성으로 한정되었고, 가난한 사람과 여성, 노동자, 농민은 제외되었다.

근대 시민 혁명 이후에도 여전히 정치에서 배제된 사람들은 정치에 참여할 수 있는 권리(참정권)를 요구하는 운동을 전개하였고, 이러한 노력의 결과로 성별, 신분, 재산 등과 관계없이 일정한 나이 이상의 모든 국민에게 참정권이 주어지는 현대 민주 정치가 자리잡게 되었다.

① 고대 아테네에서는 도시에 사는 사람이라면 누구나 공직자가 될 수 있었다.
② 근대 민주 정치 제도에서는 재산을 가진 남성만이 정치에 참여할 수 있었다.
③ 현대 민주 정치 제도에서는 일정한 나이 이상의 노동자와 여성도 참정권을 갖는다.

어휘 풀이

- **봉건적** | 봉할 封, 세울 建, 어조사 的 | 중세 유럽에서 주종 관계를 기본으로 한 통치 제도 특유의 성격을 갖는.
- **대의** | 대신할 代, 의논할 議 | 선거를 통하여 선출된 의원이 국민의 의사를 대표하여 정치를 담당하는 일.
- **배제되다** | 물리칠 排, 덜 除 | 받아들여지지 아니하고 물리쳐져 제외되다.

(4) 문제 해결

결로 현상이 건물에 일어날 때 발생할 수 있는 문제점과 그에 대한 해결 방안을 제시하고 있는 글이에요. 이와 같은 글은 문제를 확인한 후 그것을 해결하기 위한 대안(방안)이 적절한지를 따지면서 독해해야 해요.

예 겨울철에 버스 유리창에 물방울이 맺혀 밖이 보이지 않았던 적이나, 여름철에 차가운 음료를 넣은 컵 주변에 물방울이 흐르는 것을 본 적이 있을 것이다. 모두 결로 현상이 일어난 것이다. 이러한 결로 현상(중심 화제)이 건물에 발생하면 곰팡이가 번식하여 호흡기 질환을 초래할 수 있으며 건물의 내장재가 부식되어 안전 문제를 유발할 수도 있다.(결로 현상의 문제점)

건물에 발생하는 결로는 벽의 표면에 발생하는 표면 결로와 벽체 안이나 재료 내에 발생하는 내부 결로로 나눌 수 있다. 표면 결로를 방지하기 위해서는 벽의 표면 온도를 높이거나 공기 중의 수증기의 양을 줄여야 한다. ㉠벽에 단열재를 사용하거나(표면 결로를 방지하는 방법 ①), ㉡환기를 통해 실내의 습도를 낮추는 방법(표면 결로를 방지하는 방법 ②)으로 표면 결로를 방지할 수 있다.

내부 결로를 방지하기 위해서는 ㉢벽체 내부로 습기가 들어가지 않도록 막아 주는 방습층을 벽체 내부의 실내 측에 넣어 주어야 한다.(내부 결로를 방지하는 방법) 이때 폴리우레탄 판처럼 재료 내부로 습기가 들어가는 것을 차단하는 재료를 방습층으로 활용하면 내부 결로를 방지할 수 있다.

기술 ⊙ **문제점(한계)에 대한 대안(방안)의 적절성을 따지며 읽기:** 글에 문제점이 제시되면 그에 대한 대안이 나타나기 마련이다. 이에 유의하여 문제점에 대한 대안의 적절성을 따지자.

문제점(한계)	결로 현상 (표면 결로, 내부 결로)		대안(방안)	㉠, ㉡, ㉢

문제점과 그에 대한 대안(방안)을 짝을 지어 연결하기!

바로 확인

4 다음 글에 대한 설명으로 가장 적절한 것은?

일반적으로 실업은 일을 할 수 있는 능력이 있을 뿐만 아니라 일할 생각을 가지고 있지만 일자리를 갖지 못한 상태를 말한다.

실업은 경제적으로나 개인적으로 여러 가지 폐해를 초래한다. 경제적으로 실업이 증가한다는 것은 그 경제 사회가 생산할 수 있는 재화와 용역의 양이 생산되지 못함을 의미한다. 여기서 생산할 수 있는데도 불구하고 생산하지 못하는 재화와 용역의 양이 바로 실업의 경제적 손실이다. 이러한 경제적 손실과 달리 쉽게 계산될 수 없는 실업의 폐해도 있다. 그것은 실업을 경험하는 개인이 느끼는 실의와 좌절감이다.

대부분의 국가에서는 실업을 해소하기 위해 여러 가지 정책을 시행하고 있다. 정부가 공공 취로 사업을 늘리고, 기업에게 고용 시 세금을 감면해 주거나 보조금을 지급하는 등의 제도를 도입하고, 기업의 기술 훈련 제도를 지원하는 것이 그 예에 해당한다.

① 실업의 개념을 소개하고, 문제점을 설명한 후 해결 방안을 제시하고 있다.
② 실업률을 구하는 방법을 설명한 후 실업이 초래되는 원인을 분석하고 있다.
③ 실업을 해결하기 위한 기존 방안의 문제점을 지적한 후 대안을 제안하고 있다.

어휘 풀이

- **결로** | 맺을 結, 이슬 露 | 물건의 표면에 작은 물방울이 서려 붙음.
- **부식되다** | 썩을 腐, 갉아먹을 植 | 금속이 산화 따위의 화학 작용에 의하여 금속 화합물로 변화되다.
- **폐해** | 나쁠 弊, 해로울 害 | 어떤 일이나 행동에서 나타나는 옳지 못한 경향이나 해로운 현상으로 생기는 손해.
- **취로 사업** | 나아갈 就, 일할 勞, 일 事, 일 業 | 영세 근로자의 생계를 돕기 위하여 정부에서 실시하는 사업. 주로 제방이나 하천, 도로 따위의 사업장에서 일을 함.
- **감면하다** | 덜 減, 면할 免 | 매겨야 할 부담 따위를 덜어 주거나 면제하다.

❷ 글의 구조 독해 기술 향상하기(독해 기호 사용하기)

'글의 구조 독해 기술'이란 문장 및 문단 구조, 글의 내용 및 전개 구조 등을 기술적으로 파악하는 방법이다. 이때 독해 기호를 사용하면 글의 구조를 기술적으로 파악하는 데 도움이 된다.

(1) 독해 기호

'독해 기호'는 글을 효율적으로 읽기 위해 사용하는 일종의 '도구'예요. 독해 기호를 능숙하게 사용하여 독해하면, 핵심 정보와 정보들 간의 관계를 한눈에 파악할 수 있어요.

정보 구분	독해 기호의 예
개념	개념어 ▭, 개념 설명 〰〰
대비되는 짝	△ ⟷ ▽
문제점(한계) – 대안(방안)	문제점(한계) 〈 〉⟵ 대안(방안) 〔 〕
과정	각 단계 구분 /, 과정 완료 //
지칭어(명칭)	지칭어(명칭) ⬭
인과(원인(이유) – 결과)	원인(이유) 〰〰 ⟹ 결과 〰〰
기타, 핵심 정보	견해·주장, 특징 등의 기타 핵심 정보 설명 〰〰

어떤 정보인지에 따라 기호를 달리하면 정보 간의 관계도 쉽게 파악 가능!

(2) 독해 기호 적용하여 읽기

① 개념, 지칭어, 인과, 핵심 정보 기호 사용하며 읽기

이 글의 경우 '기체'의 용해도를 설명하고 있으므로, '기체'를 ⬭로 표시해 지칭어임을 나타내요. 그리고 원리는 인과적인 관계를 나타내므로 원인(이유)과 결과에 각각 밑줄을 치고, ⟹로 인과 관계를 표시하도록 해요.

예 어떤 온도에서 용매 100g에 최대로 녹을 수 있는 용질의 g 수를 용해도라고 한다. 용해도는 물질에 따라 다르기 때문에 물질을 구별할 수 있는 특성이 된다. 기체는 온도가 높아질수록 용해도가 감소한다. 예를 들어 탄산음료가 든 병을 뜨거운 물에 넣으면 얼음물에 넣었을 때보다 기포가 더 많이 발생한다. 그 이유는 온도가 높아지면 기체의 용해도가 감소하기 때문이다. 그리고 기체의 용해도는 압력에도 영향을 받는다. 탄산음료의 마개를 따면 녹아 있던 이산화 탄소 기체가 한꺼번에 빠져나온다. 그 이유는 압력이 감소하면 기체의 용해도가 감소하기 때문이다.

(개념 설명 / 개념어 / 대상의 특징 / 지칭어 / 핵심 정보(기체의 온도와 용해도의 관계) / 결과 ⟸ 이유 / 핵심 정보 / 결과 ⟸ 이유)

기술 ⊙ 정보의 성격에 따라 독해 기호를 달리하여 읽기: 어떤 정보인지에 따라 독해의 기호를 달리하여 정보의 성격을 구별하며 독해하자.

② 대비되는 짝, 핵심 정보 기호 사용하며 읽기

대비되는 짝이 있으면 공통점과 차이점을 나타내는 말이 중요해요. 대비되는 짝을 △와 ▽로 표시를 하고, 필요한 경우 ⟷ 표시를 해요. 그리고 차이를 나타내는 정보를 밑줄로 표시해요.

예 소비자의 유형을 '생각', '느낌' 등의 구매 결정 요인에 따라 분류할 때, '느낌'보다 '생각'의 영향을 상대적으로 더 받는 소비자 유형의 경우 합리적 소비자와 습관적 소비자로 나누어 볼 수 있다. 이중 합리적 소비자는 습관적 소비자보다 구매 시 '생각'의 영향을 더 많이 받는다. 합리적 소비자는 상품 구매 시 경제성과 상품 정보를 따지며, 습관적 소비자는 익숙한 상품명을 기억하여 그 상품을 반복적으로 구매한다.

(합리적 소비자의 특징 ① / 합리적 소비자의 특징 ② / 습관적 소비자의 특징)

바로 확인

풀이 tip

이 글은 '뉴스'를 중심으로 하여 '틀 짓기'와 이와 연관된 개념을 설명하고 있다. 이를 중심으로 하여 각 문단의 구조를 파악하고, 글을 읽을 때는 독해 기호를 사용하여 주요 내용을 정리해 본다. 그리고 전체적으로 글이 어떤 구조인지 살펴본다.

5 **독해 기호를 적용하여 다음 글을 읽고, 글의 내용을 이해하기 위해 활용한 읽기 방법을 아래와 같이 정리할 때 ㉠~㉢에 들어갈 알맞은 말을 각각 찾아 쓰시오.**

가 뉴스는 언론이 현실을 '틀 짓기[framing]' 하여 전달한 것이다. 틀 짓기란 일정한 선택과 배제의 원리에 따라 현실을 구성하는 것을 말한다. 그런데 수용자는 이러한 뉴스를 그대로 받아들이지는 않는다. 수용자는 능동적인 행위자가 되어 언론이 전하는 뉴스의 의미를 재구성한다. 이렇게 재구성된 의미들을 바탕으로 여론이 만들어지고, 이것은 다시 뉴스 구성의 '틀[frame]'에 영향을 준다. 이를 뉴스 틀 짓기에 대한 수용자의 '다시 틀 짓기[reframing]'라고 한다. '다시 틀 짓기'가 가능한 이유는 수용자가 주체적인 의미 해석자로, 사회 속에서 사회와 상호 작용하는 존재이기 때문이다.

나 그렇다면 수용자의 주체적인 의미 해석은 어떻게 가능할까? 그것은 수용자가 외부 정보를 해석하는 인지 구조를 갖고 있기 때문이다. 인지 구조는 경험과 지식, 편향성 등으로 구성되는데, 뉴스 틀과 수용자의 인지 구조는 일치하기도 하고 갈등하기도 한다. 이 과정에서 수용자는 자신의 경험, 지식, 편향성 등에 따라 뉴스가 전달하는 의미를 재구성하게 된다. 즉 수용자에 의한 주체적 해석이 이루어지는 것이다.

다 특정 화제에 대한 수용자의 다양한 해석들은 수용자들이 사회 속에서 상호 작용하는 과정에서 여론의 형태로 나타난다. 이렇게 형성된 여론은 다시 뉴스 틀에 영향을 주며, 이에 따라 새로운 틀과 여론이 만들어진다. 새로운 틀이 만들어짐으로써 특정 화제에 대한 사회적 논의들은 후퇴하거나 발전할 수 있으며, 보다 다양해질 수 있다.

라 사회학자 갬슨은 뉴스와 뉴스 수용자의 관계를 주체와 객체의 고정된 관계가 아닌, 상호 작용을 바탕으로 하는 역동적인 관계로 보았다. 이러한 역동성은 수용자인 우리가 능동적인 행위자로 '다시 틀 짓기'를 할 때 가능하다. 그러므로 우리는 뉴스로 전해지는 내용들을 언제나 비판적으로 바라보고 능동적으로 해석해야 하며, 수용자의 해석에 따라 형성되는 여론에 대해서도 항상 관심을 가져야 한다.

가	(㉠)의 개념을 주목하고, 여론이 만들어져 이 여론이 다시 뉴스 구성의 (㉡)에 영향을 주는 과정을 파악하여 (㉢)의 개념을 이해했다.
나	(㉣)의 주체적인 의미 해석이 가능한 이유와 관련하여, 경험과 지식, 편향성 등으로 구성된 수용자의 (㉤)에 따라 뉴스의 의미가 (㉥)됨을 이해했다.
다	수용자들의 다양한 해석이 (㉦)의 형태로 나타나고, (㉧)이/가 다시 (㉨)에 영향을 줌으로써 새로운 틀과 여론이 만들어지는 과정을 이해했다.
라	뉴스와 (㉩)의 관계에 관한 (㉪)의 견해를 파악하고, 뉴스와 뉴스 수용자 간의 역동성은 (㉫)을/를 할 때 가능하다는 주장을 파악했다.

어휘 풀이

- **수용자** | 받을 受, 담을 用, 사람 者 | 어떠한 것을 받아들이는 사람.
- **주체적** | 주될 主, 몸 體, 것 的 | 어떤 일을 실천하는 데 자유롭고 자주적인 성질이 있는 것.
- **인지 구조** | 알 認, 알 知, 얽을 構, 만들 造 | 어떤 사실을 인정하여 앎.
- **편향성** | 치우칠 偏, 향할 向, 성질 性 | 한쪽으로 치우친 성질.

정답과 해설 8쪽

기술 적용

[1~2] **다음 글을 읽고, 물음에 답하시오.**

가 오케스트라 공연에서 지휘자는 연주자들이 박자를 잘 맞출 수 있도록 손으로 표시할 뿐 아니라 여러 가지 표정, 몸짓 등으로 감정을 표하거나 음악의 느낌을 이끌어 낸다. 공연이 끝난 뒤 박수를 많이 받고 가장 주목받지만, 지휘자가 오케스트라에서 이와 같은 위상을 갖게 된 것은 그리 오래된 일이 아니다.

나 지금보다 오케스트라의 규모가 작고 음악이 복잡하지 않았던 시대에는 연주자들끼리 박자를 맞추고 신호를 주고받으면서 연주했다. 12명에서 15명 정도로 구성된 17세기 실내 오케스트라에서는 쳄발로(16~18세기에 널리 쓰인 건반 악기.) 연주자가 다른 연주자들을 이끌고 지휘자 역할을 했는데, 그는 대개 그 음악의 작곡가였다. 그는 지휘 없이 약박에서 손을 올리고 강박에서 손을 내려 긋는 등의 비교적 단순한 동작으로 지휘했다.

다 18세기에 좀 더 복잡해진 근대적 형태의 오케스트라가 출현하자, 이들의 조화를 이끌어 낼 수 있는 지휘자가 필요해졌다. 이 시기의 오케스트라에서는 쳄발로 연주자 외에, 오케스트라 제1바이올린 파트의 리더이자 전체 오케스트라를 대표했던 악장이 활로 지휘하며 연주자들을 이끌기도 했다. 하지만 이 당시까지의 지휘자는 다른 연주자들과 함께 박자를 맞추며 합주하는 것이 여전히 더 중요한 일이었고, 전체를 이끄는 것은 부차적인(주된 것이 아니라 그것에 곁딸린 것.) 일이었다.

라 오케스트라의 규모가 커지고 음악이 더욱 복잡해진 19세기에는 지휘를 전담하는(어떤 일을 도맡아 하다.) 지휘자가 등장했다. 이때부터 지휘자는 악보의 내용을 단순히 재현하는 역할을 넘어, 작품을 새롭게 해석해서 창조하는 예술가의 역할을 하게 되었다. 또한 이 시기부터 지휘자는 지휘봉을 사용하여 곡에 대한 자신의 독창적인 해석을 자유자재로 표현할 수 있게 되었다. 19세기부터 지휘자가 독립적이고 전문적인 역할을 한 것이다.

마 오케스트라는 그 규모가 커지고 연주되는 음악이 복잡해지면서 다양한 악기 소리들을 아름답게 조율해 낼 필요가 생겼다. 이러한 과정을 통해 지휘자는 음악을 단순하게 재현하는 역할에서 창조적으로 해석하는 역할을 하게 되었다.

1 **이 글을 읽는 방법으로 가장 적절한 것은?**

① 이론의 주요 내용을 이해하고 그 내용에 대한 비판적 입장을 파악한다.
② 각 문단에서 설명하고 있는 단계를 파악하고 단계 간의 차이점을 중시한다.
③ 각 문단 내용 간의 대등한 관계에 유의하여 대상의 유형별 특징을 파악한다.
④ 현상과 관련 있는 원리에 주목하고 그 원리를 바탕으로 하여 현상의 원인을 이해한다.
⑤ 문제점과 해결 방안의 관계로 문단 간의 관계를 파악한 후 이와 관련한 내용을 이해한다.

2 **이 글을 읽고 알 수 있는 내용으로 적절하지 않은 것은?**

① 17세기에 오케스트라에서는 작곡가가 쳄발로 연주를 주로 담당했다.
② 18세기에 이르러 오케스트라 전체를 이끄는 것이 지휘자의 주요 역할이 되었다.
③ 18세기에는 제1바이올린 파트의 리더가 오케스트라의 연주자들을 이끌기도 했다.
④ 19세기에 이르러 독창적인 곡 해석에 의거해 오케스트라를 이끄는 지휘자가 등장했다.
⑤ 17~19세기에 걸쳐 오케스트라 지휘자의 역할이 달라진 것은 오케스트라의 규모와 관련이 있다.

[3~4] **독해 기호를 적용하며 다음 글을 읽고, 물음에 답하시오.**

가 '어떤 목적을 위하여 자신의 목숨, 재산, 명예, 이익 따위를 바치거나 버리는 정신'을 일컫는 '희생정신'이란 말이 있다. 우리 몸에서 희생정신을 충실하게 실천하고 있는 것이 바로 세포이다. 세포는 전체 개체에 유익한 경우, 자신을 던져 전체를 살리는 희생정신을 발휘한다. 이러한 세포의 죽음을 '아포토시스'라고 한다.

나 아포토시스는 세포가 생체 에너지 ATP를 적극적으로 소모하면서 죽음에 이르는 과정을 말한다. 세포가 손상되어 어쩔 수 없이 죽음에 이르는 '네크로시스'와 달리, 아포토시스에서는 세포는 쪼그라들고, 세포 내의 DNA는 규칙적으로 절단된다. 쪼그라들어 단편화된 세포 조각들은 주변의 식세포가 잡아먹게 되는데, 이로써 아포토시스가 종료된다.

다 인체 내에서 아포토시스가 일어나는 경우는 크게 두 가지이다. 하나는 발생과 분화의 과정 중에 불필요한 부분을 없애기 위해서 일어나는 것이다. 올챙이가 개구리가 되면서 꼬리가 없어지는 것이 대표적인 예이다. 다른 하나는 세포가 심각하게 훼손되어 암세포로 변할 가능성이 있을 때 전체 개체를 보호하기 위해 아포토시스가 일어나는 것이다. 방사선, 화학 약품, 바이러스 감염 등으로 유전자 변형이 일어나면 세포는 이를 감지하고, 자신이 암세포로 변해 전체 개체에 피해를 입히기 전에 죽음을 결정한다. 이때 아포토시스 과정에 문제가 있는 세포는 죽지 못하고 암세포로 변한다.

(분화: 생물체나 세포의 구조와 기능 따위가 특수화되는 현상.)

라 아포토시스가 일어나는 데는 수많은 유전자와 단백질이 관여하지만, 가장 중요한 역할을 하는 유전자는 p53이다. 많은 세포에서 p53은 세포의 DNA가 심각한 손상을 입는 경우, 세포 분열을 멈추고 아포토시스가 일어나도록 시동을 켜는 역할을 한다. 반면 bcl-2 유전자는 아포토시스가 일어나지 않도록 방해하는 역할을 한다. 일단 아포토시스가 일어나도록 결정이 되면, 단계적인 유전자 조절 과정을 거쳐 캐스패이즈라는 효소를 활성화시키게 되는데, 이들이 미토콘드리아의 핵심 단백질 NDUSF1을 파괴하여 세포 사멸에 이르게 한다.

(관여하다: 어떤 일에 관계하여 참여하다. / 사멸: 죽어 없어짐.)

마 아포토시스는 발생 과정에서 몸의 형태 만들기를 담당하고, 성체에서는 정상적인 세포를 갱신하거나 이상이 생긴 세포를 제거하는 일을 담당한다. 아포토시스가 우리 몸이 제대로 기능하도록 도와주며 정상 세포가 암이 되지 않도록 우리 몸을 보호하는 중요한 역할을 하고 있는 것이다.

3

이 글의 구조에 대해 다음과 같이 설명할 때, ㉠, ㉡에 들어갈 알맞은 말을 각각 쓰시오.

> 가에서 중심 화제를 제시하고, 나~라에서 화제에 관한 정보를 (　　㉠　　)(으)로 설명한 다음, 마에서 (　　㉡　　)을/를 요약적으로 정리하고 있다.

4

가~마를 읽는 방법으로 적절하지 않은 것은?

① 가: '희생정신'의 의미와 관련하여 아포토시스의 개념을 이해한다.
② 나: 아포토시스와 네크로시스의 차이점을 고려하여 아포토시스가 일어나는 과정을 이해한다.
③ 다: 인체 내에서 아포토시스가 일어나는 두 가지 경우를 파악한다.
④ 라: 아포토시스 과정에서 p53이 캐스패이즈 효소를 활성화시키는 방법을 파악한다.
⑤ 마: 아포토시스가 인체에서 수행하는 역할을 바탕으로 하여 그 중요성을 이해한다.

실전으로 차곡차곡 익숙하게!

독해 실전 1회

01 모두가 '예' 하면, 나도 '예' 한다?

문단 요약하기

① 자신의 의도와는 달리 다른 사람들의 선택을 따라 하는 현상은 (　　　　　)와/과 관련이 있다.

② 동조는 자신의 판단과 다르더라도 (　　　　　)을/를 따라 하는 현상을 말한다.

③ 애쉬의 (　　　　　) 은/는 집단의 선택에 동조하는 현상이 나타남을 보여 준다.

④ 집단이 지닌 (　　　　　) 을/를 더 높이 평가하고 집단으로부터 심리적 압박이 작용하기 때문에 동조가 일어난다.

⑤ 개인의 심리 작용에 영향을 미치는 요인이 무엇이냐에 따라 동조의 (　　　　　)이/가 다르게 나타난다.

① 친구들과 중국집에 가서 음식을 주문할 때, 모두 짬뽕을 주문하면 내키지 않지만 자신도 짬뽕을 시키게 되는 경우가 종종 있다. 또한 자신은 별로 입고 싶지 않았지만, 주변에서 모두 패딩을 입고 다니는 것을 보면 왠지 자신도 그 패딩을 입어야 할 것 같은 생각이 들기도 한다. 이러한 현상은 모두 '동조'라는 심리적 현상과 관련이 있다.

② 동조란 자신의 판단과 다르더라도 타인이 선택한 것을 따라 하는 현상을 말한다. 동조는 나와 대등한 위치에 있는 사람에게도 영향을 받을 수 있으며 자발적이라는 점에서 나보다 권위 있는 사람이 시키는 대로 따라 하는 복종과는 다르다.

③ 동조 현상과 관련해서 미국의 사회 심리학자 솔로몬 애쉬의 선분 맞히기 실험이 있다. 이 실험에서 실험자는 참가자 6명을 책상에 둘러앉힌다. 이 중 6번 참가자를 제외한 나머지 참가자는 실험자와 공모한 실험 협조자들이다. 실험자는 참가자들에게 하나의 기준선을 보여 주고, 비교선 A, B, C를 제시한 후 이 중 기준선과 동일한 길이의 선분이 어느 것인지 맞히도록 하였다. 1번부터 5번 참가자에게 누가 봐도 명백히 오답인 A를 선택하게 한 뒤, 진짜 참가자인 6번 참가자에게도 하나를 선택하게 한다. 그 결과 6번 참가자는 다른 참가자들이 선택한 틀린 답에 동조하는 경향을 보였다. 집단의 잘못된 견해에 동조하는 현상이 나타난 것이다. 이는 실제 생활에서 대부분의 사람이 집단의 선택과 다른 생각을 하고 있더라도 집단의 압력에 굴복하게 된다는 것을 보여 준다.

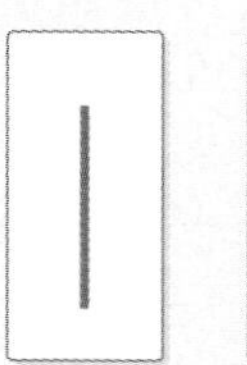
▲ 기준선

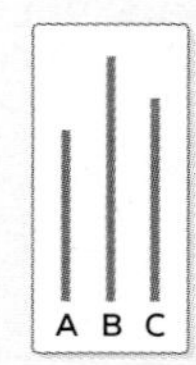

▲ 비교선

④ 동조 현상이 발생하는 이유는 크게 두 가지로 설명할 수 있다. 우선 사람들은 자신이 가진 정보보다 집단이 지닌 정보의 가치를 높이 평가해 다수의 판단에 따르려고 하기 때문이다. 또 집단으로부터 배척당하는 것을 두려워하고, 인정을 받고 싶은 심리가 압박감으로 작용하기 때문이다.

⑤ 한편 동조는 개인의 심리 작용에 영향을 미치는 요인이 무엇이냐에 따라 그 강도가 다르게 나타난다. 가지고 있는 정보가 부족하여 자신의 판단에 확신이 들지 않을수록 동조 현상은 강하게 나타난다. 또 집단의 구성원 수가 많고 그 결속력이 강할수록, 정보를 제공하는 사람의 권위와 그에 대한 신뢰도가 높을수록 동조 현상은 강하게 나타난다. 그러나 만약 단 한 명이라도 집단으로부터 이탈자가 생기면 동조의 정도는 급격히 약화될 수 있다.

- **대등하다** | 대할 對, 같을 等 | 서로 견주어 높고 낮음이나 낫고 못함이 없이 비슷하다.
- **공모하다** | 함께 共, 꾀할 謀 | 두 사람 이상이 어떤 불법적인 행위를 하기로 합의하다.
- **견해** | 볼 見, 풀 解 | 어떤 사물이나 현상에 대한 자기의 의견이나 생각.
- **굴복하다** | 굽을 屈, 따를 服 | 힘이 모자라서 복종하다.
- **배척** | 물리칠 排, 물리칠 斥 | 따돌리거나 거부하여 밀어 내침.
- **결속력** | 맺을 結, 묶을 束, 힘 力 | 뜻이 같은 사람끼리 서로 단결하는 성질.

1 이 글을 읽고 답할 수 있는 질문과 거리가 먼 것은?

① 동조 현상은 왜 일어나는가?
② 동조와 복종은 어떻게 다른가?
③ 동조로 인한 문제점은 무엇인가?
④ 동조의 강도를 높이는 요인은 무엇인가?
⑤ 일상생활에서 동조가 일어나는 경우는 언제인가?

정답과 해설 10쪽

개념 이해하기

2 동조에 대한 설명으로 가장 적절한 것은?

① 타인의 판단에 굴복하여 자신의 선택을 바꾸는 것
② 자신의 문제를 해결하기 위해 타인의 힘을 빌리는 것
③ 합리적 판단에 따라 타인의 결정에 마음이 더 끌리는 것
④ 정보의 부족이나 집단의 압박으로 인해 타인의 선택을 따르는 것
⑤ 더 나은 대안을 찾기 위해 타인의 선택을 개방적으로 받아들이는 것

뒷받침·구체화하기

3 이 글을 바탕으로 하여 〈보기〉를 이해한 내용으로 적절하지 않은 것은?

보기

옛날에 어느 나라의 왕이 사기꾼에게 속아 벌거벗은 채 당당하게 거리에 나서서 정직한 사람 눈에만 보이는 특별한 옷을 입었다고 말하였다. 이를 본 백성들은 자신만 외톨이가 될까 봐 서로의 눈치를 보며 벌거벗은 왕의 보이지 않는 옷을 칭찬하기에 바빴다. 그때 어린아이 하나가 왕이 벌거벗었다고 소리를 쳤다. 그러자 여기저기서 '왕은 벌거숭이'라는 웅성거림이 일기 시작했다.

① 정보를 제공한 왕의 권위가 백성들의 동조를 강화하는 요인이 되었겠군.
② 왕과 백성들의 결속력이 더 강했다면 백성들이 진실을 말하기가 더 쉬웠겠군.
③ 사실을 소리친 아이는 집단의 동조를 급격히 약화시킨 이탈자로 볼 수 있겠군.
④ 백성들은 자신이 직접 본 것을 따르지 않고 집단이 보이는 반응에 동조한 것이겠군.
⑤ 백성들이 본 대로 말하지 못한 것은 집단에서 배척당하고 싶지 않은 심리 때문이겠군.

지문 분석하기

- 글의 전개 방식 [병렬]

동조의 개념	동조의 (　　　)	동조가 강화되는 요인
자신의 판단과 다르더라도 타인의 선택을 따라 하는 현상	• 집단의 정보 가치를 더 높이 평가하기 때문에 • 집단으로부터 심리적 압박이 작용하기 때문에	• 정보의 (　　　)(으)로 자신의 판단에 확신이 들지 않을 경우 • 집단의 구성원 수가 많고 결속력이 강할 경우 • 정보를 제공하는 사람의 권위와 그에 대한 (　　　)이/가 높을 경우

02 좋은 것과 옳은 것

교과 연계 **도덕** _ 도덕적 의무

문단 요약하기

① 목적을 중시하는 윤리는 행위에 따른 좋은 결과, 즉 (   ) 이/가 윤리라고 본다.

② (   )을/를 중시하는 윤리는 옳은 것이 미리 존재한다고 본다.

③ 의무를 중시하는 윤리에서는 (   )이/가 서로 부딪치게 되는 문제점이 있다.

④ 사람들은 (   )을/를 중시하는 윤리에 더 끌리지만, 이 또한 여러 가지 문제점이 있다.

⑤ 두 가지 윤리설을 대신할 수 있는 (   )이/가 필요하다.

① 윤리는 사람이 마땅히 지켜야 할 도리를 말한다. 그런데 무엇을 윤리로 볼 것인가에 대해서 많은 논란이 있다. 이와 관련하여 서양에서는 윤리를 크게 ㉠'목적을 중시하는 윤리'와 ㉡'의무를 중시하는 윤리'로 나누어 왔다. 우선 목적을 중시하는 윤리는 어떤 행위가 좋은 결과를 가져온다면 그것이 곧 윤리라고 본다. 즉 '좋은 것'이 윤리라는 것이다. 이러한 논리에 따르면 좋은 결과를 낼 수 있다면 어떠한 수단도 정당화될 수 있다.

② 반면 의무를 중시하는 윤리는 우리가 마땅히 지켜야 할 도덕적 의무, 즉 '옳은 것'이 미리 존재한다고 본다. 그리고 '옳은 것'을 위반하면 그 결과가 아무리 좋다고 하더라도 결코 윤리적인 행위로 볼 수 없다는 것이다. 즉 상황에 따라 윤리의 기준이 달라질 수 없으며, 목적이 아무리 옳아도 수단이 정당하지 않으면 안 된다는 것이다.

③ 그런데 의무를 중시하는 윤리는 몇 가지 해결해야 할 문제점을 안고 있다. 예를 들어 자신이 진실을 말했을 때 무고한 사람이 죽게 될 경우, '진실을 말해야 한다.'라는 도덕적 의무와 '무고한 사람을 죽게 해서는 안 된다.'라는 도덕적 의무가 서로 부딪치게 된다. 이러한 상황에서는 어떠한 도덕적 의무를 따라야 하는지 판단하기 어렵다. 이러한 이유로 의무를 중시하는 윤리는 평범한 사람들이 실천하기 어려운 윤리라는 평가를 받는다.

④ 그래서 사람들은 목적을 중시하는 윤리에 더 끌리게 된다. 목적을 중시하는 윤리를 대표하는 것이 바로 '공리주의'이다. 공리주의자들은 '최대 다수의 최대 행복'을 중요하게 생각하며, 이를 위해서라면 도덕적 의무를 어겨도 좋다고 말한다. 이처럼 공리주의는 도덕적 의무보다 행위가 가져올 결과를 더 중시한다. 하지만 공리주의 윤리에서도 해결해야 할 문제가 있다. 행위의 결과만을 중요하게 생각하기 때문에 윤리적 행위를 하기까지의 내적 동기를 너무 가볍게 여기는 것이다. 또한 다수에게 이익이 되는 행위가 일반적인 도덕적 의무와 서로 부딪칠 수도 있다. 예를 들어 노숙자들을 한곳에 감금해 놓으면 다수의 사람이 느끼는 불편함은 크게 해소할 수 있겠지만, 이것은 개인의 자유와 권리를 존중해야 한다는 도덕적 의무에서는 크게 벗어나는 것이다.

⑤ 이와 같이 목적을 중시하는 윤리와 의무를 중시하는 윤리에서 각각의 문제점이 발생하므로 두 가지 윤리를 대신할 새로운 윤리가 절실히 필요하다. 이 때문에 현대 윤리학자들은 이 두 가지 윤리설을 대신할 새로운 윤리를 구상하기 위해 많은 노력을 기울이고 있다.

- **정당화되다** | 바를 正, 마땅할 當, 될 化 | 정당성이 없거나 정당성에 의문이 있는 것이 무엇으로 둘러대어져 정당한 것으로 만들어지다.
- **위반하다** | 어길 違, 어길 反 | 법률, 명령, 약속 따위를 지키지 않고 어기다.
- **무고하다** | 없을 無, 허물 辜 | 아무런 잘못이나 허물이 없다.
- **최대 다수의 최대 행복** | 가장 많은 사람에게 가장 큰 행복을 주는 행위가 도덕적 기준에 맞다는 것.
- **해소하다** | 풀 解, 꺼질 消 | 어려운 일이나 문제가 되는 상태를 해결하여 없애다.
- **구상하다** | 얽을 構, 생각 想 | 앞으로 이루려는 일에 대하여 그 일의 내용이나 규모, 실현 방법 따위를 어떻게 정할 것인지 이리저리 생각하다.

글의 전개 구조 파악하기

1 **이 글에 대한 설명으로 가장 적절한 것은?**

① 하나의 관점으로 두 가지 윤리설의 문제점을 검토한 후 해결 방안을 제시하고 있다.
② 두 가지 윤리설의 장단점을 비교한 후 이를 절충한 새로운 윤리설을 이끌어 내고 있다.
③ 윤리설이 역사적으로 발전해 온 과정 속에서 현대 사회에 적용 가능한 윤리를 이끌어 내고 있다.
④ 두 가지 윤리설의 특징과 문제점을 설명한 후 이들을 대신할 새로운 윤리의 필요성을 언급하고 있다.
⑤ 서양 사회에서 두 가지 윤리설이 경쟁해 온 과정을 분석하여 이후에 나타날 문제점을 예상하고 있다.

정답과 해설 11쪽

견해 이해하기

2 **이 글을 읽고 ㉠, ㉡에 대해 보인 반응으로 적절하지 않은 것은?**

① ㉠은 좋은 결과에 도움이 되는 수단을 윤리적인 것으로 판단하겠군.
② ㉡은 행위의 결과보다 결과에 이르는 정당한 수단을 중시한다고 볼 수 있군.
③ ㉠은 ㉡과 달리 결과에 따라 행위의 가치가 달라진다고 믿겠군.
④ ㉡은 ㉠과 달리 어떠한 상황에서도 지켜야 할 도덕적 의무가 있다고 보는군.
⑤ ㉠과 ㉡은 모두 대다수가 누릴 수 있는 행복이 윤리의 기준이 되어야 한다고 보겠군.

비판하기

3 **㉡의 입장에서 공리주의자에게 할 수 있는 질문으로 가장 적절한 것은?**

① 소수가 주장하는 입장도 존중해야 하지 않는가?
② 도덕적 의무에서 예외적인 상황의 기준은 무엇인가?
③ 높은 기준의 도덕적 의무를 설정한 이유는 무엇인가?
④ 도덕적 행위에서 내적 동기를 중요하게 생각하는 이유는 무엇인가?
⑤ 다수에게 이익이 되더라도 도덕적 의무에 어긋나면 어떻게 해야 하는가?

지문 분석하기

● **글의 전개 방식 [대비]**

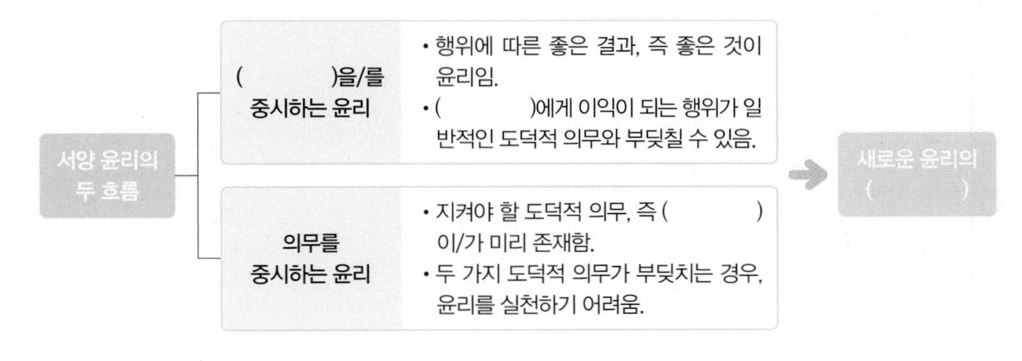

대한민국은 민주 공화국이다

교과 연계 **사회** _ 민주주의와 국가

문단 요약하기

① 우리 헌법 제1조 제1항에서 '대한민국은 (   )이다.'라고 규정하고 있다.

② '대한민국'이라는 이름은 민족적인 동일성을 유지하면서 더불어 (   )임을 선언한 것이다.

③ '민주 공화국'이라는 개념을 헌법에 나타냄으로써 대한민국이 (   )을/를 기본으로 하는 민주제를 택한 나라임을 드러낸다.

④ 대한민국 헌법 제1조는 개인의 (   )을/를 존중하고 공공의 조화를 추구해야 한다는 원칙을 담고 있다.

① 헌법은 국가의 통치 조직과 통치 작용의 기본 원칙을 규정한 근본적 규범으로, 국가를 구성하는 최상위 법규이자 국가 구성원들의 가장 기본적인 합의이다. 우리 헌법 제1조 제1항은 '대한민국은 민주 공화국이다.'라고 규정하고 있다. 이 말 속에는 어떠한 뜻이 담겨 있는 것일까?

② 먼저, '대한민국'이라는 이름은 1919년 상해에서 만들어진 임시정부에서 처음 사용하였다. 조선 말기에 사용한 '대한 제국'이라는 국호에서 '대한'을 가져와 민족적인 동일성을 유지하면서, '민국'을 사용하여 세습 군주가 통치하던 시대가 끝나고 국민이 주인인 나라임을 선언한 것이다.

③ '민주 공화국'은 '민주'와 '공화국'을 합성한 말이다. '공화국'은 원래 '공공의 것'이라는 의미의 라틴어를 어원으로 한다. 공화국은 공공의 이익을 실현하기 위하여 그에 알맞은 덕성을 갖춘 자유롭고 평등한 시민이 펼치는 정치, 즉 공화정을 보장하는 국가이다. 그러면서 전제 군주 또는 특권 귀족 계층의 이익에 봉사하는 정치를 배격한다. 이러한 점에서 공화국의 현대적 의미는 주권이 국민에게 있는 나라라는 뜻으로 볼 수 있다. 이때 '공화국'은 '민주'와 거의 같은 뜻이라고 할 수 있다. 그런데도 굳이 '민주 공화국'이라는 말을 만들어 헌법에 넣은 이유는 무엇일까? 20세기에 들어서 공화국이라 칭한 나라들이 많이 세워졌는데, 그들이 택한 정치 형태는 제각각이었다. 권력 분립을 기본으로 하는 나라가 있는가 하면, 의회 제도와 사법권의 독립을 폐지한 나라도 있었다. 또 그런가 하면 행정·입법·사법, 즉 3부의 권력이 하나로 통합된 제도를 택한 나라도 있었다. 이러한 상황에서 대한민국은 3부의 권력이 나누어진 3권 분립을 기본으로 하는 민주제를 택한 나라임을 분명히 하기 위하여 헌법에 '민주 공화국'이라는 개념을 사용한 것이다.

④ 여기에 대한민국의 헌법은 '대한민국의 주권은 국민에게 있고, 모든 권력은 국민으로부터 나온다.'라는 조문을 추가하여 국민 주권의 원칙을 분명히 하였다. 국민 주권의 원칙은 왕이 주권을 가진다는 것을 부정할 뿐만 아니라, 국민의 뜻에 따라 통치 권력이 주어진다는 점에서 민주주의 국가의 기본적인 원리라고 할 수 있다. 즉, 대한민국이 민주 공화국임을 선언하는 의미는 단순히 세습 군주를 부정하는 데서 그치는 것이 아니다. 이는 더 나아가 대한민국은 개인의 자유와 평등을 충분히 존중하고 끊임없이 공공의 조화를 추구하여야 하며, 이를 무엇보다도 민주적으로 실현해 나가도록 노력해야 함을 나타낸 것이라 할 수 있다.

- **세습 군주** | 세대 世, 이을 襲, 임금 君, 주인 主 | 군주의 지위가 혈통에 의하여 계승되는 군주.
- **전제 군주** | 마음대로 專, 만들 制, 임금 君, 주인 主 | 국가 권력을 개인이 장악하는 정치인 전제 정치를 하는 군주.
- **배격하다** | 물리칠 排, 부딪칠 擊 | 어떤 사상, 의견, 물건 따위를 물리치다.
- **권력 분립** | 권세 權, 힘 力, 나눌 分, 설 立 | 한 개인이나 집단 또는 특정 기관에 권력이 집중되는 것을 방지할 목적으로 권력을 나누어 상호 견제와 균형을 이루려는 제도적 원리.
- **조문** | 가지 條, 글월 文 | 규정이나 법령 따위에서 조목으로 나누어 적은 글.

● **유래** | 말미암을 由, 올 來 | 사물이나 일이 생겨남. 또는 그 사물이나 일이 생겨난 바.

1

이 글에서 다루고 있는 내용이 아닌 것은?

① 공화국이라는 말의 어원
② 대한민국이라는 이름의 유래
③ 국가에서 헌법이 차지하는 의미
④ 공화국에서 3권 분립이 선택된 이유
⑤ 국민 주권의 원칙이 담긴 헌법의 조문

2

이 글을 통해 알 수 있는 내용으로 적절하지 않은 것은?

① 대한민국은 헌법에 따라 공공의 조화를 추구하여야 한다.
② 대한민국은 3부의 권력이 하나로 통합된 제도를 택하고 있다.
③ 대한민국의 헌법은 세습 군주에 의한 정치 형태를 부정하고 있다.
④ 대한민국이라는 이름을 가장 먼저 사용한 것은 상해 임시정부이다.
⑤ 대한민국의 헌법은 국가 구성원들의 가장 기본적인 합의라고 할 수 있다.

뒷받침·구체화하기

3

이 글을 바탕으로 하여 〈보기〉를 이해한 내용으로 가장 적절한 것은?

> 보기
>
> 20세기 초에 건립된 '○○ 공화국'의 헌법을 만든 권력은 귀족들이었으며, 이 국가의 헌법에서는 군주제를 국가 형태로 규정하였다. 그런데 최근 시민 혁명이 일어나 국민들의 선거에 의해 의회가 구성되었고, 여기서 새로운 헌법을 만들어 이를 대중들에게 널리 알렸다. 이 새로운 헌법은 민주주의 국가의 기본 원리를 따르고 있다.

① 헌법 개정을 통하여 국가의 형태가 군주제에서 민주제로 바뀐 것이겠군.
② 시민 혁명은 헌법을 만드는 권력을 그대로 유지할 수 있는 계기가 되었겠군.
③ 의회가 새로운 헌법을 만들게 됨으로써 국가 권력이 둘로 나뉘게 된 것이겠군.
④ 국민들의 선거에 의해 의회가 구성되었으므로 의회 제도의 독립성이 줄어들었겠군.
⑤ '○○ 공화국'이라는 국호를 통해 민주제를 기본으로 하는 국가가 건립되었음을 알 수 있겠군.

지문 분석하기

● **글의 전개 방식 [병렬]**

(   ) 제1조 제1항: 대한민국은 민주 공화국이다.

대한민국		민주 공화국		
'대한 제국'의 민족적 동일성(대한) + 국민이 주인인 나라( )	➕	3권 분립을 기본으로 하는 민주제(민주) + 주권이 국민에게 있는 나라( )	➔	민주적으로 개인의 자유와 평등을 존중하고, ( )을/를 실현함.

04 한쪽으로 기울어진 정보로 인한 개살구 시장

✎ 문단 요약하기

① (   ) 정보로 역선택이 일어나는 시장을 개살구 시장이라고 한다.

② (   )은/는 소비자 입장과 생산자 입장에서 모두 형성될 수 있다.

③ 경제 주체들은 정보를 얻기 위한 간접적인 방법인 선별을 통해 (   )을/를 해소하려 한다.

④ 경제 주체는 자신의 정보를 상대방에게 전달하려고 노력하는 행위인 (   )을/를 통해 정보의 비대칭을 해소하려 한다.

① 한쪽에는 정보가 있는데 다른 한쪽에는 정보가 없거나 부족한 경우, 즉 정보가 비대칭적인 경우가 있다. 정보가 비대칭적일 경우 바람직하지 않은 거래가 이루어질 가능성이 크다. 이와 같은 현상을 '역선택'이라고 하며, 역선택이 이루어지는 시장을 '개살구 시장'이라고 한다.

② 그렇다면 개살구 시장은 어떻게 만들어질까? 가령 어떤 시장에서 한 소비자가 좋은 상품이라면 30만 원까지 낼 용의가 있고, 나쁜 상품이라면 20만 원까지만 낼 용의가 있다고 하자. 그런데 이 소비자는 어느 상품이 좋고 나쁜지 알 수 없기 때문에 두 상품의 평균치인 25만 원 정도를 내고 상품을 사려고 할 것이다. 그렇다면 이 시장에는 30만 원 수준에 이르는 좋은 상품은 잘 나오지 않고 25만 원 이하의 나쁜 상품들이 주로 나오게 될 것이다. 이로 인해 이 시장은 질 낮은 상품들만 모이는 '개살구 시장'이 되는 것이다. 비슷한 예를 생산자 입장에서도 생각해 볼 수 있다. 보험 회사는 보험 가입자에게 일정 금액을 받고, 가입자가 사고를 당했을 때 약속한 보험금을 지급하는 일을 담당한다. 가입자가 회사에 낸 금액보다, 사고를 당해 회사에서 가입자에게 지급하는 금액이 더 클 경우 회사의 손해가 발생한다. 이와 같은 이유로 보험 회사는 사고 위험이 적은 사람들 위주로 보험에 가입시키고 싶어 할 것이다. 하지만 보험 회사는 보험 가입자가 어떤 유형의 사람인지 미리 알 수가 없다. 따라서 사고 위험이 높은 사람들이 주로 보험에 가입하게 될 가능성이 높아진다. 이로 인해 보험 회사 입장에서는 원하지 않는 사람들만 모이는 '개살구 시장'이 형성되는 것이다.

③ 개살구 시장의 이러한 거래는 경제적인 효용을 떨어뜨린다. 그래서 경제 주체들은 정보의 비대칭을 해소하기 위해 많은 노력을 하게 되는데, 그중 '선별'과 '신호 발송'이 대표적이다. 선별이란 경제 주체가 간접적인 방법을 통해 정보를 얻으려고 노력하는 행위이다. 예를 들어 고용주가 직원을 뽑을 때, 개인의 능력 자체에 대한 정보는 얻기 어렵기 때문에 능력을 대신할 선별의 수단으로 학력을 사용하는 것이다. 즉, 높은 수준의 교육을 받기 위해서는 지적 능력은 물론 근면성이나 성실성 등도 갖추고 있어야 하므로, 교육 수준으로 근면성, 성실성 등과 같은 개인의 능력을 대신 평가할 수 있다고 믿는 것이다.

④ 한편, 신호 발송은 정보를 가지고 있는 경제 주체가 자신에 관한 정보를 상대방에게 전달하려고 노력하는 행위를 뜻한다. 상대방에게 정보를 전달하여 정보의 비대칭을 해소하는 것이 정보를 가지고 있는 측에게 더 유리한 경우도 있기 때문이다. 자신이 만든 제품에 품질 보증을 제공하는 것은 상품의 질에 대한 신호 발송의 예라고 할 수 있다.

- **비대칭** | 아닐 非, 짝 對, 일컬을 稱 | 균형을 이루고 있지 않음.
- **용의** | 행할 用, 뜻 意 | 어떤 일을 하려고 마음을 먹음. 또는 그 마음.
- **지급하다** | 가를 支, 줄 給 | 돈이나 물품 따위를 정하여진 몫만큼 내주다.
- **효용** | 효과 效, 쓸 用 | 보람 있게 쓰거나 쓰임. 또는 그런 보람이나 쓸모.
- **고용주** | 품살 雇, 부릴 用, 주인 主 | 일한 데 대한 돈이나 물건을 주고 사람을 부리는 사람.
- **근면성** | 부지런할 勤, 힘쓸 勉, 성품 性 | 부지런한 품성.
- **품질 보증** | 물건 品, 바탕 質, 지킬 保, 증거 證 | 제품의 품질이 일정 수준에 있음을 책임지고 틀림이 없음을 증명하는 일.

1 이 글의 핵심 내용으로 가장 적절한 것은?

① 개살구 시장에서 일어나는 역선택의 특징과 종류
② 정보의 비대칭이 경제의 각 분야에 미치는 영향
③ 개살구 시장이 발생하는 이유와 그로 인한 경제적 손실
④ 정보의 비대칭으로 인한 문제점과 이를 해결하기 위한 방안
⑤ 정보의 비대칭이 발생하는 이유와 이를 막기 위한 정부의 노력

정답과 해설 13쪽

뒷받침·구체화하기

2 이 글을 바탕으로 하여 〈보기〉를 이해한 내용으로 적절하지 않은 것은?

보기

생산자 A는 많은 시간과 비용을 들여 품질이 좋은 그릇을 만든 반면, 생산자 B는 생산 비용을 아끼기 위해 겉만 그럴듯하고 품질이 별로 좋지 않은 그릇을 만들었다. A는 그릇을 한 개당 최소 50,000원은 받아야 한다고 생각하고, B는 최소 30,000원만 받으면 된다고 생각한다. 한편 소비자 C는 시장에서 어느 그릇의 품질이 좋은지 구별하기 어려워하며, 40,000원 정도의 가격을 지불하고 좋은 품질의 그릇을 사고 싶어 한다. 반면 소비자 D는 그릇의 품질과 상관없이 30,000원 이하의 가격에 제품을 사고 싶어 한다.

① A는 신호 발송을 통해 자신이 만든 그릇의 정보를 소비자에게 전달할 필요가 있겠군.
② B는 이 시장에 만족하여 자신의 그릇을 적극적으로 팔려고 하겠군.
③ C는 적절한 선별의 방법을 찾아 역선택을 하지 않도록 노력해야겠군.
④ D는 이 시장의 거래에 만족하지 못하므로 결국에는 다른 시장을 찾겠군.
⑤ 시장이 계속 이대로 운영된다면 결국은 '개살구 시장'이 될 수도 있겠군.

뒷받침·구체화하기

3 〈보기〉에서 '김 감독'이 정보의 비대칭을 해소하기 위해 사용한 방법을 이 글에서 찾아 쓰시오.

보기

김 감독은 두 선수 중 누가 더 실력이 좋은지 알 수 없어서 일정하게 받는 연봉보다 경기 결과에 따라 지급받는 성과급을 훨씬 높게 정하고 이를 기꺼이 받아들이는 선수와 계약하기로 하였다. 왜냐하면 실력이 좋은 선수는 성과급을 선호할 것이라고 생각했기 때문이다.

지문 분석하기

● 글의 전개 방식 [문제 해결]

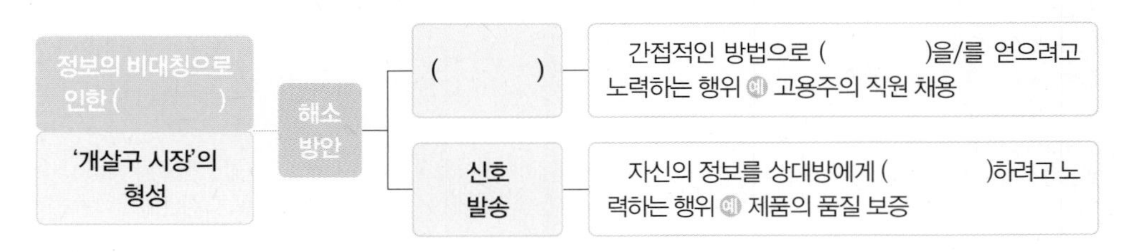

롤러코스터 200% 즐기기

교과 연계 **과학** _ 운동과 에너지

문단 요약하기

① 롤러코스터가 선로를 따라 내려올 때 느껴지는 (　　　　) 때문에 스릴을 즐길 수 있다.

② (　　　　　　)이/가 지나는 선로의 위치에 따라 앞자리, 뒷자리의 속력이 달라진다.

③ 롤러코스터의 각 부분이 정점을 지날 때, (　　　　)의 작용 방향에 따라 속도가 느려지거나 빨라진다.

④ 롤러코스터의 (　　　　　　) 에 앉은 사람이 스릴을 오랜 시간 동안 즐길 수 있다.

① 스릴을 느낀다는 것은 심리적인 반응이므로 롤러코스터를 타면서 가장 스릴을 느끼는 순간은 사람마다 다르다. 일반적으로 스릴을 느끼게 하는 원인은 롤러코스터가 거의 추락하듯 선로를 따라 내려올 때 느껴지는 속도감이다. 그렇다면 이때 느끼는 스릴을 가장 오래 느낄 수 있는 자리는 어디일까?

② 롤러코스터의 앞자리와 뒷자리를 비교해 보자. 롤러코스터가 지표면과 평행한 선로에 있을 때에는 앞자리와 뒷자리의 속도 차이가 거의 없으며, 롤러코스터가 지표면의 수직 방향으로 치솟은 선로 꼭대기를 지날 때에는 앞자리와 뒷자리의 속도는 큰 차이가 난다. 롤러코스터가 선로의 꼭대기를 지나는 세 가지 경우를 살펴보자. 먼저 롤러코스터의 앞부분이 정점에 도착할 때를 [A], 롤러코스터의 중간 부분이 정점에 도착할 때를 [B], 롤러코스터의 뒷부분이 정점에 도착할 때를 [C]라고 하자.

③ A에서는 롤러코스터의 뒤쪽이 무거워 '알짜 힘'이 운동 방향과 반대 방향인 뒤쪽으로 작용하여 속도가 줄어든다. 이때 '알짜 힘'이란 물체에 작용하는 모든 힘을 합한 것으로, 실제로 물체의 운동 상태를 바꾸는 힘을 의미한다. 다음으로 B를 지나는 순간에서는 롤러코스터의 앞쪽이 무거워 알짜 힘이 운동 방향과 같은 방향인 앞쪽으로 작용하여 속도가 증가한다. A를 지나는 순간 맨 앞자리에 앉은 사람은 아래를 향하고 있지만 속도는 줄어든다. 점점 빨라질 것이라는 기대와는 반대다. B를 지나는 순간 맨 뒷자리에 앉은 사람은 위를 향하고 있으므로 속도가 줄어들 것으로 기대하지만, 실제로는 위로 빨려 들어가듯 속도가 증가한다.

④ 속도감을 제대로 느낄 수 있는 순간은 C 이후이다. 롤러코스터의 모든 부분이 함께 아래로 가속되기 때문이다. 앞쪽에 앉은 사람은 C 이후부터 바닥에 도달할 때까지의 짧은 구간에서만 속도감을 느낀다. 반면에 뒤쪽에 앉은 사람은 빠른 속도로 출발할 뿐만 아니라 더 긴 구간에서 짜릿한 속도감을 맛볼 수 있다. 꼭대기에서 바닥에 이르기까지 가장 빠른 평균 속력으로 내려가는 사람은 맨 뒷자리에 앉은 사람이다. 게다가 앞쪽에 앉은 사람은 바닥을 보면서 이제 곧 느려질 것이라는 기대를 할 수 있지만 뒤쪽에 앉은 사람은 바로 앞에 앉은 사람에 가려 앞의 상황을 제대로 볼 수도 없다. 따라서 롤러코스터를 타고 스릴을 오랜 시간 동안 느끼고 싶다면 맨 뒷자리에 앉아야 한다.

- **스릴(thrill)** | 공연물이나 소설 따위에서, 간담을 서늘하게 하거나 마음을 졸이게 하는 느낌.
- **추락하다** | 떨어질 墜, 떨어질 落 | 높은 곳에서 떨어지다.
- **선로** | 선 線, 길 路 | 기차나 전차의 바퀴가 굴러가도록 레일을 깔아 놓은 길.
- **지표면** | 땅 地, 겉 表, 앞 面 | 지구의 표면. 또는 땅의 겉면.
- **정점** | 꼭대기 頂, 점 點 | 맨 꼭대기가 되는 곳.
- **도달하다** | 이를 到, 다다를 達 | 목적한 곳이나 수준에 다다르다.

1

이 글을 통해 답할 수 있는 질문으로 가장 적절한 것은?

① 롤러코스터의 앞자리와 뒷자리는 무엇이 다를까?
② 롤러코스터가 빠르게 달릴 수 있는 과학적 원리는 무엇일까?
③ 사람이 스릴을 느끼려면 롤러코스터가 얼마나 빨라야 할까?
④ 롤러코스터가 달려갈 때 방향 전환을 하는 이유는 무엇일까?
⑤ 롤러코스터에서 스릴을 가장 오래 느끼려면 어디에 앉아야 할까?

정답과 해설 14쪽

기능과 과정 이해하기

2

이 글의 A~C와 관련하여 〈보기〉를 이해한 내용으로 적절하지 않은 것은?

보기

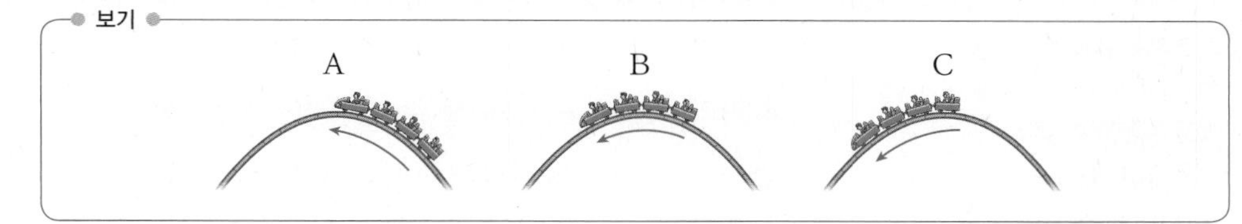

① A에서 B에 이르기 전까지 롤러코스터의 알짜 힘은 롤러코스터의 진행 방향과 반대이다.
② A에서 B의 상황으로 변할 때, 맨 앞자리와 맨 뒷자리 모두 속력이 줄어든다.
③ B에서 C의 상황으로 변할 때, 맨 뒷자리는 맨 앞자리와 달리 속력이 증가한다.
④ B에서 C의 상황으로 변할 때, 알짜 힘이 롤러코스터의 진행 방향으로 작용하여 롤러코스터의 속력이 증가한다.
⑤ C 이후 선로의 바닥까지 내려가는 동안 맨 앞자리와 맨 뒷자리에 앉아 있는 사람이 짜릿한 속도감을 느끼는 시간의 길이가 다르다.

개념으로 원리 이해하기

3

이 글을 읽고 다음과 같이 내용을 정리할 때, 괄호 안에 알맞은 말을 쓰시오.

> 결국 롤러코스터의 속도가 증가하는 경우는 롤러코스터의 진행 방향과 (　　　　)의 작용 방향이 같을 때이군.

지문 분석하기

● 글의 전개 방식 [과정]

A의 순간	B를 지나는 순간	C의 순간 이후
[원인] 알짜 힘이 운동 방향과 (　　　　)인 뒤쪽으로 작용함. [결과] 롤러코스터의 속도가 줄어듦.	[원인] 알짜 힘이 운동 방향과 같은 앞쪽으로 작용함. [결과] 롤러코스터의 속도가 빨라짐.	[원인] 롤러코스터의 모든 부분이 아래로 가속함. [결과] 가장 빠른 (　　　　)을/를 느낄 수 있음.

↓

맨 뒷자리에 앉은 사람이 스릴을 가장 오래 느낌.

허블의 관측과 우주 팽창

교과 연계 **과학** _ 우주 팽창

문단 요약하기

① 고성능 망원경이 이용되면서 우주의 (   )은/는 생각이 바뀌기 시작했다.

② 허블은 은하로부터 나오는 빛의 (   )을/를 이용하여 은하와 별들을 조사했다.

③ 스펙트럼의 특징을 이용하면 (   )와/과 대기 성분을 추정할 수 있다.

④ 허블은 관측자와 별들 사이의 거리 변화 양상을 청색 편이, (   ) 현상을 통해 발견했다.

⑤ 허블은 적색 편이 현상을 바탕으로 (   )을/를 발표했다.

① 옛날부터 사람들은 시간이 흐르더라도 우주의 범위가 같다고 생각했다. 이런 생각은 오랫동안 지속되어 시간과 공간이 상대적이라고 주장한 아인슈타인마저도 우주는 언제나 동일한 모양을 하고 있으며 정지해 있는 것이라고 굳게 믿었다. 그러나 고성능의 망원경이 천체 관측에 이용되면서부터 이와 같은 견해는 깨지기 시작했다.

② 1920년대, 미국의 천문학자인 에드윈 허블은 윌슨산 천문대에 있는 구경 2.5미터의 망원경을 사용해 우주를 관측하고 있었다. 허블은 우주에 다른 은하가 있을지, 다른 은하와의 거리를 어떻게 잴 수 있을지에 대한 의문을 품고 수년 동안 관측했다. 그러나 먼 거리의 별을 망원경으로 관측하는 것만으로는 별다른 성과를 얻지 못하자 은하로부터 나오는 희미한 빛의 스펙트럼을 이용해서 은하와 별들을 조사해 보기로 했다.

③ 스펙트럼이란 빛을 프리즘으로 통과시켜 분산시켰을 때 나타나는 여러 가지 색깔의 띠를 말하는데, 빛의 종류에 따라 조금씩 다르게 나타난다. 예를 들어 스펙트럼이 파란색을 띠면 온도가 높고, 붉은 색을 띠면 온도가 낮다는 점을 이용하면 별의 온도를 추정할 수 있다. 또 화학 원소는 특정한 색의 빛을 흡수하는 성질이 있어, 어떤 별에서 나온 빛의 스펙트럼에서 특정 색에 어두운 띠가 나타난다면 그 별의 대기가 어떤 성분으로 되어 있는지 알 수 있다.

④ 허블은 이런 연구를 통해 우리 은하계가 우주 공간에 있는 수많은 은하들 중 하나에 불과하다는 사실을 밝혀냈고, 여러 은하들까지의 거리를 재기도 하였다. 그렇게 관측과 연구를 반복하던 중 허블은 우리 은하계가 아닌 다른 은하에 있는 별들의 스펙트럼이 대부분 붉은 색 쪽으로 쏠려 있는 현상을 발견했다. 이와 같은 현상을 '적색 편이'라고 하는데, 이는 별들이 관측자로부터 멀어지는 것을 나타낸다. 이와 반대로 관측자를 향해 가까워지는 별들의 스펙트럼이 푸른 색 쪽으로 쏠리는 현상을 '청색 편이'라고 하며, 이러한 적색 편이, 청색 편이 현상을 빛의 도플러 효과라고 한다.

⑤ 당시 많은 과학자들은 은하의 운동이 일정하지 않으며, 지구와 가까워지거나 멀어지는 은하의 수가 비슷할 것이라고 생각했다. 하지만 허블은 은하의 대부분이 적색 편이 현상을 나타내며, 지구에서 멀리 떨어진 은하일수록 적색 편이가 크게 나타난다는 사실을 알아냈다. 또 적색 편이의 크기가 지구와의 거리에 따라 일정한 비율로 늘어난다는 것을 발견했다. 즉, 지구에서 멀리 떨어져 있는 은하일수록 더 빠른 속도로 지구에서 멀어지고 있으며, 이는 우주가 팽창한다는 사실을 뒷받침한다. 허블은 이 팽창 우주론을 1929년에 정식으로 발표했고, 이로써 당시 사람들이 갖고 있던 우주에 대한 생각은 바뀌게 되었다.

- **상대적** | 서로 相, 대할 對, 것 的 | 서로 맞서거나 비교되는 관계에 있는 것.
- **관측** | 볼 觀, 잴 測 | 육안이나 기계로 자연 현상 특히 천체나 기상의 상태, 추이, 변화 따위를 관찰하여 측정하는 일.
- **구경** | 입 口, 지름길 徑 | 렌즈나 거울 따위의 유효 지름.
- **프리즘(prism)** | 광선을 굴절 · 분산시킬 때 쓰는, 유리나 수정 따위로 된 다면체의 광학 부품.
- **분산** | 나눌 分, 흩을 散 | 갈라져 흩어짐.
- **팽창하다** | 부풀 膨, 늘어날 脹 | 부풀어서 부피가 커지다.

글의 전개 구조 파악하기

1 〈보기〉에서 이 글의 서술상 특징으로 적절한 것을 모두 골라 묶은 것은?

보기

ㄱ. 관찰에 따른 결과를 다양한 견해에 따라 해석하고 있다.
ㄴ. 시대에 따라 달라지는 과학자들의 입장을 비판적으로 분석하고 있다.
ㄷ. 과거의 통념을 제시하고 통념이 바뀌게 된 계기에 대해 설명하고 있다.
ㄹ. 관측된 현상들로부터 합리적으로 유추할 수 있는 결론을 제시하고 있다.

① ㄱ, ㄴ ② ㄱ, ㄷ ③ ㄴ, ㄷ
④ ㄴ, ㄹ ⑤ ㄷ, ㄹ

● **통념** | 통할 通, 생각 念 | 일반적으로 널리 통하는 개념.

실전 1회

정답과 해설 15쪽

2 이 글의 내용과 일치하지 않는 것은?

① 1900년대 이전 사람들은 우주의 범위가 변하지 않는다고 생각하였다.
② 허블은 망원경과 스펙트럼을 이용하여 은하와 별들을 관측하고 연구하였다.
③ 스펙트럼에 나타나는 여러 가지 색을 바탕으로 별의 온도를 추정할 수 있다.
④ 별을 관측하여 도플러 효과를 밝히면 그 별의 온도나 대기 성분을 알아낼 수 있다.
⑤ 허블의 관측에 따르면 지구에서 멀리 떨어진 은하일수록 적색 편이가 크게 나타난다.

인과 관계 파악하기

3 허블이 우주 관측을 통해 얻은 결론을 이 글에서 찾아 한 문장으로 쓰시오.

지문 분석하기

● 글의 전개 방식 [과정]

( )의 스펙트럼 관측 — 별의 온도와 ( ) 을/를 알아냄. → 지구에서 멀수록 적색 편이가 큼. → 지구에서 먼 은하일수록 더 빨리 멀어짐. → 우주가 ( )함.

정답과 해설 15쪽

1

제시된 어휘와 유의 관계에 있는 어휘를 〈보기〉에서 찾아 괄호 안에 그 기호를 쓰시오.

보기

㉠ 해소하다　㉡ 배격하다　㉢ 구상하다　㉣ 대등하다

(1) 동등하다, 비등하다, 비슷하다 ················ (　　　)

(2) 해결하다, 없애 버리다, 풀다 ················ (　　　)

(3) 설계하다, 입안하다, 생각하다 ················ (　　　)

(4) 몰아내다, 배제하다, 걷어차다 ················ (　　　)

2

다음 문장의 괄호 안에 공통으로 들어갈 단어로 가장 적절한 것은?

- (　　　)으로 동양인은 서구인에 비해 신체가 왜소한 편이다.
- 통조림과 같은 가공 식품은 일반 식품에 비해 (　　　)으로 유통 기한이 긴 편이다.

① 적극적　② 수동적　③ 상대적　④ 절대적　⑤ 역사적

3

다음을 읽고, 괄호 안에 알맞은 말을 〈보기〉에서 찾아 문맥에 맞게 쓰시오.

보기

굴복하다　정당화하다　무고하다　공모하다　위반하다

A 씨는 밤중에 도로에서 과속 운전을 하여 「도로 교통법」을 (　　　) 혐의로 경찰에게 붙잡혔다. A 씨는 자신은 (　　　)며 결백을 주장했지만, A 씨의 뒤를 쫓아오던 차량의 운전자가 증거로 블랙박스 영상을 제출했다. 그제야 A 씨는 자신의 잘못을 인정하고 (　　　).

4

다음 밑줄 친 단어와 바꾸어 쓰기에 알맞은 것은?

고용주는 피고용자에게 약속한 날에 맞추어 임금을 <u>주어야</u> 한다.

① 도달해야　② 분산해야　③ 배척해야　④ 지급해야　⑤ 관측해야

빅뱅 우주론의 기초를 마련한 자는 누구인가

오늘날 우주 기원에 관한 가장 유력한 이론인 '빅뱅 우주론(대폭발 우주론)'은 미국의 천문학자였던 조지 가모프가 주장한 것으로, 우주가 고온·고밀도의 하나의 점에서 거대한 폭발로 형성되었으며 끊임없이 팽창하고 있다는 이론이다.

이때 '빅뱅'이라는 용어는 20세기 중반 정상 우주론을 옹호하던 영국의 천문학자인 프레드 호일이 라디오 인터뷰에서 "그러면 우주가 처음에 '크게 뻥(Big Bang)' 하고 터져서 생겼단 말인가?"라고 대폭발 우주론을 비꼰 것에서 유래한다. 이처럼 당시 정상 우주론을 옹호하던 사람들에게 '빅뱅 우주론'은 받아들이기 어려운 가설이었다.

이러한 빅뱅 우주론의 창시자는 가모프로 알려져 있지만, 그 이론은 허블의 관측에 기초하고 있다. '우주는 팽창하고 있다.'라는 허블의 발견으로 '우주가 팽창한다면 그 시작점이 있을 것이다.'라는 빅뱅 우주론의 가설이 세워졌기 때문이다.

하지만 허블이 팽창 우주론을 발표하기 전, 우주가 팽창한다는 사실을 처음 주장한 사람이 있었다. 그는 벨기에의 사제이자 천문학자였던 조르주 르메트르로, 우주는 매우 뜨거운 상태의 가스 덩어리였으나 이 덩어리가 수백만 도의 온도에 도달하면서 폭발해 산산이 흩어져 버리고 그 조각들이 계속 증가하는 속력으로 은하계로부터 멀어져 가고 있다는 가설을 주장하였다. 그러나 르메트르의 주장은 이름이 많이 알려지지 않은 학술지에 발표되었던 탓에 주목받지 못하고, 오히려 뒤늦게 발표된 허블의 주장이 더 널리 알려지게 되었다.

이에 따라, 2018년 10월 국제 천문학 연맹은 '우주는 팽창하고 있다.'라는 '허블의 법칙'의 명칭을 '허블-르메트르 법칙'으로 변경하기로 하였다. 우주 팽창에 관한 르메트르의 선구적 연구를 뒤늦게 인정한 것이다. 그동안 '허블의 법칙'으로 불려 왔던 이론이 하루아침에 바꿔어 불리긴 어렵겠지만, 르메트르 또한 빅뱅 우주론의 기초를 마련한 학자라는 점은 주목할 만하다.

- **정상 우주론** | 우주는 시작도 끝도 없이 항상 일정하며, 무(無)에서 새로운 물질이 생겨나 우주가 팽창하여도 우주의 물질 밀도는 변하지 아니한다는 우주 이론.
- **옹호하다** | 안을 擁, 보호할 護 | 두둔하고 편들어 지키다.
- **선구적** | 먼저 先, 달릴 驅, 어조사 的 | 어떤 일이나 사상에서 그 시대의 맨 앞에 서는.

인간을 위한 따뜻한 기술

교과 연계 **기술·가정** _ 적정 기술

✎ 문단 요약하기

① 적정 기술은 주로 저개발 지역의 (   )와/과 빈곤 퇴치 등을 위해 개발된 기술이다.

② 적정 기술은 (   ) 에서 활용되는 경우가 많아 기술 개발에 몇 가지 조건이 요구된다.

③ 적정 기술의 대표적인 사례인 (   )은/는 물을 정수하여 질병을 예방할 수 있다.

④ 또 다른 사례로는 물을 쉽게 운반하게 하는 (   )와/과 전기가 없어도 빛을 낼 수 있는 (   )이/가 있다.

⑤ (   ) 제품이 모두 성공하는 것은 아니므로 지속적인 연구와 개발이 필요하다.

① 적정 기술은 주로 저개발 지역의 문화적·정치적·환경적 상황을 고려하여, 삶의 질 향상과 빈곤 퇴치 등을 위해 개발된 기술이다. 적정 기술은 빈곤 퇴치를 위한 방안이라는 의미에서 대안 기술로 불리기도 한다. 지금까지 아시아, 아프리카, 남미의 저개발 국가에서 활용되어 왔으며 의미 있는 성과를 거두기도 하였다.

② 적정 기술은 주로 열악한 빈곤 지역에서 활용되는 경우가 많아 기술 개발에 몇 가지 조건이 요구된다. 먼저 적정 기술 제품은 적은 비용으로 제작이 가능해야 하고, 쉽게 구할 수 있는 재료를 활용하여야 한다. 또 기술이 쓰이는 지역의 주민 스스로가 제품을 만들 수 있어야 하고, 상황에 맞게 변형할 수 있어야 한다. 그리고 그러한 제품의 사용자가 전문적 지식 없이도 사용 절차와 과정을 쉽게 이해할 수 있어야 한다. 나아가 적정 기술은 현지에서 관련 일자리를 창출하는 것을 목표로 한다.

③ 적정 기술의 대표적인 사례로는 먼저 생명 빨대가 있다. 생명 빨대는 한 사람이 1년간 먹기에 충분한 700리터의 물을 정수할 수 있어, 기생충 감염이나 장티푸스, 콜레라 등 수인성 전염병을 예방할 수 있다. 또 개인용 생명 빨대를 변형하여 가정용 생명 빨대로 활용하기도 한다.

④ 적정 기술의 또 다른 사례로 큐드럼과 페트병 전구가 있다. 큐드럼은 도넛 모양의 플라스틱 물통으로, 약 50리터의 물을 담고 굴려서 이동시킬 수 있다. 아프리카에서는 식수원이 부족해 몇 시간 거리를 이동해 물을 길어 와 일상생활에 활용하는데, 이를 위해 어린아이들이 변변치 않은 물통을 옮겨 나르느라 오랜 시간 힘든 노동을 해야만 했다. 하지만 큐드럼은 물통을 밧줄로 끌거나 굴릴 수 있어 이러한 문제가 크게 개선되었다. 또 페트병 전구는 어디서나 쉽게 구할 수 있는 페트병과 물, 표백제만으로 일반 가정에서 사용하는 전구와 맞먹는 빛을 내는 전구이다. 태양빛이 페트병 속을 지나다가 표백제가 섞인 물에 부딪혀 산란되면서 전구와 같이 빛을 내는 것이다. 페트병 전구는 전기가 부족한 저개발 지역에서 주민들 스스로가 손쉽게 제작하여 실내조명으로 널리 활용되고 있다.

⑤ 하지만 적정 기술 제품이 모두 성공하는 것은 아니다. 예를 들어 생명 빨대는 물을 거르는 필터를 저개발 국가에서 제작할 수 없고, 그것을 이용하는 사람들이 구매하기에는 가격 부담이 크다. 그러므로 적정 기술을 사용하는 사람들에게 실질적인 도움이 될 수 있도록 적정 기술에 대한 지속적인 연구와 개발이 이루어질 필요가 있다.

- **저개발** | 낮을 低, 열 開, 필 發 | 발달된 정도가 낮음.
- **창출하다** | 만들 創, 날 出 | 전에 없던 것을 처음으로 생각하여 지어내거나 만들어 내다.
- **수인성** | 물 水, 원인 因, 성질 性 | 물이나 음식물에 들어 있는 세균에 의하여 전염되는 특성.
- **식수원** | 먹을 食, 물 水, 근원 原 | 먹는 물의 원천. 또는 그런 물이 있는 곳.
- **표백제** | 떠다닐 漂, 흰 白, 약제 劑 | 여러 가지 섬유나 염색 재료 속에 들어 있는 색소를 없애는 약제.
- **산란** | 흩을 散, 어지러울 亂 | 파동이나 입자선이 물체와 충돌하여 여러 방향으로 흩어지는 현상.
- **필터(filter)** | 액체나 기체 속의 이물질을 걸러 내는 장치.

정답과 해설 16쪽

1 **이 글의 내용과 일치하지 <u>않는</u> 것은?**

① 적정 기술은 주로 저개발 국가에서 활용되어 왔다.
② 적정 기술 제품은 저렴한 비용으로 제작이 가능해야 한다.
③ 생명 빨대는 개인용 제품을 변형하여 가정용으로 활용하기도 한다.
④ 적정 기술 제품은 사용 절차와 과정에 대한 전문적 교육이 필요하다.
⑤ 큐드럼은 아이들이 무거운 물통을 나르는 고통을 덜어 주는 효과가 있다.

뒷받침·구체화하기

2 **이 글을 읽고 〈보기〉에 대해 보인 반응으로 적절하지 <u>않은</u> 것은?**

보기

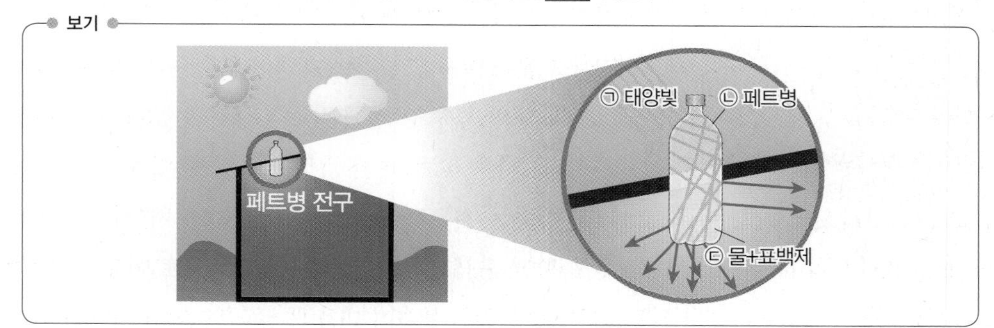

① 날이 흐려 ㉠의 양이 줄어들면 페트병 전구의 기능도 떨어지겠군.
② ㉠이 없는 환경에서 빛을 낼 수 있는 적정 기술이 개발될 필요가 있겠군.
③ ㉡과 ㉢만 있다면 사람들이 페트병 전구를 어렵지 않게 제작할 수 있겠군.
④ ㉡과 ㉢은 저개발 국가에 사는 사람들도 쉽게 구할 수 있는 재료여야겠군.
⑤ ㉡에 ㉢을 담기 위한 노동력이 필요하므로 새로운 일자리를 창출하겠군.

비판하기

3 **생명 빨대가 적정 기술로서 부족한 점 두 가지를 이 글에서 찾아 쓰시오.**

지문 분석하기

• 글의 전개 방식 [병렬]

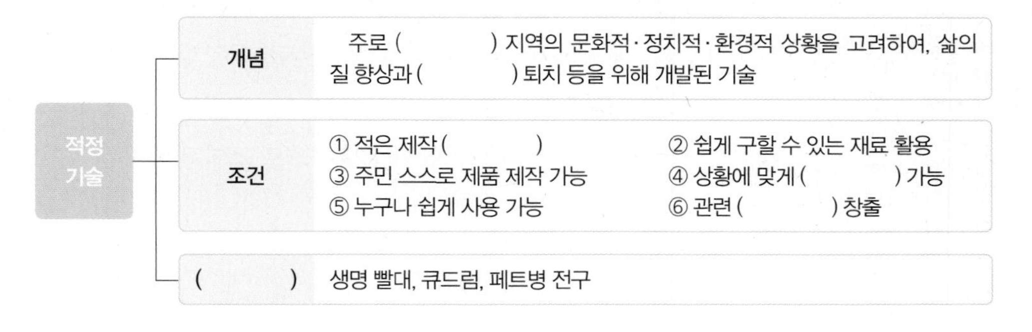

현실이 아닌 또 다른 현실

교과 연계 **기술·가정** _ 정보 통신 기술 시스템

문단 요약하기

① (　　　　　)은/는 가상 세계를 만들어 사용자에게 정보를 제공하는 기술이다.

② 증강 현실은 (　　　　　)에 가상 정보를 더하는 기술이다.

③ (　　　　　)은/는 사용자와 가상 물체, 가상 물체와 실제 물체가 상호 작용하는 기술이다.

④ 공존 현실은 여러 사용자들이 (　　　　　)을/를 통해 상호 작용하고 소통할 수 있는 기술이다.

① ㉠가상 현실이란 컴퓨터 소프트웨어를 사용하여 현실 세계와 매우 비슷한 가상 세계를 만들어 사용자에게 실제 같은 영상, 음향 및 기타 감각 정보를 제공하는 기술이다. 가상 현실에서 사용자는 현실 세계에 대한 정보 없이 가상으로 만들어진 세계만을 경험하면서 이를 시간적·공간적으로 실제로 존재하는 것처럼 느끼며 컴퓨터와 상호 작용을 할 수 있다. 가상 현실을 체험하려면 삼차원의 정보 표현이 가능한 디스플레이 장치와, 장치가 사용자의 반응을 알 수 있는 시스템을 갖추어야 한다. 헤드셋을 착용하고 컨트롤러를 들고 즐기는 게임이나, 항공기의 비행 훈련 시스템이 대표적인 사례이다.

② 이와 달리 ㉡증강 현실은 사용자의 눈앞에 보이는 현실 세계에 컴퓨터로 만들어진 그래픽이나 소리 등의 가상 정보를 더하는 기술이다. 증강 현실은 현실 세계를 가상 세계로 채우는 것으로, 가상 정보를 사용하지만 현실 세계가 중심이 된다. QR코드와 같은 특정한 표시가 있는 곳을 스마트폰으로 비추면 그 안에 숨겨진 정보를 화면에 증강해서 보여 주는 방식이 대표적이다. 거실 내부를 카메라로 비추면 소파나 테이블의 이미지를 증강시켜 가구를 두었을 때의 모습을 미리 예상해 볼 수 있도록 도와주는 프로그램도 예로 들 수 있다. 증강 현실에서는 사용자의 움직임에 따라 가상 정보가 제공되기 때문에 컴퓨터에 사용자의 위치와 방향 정보를 전송하여 필요한 정보를 실제 화면에 나타낼 수 있는 시스템이 필요하다.

③ 최근에는 ⓐ가상 현실이나 증강 현실의 한계를 뛰어넘는 ㉢혼합 현실이나 ㉣공존 현실이 등장하여 사회적 관심을 끌고 있다. 혼합 현실은 현실 세계의 삼차원 정보를 감지하여 사용자의 위치와 자세에 따라 가상 물체나 정보가 현실 세계 속 물체와 함께 존재하는 기술이다. 증강 현실이 필요한 정보를 단순히 제시하는 것에 그쳤다면 혼합 현실은 사용자와 가상 물체뿐만 아니라 가상 물체와 실제 물체가 물리적으로 상호 작용을 하며 모두 실제로 존재하는 것처럼 느끼게 하는 것이다. 가상의 컵을 실제 탁상 위에 올려놓는다거나, 가상의 캐릭터와 공을 주고받는 게임 등이 예가 될 수 있다.

④ 공존 현실은 현실과 가상이 하나의 공간으로 연결된다는 점에서는 혼합 현실과 같지만, 여러 명의 사용자들이 네트워크를 통해 서로 소통하고 정보를 나누며 자연스럽게 상호 작용할 수 있다는 점이 강조되는 기술이다. 한 영화에서 각각 다른 장소에 있는 사람들이 자신의 아바타를 한 장소로 보내 함께 회의를 하는 모습이 그 예이다. 공존 현실은 아직 일상에서 일반적으로 쓰이고 있지는 않지만, 미래에는 곧 활발히 쓰일 수 있는 것으로 전망된다.

- **상호 작용** | 서로 相, 서로 互, 미칠 作, 작용 用 | 생물체의 한 부분의 기능과 개체의 기능 사이에서 이루어지는 일정한 작용.
- **디스플레이 장치** | 컴퓨터 출력 장치의 하나.
- **증강** | 더할 增, 강할 強 | 수나 양을 늘리어 더 강하게 함.
- **감지하다** | 느낄 感, 알 知 | 느끼어 알다.
- **네트워크(network)** | 랜(LAN)이나 모뎀 따위의 통신 설비를 갖춘 컴퓨터를 이용하여 서로 연결시켜 주는 조직이나 체계.

글의 전개 구조 파악하기

1 **이 글에 대한 설명으로 가장 적절한 것은?**

① 각각의 기술이 가진 장단점을 제시하고 있다.
② 각각의 기술에 해당하는 사례를 들며 설명하고 있다.
③ 각각의 기술이 맺는 상호 보완적 관계를 분석하고 있다.
④ 각각의 기술의 장점을 모아 하나의 기술로 통합하고 있다.
⑤ 각각의 기술이 발전하게 된 역사적 배경을 설명하고 있다.

정답과 해설 17쪽

대상 견주어 보기

2 **이 글을 바탕으로 할 때, ㉠이 ㉡~㉣과 다른 점을 찾아 한 문장으로 쓰시오.**

3 **ⓒ의 특징에 비추어 볼 때, ⓐ에 해당하는 내용으로 가장 적절한 것은?**

① 디스플레이 장치와 같은 시스템이 갖추어져야 한다.
② 여러 명의 사용자들이 네트워크를 통해 연결되어야 한다.
③ 가상 물체가 실제 존재하는 물체와 상호 작용하지 않는다.
④ 현실 세계가 중심이 되기 때문에 컴퓨터와 상호 작용하기가 어렵다.
⑤ 컴퓨터에 의해 만들어진 그래픽을 보기 위해 특별한 장치가 필요하다.

지문 분석하기

● 글의 전개 방식 [대비, 병렬]

컴퓨터를 활용하여 필요한 정보를 제공하는 기술				
가상 현실	( ) 현실	혼합 현실		( ) 현실
• 컴퓨터가 만든 가상의 세계 • 디스플레이 장치를 통해 가상의 세계만을 경험함.	• 현실 세계에 그래픽을 추가한 세계 • 가상 세계를 증강하기 위해 사용자의 정보가 필요함.	• 가상 물체가 현실 세계에 존재하는 세계 • 가상 물체를 실제로 존재하는 것처럼 느끼게 함.	네트워크 연결 ➜	네트워크를 통해 여러 명의 사용자들이 ( )함.

바로크 음악의 '바로크'는 무슨 뜻일까

교과 연계 **음악** _ 음악의 종류

문단 요약하기

① 바로크 시대에서 '바로크'는 '(　　　　　　), 왜곡된' 등의 부정적인 의미를 가지고 있었다.

② 바로크 시대의 음악은 안정감 대신 (　　　　　　)이/가 특징이었다.

③ (　　　　　　)의 시각에서 바로크 예술은 기괴하며 조화롭지 못한 것이었다.

④ '바로크'를 한 시대의 예술 양식을 지칭하는 이름으로 사용하면서 바로크 음악은 (　　　　　　) 이미지에서 벗어날 수 있었다.

① 서양 음악사에서 오페라가 탄생한 1600년경부터 바흐가 세상을 떠난 1750년까지를 바로크 시대라고 한다. 그런데 다른 시대는 고대, 중세, 고전, 낭만, 현대라고 하면서 유독 그 시기에만 '바로크'라는 이름을 붙인 이유는 무엇일까? 바로크라는 말의 유래에 대해서는 이탈리아어 '바로코(baroco)'에서 나왔다는 설과 포르투갈어 '바로코(barroco)'에서 비롯되었다는 설이 있는데, 둘 중 무엇이 정확한 기원인지는 모르지만 공통적으로 '찌그러진', '왜곡된' 등의 부정적인 의미를 가지고 있었다. 하지만 오늘날 바로크 시대의 대표적 작곡가인 바흐, 헨델, 비발디의 음악을 부정적인 음악이라고 생각하는 사람은 거의 없다.

② 그런데 왜 이런 이름이 붙게 되었을까? '바로크'라는 단어가 음악에 처음 적용된 때는 1746년이다. 당시 프랑스의 철학자 노엘 플뤼쉬는 음악을 '부드러운 음악'과 '거친 음악'으로 분류했는데, 이때 '바로크'라는 단어를 후자의 의미로 사용했다. 바로크 시대는 르네상스 시대에 싹튼 인간 중심적 세계관이 음악에까지 영향을 준 시기로, 이 시대 음악은 음악적 안정감 대신 약동성이 특징이었다. 인간의 감정에 직접 호소하려는 욕구로 인해 강렬한 극적 효과를 표출하는 음악을 만들어 낸 것이다. 이 음악들은 당시에는 너무나 진보적이고 반항적이어서 오늘날 ㉠<u>바로크 음악</u>의 특징이라 불리는 요소들이 '비정상적인, 과장된, 거친, 괴상한 것' 등으로 치부되었다.

③ 바로크 음악에 대한 부정적 시각은 17세기 프랑스를 중심으로 일어난 신고전주의 운동에서 비롯되었다. 신고전주의자들은 고대 문예 부흥 운동인 르네상스의 합리주의와 이성을 신봉하고, 고대 그리스와 로마 예술의 특징인 보편성, 조화, 균형을 추구하였다. 이들의 시각에서 바로크 예술은 비정상적이고 기괴하며 조화롭지 못한 것이었다. 그래서 은근히 경멸하는 말투로 '바로크'라는 용어를 사용했다. 시간이 지나며 몇몇 예술사가에 의해 이러한 시각이 수정되기도 했지만, 19세기 후반까지 바로크 음악은 '비정상, 기괴함, 과장됨'이라는 평가에서 벗어나지 못했다.

④ 기존의 부정적 이미지에서 벗어나 처음으로 바로크 예술을 객관적 시선으로 바라본 인물은 스위스의 예술사가인 하인리히 뵐플린이었다. 그는 1888년에 발표한 《르네상스와 바로크》에서 '바로크'라는 말을 한 시대의 예술 양식을 지칭하는 이름으로 사용했다. 그 결과 지금은 어느 누구도 바로크라는 말에서 부정적인 이미지를 떠올리지 않게 되었다.

- **약동성** | 뛸 躍, 움직일 動, 성질 性 | 생기 있고 활발하게 움직이는 성질.
- **호소하다** | 부를 呼, 하소연할 訴 | 억울하거나 딱한 사정을 남에게 간곡히 알리다.
- **치부되다** | 둘 置, 다스릴 簿 | 마음속으로 그러하다고 생각되거나 여겨지다.
- **합리주의** | 합할 合, 다스릴 理, 주인 主, 옳을 義 | 이성이나 논리적 타당성에 근거하여 사물을 인식하거나 판단하는 태도나 사고방식.
- **신봉하다** | 믿을 信, 받들 奉 | 사상이나 학설, 교리 따위를 옳다고 믿고 받들다.
- **기괴하다** | 기이할 奇, 기이할 怪 | 외관이나 분위기가 괴상하고 기이하다.

글의 전개 구조 파악하기

● **열거** | 늘어놓을 列, 들 擧 | 여러 가지 예나 사실을 낱낱이 죽 늘어놓음.

1 **이 글의 서술상 특징으로 가장 적절한 것은?**

① 특정 현상에 대한 다양한 견해를 열거하고 있다.
② 묻고 답하는 방식을 활용하여 내용을 전개하고 있다.
③ 구체적 사례를 제시하여 대상의 속성을 드러내고 있다.
④ 용어의 개념을 밝히며 중심 소재에 대해 설명하고 있다.
⑤ 공간의 이동에 따라 대상이 변화하는 과정을 소개하고 있다.

정답과 해설 18쪽

개념 이해하기

2 **㉠에 대해 이해한 내용으로 적절하지 않은 것은?**

① 고대 그리스와 로마 예술을 따르고자 하였다.
② 바흐, 헨델, 비발디 등이 대표적인 작곡가이다.
③ 음악적 안정감 대신 약동성을 특징으로 하는 음악이다.
④ 신고전주의자들에게 기괴하고 비정상적인 것으로 평가되었다.
⑤ '찌그러진', '왜곡된'과 같은 부정적인 의미의 어원을 가지고 있다.

견해 이해하기

3 **다음은 이 글을 읽은 뒤의 반응이다. 괄호 안에 공통으로 들어갈 말을 쓰시오.**

바로크 음악이 약동성이라는 특징을 갖게 된 것은 바로 (　　　　　) 시대의 영향으로 볼 수 있다. 또한 부정적인 평가를 받게 된 것도 바로크 음악이 (　　　　　)의 합리주의와 이성을 신봉하던 신고전주의자들이 추구하는 예술과 부합하지 않았기 때문이다.

지문 분석하기

● 글의 전개 방식 [인과]

17~18세기 중엽 음악의 특징	음악적 (　　　　) 대신 약동성을 추구함.	'바로크 음악'이 부정적인 음악으로 인식됨.
	고대 그리스와 로마 예술의 특징인 보편성, (　　　　), 균형과는 다른 속성을 가진 음악을 추구함.	

10 쪼개어 보고 합쳐서 그린다

교과 연계 **미술** _ 다른 나라 미술의 흐름(미술의 변천과 맥락)

✎ 문단 요약하기

① 우리가 살아가는 세계에서는 (   ) 하나의 시점만으로 대상을 완전하게 파악하기가 쉽지 않다.

② 폴 세잔은 공간을 묘사하는 데 있어 (   ) 묘사 방법을 고안하였다.

③ 공간을 새로운 방법으로 묘사하려 한 세잔의 시도는 감상자에게 (   ) 시각 경험을 제공해 주었다.

④ 새로운 시도를 한 세잔의 노력은 이후 (   )을/를 비롯한 여러 화가에게 많은 영향을 주었다.

① 우리는 고정된 하나의 시점만으로 주변의 세계를 온전하게 파악하기가 쉽지 않다. 그래서 관찰자는 대상을 파악할 때 자신의 눈이나 몸을 움직여 다양한 시점에서 대상을 파악하게 된다. 예를 들어 하나의 고정된 시점만으로 방 안에 있는 것들을 파악하여 대상을 정확하고 온전하게 표현하는 것은 불가능하다. 따라서 방 안의 모습을 제대로 파악하기 위해서는 눈과 몸을 움직여 여러 각도와 방향에서 보아야 한다.

② 이런 이유로 입체감을 지닌 대상을 한 장의 평면에 묘사해야 하는 화가는 자신이 파악한 대상의 진면목을 전달하는 데 많은 어려움을 느끼게 된다. 그래서 19세기 프랑스 화가 폴 세잔은 공간의 여러 부분을 여러 각도에서 각각 파악한 뒤, 자신이 살펴본 다양한 모습을 하나의 화면에서 다시 결합하는 복합적인 묘사 방법을 고안하였다.

③ 세잔의 그림 〈사과 광주리가 있는 정물〉은 이러한 복합적인 묘사 방법이 잘 드러나는 작품이다. 그림을 자세히 살펴보면, 흰 천이 깔린 탁자 위에 사과가 여기저기 흩어져 있고, 탁자 한가운데 술병이, 그 양옆으로 사과 바구니와 과자를 담은 그릇이 있다. 그런데 화면 한가운데 있는 병은 정면에서 바라본 것이고, 바구니에 가득 담긴 사과는 화면의 오른쪽 방향에서 보고 그린 것이며, 하얀 식탁보와 사과들은 위에서 내려다 본 모습으로 묘사되어 있다. 이와 같이 공간을 새로운 방법으로 묘사하려 한 세잔의 시도는 감상자에게 역동적인 시각 경험을 제공해 주었다.

▲ 폴 세잔, 〈사과 광주리가 있는 정물〉

④ 세잔이 살았던 19세기의 화가들은 물체와 공간을 묘사하는 데 있어 르네상스 시대 화가들이 사용했던 투시 원근법을 굳건한 기준으로 여기고 있었다. 투시 원근법은 마치 카메라로 찍는 것처럼 하나의 고정된 시점에서 대상을 파악하여 이것을 평면에 표현하는 기법이다. 같은 시대를 살았던 모네와 피사로 같은 인상주의 화가들은 물감이나 색채를 이색적인 방식으로 사용하여 상당한 논란을 불러일으켰지만, 공간 설정에 있어서 투시 원근법에 따른 구성 방식을 사용함으로써 본질적으로 르네상스 시대의 전통을 크게 벗어나지 못했다. 따라서 투시 원근법에서 벗어난 공간 묘사 방식을 추구했던 ㉠<u>세잔의 노력은 더욱 특별한 것으로 평가</u>되었으며, 이후 입체파를 비롯한 여러 화가에게 많은 영향을 주었다.

- **진면목** | 참 眞, 낯 面, 눈 目 | 본디부터 지니고 있는 그대로의 상태.
- **고안하다** | 생각할 考, 안건 案 | 연구하여 새로운 안을 생각해 내다.
- **역동적** | 힘 力, 움직일 動, 것 的 | 힘차고 활발하게 움직이는 것.
- **투시 원근법** | 통할 透, 볼 視, 멀 遠, 가까울 近, 법 法 | 공간 속의 입체 대상을 일정한 시점에서 보고 평면에 옮기는 방법.
- **이색적** | 다를 異, 빛 色, 것 的 | 보통의 것과 색다른 성질을 지닌 것.

1 **이 글의 핵심 내용으로 가장 적절한 것은?**

① 세잔이 미술사에서 차지하는 중요성
② 세잔이 고안한 대상의 새로운 묘사 방법
③ 세잔에게 영향을 준 르네상스의 미술 전통
④ 세잔이 새로운 창작 방법을 개발해 온 과정
⑤ 세잔이 새로운 기법을 탄생시킨 역사적 배경

정답과 해설 19쪽

이유·원인 밝히기

2 **㉠의 이유로 가장 적절한 것은?**

① 물감이나 색채를 이색적인 방식으로 구사했기 때문에
② 인상주의 화가들이 실패했던 방법을 성공시켰기 때문에
③ 인상주의 화가들이 놓친 새로운 시대정신을 표현했기 때문에
④ 르네상스 시대의 투시 원근법을 새로운 시각에서 이어 나갔기 때문에
⑤ 기존의 관습에서 벗어나 공간에 대한 새로운 시각 경험을 제공했기 때문에

뒷받침·구체화하기

3 **이 글을 바탕으로 하여 〈보기〉를 이해한 내용으로 적절하지 않은 것은?**

보기

입체파 화가들은 한곳에서 물체를 바라보면 한 면밖에 볼 수 없어 사물을 정확히 표현할 수 없다고 생각했다. 그래서 이들은 대상의 앞면, 옆면, 뒷면을 화면 안에 모두 그려 넣으려고 하였다.

① 전통적인 투시 원근법과는 다른 기법으로 형태와 공간을 표현한 것이겠군.
② 이 그림을 통해 형태와 공간에 대한 역동적인 시각 경험을 얻을 수 있겠군.
③ 화가가 대상을 하나의 시점에서 파악한 인상이 표현의 중요한 요소가 되었겠군.
④ 각각 다른 시각에서 바라본 여러 부분을 하나의 화면에서 결합하는 방식을 이어받은 것이겠군.
⑤ 공간 속에서 파악한 인물의 복합적인 모습을 한 장의 평면에 표현하기 위한 시도로 볼 수 있겠군.

지문 분석하기

- 글의 전개 방식 [병렬]

세잔의 복합적인 묘사 방법	
① 여러 각도에서 바라본 공간의 여러 부분을 하나의 화면에서 다시 (　　　　)하는 방식	② 르네상스 시대의 화가들이 사용했던 전통적인 (　　　　) 에서 벗어난 공간 묘사 방식

입체파를 비롯한 여러 화가에게 영향을 미침.

통합

11 뇌과학과 경제학이 만났을 때

① 대부분의 의류 매장에서 거울은 좁고 어두운 탈의실 안이 아니라 조명이 밝은 매장 안에 설치된다. 이것은 우리의 뇌가 어두운 곳보다 밝은 조명이 있는 곳에서 옷을 더 좋게 인식하는 성향이 있기 때문이다. 이처럼 소비자들의 무의식적인 성향을 과학적으로 분석하여 마케팅에 이용하는 방법이 등장했는데, 이것을 ㉠'뉴로 마케팅'이라고 한다. 뉴로 마케팅은 뇌에 정보를 전달하는 뉴런과 마케팅이 합쳐져서 만들어진 단어이다.

② 뉴로 마케팅의 기본인 소비자들의 심리 분석은 주로 '뉴로 리서치'를 통해 이루어진다. 뉴로 리서치는 상품 또는 브랜드에 대한 소비자의 반응을 과학적으로 측정하는 방법이다. 뉴로 마케팅은 소비자들의 숨어 있는 선호와 욕구를 언어적으로는 완전히 파악하기 어렵다는 가정에서 출발한다. 그래서 소비자의 숨어 있는 선호와 욕구를 파악하기 위해 다양한 과학적 방법을 사용하게 된다. 우선 생리적 지표를 통해 뇌의 변화를 추적하는 방식인 EMG가 있다. EMG는 감정의 지표, 즉 웃을 때나 인상을 찌푸릴 때 변화하는 얼굴의 근육 등을 측정하여 그 신호들을 상품이나 브랜드에 대한 소비자의 반응으로 해석하는 것이다. 그런가 하면 뇌파나 뇌 이미지를 분석하는 EEG와 fMRI 등도 있다. EEG는 뇌파 측정을 통해 뇌의 신경 신호들을 파악하는 것이다. EEG는 뇌파의 측정 속도가 신속하기 때문에 아주 빠르게 변화하는 소비자들의 작은 감정 변화도 정확하게 포착할 수 있다. 한편 fMRI는 자기장을 이용해 몸의 내부를 촬영하는 첨단 기계이다. fMRI는 뇌 중심부의 깊숙한 곳에서 발생하는 활동과 그 변화를 측정하는 것이 가능하기 때문에 상품이나 브랜드에 대한 뇌의 미세한 반응까지 포착할 수 있다.

③ 이에 관한 하나의 예로 A 기업이 뉴로 마케팅을 실시했던 사례를 살펴볼 수 있다. A 기업은 시간대별로 광고에 대한 시청자의 반응이 어떻게 달라지는지를 측정했다. 시청자의 뇌를 fMRI로 촬영한 결과, 광고 효과가 가장 높다고 알려진 저녁 시간대보다 아침 시간대의 광고가 뇌를 더 많이 활성화한다는 사실을 알아냈다. 이에 따라 A 기업은 아침 시간에 광고를 내보냄으로써 마케팅에서 큰 성공을 거두었다.

④ 이처럼 뉴로 마케팅은 소비자의 숨은 의도나 선호를 과학적인 방법으로 정확하게 측정함으로써 기존 마케팅 기법의 한계를 극복하고 소비자 중심의 마케팅을 가능케 했다. 그러나 한편에서는 윤리적 문제와 관련해 ㉡뉴로 마케팅에 대한 우려도 적지 않다. 따라서 뉴로 마케팅의 적극적인 도입에 앞서 이 문제에 대한 충분한 논의가 먼저 이루어져야 할 것이다.

- **측정하다** | 잴 測, 정할 定 | 일정한 양을 기준으로 하여 같은 종류의 다른 양의 크기를 재다.
- **생리적 지표** | 신체의 조직이나 기능에 관련되어 어떤 기준을 나타내는 표지.
- **추적하다** | 쫓을 追, 자취 跡 | 사물의 자취를 더듬어 가다.
- **포착하다** | 사로잡을 捕, 잡을 捉 | 어떤 기회나 정세를 알아차리다.
- **자기장** | 자석 磁, 기운 氣, 마당 場 | 자석의 주위, 전류의 주위, 지구의 표면 따위와 같이 자기의 작용이 미치는 공간.
- **우려** | 근심 憂, 생각할 慮 | 근심하거나 걱정함. 또는 그 근심과 걱정.
- **도입** | 이끌 導, 들 入 | 기술, 방법, 물자 따위를 끌어 들임.

1 **이 글에서 다루고 있는 내용이 아닌 것은?**

① 뉴로 리서치의 개념
② 뉴로 마케팅의 문제점
③ 뉴로 리서치의 발전 과정
④ 뉴로 마케팅의 긍정적 효과
⑤ 뉴로 마케팅을 실시한 사례

개념 이해하기

2 **뉴로 리서치에 대한 설명으로 적절하지 않은 것은?**

① EMG는 감정의 지표가 보내는 신호를 상품에 대한 반응으로 해석한다.
② EEG는 아주 빠르게 변화하는 소비자들의 감정 변화를 파악하는 데 유리하다.
③ fMRI는 뇌에서 발생하는 미세한 뇌파의 변화를 측정할 수 있는 첨단 장비이다.
④ fMRI는 자기장을 이용하여 뇌의 깊숙한 곳에서 일어나는 변화를 포착할 수 있다.
⑤ 뉴로 리서치의 방법을 통해 기존의 통념에서 벗어난 새로운 마케팅이 가능하게 되었다.

전제 파악하기

3 **㉠이 인간의 언어와 관련하여 전제하고 있는 내용을 찾아 한 문장으로 쓰시오.**

이유·원인 밝히기

4 **②의 내용을 바탕으로 하여 ㉡의 이유를 추론한 것으로 가장 적절한 것은?**

① 개인 생체 정보를 차별하는 것의 도덕성 문제
② 개인 생체 정보를 수집하는 방법의 위법성 문제
③ 개인 생체 정보를 마케팅에 활용하는 것의 윤리성 문제
④ 개인 생체 정보의 수집을 강제로 제한하는 것의 위법성 문제
⑤ 개인 생체 정보의 범위를 마음대로 정하는 것의 윤리성 문제

1

제시된 문장의 괄호 안에 들어갈 알맞은 단어를 찾아 서로 연결하시오.

(1) 힘없는 백성은 억울한 일을 당하더라도 이를 ( )할 곳이 없었다. · · ① 감지

(2) 그는 누군가 자신의 뒤를 따라오고 있다는 것을 ( )하고 멈춰 섰다. · · ② 추적

(3) 경찰은 오랜 시간 동안 범인을 ( )했지만 별다른 성과를 얻지 못했다. · · ③ 호소

(4) 공기 청정기는 공기를 빨아들인 다음 ( )를 통해 먼지를 걸러 낸다. · · ④ 필터

2

다음 뜻에 알맞은 단어를 말 상자에서 찾아 쓰시오.

예 여럿이 서로 다른 주장을 내며 다툼.

(1) 힘차고 활발하게 움직이는 것. ( )

(2) 수나 양을 늘리어 더 강하게 함. ( )

(3) 본디부터 지니고 있는 그대로의 상태. ( )

(4) 사상이나 학설, 교리 따위를 옳다고 믿고 받듦. ( )

증	기	반	신	봉	평
강	박	논	기	변	평
탕	산	란	술	창	비
역	모	반	방	출	발
동	질	영	자	신	다
적	자	진	면	목	각

3

다음 밑줄 친 단어의 뜻을 〈보기〉에서 찾아 그 기호를 쓰시오.

보기

㉠ 보통의 것과 색다른 성질을 지닌 것.
㉡ 마음속으로 그러하다고 보거나 여김.
㉢ 연구하여 새로운 안을 생각해 냄. 또는 그 안.
㉣ 일정한 양을 기준으로 하여 같은 종류의 다른 양의 크기를 잼.

(1) 안경을 맞추려면 먼저 시력을 <u>측정</u>해야 한다. ( )

(2) 그 사람은 다른 사람들에게 겁쟁이로 <u>치부</u>되었다. ( )

(3) 그 나라에는 한겨울에 바다 수영을 즐기는 <u>이색적</u>인 문화가 있다. ( )

(4) 실생활에서 느낀 불편함을 줄이기 위한 새로운 제품들이 <u>고안</u>되고 있다. ( )

잇는 글 54쪽 예술 쪼개어 보고 합쳐서 그린다

세잔의 사과

역사적으로 유명한 사과가 몇 가지 있다. 아담과 이브의 사과, 뉴턴의 사과, 그리고 프랑스 화가인 세잔의 사과가 이에 해당한다. 세잔은 일상생활의 사물을 주제로 한 정물화나 풍경화, 인물화 등 다양한 그림을 그렸지만, 그중에서도 사과를 그린 정물화로 가장 유명하다.

세잔은 화가로 성공하기 위해 고향을 떠나 파리로 왔지만, 당대에는 그다지 인정받지 못했다. 하지만 세잔은 '사과 하나로 파리를 놀라게 하겠다'고 하며 정물화에 몰두했다. 세잔은 한 점의 정물화를 위해 100번의 작업을 거치기도 하였으며, 그중에서도 사과를 그린 정물화는 무려 100여 점이 넘는다. 세잔은 왜 사과를 그렇게도 많이 그렸을까?

세잔의 말년 대표작인 〈사과와 오렌지〉에서 금방이라도 쏟아질 것 같은 왼쪽의 사과 접시와 가운데에 높이 솟은 과일 그릇, 오른쪽 물병 주변의 과일들은 모두 다른 시점에서 바라보고 그린 것이다. 대상을 하나의 시점에서 바라보고 그린 다른 정물화들이 안정감을 주는 것과 달리, 대상을 다양한 각도에서 바라보고 그린 세잔의 작품은 역동적인 시각 효과를 준다.

이와 같이 세잔은 자신만의 색채와 형태로 사물의 본질 자체를 그려 내기 위해 대상을 수백 번 이상 보고 그리기를 반복했다. 그가 사과나 오렌지, 혹은 레몬과 같이 겉껍질이 단단한 소재를 택한 이유가 여기에 있다. 그가 그림을 완성하는 동안 움직이지 않아야 하고, 시간이 지나도 형태가 잘 변하지 않아야 하기 때문이다.

▲ 폴 세잔, 〈사과와 오렌지〉

세잔의 이러한 노력은 입체파나 초현실주의 등 이후 전개되는 현대 미술에 큰 영향을 주었고, 현대에 이르러 세잔은 '근대 회화의 아버지'라고 불리게 되었다. 사과 하나로 파리를 놀라게 하겠다는 세잔의 다짐과 이를 이루고자 했던 노력은 파리뿐만 아니라 더 넓은 세계에 영향을 미친 것이다.

- **몰두하다** | 다할 沒, 머리 頭 | 어떤 일에 온 정신을 다 기울여 열중하다.
- **말년** | 끝 末, 해 年 | 일생의 마지막 무렵.

다수결을 통한 의사 결정은 믿을 만할까?

'다수결 원칙'은 다양한 의견을 하나로 모으기 위해 많은 사람들의 의견에 따라 결정하는 것으로, 의사를 통일하는 민주주의의 기본 원칙 가운데 하나이다. 민주주의 사회에서는 흔히 다수결의 원칙을 집단 의사 결정의 중요한 원리로 받아들이고 있다. 그런데 다수의 의견을 바탕으로 하고, 소수의 의견을 제외하는 '다수결'을 통한 의사 결정은 정말 믿을 만할까?

믿을 만하다

사람들은 서로 각자의 생각과 가치관을 가지고 있으므로, 그것을 하나의 의견으로 모으기는 어렵다. 이때 다수결은 가장 자주 이용하는 의사 결정 방법이면서, 빠른 의사 결정을 위해 가장 현실적이고 실현 가능한 방안이다. 대표자 선출, 학급 회장 선출, 국회에서의 법안 의결, 학급에서 소풍 장소 결정 등 일상생활의 문제 해결부터 사소한 결정까지 다수결로 정하는 경우가 많다. 이는 많은 사람이 결정한 선택이 소수의 사람이 결정한 선택보다 더 합리적이기 때문이다. 다수결의 원칙에 따라 결정한 내용이 잘못된 선택일 경우도 종종 있기는 하나, 그렇다고 해서 소수의 결정을 다수에게 강요하는 것은 피해가 더 클 것이다.

특히 현대 사회에서는 많은 정보가 제공되고 사회 구성원의 교육 수준 또한 높아졌다. 그만큼 각 개인이 올바른 판단을 할 가능성이 높아진 것이다. 개인이 올바르게 판단할 가능성이 높아지면 소수에 비해 다수의 판단이 합리적일 확률이 그만큼 더 높으므로 다수결은 믿을 만한 의사 결정 방법이라고 할 수 있다.

믿을 만하지 않다

다수결은 다수의 이익이 소수의 이익보다 더 중요하다는 것을 원칙으로 하고 있다. 이 같은 원칙이 소수의 의견이 존중되지 않은 채 진행된다면 다수결은 적절한 의사 결정 방법이라고 할 수 없다. 예를 들어, 어떤 정책을 결정하는 데 있어 33명 중 17명이 찬성, 16명이 반대하는 상황에서 단지 1표 차이로 찬성 측의 의견에 따라 정책이 결정된다고 할 때, 33명 중 16명이 반대하는 정책은 제대로 실행되기 어려울 것이다. 또 지역 전체의 환경을 고려하지 않고 이익에 눈이 멀어 다수결로 지역 개발 계획을 통과시키는 경우, 지역 환경에 문제가 생기기도 하므로 다수결에 의한 결정이 반드시 사회 전체의 이익을 높여 준다고 할 수는 없다. 이러한 상황을 고려했을 때 다수결을 통한 의사 결정이 항상 합리적인 것은 아니다.

다수결은 다수의 이익을 위해 소수의 희생을 정당화할 위험이 크다. 모든 것을 다수의 결정에 따르는 구조이기 때문에 소수는 전체의 행복을 위해 희생될 수밖에 없다. 따라서 소수의 의견이 존중받기 어려운 구조인 다수결은 그리 믿을 만하지 않은 의사 결정 방법이다.

나는 다수결을 통한 의사 결정이 믿을 만하다는 생각에 (찬성한다, 반대한다).
왜냐하면 ______________________________

____

____

실전으로 차곡차곡 익숙하게!

회

즐겁거나 보상을 바라거나

✎ 문단 요약하기

① 인간의 (   )와/과 감정은 밀접한 관련을 맺고 있다.

② (   )는 생리학적·심리적인 것으로 동기에 영향을 미친다.

③ 동기는 인지 활동의 결과인 (   )이나 소망에도 영향을 받는다.

④ 동기는 (   ) 원천이 어디냐에 따라 내적 동기와 외적 동기로 나눈다.

⑤ 내적 동기와 외적 동기에 의한 활동은 겉으로는 비슷해 보이지만 (   )을/를 느끼는 경우는 다르게 나타난다.

① '동기'란 어떤 일이나 행동을 일으키게 하는 계기로, 전통적으로 인간의 동기에 영향을 미치는 것으로는 개개인이 가지는 감정, 욕구, 신념 등이 있다. 여기서 감정을 의미하는 'emotion'은 동기를 뜻하는 'motive'와 어원이 같다. 동기와 감정은 매우 밀접한 관련을 맺고 있는데, 이는 즐거움을 가져오는 행동은 하고자 하고, 불쾌감이나 슬픔을 초래하는 행동은 하지 않으려는 인간의 성향을 통해 확인할 수 있다.

② 감정과 더불어 동기에 영향을 미치는 것은 욕구이다. 욕구란 인간이 생명체로서 유지되고 성장하기 위해 채워져야 하는 식욕이나 성욕과 같이 원래는 생리학적인 개념이었는데, 이 개념을 심리적 차원까지 넓히면서 심리적 욕구라는 개념이 나타났다. 자율성이나 타인과의 관계를 유지하고자 하는 관계 욕구 등은 이러한 심리적 욕구 중 하나이다.

③ 그런데 인간은 감정이나 욕구에 따라 행동하기보다, 동기에 영향을 미치는 또 다른 요소인 자신의 신념을 따르려고 노력한다. 그리고 종종 자신의 신념이나 소망을 위해 인생을 바치기도 한다. 이러한 신념이나 소망은 사고 작용의 결과이며 이를 '인지 활동'이라고 한다. 이때 인지란 '생각'이나 '앎'과 같은 말로, 뇌에서 생각하는 과정 전체를 의미한다.

④ 한편 현대의 동기 이론에서는 동기가 생성되는 원천이 어디냐에 따라 동기를 '내적 동기'와 '외적 동기'로 나눈다. 내적 동기에서 비롯된 활동은 사람들이 활동 자체에 흥미를 느끼거나, 도전하고 성장하는 것 자체가 목적으로서, 자발적으로 이루어지는 것이 특징이다. 일반적으로 사람들은 내적 동기에서 유발된 활동을 즐기거나 재미있어 한다. 반면 외적 동기란, 인간을 행동하게 만드는 원인이 보수나 칭찬과 같이 자신의 외부에서 비롯된 것을 의미한다. 외적 동기에 의한 활동은 그 활동 자체가 의미 있는 것이 아니며, 활동은 결과를 얻기 위한 수단인 셈이다.

⑤ 하지만 대부분의 활동에서 내적 혹은 외적 동기가 명확하게 구분되는 것은 아니며 두 가지 동기가 같이 나타나는 경우가 많다. 또 일상에서는 내적으로 동기화된 활동이나 외적으로 동기화된 활동이 비슷하게 보이기도 한다. 예를 들어 공부가 즐거워서 하는 학생이나 좋은 대학에 가기 위해 공부하는 학생 모두가 공부를 열심히 한다면, 겉으로는 그 차이를 구별하기 어렵다. 하지만 본질적으로 내적 동기를 가진 학생은 성적에 관계없이 공부 자체로 행복을 느끼지만, 외적 동기에 의해 공부하는 학생은 결과가 좋아야만 행복을 느낀다. 우리나라 학생들이 졸업과 동시에 공부를 등한시하는 이유도 바로 공부가 외적 동기에서 비롯되는 경우가 많기 때문이다. 이처럼 내적 동기, 외적 동기에 의한 활동은 겉으로 비슷해 보이지만 행복을 느끼는 경우는 다르게 나타난다.

- **초래하다** | 부를 招, 올 來 | 어떤 결과를 가져오게 하다.
- **유발되다** | 꾈 誘, 나타날 發 | 어떤 것에 이끌려 다른 일이 일어나다.
- **보수** | 갚을 報, 갚을 酬 | 행위를 촉진하거나 학습 분위기를 조성하기 위하여 사람이나 동물에게 주는 물질이나 칭찬.
- **등한시하다** | 같을 等, 한가할 閑, 볼 視 | 소홀하게 보아 넘기다.

글의 전개 구조 파악하기

1 **이 글의 서술상 특징으로 가장 적절한 것은?**

① 동일한 현상에 대한 상반된 견해를 소개하고 있다.
② 중심 소재와 관련한 핵심적인 개념을 설명하고 있다.
③ 구체적인 사례를 바탕으로 일반적인 원리를 이끌어 내고 있다.
④ 중심 소재와 관련한 여러 견해를 제시한 뒤 이를 절충하고 있다.
⑤ 시간의 흐름에 따라 대상이 변화하는 과정을 단계적으로 제시하고 있다.

2 **이 글을 통해 알 수 있는 내용이 아닌 것은?**

① 인간의 인지 활동은 동기 형성에 영향을 준다.
② 식욕이나 성욕은 인간의 동기 형성에 영향을 미칠 수 있다.
③ 즐거움이나 불쾌감은 인간이 특정 행동을 하는 원인이 될 수 있다.
④ 인간의 행동에는 내적 동기와 외적 동기가 동시에 작용하기도 한다.
⑤ 인간의 행동을 관찰하면 그러한 행동의 동기를 정확히 구분할 수 있다.

개념으로 견해 이해하기

3 **이 글을 읽고 〈보기〉에 대해 보인 반응으로 적절하지 않은 것은?**

보기

A와 B는 우리나라를 대표하는 야구 선수였다. 이 둘은 선수 생활을 마무리하는 방식이 달랐다. A는 '야구 선수는 힘이 있을 때까지 뛰어야 한다.'라는 신념을 바탕으로, 해외 선수 생활을 끝내고 국내 팀으로 복귀해 선수 생활을 마감하며 기쁨의 눈물을 흘렸다. B는 해외 선수 생활이 끝나고 연봉의 액수가 줄어들자 돌연 은퇴를 선언했다. 그러나 B는 평소 팬들에게 멋진 모습을 보여 주는 것이 선수의 의무라고 생각하여 팬들의 환호를 다시 받기 위해 야구 해설가가 되었다.

① A가 국내 팀에서 야구를 계속한 것은 내적 동기에 의한 행동이다.
② A가 눈물을 흘린 행위의 동기는 A의 감정에서 비롯된 것이라고 볼 수 있다.
③ B가 선수 생활을 중단한 것은 야구에 흥미가 떨어져 내적 동기가 사라졌기 때문이다.
④ B가 야구 해설가가 되어 얻고자 했던 팬들의 환호는 외적 동기로 볼 수 있다.
⑤ A와 B는 서로 다른 철학을 가지고 있었으므로 선수 생활을 마무리하는 방식이 달랐다.

지문 분석하기

● 글의 전개 방식 [병렬]

동기의 영향 요소		
감정	욕구	신념
감정에 따라 특정 행동을 하고자 함.	식욕, 성욕, 관계 욕구 등을 따름.	인지 활동의 결과를 따르고자 함.

동기의 생성 원천	
(　　　)동기	외적 동기
• 활동 자체에 흥미를 느낌. • 도전하고 성장하는 것이 목적이며, 자발적임.	• 행동의 원인이 외부에서 비롯됨. • 활동은 (　　　)을/를 얻기 위한 수단임.

실전 2회

정답과 해설 21쪽

'장가가기'와 '시집가기'

교과 연계 **역사** _ 여러 나라의 생활(결혼 풍습)

문단 요약하기

① 초기 고구려의 결혼 풍습은 신랑이 처가 뒤편에 서옥을 짓고 생활하는 (　　　　　)(이)다.

② 고구려의 결혼 풍습은 서류부가혼으로 이는 (　　　　　)(으)로 볼 수 있으며, 이때 삼국의 결혼 풍습에는 허례허식이 없었다.

③ (　　　　) 시대에도 서류부가혼이 일반적이었지만, 귀족 사회에서는 중매인을 통해 결혼하였다.

④ 조선 시대에는 결혼 풍습을 시집가기인 친영례로 바꾸고자 했으나, (　　　　　)이/가 생겼다.

⑤ 조선 후기에는 성리학에 기반한 (　　　　　)이/가 일반화되었다.

① 결혼을 할 때 우리는 '장가간다'와 '시집간다'라는 표현을 사용한다. 이것은 우리 역사 속에 결혼에 관한 다양한 문화가 있었음을 의미한다. 고대 국가의 결혼 풍습은 잘 전해지지 않지만, 그나마 알려진 것이 초기 고구려의 결혼 풍습이다. 고구려에서는 먼저 말로 가문끼리 약혼을 한 후 신랑이 처가 뒤편에 작은 집(서옥)을 짓고 기다린다. 신랑은 해가 진 뒤에 처가 문 앞에 가서 이름을 말하고 엎드려 재워 줄 것을 세 번 청한다. 신부의 부모가 이를 승낙하면, 신랑과 신부는 그 서옥에서 첫날밤을 치른다. 신랑은 서옥에 머물러 살다가 자식을 낳고 자식이 성장하면 아내와 자식을 데리고 자기 집으로 돌아갔다. 이러한 초기 고구려의 결혼 풍습을 '서옥제'라고 한다.

② 이처럼 사위가 일정 기간 처가에 머무는 것을 '서류부가혼'이라고 한다. 이러한 풍습은 남자가 처가로 간다는 의미인 ㉠'장가가기'로 볼 수 있다. 고구려에 대한 기록에 따르면 고구려에서는 혼인 당사자의 의사가 존중되었으며 까다로운 격식이 요구되지 않았다. 또 예물을 주고받는 허례허식이 없었는데, 재물을 받는 자가 있으면 여자를 종으로 파는 것이라 하여 큰 수치로 여겼다. 이는 백제나 신라도 마찬가지였다.

③ 고려 시대에도 여전히 서류부가혼이 일반적이었다. 자유연애를 통한 결혼이 가능했고, 여성의 이혼과 재혼도 가능했다. 그러나 귀족 사회에서는 결혼이 개인과 개인이 아닌, 가문과 가문의 결합이라는 생각이 지배적이었으며 중매인을 통해 혼례를 하는 것이 일반적이었다. 그리고 이러한 풍습은 조선 시대의 양반층에게도 이어졌다.

④ 조선은 성리학을 국가 이념으로 받아들인 나라였다. 조선 사람들의 기본 생활 지침서인 《주자가례》에 따르면 여자가 시집을 가야 했다. 하지만 조선 시대에 이르기까지 변하지 않은 결혼 풍습은 여전히 서류부가혼이었다. 그래서 1435년 왕실에서는 신랑이 처가에 가서 신부를 데리고 와서 신랑집에서 혼례를 올리는 '친영례'로 풍습을 바꾸려고 했다. 하지만 장가가기에 익숙한 사람들에게 시집가기를 강요하다 보니 16세기에 신부 집에서 혼례를 치르고 처가에서 3일 정도 머물다가 시댁으로 가는 '반(半)친영'이 생겼다.

⑤ 하지만 반친영이 생겨났다고 해서 결혼하자마자 곧장 신부를 데려오지는 못했다. 처갓집에 신부를 두고 남편이 처가에 다니는 경우도 많았다. 남성이 장가드는 풍습은 17~18세기까지 지속되었고, 18세기 들어 가부장제가 확고해지면서 성리학에 기반한 ㉡'시집가기'가 일반화되었다. 이에 따라 처가살이를 부끄러운 것으로 여기는 풍조도 함께 나타나게 되었다.

- **풍습** | 바람 風, 익힐 習 | 풍속과 습관을 아울러 이르는 말.
- **승낙하다** | 받들 承, 대답할 諾 | 청하는 바를 들어주다.
- **성리학** | 성품 性, 다스릴 理, 배울 學 | 중국 송나라·명나라 때에 주돈이(周敦頤), 정호, 정이 등에서 비롯하고 주희가 집대성한 유학의 한 파. 실천 도덕과 인격과 학문의 성취를 역설함.
- **가부장제** | 집 家, 아버지 父, 어른 長, 억제할 制 | 가족을 통솔하고 재산 따위를 관리하는 가부장이 가족에 대한 지배권을 행사하는 가족 형태.
- **기반하다** | 터 基, 소반 盤 | 바탕이나 토대를 두다.
- **풍조** | 바람 風, 조수 潮 | 시대에 따라 변하는 세태.

1 **이 글의 내용과 일치하지 않는 것은?**

① 초기 고구려의 결혼 풍습은 서류부가혼의 형태였다.
② 삼국 시대에는 결혼 예물을 주고받는 허례허식이 없었다.
③ 고려 귀족 사회의 결혼 풍습은 조선 시대 양반층에게 이어졌다.
④ 조선 시대 왕실에서는 서류부가혼의 풍속을 유지하려고 노력하였다.
⑤ 조선 후기에는 처가살이를 하는 것을 부끄럽게 여기는 풍조가 나타났다.

정답과 해설 22쪽

개념 견주어 보기

2 **㉠, ㉡에 대해 이해한 내용으로 적절하지 않은 것은?**

① 고구려의 서옥제는 사위가 일정 기간 처가에 머무는 것이므로 ㉠에 해당한다.
② 조선 시대의 친영례는 신부를 데리고 와서 신랑집에서 혼례를 올리는 것으로 ㉡에 해당한다.
③ 조선 시대의 반친영은 ㉡을 ㉠으로 변화시키는 과정에서 나타났다.
④ 조선 후기에는 ㉠의 결혼 풍속이 ㉡의 결혼 풍속으로 변화하였다.
⑤ 우리 역사에서 ㉠은 ㉡에 비해 오랜 기간 동안 유지되었다.

이유·원인 밝히기

3 **서류부가혼의 결혼 풍습이 조선 시대에 변화하게 된 근본적인 원인을 ④에서 한 문장으로 찾아 쓰시오.**

지문 분석하기

● 글의 전개 방식 [과정]

(초기) 고구려	고려	조선
• ( )이/가 일정 기간 처가에 머무는 서류부가혼이 일반적임. • 혼인 당사자의 의사를 존중하고, 까다로운 격식이 요구되지 않음.	• ( )을/를 통한 결혼이 가능함. • 귀족 사회에서는 결혼을 ( ) 간의 결합으로 여겨 중매인을 통해 결혼함.	• 왕실이 '친영례'로 풍속을 바꾸고자 함. • 16세기에 ( )이/가 생김. • 18세기 이후 시집가기가 일반화됨.

장가가기 → 시집가기

장소의 매력을 어필하는 장소 마케팅

문단 요약하기

① 장소 마케팅은 특정 장소가 (   )(으)로 인식되도록 이미지를 만드는 활동이다.

② 지역의 이미지가 자원을 얻는 도구가 되면서 (   ) 에 대한 요구가 증가하고 있다.

③ 장소의 요소 중 개발이 가능한 자원인 (   )을/를 활용하여 장소 마케팅을 실행한다.

④ 장소 마케팅은 장소 분석, 목표 설정, (   ) 수립, 실행 계획 수립, 실행 및 평가의 단계를 거친다.

⑤ 장소 마케팅은 침체에 빠진 지역을 (   )할 수 있는 가능성을 열어 주었다.

① 장소 마케팅은 '장소'와 '마케팅'이 합쳐진 말이다. 일반적으로 마케팅은 상품과 서비스 등을 생산자로부터 소비자에게 전달하는 일체의 활동을 말한다. 이러한 마케팅의 정의에 비추어 보면 장소 마케팅은 지역의 특정 장소가 기업과 관광객, 주민들에게 매력적인 곳으로 인식되도록 이미지를 만들고, 지역 문화와 관광 자원을 활용하여 지역 경제를 활성화하려고 노력하는 일련의 활동을 의미한다.

② 장소 마케팅은 각 지역 간에 기업과 관광객을 데려오기 위한 경쟁이 심화되는 상황에서, 서구 산업 도시들이 도시 이미지를 바꾸기 위해 자본과 인구 등을 끌어들이고자 시도한 것에서 유래한다. 지역 간 경쟁에서 지역의 긍정적인 이미지가 자원을 얻을 수 있는 강력한 도구가 되면서 장소 마케팅에 대한 요구가 증가하게 되었다.

③ 장소 마케팅을 실행하기 위해서는 가장 먼저 '장소 자산'에 대한 인식이 필요하다. 장소 자산이란 지역이 가지고 있는 장소의 요소 중 개발이 가능한 유·무형의 자원으로, 여기에는 자연적 요소, 문화적 요소, 산업적 요소 등 다양한 것들이 있다. 장소 자산을 활용한 장소 마케팅의 사례 중 생태적 장소 마케팅은 양질의 생태 자연을 활용하는 것으로, 충남 보령의 머드 축제가 이에 해당한다. 문화적 장소 마케팅은 장소가 가지고 있는 특수한 문화를 활용하는데, 안동 하회 마을 같은 경우가 이에 해당한다. 그리고 산업적 장소 마케팅은 산업적 입지가 좋은 환경을 만들어 기업을 끌어들임으로써 일자리 창출과 지역 활성화를 이루는 것으로, 전국에 있는 산업 단지가 이에 해당한다.

④ 그렇다면 장소 마케팅은 어떤 단계를 거쳐 실행될까? 장소 마케팅의 첫 번째 단계는 장소 분석으로, 지역의 상황 및 강·약점을 파악하는 것이다. 두 번째 단계는 일관성 있는 목표를 설정하는 것이고, 세 번째 단계는 목표 달성을 위해 구체적인 마케팅 전략을 짜는 것이다. 이 단계에서는 무엇을, 어떻게 홍보할 것인지에 대한 전략을 짠다. 네 번째 단계에서는 사업의 책임자, 필요한 비용, 완료 시기 등을 분명하게 드러내는 실행 계획을 수립해야 한다. 마지막 단계는 계획된 사업을 실행하고 이를 평가하는 것으로, 이 평가의 내용은 목표나 전략, 실행 계획에 다시 반영된다.

⑤ 장소 마케팅은 재원과 인력이 부족한 도시로 인구와 자본을 끌어들여 침체에 빠진 지역들을 활성화할 수 있는 가능성을 열어 주었다. 자율적인 성장 기반을 되찾고 지속적인 발전 기반을 쌓으려는 지방 자치 단체가 많아지면서 장소 마케팅에 대한 관심은 계속 증가하고 있다.

- **생태적** | 날 生, 모양 態, 어조사 的 | 생물이 살아가는 모양이나 상태와 관련된.
- **양질** | 좋을 良, 바탕 質 | 좋은 바탕이나 품질.
- **수립하다** | 나무 樹, 설 立 | 국가나 정부, 제도, 계획 따위를 이룩하여 세우다.
- **재원** | 재물 財, 근원 源 | 재화나 자금이 나올 원천.
- **침체** | 잠길 沈, 막힐 滯 | 어떤 현상이나 사물이 진전하지 못하고 제자리에 머무름.

1 **장소 마케팅에 대한 설명으로 적절하지 않은 것은?**

① 특정 지역에 긍정적인 이미지를 만들어 주는 활동이다.

② 특정 지역에 자본과 인구를 끌어들이기 위한 활동이다.

③ 재원과 인력이 충분하지 않은 지역에서는 실행하기가 어렵다.

④ 지역이 자율적으로 성장하고 지속적으로 발전할 수 있도록 도움을 준다.

⑤ 지역 간에 기업과 관광객을 데려오기 위한 경쟁이 심화되는 상황에서 시작되었다.

뒷받침·구체화하기

2 **이 글에서 〈보기〉의 밑줄 친 부분과 관련된 마케팅 전략을 찾아 쓰시오.**

보기

A시는 인구가 줄어 침체되고 있는 지역 경제를 활성화하기 위해 다양한 방안을 마련하고 있다. A시를 찾는 관광객의 수를 늘리기 위해 지역의 명물인 대나무 숲길을 대대적으로 홍보함과 동시에 대나무 박물관에서 대나무를 이용한 다양한 공예품을 만들 수 있는 프로그램을 운영하기로 하였다.

기능과 과정 이해하기

3 **④의 내용을 고려할 때, 〈보기〉에서 장소 마케팅의 단계와 잘못 연결 지은 것은?**

보기

㉠ 우리 지역은 계곡과 산이 많은 반면 평지가 적다. ······ 첫 번째 단계

㉡ 지역의 경제 활성화를 위해서는 관광객을 늘려야 한다. ······ 두 번째 단계

㉢ 계곡과 산 주위의 활용되지 않는 땅에 캠핑장을 만들고 인터넷 누리집을 만들어 이를 알린다. ······ 세 번째 단계

㉣ 캠핑장에 방문하는 선착순 100팀에게는 캠핑장 이용료를 받지 않는다는 것을 내세워 캠핑을 즐기는 사람들의 관심을 유도한다. ······ 네 번째 단계

㉤ 캠핑장을 만든 이후에 얻은 경제적 효과를 분석하고 계획대로 되지 않은 부분을 점검한다. ······ 마지막 단계

① ㉠ ② ㉡ ③ ㉢ ④ ㉣ ⑤ ㉤

지문 분석하기

● 글의 전개 방식 [병렬]

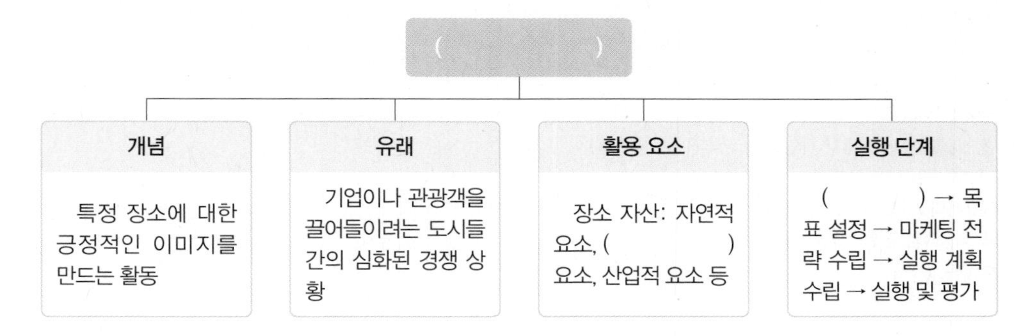

자본주의 경제 체제의 작동 원리

교과 연계 **사회** _ 시장 경제와 가격

✎ 문단 요약하기

① 자본주의 경제 체제에서는 생산자와 소비자가 자유롭게 자기의 (   )할 수 있다.

② 자본주의 경제 체제는 사유 재산 제도와 (   )을/를 바탕으로 한다.

③ 자본주의 경제 체제에서는 (   )에 따라 상품의 공급량과 수요량이 자율적으로 조절된다.

④ 자본주의 경제 체제에서는 효율적인 (   )을/를 방해하는 문제가 나타나기도 한다.

⑤ 시장이 해결하지 못하는 문제를 해결하기 위해 (   )이/가 개입할 수 있다.

① 재화와 서비스의 생산·교환·분배·소비와 관련되는 사회 질서와 제도, 인간 행위를 모두 '경제'라고 한다. '경제 체제'는 경제에서 해결해야 하는 문제를 풀어 나가는 제도나 방식을 말하는데, 우리나라는 자본주의 경제 체제를 선택하고 있다. 자본주의 경제 체제란 생산자와 소비자가 자유롭게 자기의 이익을 추구하는 가운데 시장에서 기본적인 경제 문제들이 해결되도록 하는 경제 체제이다.

② 자본주의 경제 체제는 자본과 토지 등의 생산 수단을 대부분 개인이 가지고, 이 사유 재산을 자유롭게 사용·처분할 수 있는 제도인 '사유 재산 제도'와 직업의 선택이나 영업 등의 경제 행위에 대한 개인의 결정과 선택이 자유롭게 이루어지는 '경제적 자유'를 바탕으로 한다. 자본주의 경제 체제에서는 생산자와 소비자가 시장에서 형성되는 가격을 기준으로 하여 자유롭게 생산·교환·소비 활동을 한다. 따라서 자본주의 경제 체제를 자유 시장 경제 체제라고도 부른다.

③ 자본주의 경제 체제에서는 생산 수단을 가지고 있는 생산자가 이윤을 얻을 목적으로 노동자를 고용하여 상품을 만들어 낸다. 이 체제에서는 생산물뿐만 아니라 토지, 노동, 자본과 같은 생산 요소들도 상품으로 거래되며, 생산·유통·소비가 모두 시장을 통해 이루어진다. 시장에서는 상품의 가격이 올라가면 공급자는 이익을 키우기 위해 공급량을 늘리려고 하는 반면, 소비자는 상품을 사지 않으려고 하므로 수요량은 줄어든다. 반대로 상품의 가격이 떨어지면 공급량은 줄어들지만 수요량은 늘어난다. 즉, 시장의 가격에 따라 공급량과 수요량은 자율적으로 조절되며, 공급량과 수요량이 만나는 균형점에서 시장 균형 가격이 결정된다.

④ 한편 자본주의 경제 체제는 개인의 자유를 강조하며 사유 재산을 인정하기 때문에 소득과 자산이 고르게 나누어지지 않을 수 있다. 그리고 탐욕스러운 이윤의 추구로 환경이 파괴되거나 공공의 이익이 무시될 수도 있다. 이러한 현상들은 사회 전체의 효율적인 자원 분배를 방해하는 문제를 일으킨다.

⑤ 이러한 문제 때문에 정부는 경제 활동을 시장에 모두 맡기지 않고 경제 활동에 개입하게 되었다. 자본주의 경제 체제에서는 기본적인 경제 문제를 시장이 풀게 하는 것이 원칙이지만, 시장에서 해결되지 못하는 문제는 정부가 개입하여 자본주의 경제 체제의 단점을 보완하고 자원 분배의 효율성을 높이고자 하는 것이다.

- **분배** | 나눌 分, 짝 配 | 생산 과정에 참여한 개개인이 생산물을 사회적 법칙에 따라서 나누는 일.
- **처분하다** | 처리한 處, 나눌 分 | 처리하여 치우다.
- **이윤** | 이로울 利, 윤택할 潤 | 장사 따위를 하여 남은 돈.
- **유통** | 흐를 流, 통할 通 | 상품 따위가 생산자에서 소비자, 수요자에 도달하기까지 여러 단계에서 교환되고 분배되는 활동.
- **공급량** | 이바지할 供, 줄 給, 헤아릴 量 | 교환하거나 판매하기 위하여 시장에 제공된 상품의 양.
- **수요량** | 구할 需, 구할 要, 헤아릴 量 | 일정한 가격에서 사람들이 사고자 하는 물건의 양.
- **개입하다** | 끼일 介, 들 入 | 자신과 직접적인 관계가 없는 일에 끼어들다.

1 **이 글의 내용과 일치하지 않는 것은?**

① 자본주의 경제 체제에서는 생산자와 소비자가 자유롭게 자기의 이익을 추구한다.
② 자본주의 경제 체제에서는 시장을 통해 토지, 노동, 자본 등이 상품으로 거래된다.
③ 자본주의 경제 체제에서는 사회 전체의 효율적인 자원 분배에 문제가 생길 수 있다.
④ 자본주의 경제 체제에서는 공공의 이익이 무시될 수 있기 때문에 사유 재산을 강조한다.
⑤ 자원 분배의 효율성을 높이기 위해 정부가 개입하여 시장에서 해결되지 못하는 문제를 해결하기도 한다.

개념으로 원리 이해하기

2 **③의 내용을 바탕으로 하여 〈보기〉를 이해한 내용으로 적절하지 않은 것은?**

보기

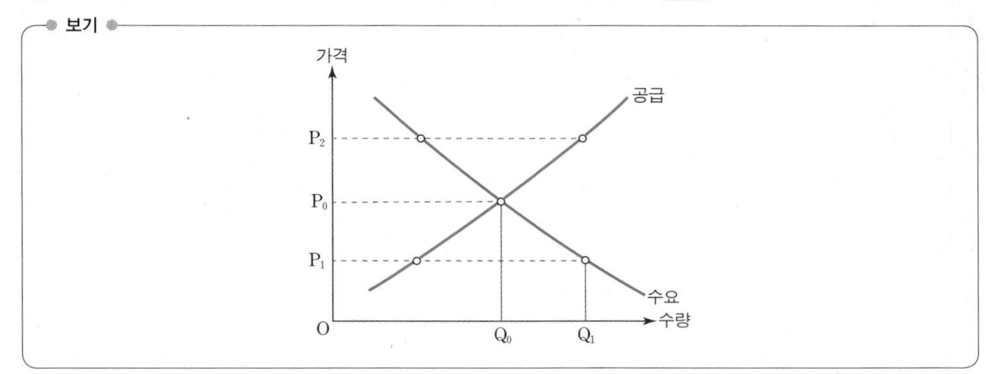

① P_0에서 P_2로 상품의 가격이 올라간다면 수요량이 늘겠군.
② P_0에서 P_1으로 상품의 가격이 떨어진다면 공급량이 줄겠군.
③ 균형점에서 생산자는 상품을 Q_0만큼 판매하여 $(P_0 \times Q_0)$의 수입을 얻겠군.
④ 공급 곡선과 수요 곡선이 만나는 P_0에서 상품의 시장 균형 가격이 결정되겠군.
⑤ 공급 곡선이 우상향하는 것은 상품의 가격이 올라갈수록 공급량이 늘기 때문이군.

비판하기

3 **이 글에 나타난 자본주의 경제 체제의 문제점을 다음과 같이 정리할 때, 괄호 안에 알맞은 말을 쓰시오.**

- 사유 재산을 인정하기 때문에 소득과 자산의 분배가 불공평함.
- 탐욕스러운 이윤의 추구로 환경이 파괴되거나 (   )이/가 무시될 수 있음.

지문 분석하기

- 글의 전개 방식 [문제 해결]

( ) 경제 체제					
사유 재산 제도	( )	→	사회 전체의 효율적인 자원 분배를 방해하는 문제가 발생함.	→	( )에서 해결되지 못하는 문제를 위해 정부가 개입함.
사유 재산을 자유롭게 사용하고 처분할 수 있는 제도	경제 행위에 대한 개인의 결정과 선택이 자유롭게 이루어지는 것				

실전 2회

정답과 해설 24쪽

05 사우나가 목욕물보다 덜 뜨거운 이유

교과 연계 **과학** _ 열과 온도

문단 요약하기

① 17세기 이후 열을 탐구한 과학자들은 (　　　　　)을/를 열소라고 불렀다.

② (　　　　　)에는 설명하기 어려운 몇 가지 의문이 있었다.

③ 줄은 실험을 통해 열의 근원이 (　　　　　)임을 보여 주었다.

④ 온도는 여러 방향으로 운동하는 여러 입자들이 가진 격렬함의 (　　　　　)(이)다.

⑤ 우리가 느끼는 차가움과 뜨거움은 (　　　　　)의 유입량 및 유출량과 관계가 있다.

① 과학자들이 열을 탐구하기 시작한 것은 17세기 이후부터이다. 처음에 과학자들은 열의 근원을 '눈에 보이지 않는 작은 알갱이'로 생각하여 그것을 '열소(caloric)'라고 불렀다. 즉 ㉠열의 이동을 열소가 많은 곳에서 적은 곳으로 흐르는 것이라고 설명한 것이다. 이와 같이 열이 열소로 이루어져 있다고 보는 이론을 '열소설'이라고 한다.

② 그러나 열소설에는 몇 가지 의문이 생긴다. 우선 물체의 온도가 올라간다는 것은 열소가 많아진다는 것인데, 그럴 경우 ㉡온도가 올라갈수록 물체의 질량이 증가해야 한다. 하지만 실생활에서 온도 증가에 따른 질량의 증가는 관찰되지 않았다. 또한 말의 힘을 이용해 드릴을 돌려서 쇠기둥을 깎을 때, 쇠기둥 주변에는 엄청나게 많은 열이 발생하였는데 그렇다면 ㉢이렇게 많은 열소가 애초에 어디에서 왔는지 설명하기도 어렵다.

③ 이러한 의문 속에서 새로운 관점으로 열의 정체를 밝힌 사람은 줄이었다. 줄은 물그릇 안에 회전 날개를 장치하고, 날개와 연결된 추를 떨어뜨리면 물속의 날개가 회전하는 실험 장치를 고안하였다. 그리고 추가 떨어져 회전 날개를 돌리면 물의 온도가 올라간다는 것을 관찰하여, 물체가 일을 하면 온도가 올라간다는 것을 알아냈다. 이 실험은 열의 근원이 열소가 아니라 운동 에너지임을 보여 주었다. 이로 인해 ㉣열은 물질을 구성하는 분자나 원자의 운동 에너지가 열에너지로 전환된 것이라는 생각을 하게 되었다.

④ 그렇다면 온도란 무엇일까? 덥고 찬 정도를 나타내는 온도 역시 원자나 분자와 같은 입자의 운동으로 설명할 수 있다. 즉 온도는 물질을 구성하는 원자나 분자가 운동하는 격렬함의 정도라고 할 수 있다. 온도가 높다는 것은 원자나 분자의 운동이 더 활발하다는 것이고, 온도가 낮다는 것은 원자나 분자의 운동이 덜 활발하다는 것이다. 그러므로 ㉤온도는 여러 방향으로 운동하는 여러 입자들이 가진 격렬함의 평균값이라고 정의할 수 있다.

⑤ 그렇다면 우리가 느끼는 차가움과 뜨거움은 온도에만 영향을 받는 것일까? 꼭 그렇지만은 않다. 예컨대 45℃의 목욕물은 상당히 뜨겁게 느껴지는 반면, 60℃의 사우나 안은 별로 뜨겁게 느껴지지 않는다. 이것은 열에너지의 유입량 및 유출량과 관계가 있기 때문이다. 사우나 안의 온도가 목욕물의 온도보다 높아도 상대적으로 덜 뜨겁게 느껴지는 이유는 수증기의 분자 밀도가 물의 분자 밀도보다 1,000분의 1 정도로 낮아서 몸에 전달되는 열에너지의 유입량이 훨씬 적기 때문이다. 게다가 사우나 안에 있으면 우리 몸에서 땀으로 많은 수분이 빠져나오므로 열의 유출량도 많아져 몸의 온도가 올라가지 않고 일정한 체온을 유지하기 때문이다.

- **유입량** | 흐를 流, 들 入, 헤아릴 量 | 액체나 기체, 열 따위가 어떤 곳으로 흘러드는 양.
- **유출량** | 흐를 流, 날 出, 헤아릴 量 | 밖으로 흘러 나가거나 흘려 내보내는 양.
- **밀도** | 빽빽할 密, 정도 度 | 빽빽이 들어선 정도.

1 **이 글을 통해 알 수 있는 내용으로 적절하지 않은 것은?**

① 물질은 원자나 분자들로 구성되어 있다.
② 물질을 구성하는 입자의 운동 정도에 따라 온도가 달라진다.
③ 열소설은 눈에 보이지 않는 열소가 열을 전달한다고 보는 이론이다.
④ 줄은 자신의 실험을 통해 열의 근원이 운동 에너지라고 생각하게 되었다.
⑤ 사우나와 목욕물이 같은 온도라면 사우나 안에 있을 때 몸에 전달되는 열에너지의 유입량이 더 많다.

전제와 결론 파악하기

2 **㉠~㉤에서 전제하고 있는 내용으로 적절하지 않은 것은?**

① ㉠: 열은 고온의 물질에서 저온의 물질로 이동한다.
② ㉡: 모든 물질은 질량을 갖는다.
③ ㉢: 외부에서 열소가 유입되지 않으면 열소가 생길 수 없다.
④ ㉣: 물질의 운동 에너지는 다른 상태의 에너지로 전환될 수 있다.
⑤ ㉤: 동일한 물질을 구성하는 입자들은 모두 일정한 속도로 운동한다.

이유·원인 밝히기

3 **이 글을 참고할 때, 〈보기〉의 ⓐ와 같이 주장한 이유로 가장 적절한 것은?**

보기

X선 천문 위성은 지구로부터 약 50억 광년 떨어진 은하단에서 약 3억℃의 가스를 발견했다. 이것은 지금까지 관측된 은하단의 대규모 가스 중에서 가장 높은 온도였다. 하지만 이를 연구한 K 교수는 ⓐ이 가스가 별로 뜨겁게 느껴지지는 않을 것이라고 주장했다. 이는 몸에 전달되는 열에너지의 유입량이 일반적인 가스보다 훨씬 적기 때문이라고 했다.

① 가스의 규모가 매우 작아서
② 가스 속 입자의 밀도가 매우 낮아서
③ 가스에 작용하는 압력이 매우 커서
④ 가스 속 입자의 종류가 매우 다양해서
⑤ 가스 속 입자의 운동이 매우 활발해서

지문 분석하기

● **글의 전개 방식 [병렬]**

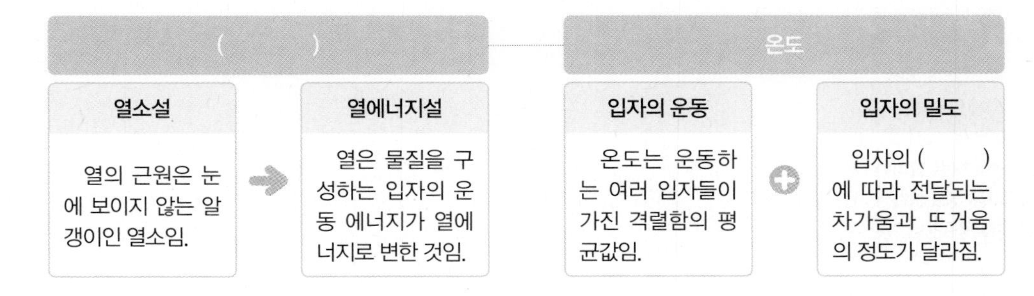

06 수영장 속에도 과학이 있다

교과 연계 **과학** _ 여러 가지 힘

✎ 문단 요약하기

① 물에 들어간 인체는 무게 중심과 (　　　　)의 위치에 따라 균형 상태가 결정된다.

② 물에서의 무게 중심과 부심은 (　　　　)와/과 밀접한 관련이 있다.

③ 수중 발레 선수들은 손과 발을 이용하고, 폐의 (　　　　)을/를 조절하며 연기한다.

④ 수영 선수들은 물속에서 받는 (　　　　)을/를 줄이기 위해 다양한 노력을 한다.

① 물에 들어간 인체는 중력과 부력, 마찰력을 동시에 받는다. 중력은 지구가 물체 등을 지구의 중심 방향으로 끌어당기는 힘으로, 질량, 즉 몸무게만큼 아래로 작용한다. 반면, 부력은 물에서의 압력에 의해 물체를 떠받쳐 올리는 힘이므로 위로 작용한다. 이 두 힘은 각각 무게 중심과 부심에 작용하여 인체에 힘을 가하는데, 두 점의 위치가 어디냐에 따라 몸의 균형이 바로잡히기도 하고 몸이 물속으로 가라앉기도 한다.

② 무게 중심과 부심은 인체의 형태와 밀접한 연관이 있다. 몸무게가 같아도 상체가 발달했느냐 하체가 발달했느냐에 따라 달라지고, 물에 들어간 사람의 자세에 따라서도 무게 중심과 부심은 시시각각으로 변한다. 그러므로 물속에서 몸을 적절히 변형시키면 뜨고 가라앉음을 조절할 수 있다. 예를 들어 손을 머리 위로 쭉 뻗어 올리면 손을 허리에 붙일 때보다 상체의 부피가 커지고 몸에서 가장 부력이 큰 폐의 위치가 높아져 부심이 몸의 위쪽으로 이동한다. 따라서 상체가 위로 떠오르고 다리 쪽은 가라앉는 결과가 나타난다.

③ 수중 발레 선수들이 팔을 내뻗고 다리를 오므리고 벌리는 동작을 살펴보면 그들의 동작에 따라 무게 중심과 부심의 위치가 수시로 달라지는 모습을 흥미롭게 감상할 수 있다. 수중 발레 선수들은 손과 발을 이용할 뿐만 아니라 숨을 내뱉어서 폐의 공기량을 줄이거나, 숨을 들이마셔서 공기량을 늘리기도 하고, 손과 발을 수면 밖으로 내뻗는 동작으로 몸의 뜨고 가라앉음을 다양하게 변화시키며 연기한다.

④ 마찰력은 물체가 어떤 면과 접촉하여 운동할 때 그 운동을 방해하는 힘을 말한다. 물에 들어간 인체는 마찰 저항을 받는데, 물속에서 받는 마찰 저항은 대단해서 ㉠수영 선수와 육상 선수의 기록은 비교가 되지 않는다. 마찰 저항은 물체의 형태에 따라 민감하게 달라지는데, 각이 진 물체보다는 둥글게 다듬은 것일수록 물의 마찰 저항을 덜 받는다. 그래서 물에서는 유선형을 선호한다. 물고기의 형태가 그러한 모양을 띠는 이유이다. 이렇듯이 물에서는 마찰 저항이 중요하다 보니, 기록 단축이 최우선인 수영 선수들에게 마찰 저항을 줄이는 것은 최우선 과제일 수밖에 없다. 몸에 착 달라붙는 수영복을 입는다거나 중요 부위만 살짝 가린 날렵한 수영복을 입고, 그것도 모자라서 머리를 박박 밀어 버린다거나 몸에 난 털을 다 깎는 것 등이 다 저항을 줄이려는 처절한 몸부림인 것이다.

- **부심** | 뜰 浮, 마음 心 | 부력의 작용점.
- **마찰 저항** | 갈 摩, 비빌 擦, 거스를 抵, 막을 抗 | 운동하는 물체에 작용하는 저항 가운데, 물체 표면에 작용하는 마찰력의 합력으로 나타나는 저항.
- **유선형** | 흐를 流, 선 線, 거푸집 型 | 물이나 공기의 저항을 최소한으로 하기 위하여 앞부분을 곡선으로 만들고, 뒤쪽으로 갈수록 뾰족하게 한 형태.
- **최우선** | 가장 最, 넉넉할 優, 먼저 先 | 어떤 일이나 대상을 특별히 다른 것에 비하여 가장 앞서서 문제로 삼거나 다룸.

글의 전개 구조 파악하기

1 **이 글에 대한 설명으로 가장 적절한 것은?**

① 구체적 사례를 통해 핵심 원리에 대해 설명하고 있다.
② 동일한 현상을 설명하는 다양한 견해를 소개하고 있다.
③ 대상의 구성 요소를 분석하여 각각의 기능에 대해 서술하고 있다.
④ 대상을 관찰한 결과를 바탕으로 하여 일반적 원리를 이끌어 내고 있다.
⑤ 시간의 흐름에 따라 대상이 변화하는 과정을 순차적으로 제시하고 있다.

뒷받침·구체화하기

2 **이 글을 통해 알 수 있는 내용으로 적절하지 않은 것은?**

① 물속에 있는 사람은 무게 중심과 부심의 위치를 조절하여 몸의 균형을 잡을 수 있다.
② 물속에 있는 사람이 숨을 많이 내쉬면 폐의 공기량이 줄어서 몸에 작용하는 부력이 작아진다.
③ 물속에 누워 있던 사람이 손을 머리 위로 뻗어 올리면 부심이 몸의 위쪽으로 이동해 상체가 위로 뜨게 된다.
④ 수면 위에 팔을 뻗고 있던 사람이 물속으로 몸을 웅크리게 되면 중력이 증가하여 무게 중심이 아래쪽으로 이동한다.
⑤ 같은 몸무게를 가진 사람일지라도 하체가 발달한 사람은 그렇지 않은 사람에 비해 무게 중심이 다리 쪽으로 치우쳐 있다.

이유·원인 밝히기

3 **㉠의 이유로 가장 적절한 것은?**

① 수영 선수는 육상 선수와 달리 유선형 몸매를 하고 있기 때문에
② 육상 선수는 수영 선수에 비해 무게 중심의 위치가 낮기 때문에
③ 물속에서는 지상에서보다 중력이 더 크게 작용하기 때문에
④ 물의 마찰 저항이 공기의 마찰 저항보다 훨씬 크기 때문에
⑤ 물속에는 부력이 있지만 공기 중에는 부력이 없기 때문에

지문 분석하기

● **글의 전개 방식 [병렬]**

물속에서 인체가 받는 힘

구분	내용
중력	• 지구가 물체를 지구의 (　　　　) 방향으로 끌어당기는 힘 • 질량(몸무게)만큼 아래로 작용함. 예 몸무게가 많이 나갈수록 물속에서 아래로 작용하는 중력의 힘이 큼.
부력	• 물에서의 압력에 의해 물체를 떠받쳐 올리는 힘 • 중력의 (　　　　) 방향인 위쪽으로 작용함. 예 물속에서 손을 머리 위로 뻗어 올리면 부력이 큰 폐의 위치가 높아져 상체가 위로 떠오름.
마찰력	• 물체가 어떤 면과 접촉하여 운동할 때 그 운동을 방해하는 힘 • 지상에서보다 물속에서 (　　　　) 저항이 매우 크게 나타남. 예 물체의 표면이 매끄러울수록 물의 마찰 저항을 덜 받음.

정답과 해설 26쪽

1

제시된 단어의 뜻을 참고하여 괄호 안에 알맞은 단어를 〈보기〉에서 찾아 그 기호를 쓰시오.

보기
㉠ 처분　㉡ 양질　㉢ 풍조　㉣ 유출

(1) 처리하여 치움.
예 그는 빚을 갚기 위해 부동산 (　　)을/를 결심했다.

(2) 좋은 바탕이나 품질.
예 우리 회사는 (　　)의 제품을 만들기 위해 노력하고 있다.

(3) 시대에 따라 변하는 세태.
예 현대 사회에는 서로를 믿지 못하는 (　　)이/가 퍼져 있다.

(4) 밖으로 흘러 나가거나 흘려 내보냄.
예 저장 탱크의 틈이 커져 더 이상 원유의 (　　)을/를 막을 수 없었다.

2

다음의 밑줄 친 말과 바꿔 쓸 수 있는 말로 알맞은 것은?

(1) 작은 실수가 이런 결과를 <u>가져온</u> 핵심적인 원인이다.
① 제조한　② 초래한　③ 고안한　④ 복제한　⑤ 분배한

(2) 최근에는 실화에 <u>바탕을 둔</u> 영화가 인기가 많다.
① 치우친　② 집착한　③ 승낙한　④ 기반한　⑤ 전달한

(3) 담당자가 관리를 <u>소홀히 하여</u> 문제가 발생하였다.
① 수립하여　② 단축하여　③ 유지하여　④ 공급하여　⑤ 등한시하여

3

다음 뜻과 알맞은 단어를 서로 연결하시오

(1) 침체 ·
(2) 유입 ·
(3) 유발되다 ·
(4) 가부장제 ·

· ㉠ 어떤 것에 이끌려 다른 일이 일어나다.
· ㉡ 액체나 기체, 열 따위가 어떤 곳으로 흘러듦.
· ㉢ 어떤 현상이나 사물이 진전하지 못하고 제자리에 머무름.
· ㉣ 가족을 통솔하고 재산 따위를 관리하는 가부장이 가족에 대한 지배권을 행사하는 가족 형태.

골프공 멀리 보내기

골프 경기를 시청하다 보면 골퍼가 여러 개의 골프채를 가지고 다니는 모습을 볼 수 있다. 골퍼가 다양한 골프채를 가지고 다니는 것은 상황에 따라 적절한 골프채를 이용하여 골프공을 정확하게 치기 위해서이다. 골프채의 모양과 크기는 매우 다양한데, 골프채의 머리 부분인 헤드의 재질이 나무이면 '우드', 금속이면 '아이언'이라고 한다. 또 골프공을 때리는 면과 휘어진 각도에 따라 1, 2, 3번으로 구분한다.

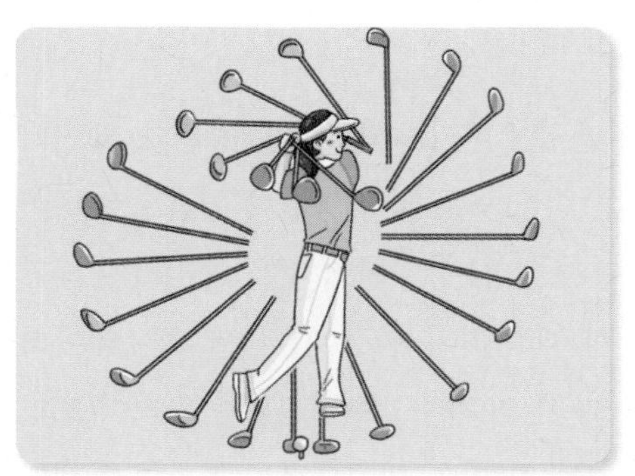

그러면 어떤 골프채를 사용해야 골프공을 멀리 날릴 수 있을까? 골프채가 회전할 때 생기는 힘을 '토크'라고 하는데, 이 토크가 커야만 골프공이 더 멀리 날아간다. 토크는 골프채가 회전하는 중심과 골프채가 공과 만나는 지점까지의 거리에 비례한다. 그러므로 같은 힘이라도 골프공을 가장 멀리 보낼 수 있는 골프채는 길이가 가장 긴 골프채이다. 그래서 골프공을 가장 멀리 보내야 하는 첫 번째 샷은 길이가 가장 긴 1번 우드로 치는 것이 일반적이다.

골퍼가 골프채를 휘두르려면 어깨 너머로 골프채를 들어 올려야 한다. 이때 들어 올린 골프채가 멈출 때 골프채의 높이가 가장 높아지는데, 골프채는 그 높이만큼 위치 에너지를 갖는다. 이 에너지와 골프채를 휘둘러서 생기는 운동 에너지, 즉 토크를 더하면 골프공을 때리는 총 에너지가 된다. 이 에너지를 오로지 골프공에만 집중시켜야 하는데 골프공을 칠 때에는 골프채와 땅의 마찰로 이 에너지가 공에 온전히 전달되지 못하는 경우가 많다. 그래서 각 홀마다 첫 번째 샷을 할 때는 골프공을 올려놓는 받침대인 '티' 위에 공을 올려놓고 친다.

07 데이터를 줄 세우는 두 가지 질서

교과 연계 **정보** _ 문제 해결과 프로그래밍

문단 요약하기

① 큐에서 데이터는 (　　　　　) 에서 입력되고, 프런트에서 삭제된다.

② 큐는 (　　　　　　　　)의 위치에 따라 데이터가 저장된다.

③ 큐는 (　　　　　　　　)의 위치에 따라 데이터가 삭제된다.

④ (　　　　　)에서 데이터는 한쪽 끝에서만 저장되고 삭제된다.

⑤ 스택은 (　　　　　)의 위치에 따라 데이터가 저장되고 삭제된다.

① 우리가 사용하는 컴퓨터의 데이터 처리 방식 중에는 큐(queue)와 스택(stack)이 있다. 큐와 스택은 데이터의 저장과 삭제 방식에 따라 구분되는데, 큐는 한쪽 끝인 리어(rear)에서 데이터가 입력되고, 그 반대쪽 끝인 프런트(front)에서만 삭제가 이루어지는 방식이다. 은행이나 식당에서 서비스를 받기 위해 줄을 서는 경우와 마찬가지이다. 가장 먼저 와서 줄의 앞부분에 서 있는 사람이 먼저 서비스를 받게 되고, 나중에 온 사람은 뒤에서 차례를 기다려야 한다.

② 큐에 데이터가 입력되면 데이터는 입력되는 순서에 따라 차례대로 저장된다. 데이터의 저장 위치는 '리어 포인터'가 가리키게 된다. 비어 있는 저장 공간에 처음으로 데이터 'A'가 입력된다고 가정해 보자. 그러면 리어 포인터는 첫 번째 칸을 가리키게 되고 그 위치에 데이터가 저장된다. 새로운 데이터 'B', 'C', 'D'가 연속적으로 입력된다면 리어 포인터의 위치는 한 칸씩 뒤쪽으로 이동하며 차례대로 데이터를 저장하게 된다.

③ 한편 데이터의 삭제는 '프런트 포인터'가 가리키는 위치에 의해 결정된다. 저장된 데이터 'A'를 처음으로 삭제한다면 프런트 포인터는 첫 번째 칸을 가리키게 되고 그 위치에 저장되어 있는 데이터를 삭제한다. 저장되어 있는 데이터를 연속적으로 삭제한다면 프런트 포인터의 위치는 한 칸씩 뒤쪽으로 이동하며 차례대로 데이터를 삭제하게 된다.

④ 이와 달리 스택은 데이터의 저장과 삭제가 한쪽 끝에서만 이루어지는 데이터 구조이기 때문에 먼저 저장된 데이터가 가장 나중에 삭제된다. 한쪽만 열려 있는 길쭉한 통에 책을 보관하는 경우를 생각해 보자. 가장 먼저 넣은 책은 바닥에 깔리고 가장 나중에 넣은 책은 위쪽에 위치하여 다시 책을 꺼내려 한다면 가장 나중에 넣은 책부터 차례대로 꺼내야 한다.

⑤ 스택에서 데이터가 저장되거나 삭제되는 위치는 '탑(top)'에 의해 결정된다. 비어 있는 저장 공간에 처음으로 데이터 'A'가 입력되면 탑은 가장 아래 칸을 가리키게 되고 그 위치에 데이터를 저장한다. 새로운 데이터 'B', 'C', 'D'가 연속적으로 입력된다면 탑의 위치는 한 칸씩 위쪽으로 이동하며 차례대로 데이터를 저장하게 된다. 데이터의 삭제가 이루어질 경우 현재 탑이 가리키고 있는 위치의 데이터가 삭제되고, 연속적으로 데이터를 삭제한다면 탑의 위치는 아래쪽으로 이동하며 차례대로 데이터를 삭제하게 된다.

- **연속적** | 잇닿을 連, 이을 續, 것 的 | 연달아 이어지는 것.
- **보관하다** | 지킬 保, 관리할 管 | 물건을 맡아서 간직하고 관리하다.

1 이 글의 내용과 일치하지 않는 것은?

① 큐에서 데이터의 저장 위치는 프런트 포인터가 결정한다.
② 큐에서 가장 먼저 저장된 데이터는 첫 번째 칸에 위치한다.
③ 스택에서 가장 먼저 저장된 데이터는 가장 나중에 삭제된다.
④ 큐와 스택은 데이터를 저장하고 삭제하는 방식에 따라 구분된다.
⑤ 스택에서 데이터가 저장되거나 삭제되는 위치는 탑에 의해 결정된다.

개념으로 원리 이해하기

2 이 글을 바탕으로 하여 〈보기〉를 실행한 결과로 알맞은 것은?

보기

데이터를 저장 및 삭제하려고 할 때, 4개의 데이터를 저장할 수 있는 저장 공간에 'A', 'B', 'C'를 차례로 입력했다가 1개의 데이터를 지우고 'D'를 입력한다.

* 이때 〈큐〉의 '프런트 포인터', '리어 포인터'는 각각 'F', 'R'로 표시하고 〈스택〉의 '탑'은 'Top'으로 표시함.

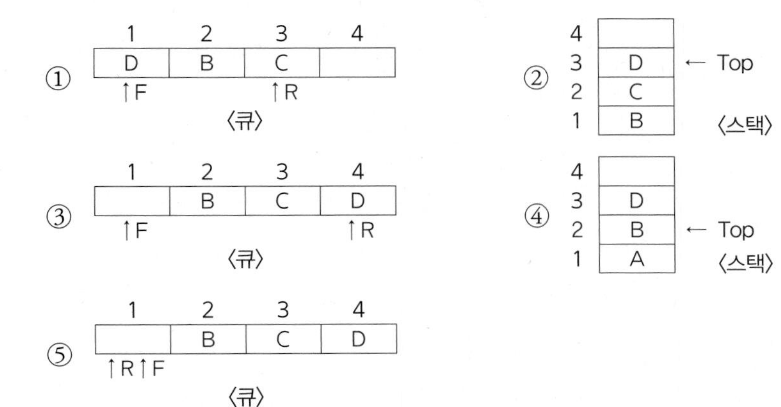

개념 견주어 보기

3 〈보기〉에 제시된 ㉠, ㉡의 예로 설명할 수 있는 데이터 처리 방식을 각각 쓰시오.

보기

㉠ 메시지함이 가득 차면 가장 오래된 메시지를 삭제할지 물어보는 경우
㉡ 인터넷을 사용하다 '뒤로 가기' 버튼을 눌러 이전에 방문한 사이트를 다시 찾는 경우

지문 분석하기

● 글의 전개 방식 [병렬]

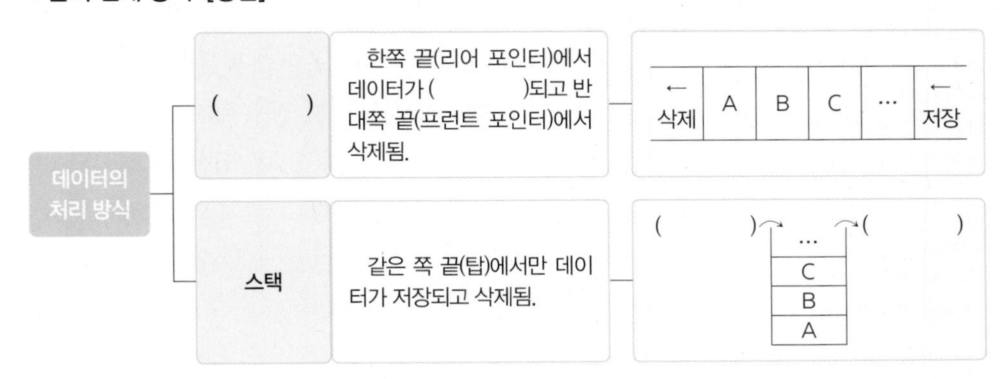

실전 2회

정답과 해설 27쪽

08 터치스크린에는 어떤 원리가 숨어 있을까

✎ 문단 요약하기

① 터치스크린은 화면을 손이나 펜 등으로 접촉하여 (　　　　　　) 하는 장치이다.

② 저항막 방식은 (　　　　　　) 의 변화로 입력 지점을 판별한다.

③ 저항막 방식은 제조 비용이 싸고 작은 터치에도 유리하지만 충격에 약하고, (　　　　　　)이/가 떨어진다.

④ (　　　　　　)은/는 정전기에 의해 액정 위의 전자가 접촉 지점으로 끌려오는 원리를 이용한다.

⑤ 정전 용량 방식에서는 전자를 (　　　　　　)하는 물질이 아니면 터치가 불가능하고 작은 손상에도 오작동할 가능성이 높다.

① 컴퓨터는 0과 1로 정보를 해석하고 처리한다. 컴퓨터는 사람들이 사용하는 문자, 도형, 목소리, 숫자 등의 자료를 읽어 들여 0과 1의 형태로 바꾸어 주는 장치가 필요한데, 이를 입력 장치라고 한다. 키보드, 마우스, 조이스틱, 스캐너, 터치스크린 등이 대표적인 입력 장치에 속한다. 이 중에서 화면을 손이나 펜 등으로 접촉하여 정보를 입력하는 장치가 터치스크린이다.

② 터치스크린은 작동 원리와 방법에 따라 여러 가지 방식으로 나눌 수 있는데, 저항막 방식과 정전 용량 방식이 가장 대표적이다. 저항막 방식은 액정 위에 여러 겹의 막이 쌓여 있는 형태의 터치스크린이다. 여러 겹의 막 중에서 가장 중요한 것이 두 장의 투명 전도막인데, 상부 전도막에는 은이 평행하게 프린트되어 있고 하부 전도막에는 은이 수직으로 프린트되어 있어 이 두 장의 전도막에는 모두 전기가 흐르도록 되어 있다. 그러나 그 사이에는 절연체 알갱이를 넣어 상부와 하부의 전도막 사이에는 전기가 흐르지 않는다. 그런데 액정의 한 지점을 누르면 상부의 투명 전도막이 하부의 투명 전도막과 접촉하여 이 지점으로 전기가 흐르면서 투명 전도막에 가해지는 전압의 값이 변하게 된다. 이를 통해 입력 지점의 X, Y 좌표를 측정하여 그 지점의 입력을 판별할 수 있게 한 것이다.

③ 따라서 이 방식은 대부분의 물체를 이용해 화면을 터치할 수 있으며, 작은 아이콘 터치에도 유리하다. 또한 제조 비용이 싸기 때문에 휴대용 게임기나 내비게이션 등에 널리 쓰인다. 그러나 여러 겹으로 막을 쌓아 올린 만큼 충격에 약하고, 선명도가 떨어져 고해상도 화면을 요구하는 기기에는 잘 사용하지 않는다.

④ 정전 용량 방식은 우리 몸에 있는 정전기를 이용하는 방식이다. 즉 액정 유리에 전기가 통하는 화합물을 코팅해서 전류가 계속 흐르도록 한다. 그러다가 화면에 손가락이 닿으면 액정 위를 흐르던 전자가 접촉 지점으로 끌려오게 된다. 그러면 터치스크린의 센서가 이를 감지해서 입력을 판별하게 된다.

⑤ 이 방식은 화질도 선명하고, 손가락을 벌리거나 좁히면서 화면을 확대·축소하는 멀티 터치도 가능하여 스마트폰이나 태블릿 PC 등에 널리 사용된다. 그러나 손가락처럼 전자를 유도하는 물질이 아닐 경우 터치 입력이 불가능하다는 불편함도 있다. 또한 강화 유리를 사용해 비교적 내구성은 뛰어나지만 작은 손상에도 터치스크린이 오작동할 가능성이 높다는 단점이 있다.

- **절연체** | 끊을 絶, 인연 緣, 몸 體 | 전도체나 소자로부터 전기적으로 분리되어 있어 열이나 전기를 잘 전달하지 아니하는 물체.
- **판별하다** | 판가름할 判, 나눌 別 | 옳고 그름이나 좋고 나쁨을 판단하여 구별하다.
- **코팅(coating)** | 물체의 겉면을 얇은 막으로 입히는 일.
- **내구성** | 견딜 耐, 오랠 久, 성질 性 | 물질이 원래의 상태에서 변질되거나 변형됨이 없이 오래 견디는 성질.
- **오작동** | 그릇할 誤, 일어날 作, 움직일 動 | 기계나 전자 제품이 기능 이상으로 잘못 작동함.

1

이 글의 중심 내용으로 가장 적절한 것은?

① 대상의 구성 요소와 제작 과정
② 대상의 단점과 성능 개선을 위한 요건
③ 대상의 구조를 중심으로 한 발전 과정
④ 대상의 형태를 기준으로 한 분류 방식
⑤ 대상의 종류에 따른 작동 원리와 장단점

개념 이해하기

2

이 글의 정전 용량 방식에 대해 이해한 내용으로 적절하지 않은 것은?

① 장갑을 낀 손으로 터치하면 작동하지 않을 수 있다.
② 저항막 방식에 비해 선명한 화질의 화면을 볼 수 있다.
③ 멀티 터치를 위해서는 별도의 전도막을 부착해야 한다.
④ 강화 유리로 되어 있어 저항막 방식보다 내구성이 뛰어난 편이다.
⑤ 화면에 손가락을 대면 액정 위의 전자가 손가락 쪽으로 끌려온다.

정답과 해설 28쪽

기능과 과정 이해하기

3

이 글을 바탕으로 하여 〈보기〉를 이해한 내용으로 적절하지 않은 것은?

보기

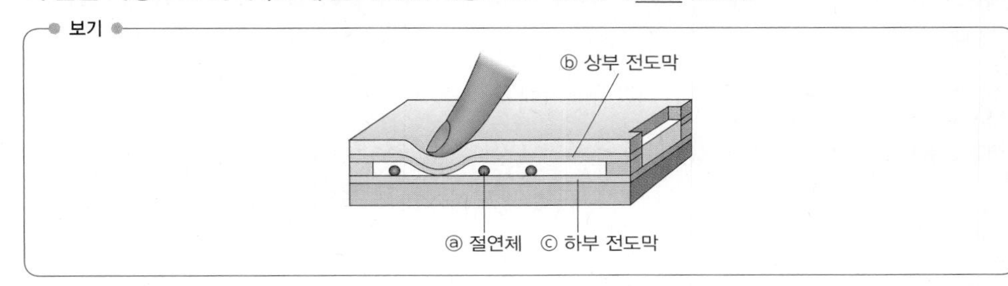

① 손가락으로 누른 위치는 입력 지점의 X, Y 좌표로 표현할 수 있겠군.
② ⓐ는 입력 없이 ⓑ와 ⓒ가 접촉되는 것을 막아 주는 역할을 하겠군.
③ ⓑ에 입력이 없으면 ⓒ에는 전기가 흐르지 않는 상태가 유지되겠군.
④ ⓑ와 ⓒ에 프린트되어 있는 은은 서로 수직인 방향으로 되어 있겠군.
⑤ ⓑ와 ⓒ의 특정 지점에 생긴 전압의 변화로 입력 위치를 알 수 있겠군.

지문 분석하기

● 글의 전개 방식 [병렬, 대비]

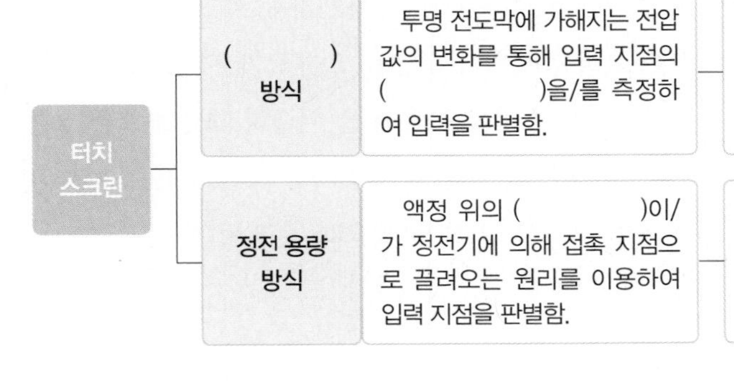

터치 스크린	(　　　) 방식	투명 전도막에 가해지는 전압값의 변화를 통해 입력 지점의 (　　　)을/를 측정하여 입력을 판별함.	• 장점: 제조 비용이 저렴하고 대부분의 물체로 화면 터치가 가능함. • 단점: 내구성이 약하고 선명도가 떨어짐.
	정전 용량 방식	액정 위의 (　　　)이/가 정전기에 의해 접촉 지점으로 끌려오는 원리를 이용하여 입력 지점을 판별함.	• 장점: 화질의 선명도가 높으며 (　　　)이/가 가능함. • 단점: 전자 유도 물질만 터치가 가능하고 오작동 가능성이 큼.

미술은 꼭 아름다워야 하나

교과 연계 **미술** _ 다른 나라 미술의 흐름(미술의 변천과 맥락), 작품 해석

문단 요약하기

① 미술이 꼭 (　　　　　　)을/를 표현해야 하는가에 대해서 생각해 볼 필요가 있다.

② 19세기 전까지 회화에서는 사실적인 묘사와 (　　　　　　)을/를 미술의 아름다움으로 믿어 왔다.

③ 사진의 발명 이후 20세기에 등장한 추상 회화에서는 대상의 (　　　　　　)을/를 표현하는 데 중점을 두었다.

④ (　　　　　　)들은 예술 작품과 실제 사물 사이의 차이를 없애려고 했다.

⑤ (　　　　　　)이/가 꼭 시각적인 아름다움을 표현하는 예술이어야 할 필요가 없게 되었다.

① 사람들은 미술이 시각적인 아름다움을 표현하는 예술이라고 생각한다. 하지만 아름다움에 대한 판단은 사람마다 다른 것이어서 무엇을 아름다움으로 정해야 하는지 말하기가 쉽지 않다. 더 나아가 미술이 꼭 아름다운 것을 표현하는 예술이어야 하는가에 대해서도 생각해 볼 필요가 있다.

② 15세기 르네상스 미술가들은 중세의 종교적 속박에서 벗어나 조화롭고 균형 잡힌 자연의 모습을 자신들의 회화에 반영하려고 노력했다. 그래서 고안한 것이 원근법이었다. 수학적 법칙을 사용해 자연의 근사치에 도달하고자 한 것이었다. 16세기 이후에는 유화가 개발되어 자연에 대한 더욱 정밀한 묘사가 가능해졌다. 유화는 마르는 동안에도 덧칠과 수정이 가능하기 때문에 대상의 세세한 부분까지 사실적으로 그릴 수 있었던 것이다. 이와 같이 미술은 한동안 자연을 얼마나 더 정확하고 사실적으로 묘사할 수 있는가에 주력했고 거기에 조화와 균형으로 대표되는 미술의 아름다움이 있다고 믿어 왔다.

③ 그러나 19세기에 들어와 사진이 발명되면서 이러한 생각은 흔들리기 시작했다. 사진은 원근법의 도움 없이도 외부 세계를 정확하게 포착해 냈고, 유화와는 비교가 되지 않을 정도로 정밀한 표현이 가능했다. 결과적으로 사진의 발달과 보급은 회화에서 대상의 외형에 대한 사실적 재현에 의존하지 않고 대상의 특성과 본질을 표현하는 데 더 중점을 두게 만들었다. 20세기에 등장한 ㉠추상 회화는 이러한 변화를 반영한 것이었다.

④ 그 이후 팝 아티스트들은 예술 작품과 그것이 가리키는 실제 사물 사이의 차이를 없애려고 했다. 앤디 워홀은 슈퍼마켓에서 파는 세제인 브릴로 박스를 쌓아 작품을 만들고 이를 전시함으로써 단지 바라보는 것만으로 예술 작품과 일상 용품 사이의 차이를 구분할 수 없다는 철학을 보여 주었다. 이는 즉 실제 사물이 곧 예술 작품이라는 관점과 그동안 예술 작품에 부여해 온 미술의 전통적인 권위는 이제 무의미하다는 생각을 드러낸 것이었다.

⑤ 이와 같이 미술은 추상 회화처럼 사실적인 외형의 재현을 포기하거나 팝 아트처럼 일상 속에 존재하는 것 그 자체가 될 수도 있게 되었다. 미술이 반드시 조화롭고 균형 잡힌 특별한 것이나 자연을 그대로 재현한 것이 아니어도 상관없다는 것이다. 이러한 변화는 500년 이상 지속해 온 미술의 개념을 흔들어 놓았으며, 미술이 아름다움을 표현해야 한다는 강박에서도 벗어날 수 있게 해 주었다. 미술이 꼭 시각적인 아름다움을 표현하는 예술이어야 할 필요가 없게 된 것이다.

- **속박** | 묶을 束, 묶을 縛 | 어떤 행위나 권리의 행사를 자유로이 하지 못하도록 강압적으로 얽어매거나 제한함.
- **근사치** | 가까울 近, 같을 似, 값 値 | 근사계산에 의하여 얻어진 수치로 참값에 가까운 값.
- **주력하다** | 쏟을 注, 힘 力 | 어떤 일에 온 힘을 기울이다.
- **부여하다** | 붙을 附, 줄 與 | 사람에게 권리·명예·임무 따위를 지니도록 해 주거나, 사물이나 일에 가치·의의 따위를 붙여 주다.
- **강박** | 억지 強, 다그칠 迫 | 어떤 생각이나 감정에 사로잡혀 심리적으로 심하게 압박을 느낌.

글의 전개 구조 파악하기

1 **①~⑤에 대한 설명으로 적절하지 않은 것은?**

① ①: 통념에 관한 의문을 밝히면서 화제를 제시하고 있다.
② ②: 자연의 사실적 묘사를 중시해 온 미술의 특징을 시대순으로 드러내고 있다.
③ ③: 추상 회화가 등장한 이유를 분석하여 사진이 등장하게 된 배경과 비교하고 있다.
④ ④: 팝 아트의 사례를 제시하며 팝 아트의 특징과 기존 미술과의 차이를 밝히고 있다.
⑤ ⑤: 앞에서 말한 주요 내용을 다시 언급하며 미술에 대한 새로운 관점을 제시하고 있다.

뒷받침·구체화하기

2 **이 글을 바탕으로 하여 〈보기〉의 괄호 안에 들어갈 내용으로 가장 적절한 것은?**

보기

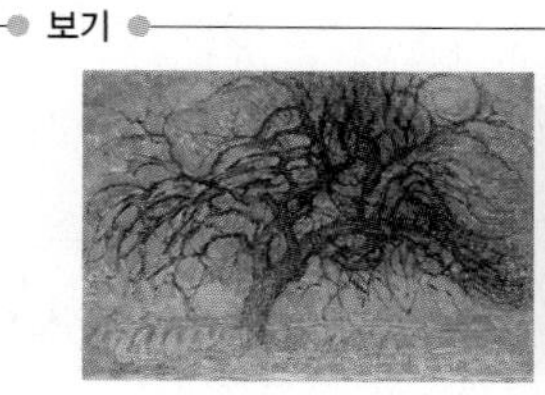
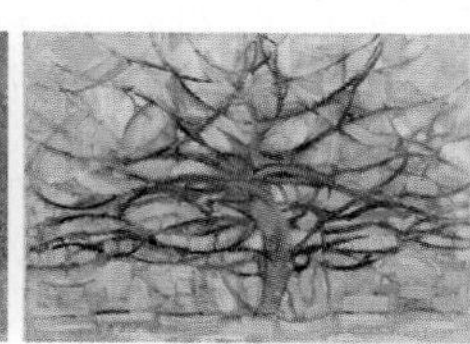
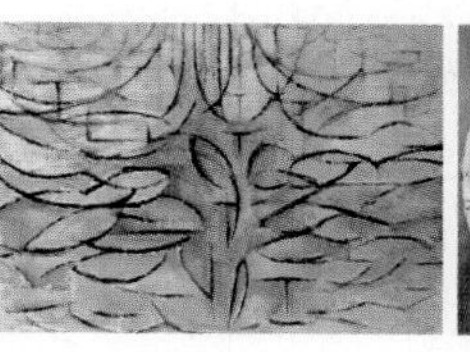
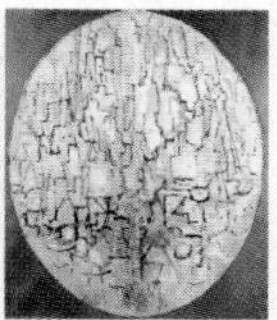

추상 회화의 방향은 몬드리안의 〈나무〉 연작을 통해 잘 드러난다. 맨 왼쪽부터 순서대로 볼 때, 초기 작품인 〈붉은 나무〉(1910)는 나무의 형상을 잘 유지하고 있다. 다음 해에 제작된 〈회색 나무〉(1911)는 훨씬 더 단순한 형태로 그려졌으나 나무임을 알아볼 수는 있다. 하지만 〈꽃피는 사과나무〉(1912)에 이르면 이 작품이 나무를 그렸다는 사실조차 얼른 알아채기 어려우며, 〈나무가 있는 타원형 구성〉(1913)에 이르면 최소한의 색채와 선만 남게 된다. 몬드리안은 이와 같이 사물의 형태 및 색채를 간략하게 해 나가는 과정을 통해 (　　　)을/를 보여 주려고 한 것이다.

① 물질에서 형태를 분리하면 더욱 순수한 정신에 도달할 수 있다는 생각
② 대상의 부분에 대한 묘사만으로 대상의 본질을 표현할 수 있다는 신념
③ 새로운 생명력의 원천이 아직 때 묻지 않은 원시 문명 속에 있다는 생각
④ 사물의 형태에 의존하지 않으면서 변화하는 요소를 포착하고자 하는 의지
⑤ 구체적인 사물의 형태에 의존하지 않더라도 대상의 본질을 드러낼 수 있다는 믿음

인과 관계 이해하기

3 **㉠의 등장에 영향을 끼친 사건을 이 글에서 찾아 쓰시오.**

지문 분석하기

● **글의 전개 방식 [과정]**

실전 2회
정답과 해설 29쪽

예술

10 불교의 탑과 예술성

✎ 문단 요약하기

① 불교의 탑은 (   )을/를 모셔 둔 곳이다.

② 불교의 (   )은/는 신앙의 대상인 동시에 중요한 고대 예술품이라고 볼 수 있다.

③ 불교의 탑의 예술성은 안정감과 (   )의 두 가지 측면에서 살핀다.

④ 불국사의 (   )은/는 안정감과 상승감의 균형미를 갖춘 대표적인 석탑이다.

① 부처가 열반했을 때, 부처의 시신을 화장하고 남은 유골을 '사리'라고 하며, 사리를 모셔 둔 곳이 바로 '탑'이다. 탑은 원래 석가모니의 사리를 묻고 그 위에 돌이나 흙을 높이 쌓은 무덤이었는데 후에 건축물의 형태로 발전했다. 인도 마우리아 왕조의 아소카왕은 불교의 전파를 위해 인도 전역에 8만여 기의 탑을 세웠는데, 그 후 불교가 여러 나라로 전파되면서 각지에 탑이 세워졌다. 불교가 국교가 된 이후 우리나라에도 많은 탑이 세워지기 시작했으며 오늘날까지 약 1,500여 기의 탑이 남아 있다. 그러나 사리의 수는 한정되어 있어 모든 탑에 부처의 사리를 넣을 수 없었다. 그래서 나중에는 금, 은, 옥 등으로 대신하거나 불경, 작은 탑 등 부처의 상징물을 넣었다. 이때 탑 속에 넣은 부처의 사리를 '진신 사리'라고 하고, 대신하여 넣은 것을 '법신 사리'라고 한다.

② 탑은 부처의 사리를 모셔 둔 곳, 즉 부처가 영원히 쉬고 있는 집이다. 그러므로 탑에 대한 예배는 불상에 대한 예배와 마찬가지로 부처에 대한 예배의 의미를 가지고 있다. 불교에서 절을 세우는 목적은 탑과 불상을 봉안하고 예배를 하기 위해서이다. 즉 불교에서 신앙의 대상 중 하나가 탑이며, 따라서 탑은 절의 중심부에 세우는 것이 원칙이다. 이처럼 탑은 불교에서는 신앙의 대상이지만, 역사에서는 중요한 고대 예술품의 하나이기도 하다. 따라서 탑을 고찰할 때에는 그것에 깃든 의미와 상징성을 살피고, 그것을 바탕으로 탑의 건축적 예술성을 살펴야 한다.

③ 대개 탑의 예술성은 안정감과 상승감이라는 두 가지 측면에서 살피게 된다. 안정감은 탑의 구조적 안정성에서 오는 것으로, 탑의 받침에 해당하는 기단과 탑 전체의 높이가 이루는 비율에 영향을 받는다. 일반적으로 기단부의 폭이 넓고, 탑의 높이가 낮을수록 안정감이 높다. 상승감은 탑의 높이와 관련된 것으로, 탑의 중앙인 탑신부가 다층으로 이루어져 전체 높이가 높을수록 상승감이 강조된다. 원래 인도의 탑은 무덤의 의미가 강조되어 탑의 높이가 낮지만, 중국과 우리나라의 탑은 신앙의 대상으로서 상승감이 강조되면서 다층 양식이 자리를 잡았다. 그리고 이 두 요소를 모두 갖추어 상하좌우가 잘 조화된 균형미를 살펴 예술성을 평가한다.

④ 우리나라의 탑은 초기에는 목탑이 주류를 이루었으나 점차 석탑 양식이 자리를 잡았으며, 복잡한 다층 구조의 중국 목탑 형식을 단순하게 하여 상승감과 안정감이 조화를 이루는 형태로 발전했다. 특히 불국사의 석가탑은 가장 단순하고 명확한 형식을 구현한 삼층 석탑으로 안정감과 상승감의 균형미를 갖춘 대표적인 석탑으로 평가된다.

- **열반하다** | 진흙 涅, 쟁반 槃 | 승려가 죽다.
- **화장하다** | 불 火, 장사지낼 葬 | 시체를 불에 살라 장사 지내다.
- **기** | 터 基 | 무덤, 비석, 탑 따위를 세는 단위.
- **예배** | 예도 禮, 절 拜 | 신이나 부처와 같은 초월적 존재 앞에 경배하는 의식. 또는 그런 의식을 행함.
- **봉안하다** | 받들 奉, 편안할 安 | 신주(神主)나 화상(畵像)을 받들어 모시다.
- **고찰하다** | 생각할 考, 살필 察 | 어떤 것을 깊이 생각하고 연구하다.
- **주류** | 주될 主, 흐를 流 | 사상이나 학술의 주된 경향이나 갈래.
- **구현하다** | 갖출 具, 나타날 現 | 어떤 내용을 구체적인 사실로 나타나게 하다.

1 **이 글의 내용과 일치하지 않는 것은?**

① 불교의 탑은 원래 부처의 사리를 모셔 둔 곳이다.
② 불교의 탑에 넣었던 금, 은, 옥 등은 법신 사리라고 한다.
③ 불교에서 탑을 세우는 이유는 불상을 봉안하기 위해서이다.
④ 불교의 탑은 불교가 여러 나라로 전파되면서 각지에 세워졌다.
⑤ 불교의 탑은 신앙의 대상인 동시에 역사적으로 중요한 예술품이다.

대상 견주어 보기

2 **이 글을 바탕으로 하여 <보기>의 ㉠, ㉡에 대해 보인 반응으로 적절하지 않은 것은?**

보기

① ㉠은 무덤과 형태가 유사하다는 점에서 인도의 탑과 유사하군.
② ㉡의 다층 구조는 탑의 구조적 안정성을 높이는 기능을 하는군.
③ 탑의 기단과 높이를 보니 ㉠은 ㉡에 비해 안정감이 높게 느껴지는군.
④ ㉡은 탑신부가 높아 ㉠에 비해 상승감이 높게 느껴지는군.
⑤ ㉡은 ㉠에 비해 안정감과 상승감의 균형미가 더 높게 느껴지는군.

3 **탑의 예술성을 고찰하기 위해 고려해야 하는 두 가지 중요한 요소를 이 글에서 찾아 쓰시오.**

지문 분석하기

● 글의 전개 방식 [병렬]

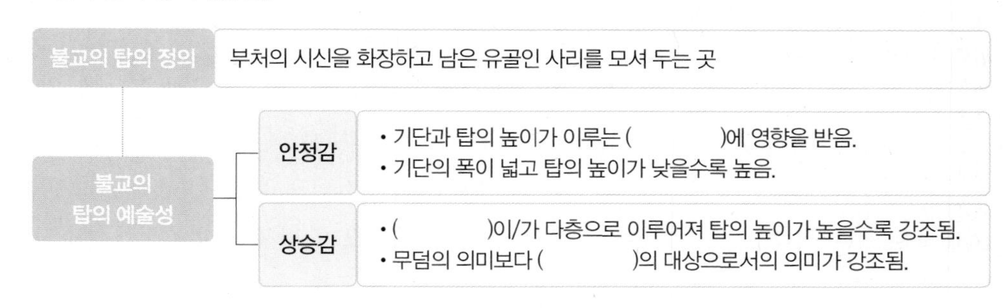

불교의 탑의 정의	부처의 시신을 화장하고 남은 유골인 사리를 모셔 두는 곳	
불교의 탑의 예술성	안정감	• 기단과 탑의 높이가 이루는 (　　　)에 영향을 받음. • 기단의 폭이 넓고 탑의 높이가 낮을수록 높음.
	상승감	• (　　　)이/가 다층으로 이루어져 탑의 높이가 높을수록 강조됨. • 무덤의 의미보다 (　　　)의 대상으로서의 의미가 강조됨.

실전 2회
정답과 해설 30쪽

통합

11 적벽 대전과 남동풍(南東風)

① 나관중의 역사 소설《삼국지연의》에 나오는 적벽 대전은 중국 후한 말인 208년, 오나라의 손권과 촉나라의 유비가 연합하여 위나라의 조조와 싸웠던 전쟁이다. 중국 전체를 정복하기를 꿈꿨던 조조는 여러 전투를 거쳐 양쯔강 남쪽의 강가인 적벽에서 손권, 유비와 대치하게 된다. 이때 손권과 유비의 연합군을 이끌던 주유는 거짓으로 항복하는 기지를 발휘해서 위나라의 배들을 묶어 놓는 데 성공했지만, 조조의 대군과 정면 승부를 벌이기에는 역부족이었다.

② 바로 이때 제갈공명이 주유에게 편지를 보냈다. "조조를 이기려면 화공(火攻)을 해야 하리, 모든 것을 갖추었으나 남동풍만이 없구나." 위나라 군대는 북서쪽에 머무르고 있었기 때문에 남동풍이 불어야만 화공을 성공할 수 있었다. 하지만 적벽 대전이 일어난 11월은 북서풍이 불어 화공의 성공을 기대하기는 어려웠다. 주유는 즉시 제갈공명에게 달려가 남동풍을 구할 계책을 구했다. 제갈공명은 못 이기는 체하며, 남병산에 제단을 쌓고는 하늘에 빌어 동짓달 스무날부터 삼일 동안 남동풍이 불게 하겠다고 약속했다. 약속된 날짜에서 하루가 지나자 남동풍이 불기 시작했고, 오나라는 화공을 이용하여 조조의 모든 배들을 불태우고 위나라 대군을 몰살하였다.

③ 과연 제갈공명은 남동풍을 부르는 능력이 있었을까? 제갈공명이 가지고 있던 능력은 날씨를 바꾸는 것이 아니라 날씨를 이용할 줄 아는 지혜였을 것이다. 적벽 대전이 일어난 2~3세기경은 대체로 기후 변화가 심한 한랭기였다. 또한 때가 11월이어서 중국 대륙은 북쪽의 차가운 시베리아 기단의 영향권에 들어 북서풍이 매우 강하게 부는 계절이었다.

④ 그런데 어떻게 남동풍이 불게 되었을까? 오늘날의 기단과 전선의 배치를 알면 쉽게 이해할 수 있다. 적벽 지역은 겨울에는 고기압인 북쪽의 시베리아 기단의 세력권에 들어 북서풍이 불지만 지구 북반구의 편서풍(서쪽에서 동쪽으로 치우쳐 부는 바람)에 의해 고기압이 일시적으로 북동쪽으로 이동하며 그 사이에 남동쪽에 있던 온난 전선이 파고든다. 시베리아 기단의 후면은 한랭 전선을 형성해 춥고 눈비가 오지만 온난 전선에서는 남동풍이 분다. 온난 전선 앞면은 시베리아 기단이 형성한 한랭 전선과 맞닿아 저기압의 정체 전선을 형성한다. 제갈공명은 저기압으로 인해 나타나는 여러 가지 징후를 보며 곧 온난 전선이 적벽 지역을 파고들어 남동풍이 불 것을 알았던 것이다.

⑤ 특히 조조는 "겨울에는 바람이 북서풍으로 부는데 오나라는 남동쪽에 있으니 염려할 것 없다."라며, 적의 화공에 대비해야 한다는 권고를 무시한 바 있다. 조조는 이러한 경우의 기압 배치 상황을 미리 깨닫지 못한 것이다. 반면 제갈공명은 기상의 변화를 꿰뚫은 날씨 관측자이자 예보자였으며, 날씨를 전쟁에 활용한 뛰어난 기상 전문가였던 것이다.

- **대치하다** | 대할 對, 우뚝 솟을 峙 | 서로 맞서서 버티다.
- **기지** | 때 機, 지혜 智 | 경우에 따라 재치 있게 대응하는 지혜.
- **역부족** | 힘 力, 아닐 不, 그칠 足 | 힘이나 기량 따위가 모자람.
- **화공** | 불 火, 칠 攻 | 전쟁 때에, 불로 적을 공격함.
- **계책** | 꾀할 計, 꾀 策 | 어떤 일을 이루기 위하여 꾀나 방법을 생각해 냄. 또는 그 꾀나 방법.
- **정체 전선** | 찬 기단과 따뜻한 기단의 경계면이 한곳에 머물러 있는 전선.
- **징후** | 조짐 徵, 조짐 候 | 겉으로 나타나는 낌새.
- **권고** | 권할 勸, 알릴 告 | 어떤 일을 하도록 권함. 또는 그런 말.

글의 전개 구조 파악하기

1 **이 글에 대한 설명으로 가장 적절한 것은?**

① 《삼국지연의》의 적벽 대전이 지닌 역사적 의의와 가치를 설명하고 있다.
② 《삼국지연의》에 나오는 적벽 대전이 가능했던 과학적인 이유를 설명하고 있다.
③ 과학적 원리를 활용하여 《삼국지연의》에 나타난 과학적 오류를 드러내고 있다.
④ 과학적 지식을 통해 《삼국지연의》에 등장하는 주요 인물의 성격을 분석하고 있다.
⑤ 《삼국지연의》의 내용을 통해 지도가가 갖추어야 할 바람직한 자세를 밝히고 있다.

2 **이 글의 내용과 일치하지 않는 것은?**

① 제갈공명은 기단의 배치와 기상의 변화를 알고 전쟁에 활용하였다.
② 제갈공명은 주유로부터 바람의 방향을 바꾸어 달라는 부탁을 받았다.
③ 적벽 대전 이전 조조의 군대는 손권과 유비의 군대를 압도하고 있었다.
④ 조조는 적벽 지역에서 남동풍이 불 수 있다는 사실을 보고받지 못했다.
⑤ 적벽 대전에서 주유의 연합군은 화공을 통해 위나라 군대에 크게 승리하였다.

기능과 과정 이해하기

3 **이 글을 바탕으로 하여 〈보기〉를 이해한 내용으로 적절하지 않은 것은?**

보기

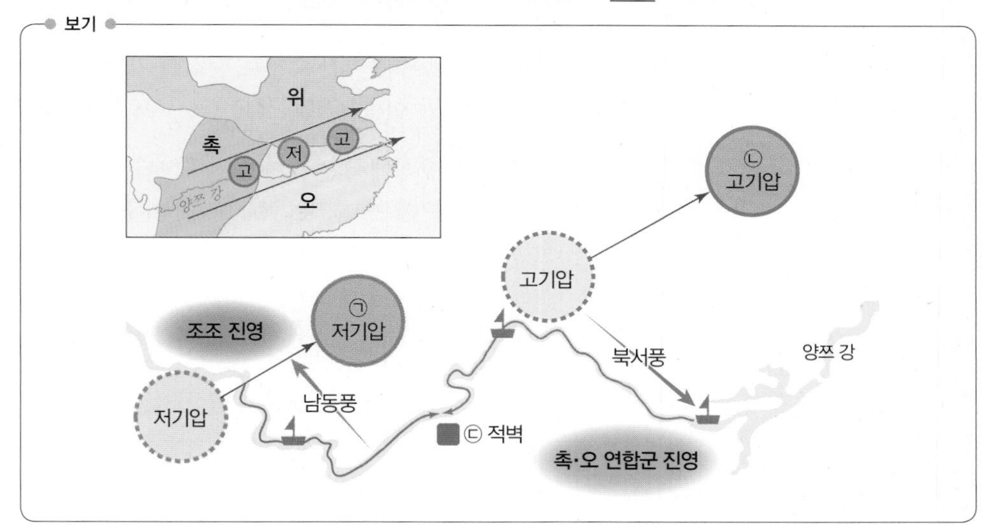

① ㉠은 남동풍이, ⓛ은 북서풍이 불도록 하는 원인으로 볼 수 있다.
② ⓛ이 일시적으로 이동한 것은 이 지역이 북반구로서 편서풍이 불기 때문이다.
③ 주유의 연합군이 화공을 성공할 수 있었던 것은 ⓒ에 남동풍이 불었기 때문이다.
④ 제갈공명이 ⓒ에 남동풍이 불 것을 예측한 것은 ㉠의 징후를 확인했기 때문이다.
⑤ 조조는 ㉠의 뒤에 한랭 전선이 존재한다는 사실을 알지 못하여 ⓒ에서 패배하였다.

실전 2회

정답과 해설 31쪽

1 제시된 뜻과 예문을 참고하여 다음 초성에 해당하는 단어를 괄호 안에 쓰시오.

(1) ㅇ ㅂ : 승려가 죽음.
예 그 스님은 온화한 미소를 남긴 채 ㅇㅂ에 들었다. ( )

(2) ㅇ ㅅ ㅈ : 연달아 이어지는 것.
예 그 사람에게 기자들의 ㅇㅅㅈ인 질문이 쏟아졌다. ( )

(3) ㅇ ㅈ ㄷ : 기계나 전자 제품이 기능 이상으로 잘못 작동함.
예 그동안 아무 문제없던 기계가 갑자기 ㅇㅈㄷ을/를 일으켰다. ( )

(4) ㄱ ㅂ : 어떤 생각이나 감정에 사로잡혀 심리적으로 심하게 압박을 느낌.
예 그 사람은 ㄱㅂ에 못 이겨 범행을 저질렀다고 털어놓았다. ( )

2 제시된 단어의 뜻을 참고하여 괄호 안에 들어갈 알맞은 단어를 〈보기〉에서 찾아 그 기호를 쓰시오.

보기
㉠ 징후 ㉡ 내구성 ㉢ 근사치 ㉣ 역부족

(1) 겉으로 나타나는 낌새.
예 곧 소나기가 내릴 것 같은 ( )이/가 나타났다.

(2) 힘이나 기량 따위가 모자람.
예 현재의 방안으로 문제를 해결하기에는 ( )(이)다.

(3) 근사계산에 의하여 얻어진 수치로 참값에 가까운 값.
예 그가 계산한 값은 실제 크기에 근접한 ( )(이)다.

(4) 물질이 원래의 상태에서 변질되거나 변형됨이 없이 오래 견디는 성질.
예 기계의 고장 원인을 조사해 보니 ( )이/가 떨어지는 부품을 사용한 것으로 드러났다.

3 다음 괄호 안에 들어갈 말로 가장 적절한 것은?

양측이 모두 강력하게 주장하고 있어 진실과 거짓을 ( )가 어려웠다.

① 구현하기 ② 판별하기 ③ 기반하기 ④ 참조하기 ⑤ 선언하기

4 다음의 밑줄 친 말과 바꿔 쓸 수 있는 말로 가장 적절한 것은?

이곳에서는 아군과 적군이 몇 시간째 <u>맞서고</u> 있었다.

① 대응하고 ② 항복하고 ③ 반복하고 ④ 대치하고 ⑤ 주력하고

탑의 층수는 탑신의 개수

탑은 탑의 위에서부터 상륜부, 탑신부, 기단부의 세 부분으로 이루어져 있다. 상륜부는 부처가 머무는 집인 탑의 장식이라는 의미를 가지고 있다. 우리나라 탑의 상륜부는 전반적으로 인도의 봉분형 탑을 간략하게 표현한 것으로 볼 수 있으며, 특히 상륜부에 있는 '보개'는 왕의 행차에서 사용되는 큰 양산인 일산(日傘)을 나타내는 것으로, 부처의 고귀함을 의미한다.

다음으로 탑신부의 '탑신'은 부처가 머무는 방의 역할을 하는데, 부처의 유골인 사리를 안치하는 사리 구멍, 즉 사리공을 파 놓은 곳이다. 일반적으로 1, 2층 탑신의 상단에 사리공을 파는데, 목탑의 경우 목탑의 중앙 기둥을 놓는 초석에 사리공을 판다. 석탑은 초기의 대형 석탑의 경우 판자 모양의 돌을 잇대어 탑신을 만들었지만, 탑이 작아지면서 하나의 돌로 탑신을 만들었다. 그리고 탑의 층수는 바로 탑신의 개수를 통해 결정된다. 탑신을 덮고 있는 지붕 모양의 돌을 '옥개석'이라고 하는데, 탑신의 개수를 정확히 구분하기 어려운 경우 옥개석의 수를 확인해 보면 층수를 정확히 알 수 있다.

기단부는 탑의 받침에 해당하는 부분으로 신라 시대에는 기단을 주로 단층으로 만들었지만 통일 신라 이후에는 일반적으로 두 개의 층으로 만들었다. 바깥쪽 모서리의 기둥을 '우주'라고 하고, 안쪽 기둥을 '탱주'라고 하는데 신라 시대에는 대개 탱주가 2개였다. 그러나 고려 시대에는 1개로 줄어드는 경우가 대부분이었다.

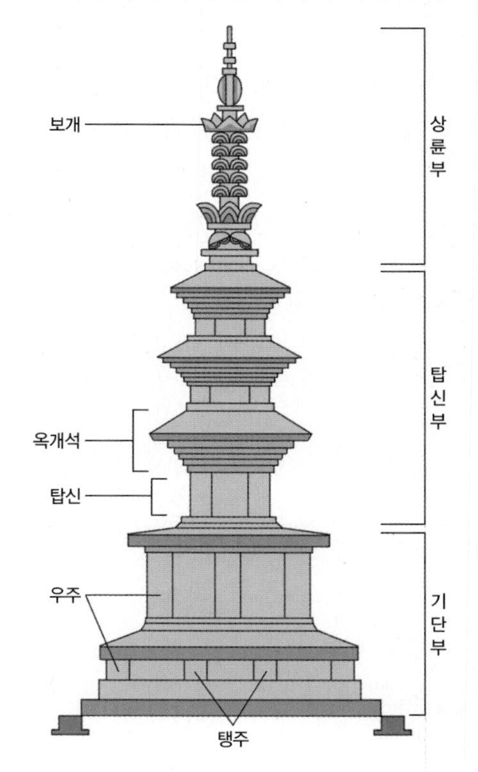

● **봉분** | 봉할 封, 무덤 墳 | 흙을 둥글게 쌓아 올려서 만든 무덤.

구걸하는 사람에게 돈을 주어야 할까?

최근 아프리카 우간다의 수도에서는 길거리에서 구걸하는 아이들에게 돈이나 음식을 주면 벌금이나 징역형에 처해지는 '적선 금지법'이 제정되었다. 우리 사회에서도 길을 오가며 구걸을 하는 사람들을 볼 때 누구나 한 번쯤 안타까운 마음에 도움을 주어야 할지 말아야 할지 고민을 한 경험이 있을 것이다. 그렇다면 이렇게 구걸하는 사람들에게 돈을 주어야 할까? 아니면 주지 말아야 할까?

찬성

돈을 주어야 한다

구걸을 하는 사람들은 집이 없어 길거리에서 잠을 자며 구걸을 해야만 살아갈 수 있는 극도의 빈곤 상태에 처한 사람들이다. 따라서 우리가 독거노인이나 막대한 치료비가 필요한 사람들을 자발적으로 돕듯이 그들도 우리가 도움의 손길을 나누어야 할 사회적 약자이다. 그러므로 공동체 사회에서 사회의 일원인 그들을 돕는 것이 공공의 선(善)을 실현하고 인권을 보호하는 일이다.

한편에선 거짓으로 구걸을 해서 돈을 버는 사람들이 있다고 하지만, 실제로 그들을 마주쳤을 때 그들의 말이 거짓인지는 확인할 수 없다. 오히려 그런 이유로 무조건 돈을 주지 않으면 도움이 절실하게 필요한 사람들이 도움을 받지 못하는 일이 발생할 수도 있다. 또 그들이 구걸을 통해 돈을 벌지 못하면 범죄 행위를 통해 돈을 구하려고 할 수도 있으므로 더 큰 사회적 문제가 발생할 우려도 있다.

반대

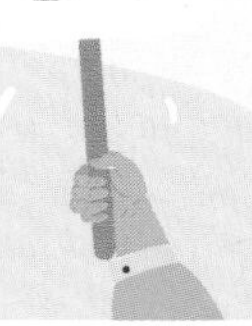

돈을 주지 말아야 한다

구걸을 하는 사람들은 사회적 약자들과 달리 스스로의 의지만 있다면 얼마든지 상황을 극복할 수 있으므로, 현실을 극복할 의지가 없는 사람들을 다른 개인이 도울 의무는 없다.

게다가 구걸을 하는 사람들은 구걸을 해서 받은 돈으로 술이나 담배 등을 사며 현실을 도피하는 행위에 쓰는 일이 많다. 따라서 돈을 주는 것이 궁극적으로 그들을 돕는 일이라고 보기는 어렵다. 또한 일을 하지 않고 거짓으로 돈을 쉽게 벌기 위해 구걸을 하는 사람들도 있기 때문에 그런 사람들에게 돈을 주게 되면 선량한 시민의 선행이 악용될 여지가 있다. 따라서 구걸을 하는 사람들이 더 나은 삶을 살 수 있게 하려면 개인이 그들에게 돈을 주는 것보다 자선 단체나 공공 기관 등이 나서서 새로운 일자리를 구해 주거나 생계 수단을 찾도록 돕는 것이 더 효과적일 것이다.

나는 구걸하는 사람에게 돈을 주어야 한다는 생각에 (찬성한다 , 반대한다).

왜냐하면 ______________________________

실전으로 차곡차곡 익숙하게!

독해 실전 3회

아무리 힘들어도 삶은 의미 있는 거야

교과 연계 **도덕** _ 삶의 의미

✎ 문단 요약하기

① 현대인들의 정신적 문제에 대해 프랭클은 (   )을/를 통한 접근을 제시했다.

② 프랭클은 삶에서의 의미 추구를 위한 여러 가지 가치 중에서 특히 (   )을/를 강조했다.

③ 로고테라피는 의미 추구, 갈등에 대해 당시 주된 흐름이었던 프로이트의 (   )와/과 차이가 있다.

④ 프랭클의 로고테라피는 다양한 (   )의 치료에 유용하게 사용된다.

① 근대화 시기의 산업 혁명을 겪으며 현대 사회는 물질적으로 풍요로워졌다. 그러나 현대인들은 삶의 불확실성이 주는 불안과 고독, 치열한 경쟁으로 피로감과 무기력에 부딪히고 있다. 그리고 이는 삶의 의미에 대한 질문으로 이어진다. 이에 대하여 심리학자이자 정신과 의사였던 빅터 프랭클은 ㉠'로고테라피'를 통한 접근을 제시했다.

② 로고테라피는 '의미 치료'라고도 불리는데, 인간이 영혼을 가진 존재로서 의미를 추구하는 것이 삶에서 가장 중요한 목표라고 본다. 프랭클은 삶에서의 의미는 어떤 일을 창조하거나, 어떤 경험을 하거나, 피할 수 없는 어떤 고통을 겪는 과정에서 얻어질 수 있다고 보았는데, 이를 각각 창조 가치, 경험 가치, 태도 가치라 불렀다. 그는 이 중에서 특히 태도 가치를 강조했다. 자신이 처한 상황이나 환경을 변화시킬 수 없을지라도 인간이 마지막까지 선택할 수 있는 것은 삶에 대한 태도와 반응이라고 역설하면서, 주어진 상황에 대해 어떻게 생각하고 반응할지에 대한 선택은 누구도 빼앗을 수 없는 개인의 자유 의지라는 것을 강조했다.

③ 이러한 관점은 당시 정신 의학계에 주된 흐름으로 자리 잡고 있던 ㉡프로이트의 정신 분석학과 차이가 있다. 정신 분석학에서는 무의식적 욕구의 충족, 쾌락의 추구를 강조하였다. 그러나 로고테라피에서는 욕구를 충족하기 위한 의미 추구가 아닌, 의미 추구 그 자체가 삶의 목표라고 강조한다. 즉, 의미 추구를 수단이 아니라 목적으로 본 것이다. 아울러 개인이 가지고 있는 잠재력과 강점에 초점을 맞추며, 의미를 찾는 과정을 통하여 미래를 지향하도록 한다. 또 내적인 갈등이 없는 상태를 의미하는 항상성에 대해서도 프로이트의 관점과는 다른 입장을 취한다. 정신 분석학에서는 항상성을 유지하는 것이 바람직하다고 보는 반면, 로고테라피에서는 갈등이 반드시 부정적인 것이 아니며, 오히려 삶의 어려움을 극복할 수 있도록 하는 힘이 된다고 본다.

④ 삶의 의미와 태도를 강조하는 로고테라피는 자신의 내적 문제에 깊이 빠지지 않고 객관적으로 바라볼 수 있도록 하는 '자신과의 거리 두기', 환자 스스로가 답을 찾을 수 있도록 도와주는 '문답 방법' 등을 치료 과정에서 활용한다. 로고테라피에서 치료자는 방법을 제시하고 가르치는 교사의 역할보다는 환자가 스스로 의미를 발견할 수 있도록 돕는 조력자의 역할을 한다. 특히 로고테라피는 삶이 주는 고난과 역경에 대해 인정하면서도 긍정적인 믿음을 잃지 않는 낙관주의를 활용하여 불안, 우울, 외상 후 스트레스 장애 등 다양한 정신 장애의 치료에 유용하게 사용된다.

- **역설하다** | 힘 力, 말씀 說 | 자기의 뜻을 힘주어 말하다.
- **자유 의지** | 스스로 自, 말미암을 由, 뜻 意, 뜻 志 | 외적인 제약이나 구속을 받지 아니하고 내적 동기나 이상에 따라 어떤 목적을 위한 행동을 자유롭게 선택하는 의지.
- **지향하다** | 뜻 志, 향할 向 | 어떤 목표로 뜻이 쏠리어 향하다.
- **문답** | 물을 問, 대답할 答 | 물음과 대답. 또는 서로 묻고 대답함.
- **낙관주의** | 즐길 樂, 볼 觀, 주될 主, 뜻 義 | 세상과 인생을 희망적으로 밝게 보는 생각이나 태도.
- **외상 후 스트레스 장애** | 생명을 위협할 정도의 극심한 스트레스(정신적 외상)를 경험하고 나서 발생하는 심리적 반응.
- **유용하다** | 있을 有, 쓸 用 | 쓸모가 있다.

1 **이 글에서 언급한 내용에 해당하지 않는 것은?**

① 로고테라피의 유용성 ② 로고테라피의 치료 방법
③ 로고테라피의 활용 분야 ④ 로고테라피 등장의 사회적 배경
⑤ 로고테라피 발전의 역사적 과정

개념 견주어 보기

2 **㉠, ㉡에 대한 이해로 가장 적절한 것은?**

① ㉠은 삶의 의미를 추구하는 과정을 욕구의 충족을 위한 것으로 본다.
② ㉡은 욕구가 충족되지 않은 상태가 계속되면 항상성을 유지할 수 있다고 본다.
③ ㉠과 ㉡은 모두 쾌락을 추구함으로써 내면의 잠재력이 발현될 수 있다고 본다.
④ ㉠은 과거를 통해 현재의 문제를 진단하고, ㉡은 현재 모습을 통해 미래를 지향한다.
⑤ ㉠은 갈등이 부정적이지 않다고 보고, ㉡은 항상성을 유지하는 것이 바람직하다고 본다.

뒷받침·구체화하기

3 **이 글을 바탕으로 할 때, 〈보기〉에 보인 반응으로 적절하지 않은 것은?**

보기

빅터 프랭클은 1942년부터 1945년까지 나치의 ⓐ강제 수용소 생활을 경험하였다. 그곳에서는 매일 ⓑ혹독한 노동과 적은 양의 음식만으로 버텨 내야 했다. 그럼에도 그는 ⓒ깨진 유리 조각을 가지고 면도를 하면서 인간다움을 잃지 않기 위해서 노력하며 더욱 굳건해졌다. 이때 프랭클은 기본적으로 한 사람보다는 ⓓ두 사람이 짝을 이루어 서로에게 위안이 되고 힘이 되었을 때 수용소에서 살아남는 경우가 더 많았음을 발견하였다.

① ⓐ는 오히려 프랭클에게 인간이 근본적으로 자유로운 존재라는 생각을 하게 했겠군.
② 프랭클은 ⓐ와 같은 상황에서 어떤 태도를 취할 것인가를 선택하는 것이 개인의 자유의지라 생각했겠군.
③ ⓑ는 창조 가치를 태도 가치로 바꾸는 것으로, 삶의 의미 발견의 원동력이 되었군.
④ ⓒ는 프랭클이 주어진 외적 상황에 굴복하지 않고 인간다움을 잃지 않기 위해서 한 노력으로, 태도 가치를 실현한 것으로 볼 수 있겠군.
⑤ ⓓ를 통해 의미 있는 대인 관계가 삶의 의미를 발견하게 하는 데 중요한 역할을 하고 있음을 알 수 있겠군.

지문 분석하기

● 글의 전개 방식 [대비]

(　　　　　)의 로고테라피		(　　　　　)의 정신 분석학
• 욕구를 충족하기 위한 의미 추구가 아닌, 의미 추구 그 자체가 삶의 목표라고 강조함. • 갈등이 반드시 (　　　　　)인 것은 아니라고 봄.		• 무의식적 욕구의 충족, 쾌락의 추구를 강조함. • 내적인 갈등이 없는 상태인 (　　　　　)을/를 유지하는 것이 바람직하다고 봄.

실전 3회

정답과 해설 32쪽

02 시대를 뛰어넘은 홍대용의 개혁 사상

✎ 문단 요약하기

① 18세기 후반 실학자 홍대용은 (   )을/를 받아들임으로써 국가 발전을 이루자고 주장하였다.

② 홍대용은 상대적 관점을 통해 인간 사이의 (   )을/를 주장하였다.

③ 홍대용은 개개인의 개별적 특성이나 (   )을/를 인정하고 활용하면 국가적 차원의 생산력이 증가할 수 있다고 하였다.

④ 홍대용은 (   )을/를 깨트리고 오랑캐 문물의 수용을 주장하였다.

① 18세기 후반의 조선은 지배 계층의 권력 투쟁이 지속되던 정치적 혼란기였다. 또 농민을 중심으로 한 피지배 계층이 갑자기 줄어 ㉠생산력이 낮아지던 사회적 불안기였다. 이러한 시기에 조선의 실학자 홍대용은 무위도식하는 지배 계층과 헛된 이론에만 빠져 있는 유학자들의 행태를 비판하며, 선진 문물과 사상을 받아들임으로써 조선 내부의 인식을 변화시켜 국가 발전을 이루자고 주장한 개혁적 인물이었다. 당시 조선의 문화는 중국의 학자인 공자(孔子)의 가르침을 근본으로 삼는 학문인 유학을 중심으로 이루어져 있었다. 이에 홍대용은 유학을 유교의 사상과 교리를 써 놓은 책의 해석에만 매달리며, 현실에 쓸모없는 이론을 펼치는 허황된 것이라고 비판하였다. 홍대용의 책 《의산문답》에는 유학에 매달리는 당대 지식인들에 대한 비판적 입장과 함께 그 당시에 받아들여지기 어려웠던 개혁적인 사고가 담겨 있다.

② 우선 홍대용은 인간 중심의 관점을 타파하고자 하였다. 인간과 동물을 상대적 관점에서 대등하게 봄으로써, 동물보다 인간이 우월한 것이 아니라 인간과 동물이 조화롭게 함께 존재한다는 새로운 가치를 세웠다. 홍대용은 인간과 동물이 모두 '털과 살로 된 체질과 정액의 교감'으로 이루어진 동등한 존재라고 생각하였다. 그리고 인간과 동물이 동등하다면 모든 인간도 동등하다고 생각하였다. 인간 사이의 동등성은 당시 조선 사회에 퍼져 있던 신분 제도의 불평등과 무위도식하는 지배 계층을 배격하는 근거가 될 수 있었다.

③ 또 홍대용은 인간 중심의 가치관에서 벗어나 모든 동물이 나름의 생존 방식과 장점을 가지고 있다는 점에도 주목하였다. 각각의 개체가 가진 특수한 성질이나 장점을 인정한다면 인간 역시 개개인이 가지고 있는 개별적 특성이나 장점도 인정할 수 있다는 것이었다. 그리고 그러한 전제를 바탕으로 하여 사회 내 구성원들이 지닌 장점을 최대한 활용한다면 국가적 차원의 생산력이 훨씬 증가할 수 있을 것이라 하였다.

④ 홍대용의 이러한 생각은 당시 팽배했던 중국 중심의 세계관인 화이(華夷) 질서관을 깨뜨리는 토대가 되었다. 홍대용은 개개인은 모두 평등하며, 개인의 특성을 인정한다는 인식 구조를 국가·민족·지역 간의 관계에도 그대로 적용하였다. 즉, 중국의 민족과 청의 민족의 차별이 있을 수 없다는 것이다. 낮잡아 오랑캐라 불리던 청의 민족이라 하더라도 중국의 민족인 한족보다 우월한 인간이 있을 수 있으므로 오랑캐의 문물을 수용할 필요가 있다고 주장하였다.

- **실학자** | 실제 實, 배울 學, 사람 者 | 조선 시대에, 실생활의 유익을 목표로 한 새로운 학풍을 주장한 사람.
- **무위도식** | 없을 無, 할 爲, 헛될 徒, 밥 食 | 하는 일 없이 놀고먹음.
- **행태** | 행할 行, 모양 態 | 행동하는 양상.
- **허황되다** | 헛될 虛, 어이없을 荒 | 헛되고 황당하며 미덥지 못하다.
- **타파하다** | 칠 打, 깨뜨릴 破 | 부정적인 규정, 관습, 제도 따위를 깨뜨려 버리다.
- **팽배하다** | 물소리 彭, 물결칠 湃 | 어떤 기세나 사조 따위가 매우 거세게 일어나다.

견해 이해하기

1 **이 글을 읽고 홍대용의 생각을 다음과 같이 정리했을 때, 괄호 안에 알맞은 말을 쓰시오.**

인간과 동물은 동등하다.
▼
모든 인간은 동등하다.
▼
한족과 오랑캐의 차별이 있을 수 없다.

각각의 인간도 나름의 장점이 있다.
▼
오랑캐 중에 한족보다 우월한 인간이 있을 수 있다.

(   )

문제점과 대안 연결하기

2 **㉠을 해결하기 위해 홍대용이 제시한 방법으로 가장 적절한 것은?**

① 동물이 가지고 있는 생존 방식을 배운다.
② 공자의 가르침을 학문의 중심으로 삼는다.
③ 유교의 사상과 교리에 대한 책을 연구한다.
④ 사회 내 구성원들이 가진 장점을 최대한 활용한다.
⑤ 인간과 동물을 상대적 관점에서 대등하게 취급한다.

3 **《의산문답》에 담길 내용으로 적절하지 않은 것은?**

① 청나라를 오랑캐라고 차별해서는 안 된다.
② 상대적 관점을 통해 사람과 동물을 파악해야 한다.
③ 인간과 동물은 다르기 때문에 신분 제도는 유지되어야 한다.
④ 여러 생물 중에서 인간만이 존귀하다는 편견을 버려야 한다.
⑤ 인간과 동물 모두 털과 살로 이루어졌기 때문에 동등한 존재이다.

지문 분석하기

● **글의 전개 방식 [문제 해결]**

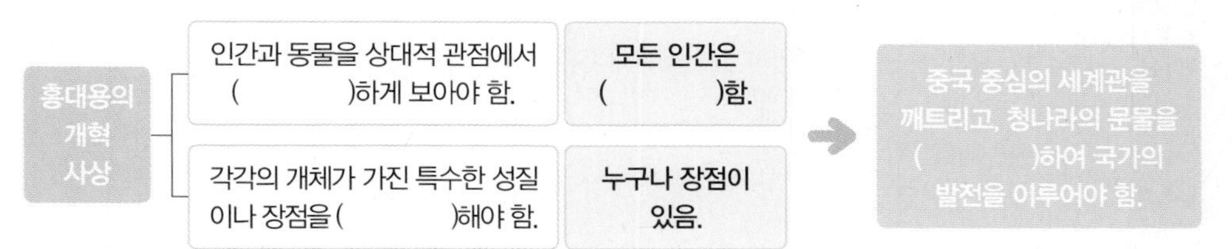

실전 3회
정답과 해설 33쪽

젠트리피케이션의 빛과 그림자

교과 연계 사회 _ 도시의 다양한 경관

문단 요약하기

① 도시 규모가 확대되면 도심에서는 (   )이/가 확대되고 거주 여건이 악화된다.

② 도심 인근 낙후 지역에 고급 상업 및 주거 지역이 형성되고 원래의 거주자들이 다른 지역으로 밀려나는 현상을 (   )(이)라고 한다.

③ 지리적·계층적 관점에서 젠트리피케이션의 (   )을/를 살펴볼 수 있다.

④ 젠트리피케이션의 부작용을 극복하기 위해 지역 원주민 등과의 (   )을/를 도모해야 한다.

① 도시의 규모가 작은 경우 대부분의 주거 지역은 도시의 중심부인 도심에 위치한다. 그러나 점차 도시가 확대되면 도심에서는 상업과 업무 기능이 확대되고 거주 여건이 악화된다. 그러면 자동차를 소유하고 있는 부유층은 도시 주변 지역인 교외로 주거지를 옮긴다. 도심 인근에 남은 주거 지역은 노동자들의 거처로 사용되다가 노후화되면서 도시 빈민이나 부랑자들이 거주하는 공간으로 바뀌며 점차 황폐해진다.

② 최근 세계 곳곳에는 도심 인근에 위치한 황폐한 공간을 재개발하는 이른바 도시 재활성화 사업이 이루어지고 있다. 재개발이 이루어지면 과거보다 더 높은 이윤을 창출하는 사무실, 상업 시설 그리고 고소득층을 위한 주거지가 들어서며, 원래의 거주자들은 다른 지역으로 쫓겨나게 된다. 도심 인근 낙후 지역에 고급 상업 및 주거 지역이 새로 형성되고 원래의 거주자들이 다른 지역으로 밀려나는 이 같은 현상을 ㉠젠트리피케이션(gentrification)이라고 한다.

③ 젠트리피케이션의 원인은 다양한 관점에서 설명되고 있다. 지리학자 닐 스미스는 자본의 흐름과 도시 공간의 생산 과정이라는 관점에서 이 현상을 살핀다. 중심 시가지에서 도시 주변으로 거주 인구가 확산하는 교외화 현상이 일어나는 과정에서 자본이 교외 지역에 집중 투자되면서 도심 인근 지역은 낙후 지역이 되어버린다. 이때 이 낙후 지역의 낮은 땅값에 주목한 개발업자들이 자본가와 결탁해 젠트리피케이션이 이루어진다고 보는 것이다. 한편 인문 지리학자 데이비드 레이는 '신중간 계층'의 등장에 주목한다. 신중간 계층은 예술가, 교수, 교사 등의 전문가 집단으로, 이들이 도심 인근을 자신들이 거주하는 공간으로 탈바꿈하면서 젠트리피케이션이 나타난다는 것이다.

④ ㉡도시 재활성화가 이루어지면 도심이 활성화되고 미관이 개선되며 주민들의 평균 소득과 땅값도 오르는 효과를 얻을 수 있다. 그래서 서울을 비롯한 많은 도시에서 도시 재활성화가 진행되는 것이다. 하지만 도시 재활성화는 도심 인근에 살고 있던 원주민과 영세 상공업자 등을 강제로 도심 밖으로 밀어내는 부작용을 만들어 낸다. 그러므로 도시의 발전 과정에서 젠트리피케이션과 이로 인한 부작용을 피할 수 없다면 도시 재활성화가 이루어지는 지역의 원주민과 영세 상공업자 등을 배려하고 그들과의 상생을 도모하는 노력도 함께 이루어질 필요가 있다.

- **인근** | 이웃 隣, 가까울 近 | 이웃한 가까운 곳.
- **거처** | 살 居, 곳 處 | 일정하게 자리를 잡고 사는 일. 또는 그 장소.
- **노후화되다** | 늙을 老, 썩을 朽, 될 化 | 오래되거나 낡아서 쓸모가 없어지다.
- **낙후** | 떨어질 落, 뒤 後 | 기술이나 문화, 생활 따위의 수준이 일정한 기준에 미치지 못하고 뒤떨어짐.
- **결탁하다** | 맺을 結, 부탁할 託 | 마음을 결합하여 서로 의탁하다.
- **미관** | 아름다울 美, 볼 觀 | 아름답고 훌륭한 풍경.
- **영세** | 떨어질 零, 가늘 細 | 살림이 보잘것없고 몹시 가난함.
- **도모하다** | 꾀할 圖, 꾀할 謀 | 어떤 일을 이루기 위하여 대책과 방법을 세우다.

글의 전개 구조 파악하기

1 **이 글의 서술상 특징에 대한 설명으로 가장 적절한 것은?**

① 묻고 답하는 방식을 활용하여 내용을 전개하고 있다.

② 대립적인 견해를 절충하여 새로운 견해를 제시하고 있다.

③ 핵심적인 주장을 제시한 후 근거를 들어 이를 뒷받침하고 있다.

④ 특정 현상이 나타나게 되는 원인과 과정에 대해 설명하고 있다.

⑤ 대상의 구성 요소를 열거한 후 각각의 기능에 대해 소개하고 있다.

단계 간 차이점 파악하기

2 **〈보기〉는 ㉠의 과정을 도식화한 것이다. ⓐ~ⓔ에 대한 설명으로 적절하지 않은 것은?**

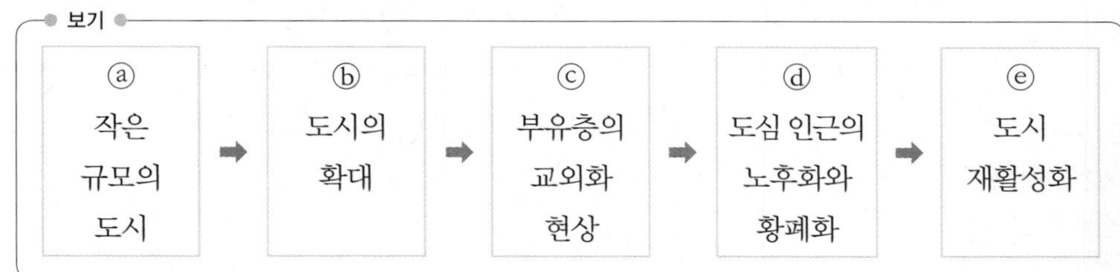

① ⓐ: 주거 지역의 대부분이 주로 도심에 위치한다.

② ⓑ: 도심에 상업과 업무 기능이 확대되면서 거주 여건이 악화된다.

③ ⓒ: 도심의 빈민이나 부랑자들의 주거 공간이 도심 인근에서 밀려난다.

④ ⓓ: 도심 인근에 있는 낙후 지역의 땅값이 낮은 수준을 유지한다.

⑤ ⓔ: 도심 인근의 낙후 지역에 고급 상업 및 주거 지역이 형성된다.

비판하기

3 **이 글에서 ㉡의 부작용을 찾아 쓰시오.**

지문 분석하기

● 글의 전개 방식 [과정]

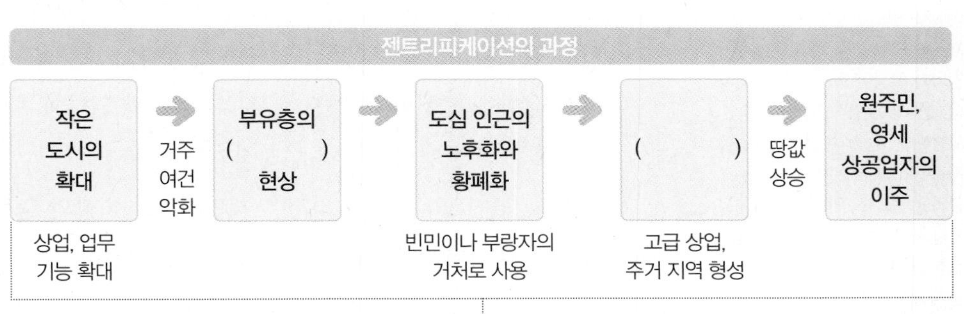

실전 3회

정답과 해설 34쪽

법원과 헌법 재판소

교과 연계 **사회** _ 법과 재판, 법원과 헌법 재판소의 역할

문단 요약하기

① 법원은 ( )을/를 담당하는 기구이다.

② 법원의 재판의 종류에는 민사 재판, ( ) 재판, 행정 재판, 선거 재판이 있다.

③ 법원과 별도의 조직인 헌법 재판소는 ( )와/과 관련된 정치적 사건을 사법적 절차에 따라 심판한다.

④ 헌법 재판소에서는 위헌 법률 심판, 헌법 소원 심판, 탄핵 심판, 정당 해산 심판, ( ) 심판을 진행한다.

⑤ ( )의 심판과 결정은 규정된 재판관 수 이상의 찬성에 의해 이루어진다.

① 법관들로 구성된 법원은 사법권을 담당하는 기구이다. 법원의 사법 기능은 법(법률)을 해석하여 그 적법성, 위법성, 권리 관계 등을 확정해 선언하거나 적용하는 것으로, 잘못을 판별하고 분쟁을 해결하는 역할을 한다. 사법권을 실현하는 대표적 방법인 재판 과정은 법관의 신분 보장을 통해 외부의 간섭 없이 진행되도록 철저히 독립을 보장한다. 따라서 법관은 외부 압력에 영향을 받지 않으며, 재판 결과에 책임을 지지 않는다. 또 법관의 자격은 법률로, 임기는 헌법으로 규정되어 있다.

② 재판에는 개인 사이에 다툼이 생겼을 때 이를 해결하는 민사 재판과 범죄자에게 벌을 주는 형사 재판, 행정 업무와 관련된 행정 재판, 선거의 효력에 관한 선거 재판이 있다. 민사 재판은 개인과 개인 간의 재판으로 손해 배상 등의 판결이 내려지지만, 형사 재판은 수사권을 가지는 검사의 기소가 필요하기 때문에 검사와 재판을 받게 된 사람 간에 재판이 이루어지고 그에 대한 판결로 범죄에 대한 형벌이 내려진다. 선거 재판은 그 중요성을 고려하여 대법원에서 재판하도록 되어 있다. 그러나 법관 역시 인간이어서 잘못 판단할 가능성이 있으므로, 한 사건에 세 번의 재판을 받을 수 있는 심급 제도와 공개 재판의 원칙, 증거 재판주의 등을 시행하고 있다.

③ 1988년에 설치된 ㉠헌법 재판소는 법원과 별도의 조직으로, 헌법의 해석과 관련된 정치적 사건을 사법적 절차에 따라 심판하는 헌법 기관이다. 헌법 재판소는 9명의 헌법 재판관으로 구성되어 있으며 위헌 법률 심판, 헌법 소원 심판, 탄핵 심판, 정당 해산 심판, 권한 쟁의 심판 등의 권한을 갖는다.

④ 위헌 법률 심판은 법률이 헌법에 어긋나는지 따져 보고자 할 때 법원에서 요청하는 제도로, 사법부가 입법부를 견제하는 기능을 한다. 다음으로 헌법 소원 심판은 법률에 의해 자신의 권리가 침해되었는지 따져 보기 위해 국민이 제기하는 심판이다. 또 헌법 재판소는 헌법에서 권한을 정하고 있는 대통령이나 고위 공직자에 대한 국회의 탄핵 소추가 있을 때, 탄핵이 정당한 것인지를 최종 심판하는 권한도 갖는다. 아울러 국가의 헌법 질서를 파괴한 정당이 있다면 대통령이 소송을 제기하여 헌법 재판소에서 정당 해산 심판을 진행할 수 있으며, 정부 기관 간 권한과 책임에 대한 다툼이 있을 때 이를 조정하는 권한 쟁의 심판을 담당하기도 한다.

⑤ 헌법 재판소의 심판과 결정은 재판관 7인 이상의 출석에 6인 이상의 찬성이 있어야 하는데, 권한 쟁의 심판은 출석 과반수의 찬성만으로 결정된다. 그리고 위헌 법률 심판이나 헌법 소원 심판에 따라 위헌 결정이 내려지는 경우 해당 법률은 그 즉시 효력을 상실하게 된다.

- **적법성** | 알맞을 適, 법 法, 성질 性 | 법에 어긋남이 없이 맞는 것.
- **기소** | 일어날 起, 하소연할 訴 | 검사가 특정한 형사 사건에 대하여 법원에 심판을 요구하는 일.
- **시행하다** | 행할 施, 행할 行 | 실지로 행하다.
- **쟁의** | 다툴 爭, 의논할 議 | 행정 기관 사이에 일어나는 권한 다툼.
- **소추** | 하소연할 訴, 쫓을 追 | 고급 공무원이 직무를 집행할 때 헌법이나 법률을 위배하였을 경우 국가가 탄핵을 결의하는 일.

글의 전개 구조 파악하기

1 **이 글에 대한 설명으로 가장 적절한 것은?**

① 우리나라 사법 기구의 장점과 단점에 대해 서술하고 있다.
② 공정한 재판을 위해 지켜져야 할 다양한 원칙을 소개하고 있다.
③ 우리나라 법원이 발전해 온 과정을 시간 순서에 따라 제시하고 있다.
④ 법원과 헌법 재판소에서 담당하는 재판과 심판의 종류에 대해 설명하고 있다.
⑤ 사법 기능과 관련한 법원과 헌법 재판소의 공통점과 차이점을 언급하고 있다.

2 **㉠에 대해 이해한 내용으로 적절하지 않은 것은?**

① 법률이 헌법에 어긋나는지를 따져 심판하는 역할을 한다.
② 정당 해산 심판을 통해 대통령을 견제하는 기능을 수행한다.
③ 대통령에 대한 탄핵 소추가 있을 때 최종적인 심판을 담당한다.
④ 헌법 재판관의 의견이 모두 일치하지 않는 경우에도 심판이 가능하다.
⑤ 국민이 자신의 권리 보호를 위해 직접 심판을 요청하는 제도를 운영한다.

정답과 해설 35쪽

뒷받침·구체화하기

3 **이 글을 읽고 〈뉴스 보도〉의 ⓐ, ⓑ에 대해 보인 반응으로 적절하지 않은 것은?**

뉴스 보도

최근 반려동물을 키우는 사람들이 크게 늘어났는데요. 이와 함께 반려동물 관리 소홀로 인한 사고와 법적 분쟁이 증가하고 있습니다. 특히 지난달 17일에는 목줄과 입마개를 하지 않은 반려견이 지나가던 사람을 물어 중상을 입혔습니다. ⓐ반려견 주인은 「반려동물 안전 관리에 관한 법률」 위반으로 구속되어 재판에 넘겨졌습니다. 이번 주 월요일에는 또 다른 반려동물이 한 농가의 농작물을 훼손한 것이 인정되어 ⓑ반려동물 주인이 농작물 주인에게 500만 원을 보상하라는 판결이 있었습니다.

① ⓐ가 재판을 받은 것은 검사의 기소가 있었기 때문이겠군.
② 반려견에게 물린 행인이 보상을 받으려면 ⓐ와 민사 재판을 해야겠군.
③ ⓐ는 「반려동물 안전 관리에 관한 법률」 위반 혐의로 형사 재판을 받겠군.
④ ⓑ가 농작물 주인에게 500만 원을 보상하라는 판결은 민사 재판의 결과겠군.
⑤ 법원은 반려동물의 행위에 대한 책임을 물어 ⓑ에게 형벌을 내린 것이겠군.

지문 분석하기

● 글의 전개 방식 [병렬]

사법 기구	구분	내용
	법원	• 역할: 법(법률)을 해석하여 잘못을 판별하고 (　　　　)을/를 해결하는 사법권 담당 • 종류: 민사 재판, 형사 재판, 행정 재판, 선거 재판
	헌법 재판소	• 역할: 헌법의 해석과 관련된 정치적 사건을 (　　　　)에 따라 심판 • 종류: 위헌 법률 심판, 헌법 소원 심판, 탄핵 심판, 정당 해산 심판, 권한 쟁의 심판

05 열쇠와 자물쇠 속의 수학, 경우의 수

교과 연계 **수학** _ 확률과 그 기본 성질

문단 요약하기

① 열쇠로 자물쇠를 열 때는 같은 높낮이의 열쇠와 (　　　　) 이/가 맞물려야 한다.

② 열쇠의 각 부분의 수를 늘리고 (　　　　)을/를 다양하게 만들면 많은 수의 열쇠를 만들 수 있다.

③ 8개의 숫자로 구성된 수동식 번호 자물쇠는 숫자 4개를 누르는 방식으로 가장 (　　　　) 수의 자물쇠를 만들 수 있다.

④ 디지털 도어락은 몇 자리의 번호를 (　　　　)에 맞게 눌러야 하고, 이때 같은 번호를 반복해 눌러도 되므로 더 큰 경우의 수를 만들 수 있다.

① 우리가 사용하는 열쇠는 대부분 비슷한 모양을 하고 있다. 그렇지만 ㉠구멍에 열쇠를 꽂아서 여닫는 자물쇠는 열쇠와 자물쇠가 맞지 않으면 열 수 없다. 이러한 열쇠는 어떤 원리로 만들었을까? 전통적인 열쇠는 자물쇠를 여는 부분이 3부분이나 4부분으로 이루어져 있다. 그리고 각 부분의 높낮이를 다르게 만들고 이에 맞는 자물쇠를 만들어 같은 높낮이의 열쇠와 자물쇠가 맞물렸을 때에만 자물쇠가 돌아가 열리게 되어 있다.

② 그렇다면 높낮이를 다르게 해서 몇 개의 열쇠를 만들 수 있을까? ⓐ, ⓑ, ⓒ 세 부분으로 되어 있고, 높이가 0, 1, 2인 열쇠를 생각해 보자. ⓐ의 높이를 0으로 하는 경우는 오른쪽 그림처럼 9가지이고, 높이를 1이나 2로 하는 경우도 각각 9가지가 있으므로 모두 27가지의 열쇠를 만들 수 있다. 만약 열쇠를 이루는 부분의 수를 늘리고, 각 부분의 높이를 더 다양하게 만든다면 더 많은 수의 열쇠를 만들어 낼 수 있을 것이다.

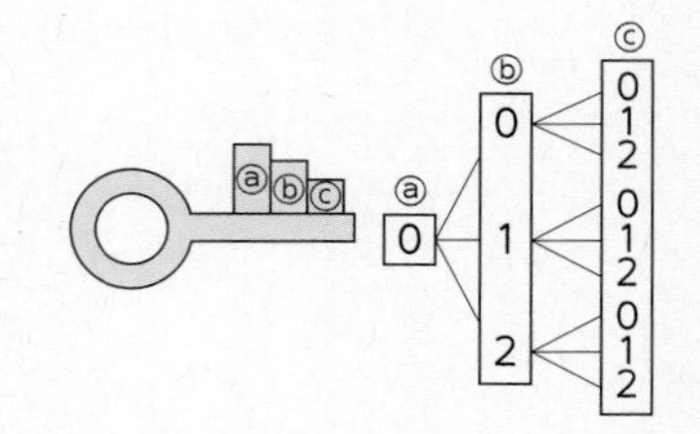

③ 그런데 열쇠를 잃어버리면 자물쇠를 열지 못하게 된다. 번호를 눌러 여는 ㉡수동식 번호 자물쇠는 이런 위험에서 벗어날 수 있게 해 준다. 번호 자물쇠는 일반적으로 1부터 8까지의 숫자 중 4자리를 누르는 방식이 많이 사용되는데, 그 이유는 무엇일까? 만약 2개의 번호를 누르는 자물쇠라면, 첫 번째 숫자는 8개에서, 두 번째 숫자는 남은 7개에서 고를 수 있다. 번호 자물쇠는 번호를 누르는 순서에 상관이 없으므로 같은 조합을 제외하면 (8×7)÷(2×1)=28개의 자물쇠를 만들 수 있다. 비밀번호 3개를 누르는 방식이라면 (8×7×6)÷(3×2×1)=56개의 자물쇠를 만들 수 있으며, ⓐ비밀번호가 5개인 경우도 역시 56가지의 자물쇠를 만들 수 있다. 같은 방식으로 8개의 숫자 중에 4개를 누르는 경우는 (8×7×6×5)÷(4×3×2×1)=70가지의 자물쇠를 만들 수 있다. 따라서 8개의 숫자에서 4개를 누르는 방식이 이 중 가장 많은 수의 자물쇠를 만들 수 있다.

④ 최근 많은 가정에서 사용하는 ㉢디지털 도어락은 대부분 0부터 9까지의 숫자 중에서 몇 자리의 번호를 순서에 맞게 누르면 문이 열린다. 도어락 번호 키가 8개이고, 그중에 4자리를 누르는 경우를 가정해 보자. 같은 번호를 반복해 눌러도 되므로 첫 번째에 고를 수 있는 숫자는 8개, 두 번째, 세 번째, 네 번째에 고를 수 있는 숫자도 각각 8개이다. 이때 경우의 수는 8×8×8×8=4096가지나 된다. 이처럼 열쇠와 자물쇠 속에 숨겨진 많은 경우의 수는 우리 주변의 것들을 계속해서 지켜 내고 있다.

● **맞물리다** | 다른 물체에 마주 물리다.

글의 전개 구조 파악하기

1 **이 글의 서술상 특징으로 적절한 것을 모두 고른 것은?**

보기

가. 구체적인 사례를 통해 독자의 이해를 돕고 있다.
나. 대상의 작동 과정 및 원리를 상세하게 설명하고 있다.
다. 대상들 간의 차이점을 드러내며 그 특징을 제시하고 있다.
라. 대상의 문제점을 지적한 후 이에 대한 해결 방향을 제시하고 있다.

① 가, 나 ② 가, 다 ③ 나, 라 ④ 가, 나, 다 ⑤ 가, 나, 라

대상 견주어 보기

2 **㉠~㉢에 대해 이해한 내용으로 적절하지 않은 것은?**

① ㉠은 열쇠를 분실하면 자물쇠를 열 수 없다는 단점이 있다.
② ㉡에서 누를 수 있는 번호의 수를 늘리면 더 많은 수의 자물쇠를 만들 수 있다.
③ ㉢은 동일한 숫자를 연속으로 누르는 것을 비밀번호로 설정할 수 있다.
④ ㉡은 ㉠과 달리 만들 수 있는 자물쇠의 수에 제한이 없다.
⑤ ㉢은 ㉡과 달리 숫자를 누르는 순서가 맞지 않으면 문이 열리지 않는다.

이유 · 원인 밝히기

3 **ⓐ의 이유로 가장 적절한 것은?**

① 비밀번호의 자릿수에 따라 만들 수 있는 자물쇠의 수가 달라지기 때문에
② 비밀번호가 3개인 경우보다 5개인 경우에 만들 수 있는 자물쇠의 수가 더 많기 때문에
③ 처음 누를 수 있는 숫자는 8개이지만 그 다음부터 누를 수 있는 수가 하나씩 줄어들기 때문에
④ 번호를 누르는 순서에 상관없이 같은 조합이면 비밀번호를 맞춘 것으로 보아 자물쇠가 열리기 때문에
⑤ 8개의 숫자 중에 5개의 숫자를 고르는 것은 5개를 제외한 3개의 숫자를 고르는 것과 마찬가지이기 때문에

지문 분석하기

• 글의 전개 방식 [병렬]

	전통적인 열쇠	수동식 번호 자물쇠	디지털 도어락
원리	( )의 각 부분의 높낮이를 다르게 하여 자물쇠와 맞물리도록 함.	일반적으로 8개의 숫자 중 서로 다른 ( )개를 눌러 자물쇠가 열리도록 함.	대부분 10개의 숫자 중 순서를 고려하여 번호를 눌러 문이 열리도록 함.
특징	각 열쇠와 그에 맞는 자물쇠를 사용함.	번호를 누르는 순서에 상관이 없으며, 같은 번호를 누를 수 없음.	번호를 누르는 순서에 상관이 있으며, ( )을/를 반복해 눌러도 됨.

실전 3회

정답과 해설 36쪽

06 콩팥 안에서는 어떤 일이 벌어지고 있을까

교과 연계 **과학** _ 호흡과 배설

문단 요약하기

① (   )은/는 혈액이 사구체 막을 통과하는 과정이다.

② 사구체 막은 모세 혈관 벽, 기저막, (   ) 내층으로 이루어진다.

③ 사구체 여과는 들세동맥과 날세동맥의 (   )(으)로 발생한 모세 혈관의 높은 혈압 때문에 이루어진다.

④ (   )와/과 보먼주머니 수압은 사구체 여과를 방해한다.

⑤ 사구체 여과는 (   )의 직경을 조절하여 일정하게 유지된다.

① 우리 몸에 생긴 불필요한 물질을 몸 밖으로 내보내는 콩팥에는 보먼주머니에 둘러싸인 사구체가 있다. 모세 혈관이 뭉쳐진 덩어리인 사구체는 들세동맥에서 흘러 들어오는 혈액 속의 노폐물이나 독소를 일차적으로 여과한다. 이때 ㉠혈액 중 혈구나 단백질은 여과시키지 않고 날세동맥으로 흘려보내며, 요소·포도당 등과 같이 작은 물질들은 물과 함께 사구체 막을 통과시켜 보먼주머니를 거쳐 세뇨관으로 나가게 한다. 이렇게 혈액이 사구체 막을 통과하는 과정을 '사구체 여과'라고 한다.

② 사구체 막은 모세 혈관 벽, 기저막, 보먼주머니 내층으로 이루어져 있다. 모세 혈관 벽은 편평한 내피세포 층으로 이루어져 있으며, 내피세포 층에는 구멍이 많아 다른 신체 기관의 모세 혈관에 비해 투과성이 높다. 기저막은 내피세포와 보먼주머니 내층 사이의 층으로, 콜라겐과 당단백질로 구성된다. 보먼주머니 내층은 문어 모양의 발세포로 이루어지는데, 각각의 발세포에는 돌기가 나와 기저막을 감싸고 있다. 돌기 사이의 좁은 틈을 따라 여과액이 빠져나오면 보먼주머니 내강에 도달하게 된다.

③ 사구체 여과는 들세동맥과 날세동맥의 직경 차이에서 비롯된다. 사구체로 혈액이 들어가는 들세동맥의 직경은 사구체로부터 혈액이 나오는 날세동맥의 직경보다 크다. 따라서 사구체로 들어오는 혈액의 양이 나가는 혈액의 양보다 많기 때문에 사구체의 모세 혈관에는 높은 혈압이 발생하는데, 이로 인해 사구체의 모세 혈관에서 사구체 여과가 이루어진다.

④ 한편 사구체 막을 사이에 두고 사구체 여과를 억제하는 압력이 발생하기도 한다. 혈액 속 대부분의 단백질은 여과되지 않기 때문에 사구체의 모세 혈관 내에는 단백질이 존재하지만 보먼주머니 내강에는 거의 존재하지 않는다. 따라서 보먼주머니 내강보다 사구체의 모세 혈관의 단백질 농도가 높다. 그 결과 보먼주머니 내강의 물이 사구체의 모세 혈관 쪽으로 이동하려는 삼투압이 발생하는데, 이를 '혈장 교질 삼투압'이라고 한다. 또 보먼주머니 내강에 도달한 여과액으로 '보먼주머니 수압'이 발생하는데, 이 압력은 보먼주머니 쪽에서 사구체의 모세 혈관 쪽으로 작용하기 때문에 사구체의 여과를 방해한다.

⑤ 건강한 상태에서는 혈장 교질 삼투압과 보먼주머니 수압이 크게 변하지 않는다. 그러나 심한 운동 등의 활동으로 심장이 사구체에 혈액을 보내는 힘에 영향을 받으면, 혈압이 증가하거나 감소함으로써 사구체의 혈압도 변할 수 있다. 생명 유지를 위해 콩팥은 혈압에 이와 같은 변동이 생기더라도 들세동맥의 직경을 조절함으로써 사구체로 유입되는 혈액의 양을 일정하게 유지하는 자가 조절 기능에 의해 관리된다.

- **독소** | 독 毒, 성질 素 | 생물에서 생기는 강한 독성의 물질.
- **여과하다** | 거를 濾, 지날 過 | 액체 속에 들어 있는 침전물이나 입자를 걸러 내다.
- **세뇨관** | 가늘 細, 오줌 尿, 대롱 管 | 혈액 가운데 있는 노폐물을 오줌으로 걸러 내는 콩팥 속의 가는 관.
- **편평하다** | 넓적할 扁, 평평할 平 | 넓고 평평하다.
- **직경** | 곧을 直, 지름길 徑 | 원의 중간을 곧바로 가로지르는 선.
- **혈압** | 피 血, 누를 壓 | 혈액을 밀어 낼 때, 혈관 내에 생기는 압력.
- **삼투압** | 스밀 滲, 통할 透, 누를 壓 | 반투막의 양쪽에 농도가 다른 액체가 있을 경우 농도가 낮은 액체에서 농도가 높은 액체 쪽으로 물이 이동해 갈 때 생기는 압력.

1

이 글의 내용과 일치하지 않는 것은?

① 사구체의 모세 혈관의 단백질 농도는 보먼주머니 내강보다 높다.
② 사구체는 요소나 포도당과 같은 물질들을 여과하여 세뇨관으로 내보낸다.
③ 사구체 막의 모세 혈관 벽은 다른 신체 기관의 모세 혈관에 비해 투과성이 낮다.
④ 건강한 상태에서는 혈장 교질 삼투압과 보먼주머니 수압이 크게 변하지 않는다.
⑤ 보먼주머니 내층의 발세포 돌기 사이로 여과액이 나와 보먼주머니 내강에 도달한다.

기능과 과정 이해하기

2

이 글을 바탕으로 하여 〈보기〉를 이해한 내용으로 적절하지 않은 것은?

보기

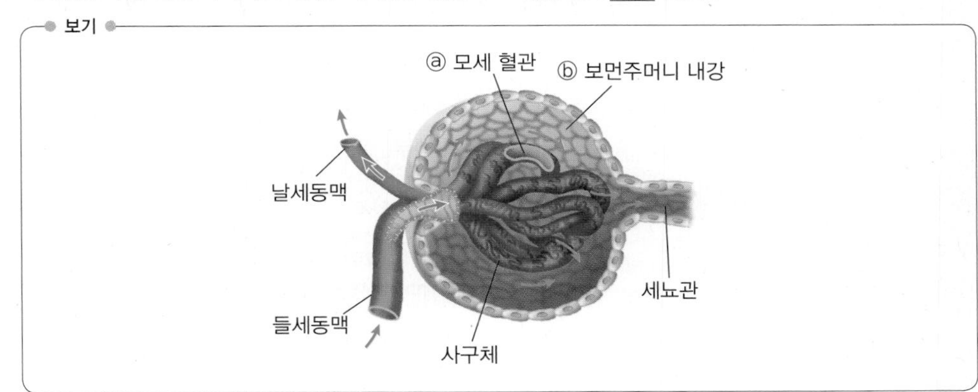

① ⓐ의 혈압은 들세동맥의 직경 변화에 의해 일정하게 유지될 수 있다.
② ⓐ에 있는 내피세포 층의 구멍들을 통해 노폐물이나 독소가 빠져나갈 수 있다.
③ ⓑ에 도달하는 여과액이 증가한다면 사구체 여과를 방해할 수 있다.
④ ⓐ와 ⓑ의 단백질 농도 차이가 커진다면 사구체 여과를 방해할 수 있다.
⑤ ⓐ에서 발생하는 압력보다 ⓑ에서 발생하는 압력이 높기 때문에 ⓑ에 여과액이 도달할 수 있다.

이유 · 원인 밝히기

3

다음은 ㉠의 이유이다. 괄호 안에 알맞은 말을 쓰시오.

들세동맥에서 흘러 들어오는 혈액이 사구체에서 보먼주머니로 여과될 때, 혈구나 단백질은 요소나 포도당보다 (　　　　　) 때문에 사구체 막을 통과할 수 없다.

지문 분석하기

● **글의 전개 방식 [병렬]**

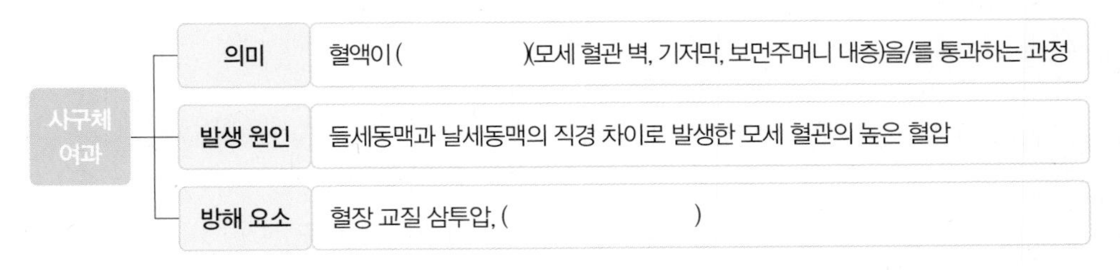

사구체 여과		
	의미	혈액이 (　　　　　)(모세 혈관 벽, 기저막, 보먼주머니 내층)을/를 통과하는 과정
	발생 원인	들세동맥과 날세동맥의 직경 차이로 발생한 모세 혈관의 높은 혈압
	방해 요소	혈장 교질 삼투압, (　　　　　)

실전 3회
정답과 해설 37쪽

1

제시된 초성과 뜻을 참고하여 괄호 안에 알맞은 단어를 쓰시오.

(1) ㅁ ㄱ : 아름답고 훌륭한 풍경.
예 시에서는 도시의 (　　　)을/를 살릴 수 있는 방안을 여러 방면에서 검토해 왔다.

(2) ㅇ ㅅ 하다: 자기의 뜻을 힘주어 말하다.
예 그녀는 연설을 통해 한글의 소중함을 (　　　)했다.

(3) ㅁ ㄷ : 물음과 대답. 또는 서로 묻고 대답함.
예 강연이 끝나고 강사와 시민들이 (　　　)하는 시간을 가졌다.

(4) ㅁ ㅇ ㄷ ㅅ : 하는 일 없이 놀고먹음.
예 농민들과 달리 대부분의 양반들은 (　　　)(이)나 하며 지냈다.

(5) ㅈ ㅇ ㅇ ㅈ : 외적인 제약이나 구속을 받지 아니하고 내적 동기나 이상에 따라 어떤 목적을 위한 행동을 자유롭게 선택하는 의지.
예 (　　　)와/과 소신을 지키는 것이 중요합니다.

2

다음의 괄호 안에 공통으로 들어갈 말로 가장 적절한 것은?

> 경쟁으로 인한 이기주의가 (　　　)한 현상을 (　　　)하기 위해 함께 노력해야 한다.

① 낙후, 상생　② 편평, 주장　③ 축소, 시행　④ 팽배, 타파　⑤ 동일, 노후화

3

다음의 밑줄 친 단어와 바꾸어 쓰기에 가장 적절한 것은?

> 학급 위원회에서는 학생들의 불편 사항을 접수하고 이를 개선하기 위한 방안을 <u>도모했다</u>.

① 개조했다　② 계획했다　③ 수정했다　④ 완수했다　⑤ 완성했다

4

다음 뜻과 알맞은 단어를 서로 연결하시오.

(1) 쓸모가 있다. •　　• ① 결탁하다
(2) 마음을 결합하여 서로 의탁하다. •　　• ② 유용하다
(3) 어떤 목표로 뜻이 향하여 쏠리다. •　　• ③ 지향하다
(4) 헛되고 황당하며 미덥지 못하다. •　　• ④ 허황되다

로고테라피의 창시자, 빅터 프랭클

▲ 빅터 프랭클

빅터 프랭클(1905~1997)은 오스트리아 빈의 유대계 가정에서 태어났다. 그는 1923년 빈 대학에서 신경과와 정신과를 전공하고 '자신'이라는 존재를 발견하는 것을 목표로 삼는 로고테라피(의미 치료)를 생각해 낸 인물이다.

빅터 프랭클이 로고테라피를 생각해 낸 배경은 제2차 세계 대전 때 독일의 유대인 박해로부터 비롯된다. 빈 대학 심리 클리닉의 정신과 의사였던 빅터 프랭클은 제2차 세계 대전이 시작되자 나치에게 체포되어 강제 수용소에 수용되었다. 악명 높았던 아우슈비츠 수용소에까지 끌려갔던 그는 수용소 내에서도 사람들의 심리 치료를 위해 힘썼는데, 그곳에서 그가 본 것은 수용소 내에서의 사람들의 태도였다. 극한의 상황 속에서도 어떤 사람들은 기품을 잃지 않으려는 반면, 어떤 사람들은 그들이 처한 환경에 절망하고 분노했다. 빅터 프랭클은 이러한 사람들의 모습을 통해 삶의 태도를 갖추고 의미를 추구하는 것이 중요하다는 것을 발견하였다. 또 빅터 프랭클 본인 또한 수용소라는 끔찍한 현실 안에서도 삶의 의미를 추구하려고 노력하였다. 그리하여 빅터 프랭클은 수용소에서의 고난을 극복하고, 이후 수용소에서 깨달은 바를 바탕으로 삶의 의미를 추구하는 '로고테라피'를 만들게 되었다.

▲ 아우슈비츠 수용소 입구
("노동이 그대를 자유롭게 하리라."라고 써 있는 간판이 걸려 있다.)

● 아우슈비츠 수용소 | 폴란드의 아우슈비츠에 있던 나치 강제 수용소. 1940년에 설립된 최대 규모의 강제 수용소이다.

전자기 유도가 밥도 한다?

교과 연계 **과학** _ 전기와 자기

문단 요약하기

① 전기밥솥은 열을 발생시키는 방식에 따라 전열선 가열 방식과 (　　　　　) 가열 방식이 있다.

② (　　　　　)을/를 이용하여 전류를 유도하는 것을 '전자기 유도'라고 한다.

③ IH 방식은 밥솥 자체가 열을 발생시키므로 전열선 가열 방식보다 (　　　　　)이/가 높다.

④ 새로운 (　　　　　　　)의 발견은 우리 삶을 편리하게 한다.

① 요즘 대부분의 가정에서는 불을 사용하지 않고 전기를 이용한 전기밥솥으로 편리하게 밥을 짓고 있다. 그러나 아직도 많은 사람들은 전기밥솥에서 전기가 열을 발생시켜 쌀을 익히기 때문에 밥이 지어진다고 생각할 뿐, 전기밥솥의 작동 원리에 대해 잘 모르고 있다. 전기밥솥은 열을 발생시키는 방식에 따라 전열선 가열 방식과 전자기 유도 가열(IH) 방식으로 나눌 수 있다. 전열선 가열 방식은 밥솥 아래에 있는 히터 선에 전류를 흘려 히터를 가열하고 이 열이 밥솥에 전달되어 밥이 지어지는 원리이다. 하지만 요즈음 판매되는 전기밥솥은 대부분 전자기 유도 가열(IH) 방식을 사용한다. 이때 이 IH (Induction Heating)라는 이름은 전자기 유도 원리에서 유래되었다.

② 전자기 유도의 원리는 물리학자 패러데이가 발견하였다. 패러데이는 전류가 흐르는 도선 주위에 자기장이 형성되는 것에 착안하여 이와 반대로 자기장을 이용해 전류를 만들 수 있지 않을까 하는 생각을 가지고 있었다. 그리고 1831년 도선 주위에 자석을 운동시켜 전류를 유도해 내는 데 성공했는데, 이를 '전자기 유도'라고 한다. 이때 유도된 전류는 자기장의 세기가 변하면, 그 변화 속도에 비례하여 커진다.

③ IH 방식의 경우 전기밥솥에 220V 가정용 교류 전원을 연결하면 밥솥 주위의 코일에 전류가 흘러 밥솥 주위에 자기장을 만든다. 교류 전기는 전기의 극성이 수시로 바뀌기 때문에 이때 발생하는 자기장 역시 극성과 세기가 연속적으로 변하는 교류 자기장이 된다. 이 교류 자기장에 의해 밥솥의 스테인리스 스틸 층에 소용돌이 모양의 맴돌이 전류가 유도된다. 이 맴돌이 전류가 밥솥에 열을 발생시키면 이 열이 밥솥 안쪽의 열전도율이 높은 알루미늄 층을 통해 밥솥 전체에 퍼져 전열선 가열 방식보다 쌀이 고르게 익게 한다. 이런 IH 방식의 장점은 밥솥 자체가 열을 발생시키므로 전열선 가열 방식보다 열효율이 매우 높고 쌀을 고르게 익힐 수 있다는 것이다.

④ 패러데이가 전자기 유도 현상을 발견했을 때 전기밥솥의 작동 원리가 될 줄은 상상도 못했을 것이다. 마치 맥스웰이 전기와 자기 현상을 통합하고 전자기파를 발견했을 때 휴대 전화 등의 무선 통신을 예상하지 못한 것과 같다. 이렇듯 새로운 과학적 원리의 발견은 뜻하지 않게 우리가 사용하는 문명의 이기로 발전하여 우리의 삶을 보다 편리하게 하는 동력이 되기도 한다.

- **전열선** | 전기 電, 더울 熱, 줄 線 | 전류를 통하여 전열을 발생시키는 도선.
- **착안하다** | 붙을 着, 눈 眼 | 어떤 일을 주의하여 보다. 또는 어떤 문제를 해결하기 위한 실마리를 잡다.
- **열전도율** | 더울 熱, 전할 傳, 이끌 導, 비율 率 | 물체 속을 열이 전도하는 정도를 나타낸 수치.
- **열효율** | 더울 熱, 효력 效, 비율 率 | 기관에 공급된 열이 유효한 일로 바뀐 정도를 나타내는 비율.
- **이기** | 이로울 利, 그릇 器 | 실용에 편리한 기계나 기구.

1 이 글을 통해 답할 수 있는 내용이 아닌 것은?

① 전자기 유도 원리와 개념
② 전기밥솥이 열을 발생시키는 방식
③ 전기밥솥과 압력 밥솥의 공통점과 차이점
④ 전열선 가열 방식의 전기밥솥이 작동하는 원리
⑤ 전자기 유도 가열 방식의 전기밥솥이 지닌 장점

기능과 과정 이해하기

2 이 글을 바탕으로 하여 〈보기〉를 이해한 내용으로 적절하지 않은 것은?

보기

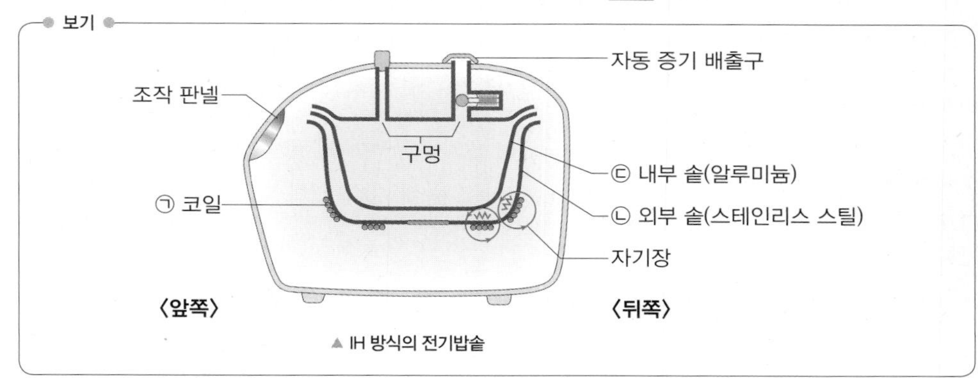

▲ IH 방식의 전기밥솥

① ㉠에는 교류 전원에 의해 극성이 수시로 변하는 전류가 흐른다.
② ㉠에 흐르는 전류로 인해 ⓛ 주변에 자기장이 형성된다.
③ ㉠, ⓒ에서는 모두 패러데이의 전자기 유도 현상이 나타난다.
④ ⓛ에 맴돌이 전류가 유도되면 열이 발생하여 ⓒ에 전해진다.
⑤ ⓒ은 열전도율이 높아서 밥솥 전체에 열이 퍼져 나가게 한다.

정보 간의 관계 파악하기

3 이 글을 바탕으로 의미 관계가 유사한 것을 표로 정리한다고 할 때, 괄호 안에 알맞은 말을 쓰시오.

전기와 자기 현상의 통합과 전자기파의 발견	( )
무선 통신	전기밥솥

지문 분석하기

● 글의 전개 방식 [대비, 과정]

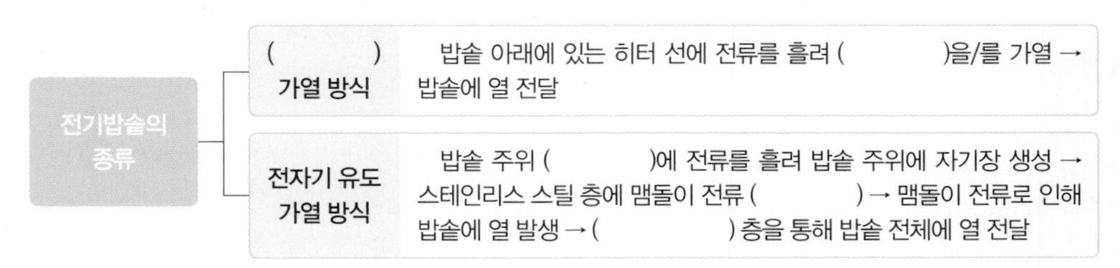

실전 3회
정답과 해설 38쪽

08 똑똑한 옷은 똑똑한 섬유로 만든다

문단 요약하기

① (　　　　　　　)의 개발로 기존 스마트 의류의 불편함을 해소할 수 있게 되었다.

② 스마트 섬유가 기능을 수행하기 위해서는 (　　　　　)이/가 흐를 수 있는 전도성이 있어야 한다.

③ 스마트 섬유의 사례로는 섬유 자체가 온도 조절을 할 수 있는 히텍스와 (　　　　　　)을/를 측정할 수 있는 히토에가 있다.

④ 또한 어떠한 물질을 사용하고 (　　　　　　　　　) 에 따라 다양한 스마트 섬유 개발이 가능하다.

① 발열 패딩, 친환경 태양광 셔츠, 자세 교정 양말, 시각 장애인 길 안내 신발 등 다양한 기능을 가진 제품이 시장에 나오면서 스마트 의류 기술에 많은 관심과 기대가 쏟아졌다. 그런데 스마트 의류가 어떤 기능을 수행하려면 센서 같은 전자 기기를 의류에 부착하거나 초소형 컴퓨터 칩을 섬유에 넣는 방법 등을 사용해야만 했다. 이러한 불편함을 해소하기 위해 섬유 자체가 디지털 센서 기능을 하도록 만드는 기술이 연구되었는데, 이를 통해 개발된 것이 바로 스마트 섬유이다.

② 스마트 섬유는 별도의 전자 기기를 따로 부착하지 않아도 섬유 자체가 디지털 센서 기능을 가지고 있어 외부 자극을 감지하고 반응할 수 있도록 만든 섬유이다. 이러한 기능을 수행하기 위해서 스마트 섬유는 전기가 흐를 수 있는 전도성을 가지고 있어야 한다. 때문에 스마트 섬유에는 전도성이 강한 구리, 은, 탄소 등의 물질을 잉크처럼 만들어 섬유에 인쇄하거나 기존의 옷감에 전도성이 있는 실로 수를 놓거나 직접 옷감을 짜는 방식이 사용되고 있다. 전도성이 있는 실은 전도성이 강한 물질들을 가열하여 이 물질들을 실처럼 가늘게 뽑아내는 기술을 통해 만들어진다. 이렇게 만들어진 실로 옷감을 짜거나 이 실로 옷감에 수를 놓아 ㉠<u>섬유에 전기가 흐르도록 할 수 있는 것이다.</u>

③ 대표적인 스마트 섬유로는 히텍스를 사례로 들 수 있다. 히텍스는 전류가 흐르는 잉크를 섬유에 인쇄하여 섬유 자체가 온도 조절을 할 수 있도록 만든 스마트 섬유로, 보조적인 장치를 추가하면 최대 50도에 이르는 열이 발생한다. 또 다른 사례인 히토에는 최첨단 소재인 폴리에스터 나노 섬유 원단에 전도성이 높은 물질을 코팅하여 생체 신호를 측정할 수 있도록 한 스마트 섬유이다. 이 섬유를 이용하면 심박수와 심전도 등의 생체 정보를 감지하여 스마트 기기로 보낼 수 있기 때문에 각광을 받고 있다.

④ 이외에도 스마트 섬유를 만들 때 어떠한 물질을 사용하고 어떠한 각도로 옷감을 짜느냐에 따라 섬유마다 다른 양의 전류를 흐르게 할 수 있다. 그리고 이렇게 함으로써 다양한 기능을 가진 스마트 섬유 개발이 가능하다. 따라서 스마트 섬유를 사용한 의류 제품들도 더 다양해질 것으로 전망되어, 스마트 의류에 대한 기대감이 더욱 높아지고 있다.

- **전도성** | 전할 傳, 이끌 導, 성질 性 | 열이나 전기가 물체 속을 이동하는 성질.
- **각광** | 다리 脚, 빛 光 | 사회적 관심이나 흥미.

1 이 글에서 다룬 내용이 아닌 것은?

① 스마트 섬유의 의미
② 스마트 섬유의 발전 과정
③ 스마트 의류에 대한 기대감
④ 기존 스마트 의류의 불편함
⑤ 스마트 섬유가 적용된 사례

정보 간의 관계 파악하기

2 이 글을 읽고 추론한 내용으로 적절하지 않은 것은?

① 히텍스를 사용한 의류에는 전류가 흐를 수 있는 별도의 전자 기기를 부착할 필요가 없겠군.
② 히토에를 사용한 의류를 입고 운동을 하면 심박수 등의 신체 변화를 쉽게 측정할 수 있겠군.
③ 전도성이 있는 실로 옷감을 짤 때, 짜는 각도에 따라 다양한 스마트 섬유를 개발할 수 있겠군.
④ 스마트 섬유는 어떠한 물질을 사용하더라도 항상 일정한 양의 전류가 흘러 사용이 편리하겠군.
⑤ 히토에에 전기가 통하지 않게 하는 물질을 바르면 스마트 섬유의 기능을 제대로 발휘하지 못할 수도 있겠군.

3 ㉠을 위해 다음과 같은 방식을 사용한다고 할 때, 괄호 안에 공통적으로 들어갈 말을 쓰시오.

- (　　　　)이/가 강한 물질을 잉크처럼 만들어 섬유에 인쇄하는 방식
- 기존의 옷감에 (　　　　)이/가 있는 실로 수를 놓거나 직접 옷감을 짜는 방식

지문 분석하기

● 글의 전개 방식 [문제 해결, 병렬]

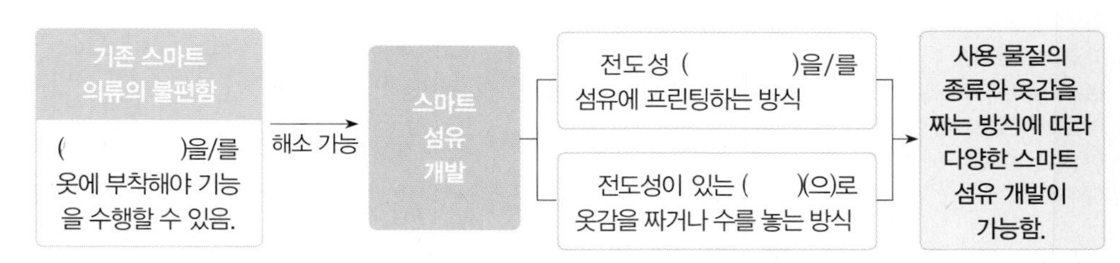

만화의 의사소통

✎ 문단 요약하기

① (   )은/는 영화나 문학과 구분될 수 있는 복합적 의사소통이다.

② 문학과 달리 만화는 전환 과정 없이 (   )을/를 통해 간편하게 인지할 수 있다.

③ 만화를 구성하는 칸은 독자의 (   )을/를 일정하게 유도한다.

④ 만화의 칸은 작품 속 상황에 따라 (   )을/를 자유롭게 할 수 있다.

⑤ 칸과 칸 사이의 여백은 독자의 (   )을/를 극대화한다.

① 만화란 '대화를 삽입하여 이야기 따위를 간결하고 익살스럽게 그린 그림'이다. 영화가 사물의 운동이나 시간을 재현하는 예술이라면, 만화는 정지된 그림이 의도된 순서에 따라 공간적으로 나열되는 예술이다. 문학이 문자만으로 구성된 언어적 의사소통이라면, 만화는 글로 구성된 문학적 요소와 그림으로 구성된 미술적 요소가 연속적으로 나열되어 이야기를 전달하는 복합적 의사소통이다.

② 문학과 같이 문자로 된 언어적 의사소통은 '실체 → 언어 → 기호화 → 인지'라는 전환 과정을 거친다. 작가는 자신이 의도하는 바를 자신의 언어로 정리하여 기호인 문자로 표현한다. 독자는 문자를 학습하여 작가의 기호들을 인지하는 것이다. 이와 달리 정지된 그림이 중심이 되는 만화는 이러한 전환이나 학습의 과정 없이 '실체 → 그림 → 인지'라는 직접적인 경로를 통해 상대적으로 간편한 인지가 가능하다. 이때 만화의 정지된 그림은 인물이나 물체의 주변에 그어진 효과선을 통해 독자의 상상 속에서 움직일 수도 있다. 이런 장점 때문에 고금을 막론하고 만화는 어떤 내용을 전달하는 적극적인 도구로 활용되어 왔다.

③ 만화는 글이나 그림을 담고 있는 각 칸으로 구성되는데, 만화의 칸은 다른 표현 양식과 달리 만화를 만화답게 보이게 하는 효과가 있다. 만화에서는 칸으로 구분되는 각각의 공간들을 따라서 독자의 시선이 일정하게 이동한다. 때문에 각 칸은 전체 작품에서 독자의 시선의 방향을 일정하게 유도한다고 할 수 있다.

④ 그러나 만화의 칸은 크기와 모양이 하나로 고정된 것이 아니다. 만화의 칸은 내부의 그림과 말풍선을 통해 나타난 인물의 심리나 작품 속 상황에 따라서 크기나 모양을 자유롭게 할 수 있다. 이는 독자의 읽기 시간에 변화를 주어 장면을 극대화하거나 축소할 수 있다.

⑤ 칸과 칸 사이의 여백 역시 독자의 상상력을 극대화한다. 만화에서는 칸 내부의 그림이나 말풍선 등의 내용이 사건의 중심이지만, 독자는 칸과 칸 사이의 여백을 통해 제시된 내용보다 훨씬 더 풍부한 상상의 세계를 경험하게 된다. 또 칸 내부의 그림이 정지된 것이라 하더라도 칸과 칸 사이의 여백을 통해 칸 내부의 그림들이 연속적이고 역동적으로 느껴지기도 한다. 이 과정에서 독자는 상상력을 통해 정지된 그림으로부터 움직임을 이끌어 낸다.

- **전환 과정** | 옮길 轉, 바꿀 換, 지날 過, 단위 程 | 어떤 사안이나 사람, 이념이나 가치 따위가 다른 것으로 대체되거나 바뀌는 과정.
- **고금** | 옛 古, 이제 今 | 예전과 지금을 아울러 이르는 말.
- **막론하다** | 없을 莫, 논의할 論 | 이것저것 따지고 가려 말하지 아니하다.

정보 간의 관계 파악하기

1 이 글의 내용과 일치하지 <u>않는</u> 것은?

① 만화의 칸은 만화를 만화답게 보이게 하는 효과가 있다.
② 만화는 문학적 요소와 미술적 요소 모두를 포함하는 예술이다.
③ 만화 칸 사이의 여백을 통해 독자는 상상력을 극대화할 수 있다.
④ 만화와 달리 영화는 사물의 운동이나 시간을 재현하는 예술이다.
⑤ 만화의 효과선은 인물이나 물체 주변에 그어져 문자의 학습을 돕는다.

뒷받침 · 구체화하기

2 이 글을 바탕으로 하여 〈보기〉를 감상한 내용으로 적절하지 <u>않은</u> 것은?

보기

① '실체 → 그림 → 인지'를 통해 상황에 대한 인식이 가능하군.
② 각 칸의 크기 변화를 통해 읽기 시간에 변화를 준다는 것을 알 수 있군.
③ 각 칸의 구분을 통해 시선이 일정하게 이동하고 있다는 것을 알 수 있군.
④ 칸과 칸 사이의 여백을 통해 칸 내부의 그림들이 연속적이라는 것을 알 수 있군.
⑤ 각 칸 모양이 일정한 형태를 함으로써 독자의 시선 방향을 다양하게 유도할 수 있군.

이유 · 원인 밝히기

3 이 글을 참고하여 다음 괄호 안에 알맞은 말을 쓰시오.

만화는 글과 그림으로 구성되기 때문에 (　　　　) 의사소통이라고 한다.

지문 분석하기

● 글의 전개 방식 [병렬]

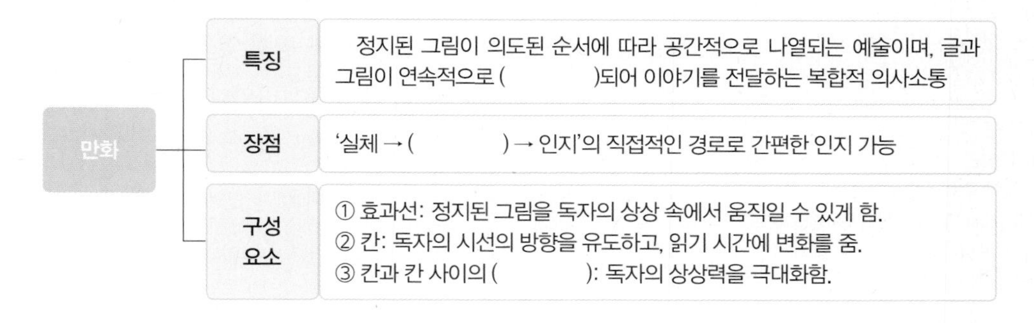

만화		
	특징	정지된 그림이 의도된 순서에 따라 공간적으로 나열되는 예술이며, 글과 그림이 연속적으로 (　　　　)되어 이야기를 전달하는 복합적 의사소통
	장점	'실체 → (　　　　) → 인지'의 직접적인 경로로 간편한 인지 가능
	구성 요소	① 효과선: 정지된 그림을 독자의 상상 속에서 움직일 수 있게 함. ② 칸: 독자의 시선의 방향을 유도하고, 읽기 시간에 변화를 줌. ③ 칸과 칸 사이의 (　　　　): 독자의 상상력을 극대화함.

10 동양 산수화에서의 점경 인물

교과 연계 **미술** _ 우리나라 미술의 흐름(미술의 변천과 맥락)

문단 요약하기

① 동양 산수화에 작게 묘사된 인물상을 (　　　　　　)(이)라고 한다.

② 점경 인물의 전통은 북송·남송·명을 거쳐 발전하면서 일정한 (　　　　　　)을/를 갖추었다.

③ 중국의 점경 인물의 전통은 조선의 산수화에도 (　　　　　　)되었다.

④ 조선 후기에는 대상을 생생하게 담아내는 예술을 추구하기 위해 대상에 대한 (　　　　　　)을/를 중시하는 조선만의 화풍이 자리 잡았다.

① 동양 산수화의 주된 소재는 나무와 바위, 산과 계곡 등 자연물이다. 그런데 훌륭하다고 평가받는 대부분의 산수화에는 사람이 그려져 있다. 배를 타고 산을 향해 다가간다거나 낚시를 한다거나 풍경을 즐긴다거나 하는 사람들은 그림의 전체 크기에 비하면 아주 작고 간단하게 그려져 있다. '점경 인물(點景人物)'은 동양 산수화에 등장하는 작고 간단하게 묘사된 인물상을 의미하는 것으로, 주로 절경을 여행하며 자연과 교감하는 인간을 그린 것이다. 여기에는 하늘과 땅과 인간이 별개로 존재하는 것이 아니라 하나의 원리로 연결되어 있다는 사상이 깔려 있다. 이런 점에서 동양의 산수화는 자연의 섭리와 만물의 질서를 형상화한 것이며, 이때 인간은 자연과 대립하는 존재가 아니라 자연과 조화를 이루는 존재이므로 산수화의 일부로 포함되는 것이 당연하다.

② 점경 인물의 전통은 중국을 중심으로 10세기 후반부터 본격적으로 나타나기 시작했다. 북송 시대(960~1127)에는 높은 산이나 계곡을 유람하는 여행자들을 고정적으로 그렸는데, 이때 거대한 산 사이를 여행하며 자연과 교감하는 인간의 모습이 중요한 구성 요소로 자리 잡게 되었다. 한편 남송 시대(1127~1279)에는 인물의 이목구비를 생략하고 간략하게 표현하는 기법이 유행하였는데, 이는 사실성은 다소 떨어뜨리지만 작품 전체의 생동감을 증대하는 효과를 주었다. 이러한 그림 방식들은 명나라 시대에 들어와 일정한 형식과 틀을 갖추어 감상자에게 해석의 방향을 제시하게 되었다. 예를 들어 승려나 도사가 등장하면 종교적 분위기를 띠며, 홀로 낚시하는 어부가 등장하면 소박한 삶을 상징하게 된 것이다.

③ 이러한 점경 인물의 전통은 조선의 산수화에도 수용되었다. 이는 조선 전기의 〈사시팔경도〉와 같은 산수화가 송나라 시대의 〈소상팔경도〉의 인물상을 그대로 반복한 것을 보면 알 수 있다. 그러나 조선 후기에 이르러서는 산수화 속 점경 인물의 표현에도 조선만의 특징이 나타나기 시작했다.

④ 조선 전기의 화풍과 달리 조선 후기의 화가들은 현장의 경험과 화가의 반응을 그림에 생생하게 담아내는 예술을 추구하였는데, 그러기 위해서는 대상에 대한 사실적 묘사가 필요했다. 때문에 회화의 소재가 되는 장소뿐만 아니라 건물, 의관, 제도, 풍속 등을 조선의 것으로 표현했다. 또 점경 인물의 대상도 유형화된 인물은 물론 마부나 가마꾼, 시종 등에까지 확대하여 표현하였다. 이전까지의 산수화가 가 보지 않은 중국의 산수를 모방하여 그린 것이었다면, 조선 후기의 산수화는 조선의 산천과 생활상을 그린 진경산수화나 풍속화로 발전하였다.

- **산수화** | 뫼 山, 물 水, 그림 畫 | 동양화에서, 산과 물이 어우러진 자연의 아름다움을 그린 그림.
- **절경** | 뛰어날 絕, 볕 景 | 더할 나위 없이 훌륭한 경치.
- **형상화하다** | 모양 形, 모양 象, 될 化 | 형체로는 분명히 나타나 있지 않은 것을 어떤 방법이나 매체를 통하여 구체적이고 명확한 형상으로 나타내다.
- **북송·남송** | 중국의 왕조 중 하나. 금나라의 침입을 기준으로 송나라의 전반과 후반을 이르는 말.
- **이목구비** | 귀 耳, 눈 目, 입 口, 코 鼻 | 귀·눈·입·코를 아울러 이르는 말. 또는 얼굴의 생김새.
- **의관** | 옷 衣, 갓 冠 | 남자의 웃옷과 갓이라는 뜻으로, 남자가 정식으로 갖추어 입는 옷차림을 이르는 말.

정보 간의 관계 파악하기

1 이 글의 내용과 일치하지 <u>않는</u> 것은?

① 동양 산수화의 주된 소재는 자연물이다.
② 남송 시대에는 인물을 간략하게 표현하는 기법이 유행하였다.
③ 명나라 시대의 점경 인물은 감상자에게 특정 의미로 해석되었다.
④ 점경 인물은 자연과 교감하는 인간을 작고 간단하게 묘사한 것이다.
⑤ 조선 전기의 산수화는 중국 산수화의 영향에서 벗어나고자 하였다.

뒷받침 · 구체화하기

2 이 글을 바탕으로 하여 〈보기〉를 감상한 내용으로 적절하지 <u>않은</u> 것은?

보기

(그림 자료 출처: 국립중앙박물관)

1711년 제작된 겸재 정선의 진경산수화는 사실적인 묘사를 보여 주는 것이 특징이다. 그림 〈풍악도첩〉 중 〈백천교〉에는 시냇물 주변의 커다란 바위 위에 앉아서 경치를 감상하거나 바위 위에서 주변의 경관을 둘러보는 <u>사대부들</u>이 자그마하게 그려져 있다. 그림의 왼쪽에는 어깨에 메는 가마를 땅에 놓고 휴식을 취하는 <u>가마꾼들</u>이 그려져 있으며, 그림의 오른쪽 아래에는 백천교까지 이동하는 데 사용된 <u>네 마리 말들과 이를 관리하는 마부들</u>이 등장하고 있다.

① 바위에서 경치를 즐기는 사람들의 모습은 자연과 교감하는 인간을 표현한 것이군.
② 경관을 둘러보는 사대부들의 모습을 섬세하게 표현하여 그림의 생동감을 증대하는군.
③ 마부나 가마꾼을 표현한 것은 점경 인물의 대상이 유형화된 인물에서 확대된 것이로군.
④ 전체 그림의 크기에 비해 사람을 작게 그림으로써 사람을 자연과 조화를 이루는 존재로 나타내고 있군.
⑤ 이동하는 데 사용된 네 마리 말들까지 그린 것은 사실적으로 묘사하려는 조선 후기 진경산수화의 특징을 보여 주는군.

지문 분석하기

● 글의 전개 방식 [과정]

점경 인물	• 개념: ( )에서 인물을 작고 간단하게 묘사하는 것 • 특징: 자연과 ( )이/가 하나의 원리로 연결되어 있다는 사상을 바탕으로 함.

중국의 북송·남송·명을 거치며 정형화됨.

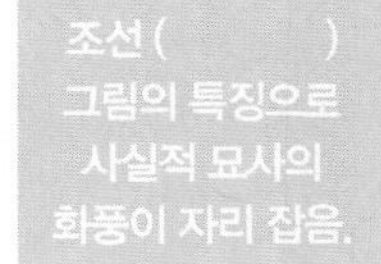

11 암호는 어떻게 만들어질까

	A	D	F	G	X
A	a	b	c	d	e
D	f	g	h	i/j	k
F	l	m	n	o	p
G	q	r	s	t	u
X	v	w	x	y	z

〈표〉

① 1918년 제1차 세계 대전, 프랑스군은 독일의 무선 통신을 도청하던 중 AGFGXD, AADXFX와 같이 A, D, F, G, X의 다섯 개 철자만으로 나열된 형태의 새로운 암호문을 발견한다. 이때 독일이 사용한 새로운 암호 체계는 폴리비우스 암호를 적용한 것으로, 알파벳을 이루는 26개 철자를 〈표〉와 같이 정해서 폴리비우스 암호표를 만들고 가로·세로 줄에 숫자 대신 A, D, F, G, X를 정해 놓는다. 〈표〉에 따라 문자 'a'는 (A, A), 문자 'b', 'f'는 (D, A), (A, D)가 될 것이다. 'AADAAD'라는 암호문을 받은 사람이 이를 해독한다면 같은 〈표〉를 이용하여 'abf'라는 내용을 알 수 있을 것이다.

② 그러던 중 프랑스군이 폴리비우스 암호의 원리를 알아내 독일군의 암호를 해독하는 데 성공하자, 독일군은 다시 ㉠가로·세로 줄의 A, D, F, G, X에 V를 첨가하여 표를 36칸으로 확장하고 표에 0~9까지의 숫자도 포함시켰다. 그러나 프랑스군은 바뀐 암호문을 해독하는 데 어려움을 겪지 않았다. 그 이유는 무엇일까? 폴리비우스 암호는 암호문을 만드는 사람과 암호를 해독하는 사람이 같은 '비밀 열쇠'를 가지고 있어야 한다. 이렇게 양쪽이 같은 비밀 열쇠를 가지고 있는 암호 체계를 ⓐ'대칭 열쇠 관리'라고 한다. 대칭 열쇠 관리는 양쪽이 사전에 비밀 열쇠에 대해 약속하고 있어야 하며 둘 중 하나라도 열쇠를 분실하거나 열쇠가 공개되는 순간 보안성이 매우 떨어진다. 때문에 이미 비밀 열쇠를 파악했던 프랑스군이 독일군의 바뀐 암호 또한 쉽게 해독할 수 있었던 것이다.

③ 이후 이러한 단점을 보완하기 위해 개발된 암호 체계가 ⓑ'비대칭 열쇠 관리'이다. 비대칭 열쇠 관리는 수학적 원리를 이용하여 만드는 암호인 '공개 열쇠'와 암호를 해독하는 '비밀 열쇠'가 서로 다른 것이 대칭 열쇠 관리와 구별되는 특징이다. 미국의 MIT 컴퓨터 공학 연구원들은 이 비대칭 열쇠 관리를 이용한 'RSA 암호 체계'를 개발하였다. RSA 암호 체계는 1과 자기 자신으로만 나누어 떨어지는 소수의 원리를 이용한다.

④ RSA 암호 체계는 두 개의 큰 소수들의 곱과 추가 연산을 통해 공개 열쇠와 비밀 열쇠를 구한다. 즉 n=p×q일 때, p와 q로 n을 구하기는 쉬우나 n으로 p와 q를 찾기 힘들다는 소인수 분해의 어려움을 이용한 것이다. 예를 들어 소수 p=17과 q=19로 n=p×q=323을 구하기는 쉬우나 n=323만을 제시했을 때는 소수 p, q를 구하기 어렵다는 것이다. 소수의 값이 크면 클수록 보안의 안정성은 높아진다. RSA 암호 체계의 비밀 열쇠는 현대의 고성능 컴퓨터라 하더라도 암호를 알아내는 데 시간이 매우 오래 걸리기 때문에 금융 거래 등에 활용되고 있다.

- **도청하다** | 도둑 盜, 들을 聽 | 남의 이야기, 회의의 내용, 전화 통화 따위를 몰래 엿듣거나 녹음하다.
- **해독하다** | 풀 解, 읽을 讀 | 잘 알 수 없는 암호나 기호 따위를 읽어서 풀다.
- **확장하다** | 넓힐 擴, 벌릴 張 | 범위, 규모, 세력 따위를 늘려서 넓히다.
- **사전** | 일 事, 앞 前 | 일이 일어나기 전. 또는 일을 시작하기 전.

글의 전개 구조 파악하기

1 **이 글에 대한 설명으로 가장 적절한 것은?**

① 시대에 따른 비대칭 열쇠 관리 기술의 필요성을 밝히고 있다.
② 비대칭 열쇠 관리 기술 개발에 따른 수학의 발전을 설명하고 있다.
③ 구체적 사례를 통해 대칭 열쇠 관리와 비대칭 열쇠 관리 기술의 폐해를 지적하고 있다.
④ 암호 체계가 대칭 열쇠 관리에서 비대칭 열쇠 관리로 발전하는 과정을 보여 주고 있다.
⑤ 대칭 열쇠 관리와 비대칭 열쇠 관리를 대비하여 암호화 기술의 장단점을 나열하고 있다.

개념으로 원리 이해하기

2 **①을 바탕으로 'XFXAAAFAXA'를 바르게 해독한 것은?**

① peace ② peach ③ pearl ④ piano ⑤ pitch

이유·원인 밝히기

3 **㉠의 이유로 가장 적절한 것은?**

① 암호문의 길이를 늘여 더욱 다양한 표현이 가능하도록 하기 위해
② 암호표를 더욱 복잡하게 만들어 암호문을 해독하지 못하도록 하기 위해
③ 암호표의 개수를 증가시켜 암호 해독에 필요한 비밀 열쇠를 감추기 위해
④ 폴리비우스 암호를 개선하여 비대칭 열쇠 관리의 단점을 보완하기 위해
⑤ 암호문에 사용되는 문자의 개수를 증가시켜 암호문 해독의 어려움을 줄이기 위해

개념 견주어 보기

4 **ⓐ, ⓑ를 이해한 내용으로 가장 적절한 것은?**

① ⓐ는 ⓑ에 비해 비밀 열쇠에 대한 보안성이 높다.
② ⓑ는 ⓐ에 비해 암호문을 만드는 과정이 단순하다.
③ ⓑ는 ⓐ와 달리 공개 열쇠와 비밀 열쇠가 서로 다르다.
④ ⓐ, ⓑ 모두 암호문을 만드는 데 수학적 원리를 활용한다.
⑤ ⓐ, ⓑ 모두 컴퓨터를 통해 여러 금융 거래에 활용되고 있다.

정답과 해설 42쪽

1

밑줄 친 단어의 뜻을 〈보기〉에서 찾아 그 번호를 쓰시오.

보기

① 사회적 관심이나 흥미.
② 더할 나위 없이 훌륭한 경치.
③ 예전과 지금을 아울러 이르는 말.
④ 일이 일어나기 전. 또는 일을 시작하기 전.

(1) 금강산 만이천봉이 절경을 이룬다. ( )

(2) 사고를 사전에 예방하는 것이 무엇보다 중요하다. ( )

(3) 그는 아마도 고금을 통하여 가장 위대한 인물일 것이다. ( )

(4) 그 그림은 입체적인 붓질과 화려한 색감으로 사람들의 각광을 받고 있다. ( )

2

다음의 괄호 안에 들어갈 말로 가장 적절한 것은?

그는 지식도 얕고 배경도 뛰어나지 않았지만, 남들이 생각하지 않은 새로운 방법에 ( ) 그 발명품을 개발하였다.

① 착안하여 ② 발생하여 ③ 막론하여 ④ 절망하여 ⑤ 당황하여

3

다음의 밑줄 친 단어와 바꾸어 쓰기에 알맞은 것은?

영상 매체와 관련된 사업은 그 범위와 세력을 넓히고 있다.

① 개발하고 ② 해독하고 ③ 확장하고 ④ 유도하고 ⑤ 축소하고

4

사다리타기에 따라, 빈칸에 들어갈 단어의 뜻을 〈보기〉에서 찾아 그 번호를 쓰시오.

보기

① 어떤 사실을 인정하여 앎.
② 기관에 공급된 열이 유효한 일로 바뀐 정도를 나타내는 비율.
③ 어떤 사안이나 사람, 이념이나 가치 따위가 다른 것으로 대체되거나 바뀌는 과정.
④ 형체로는 분명히 나타나 있지 않은 것을 어떤 방법이나 매체를 통해 구체적이고 명확한 형상으로 나타냄.

인지　　형상화　　전환 과정　　열효율

(1)　　(2)　　(3)　　(4)

만화와 게임, 더 이상의 오해는 그만!

흔히 대부분의 사람들은 만화나 게임을 학습을 망치는 놀잇감으로만 생각한다. 그러나 최근에는 만화나 게임의 유용성이 주목받고 있다. 만화의 경우 직관적인 사고를 가능하게 하기 때문에 글자로 된 책보다 훨씬 더 빠르게 의미를 전달할 수 있다. 예를 들어 지하철 승강장에 표시된 비상 탈출구 그림을 떠올려 보자. 비상 시 탈출할 수 있는 출입구의 위치를 문자로 표현한다면 뭐라고 적어야 할까? 위급한 상황에서 문자를 읽고 의미를 이해하는 것이 빠를까, 초록색 그림 한 장이 빠를까? 외국인의 경우는 한글로 써 놓았다면 의미를 파악할 수 있을까? 자동차를 타고 도로를 달리다 보면 많은 교통 표지판이 눈에 들어온다. 만약 교통 표지판을 글자로 적어 만들었다면, 빠른 속도로 달리면서 글자를 충분히 읽어 낼 수 있을까? 그림이 아니라 글로 내용을 설명했다면, 빠른 시간 내에 내용을 파악하고 이해하기는 어려웠을 것이다. 이와 같이 간단한 그림 한 장으로도 많은 내용을 함축할 수 있으며, 그림을 보는 사람 또한 그 의미를 한눈에 파악할 수 있으므로 만화를 통해서도 대상을 직관적으로 파악하는 사고력을 키울 수 있다고 할 수 있다.

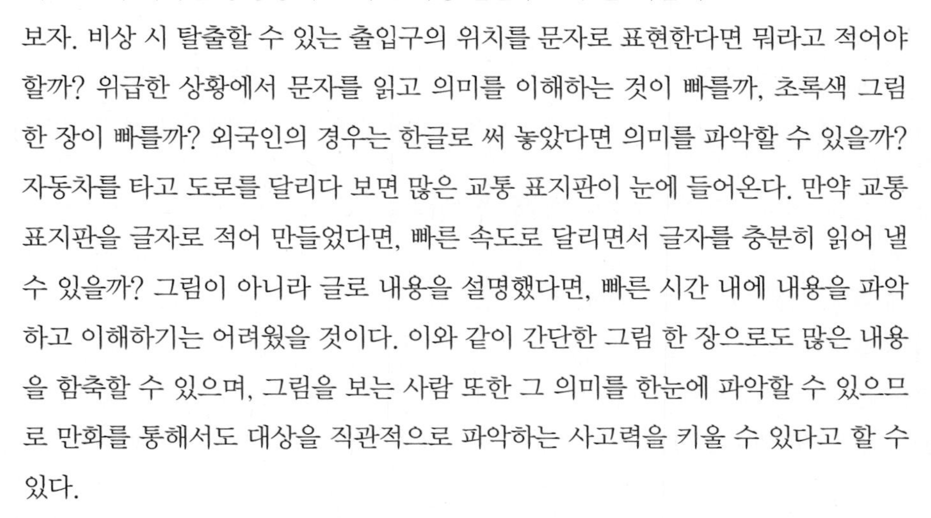

게임의 경우도 생각해 보자. 학생들이 그저 시간을 보내거나 재미를 위해 게임을 할 수도 있지만, 게임을 통해 필요한 내용을 학습할 수도 있다. 예를 들어 각종 비행기 조종사가 되기 위한 훈련 과정에서 훈련생들은 모의 비행기를 타고 시뮬레이션 게임을 통해 비행기 조종 방법을 익힌다. 뿐만 아니라 군인은 특수한 상황에서 작전을 수행하는 상황을 대비하기 위해 시뮬레이션 게임을 통해 훈련하고 이를 반복하여 익힌다. 학생들이 즐겨 하는 FPS(First Person Shooting) 게임(1인칭 시점으로 하는 슈팅 게임)은 실제로 군대에서 전쟁 경험이 없는 신입병들에게 전쟁에 필요한 기술이나 주의해야 할 상황을 이해시키는 데 효과적인 교육 수단이 될 수 있다. 이런 방식의 교육은 실제 체험과 유사하기 때문에 학습 효과가 뛰어나다. 만화나 게임을 과거와 같이 단순하게 나쁜 것으로 취급하는 시대는 이미 지났다고 해야 옳겠다.

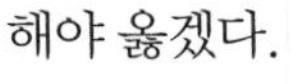

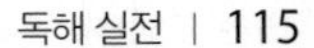

유전자 변형 농산물은 과연 축복일까?

유전자 변형 농산물(GMO: Genetically Modified Organism)이란, 유전 공학 기술을 이용해 유전자를 변형하여 개발한 농산물을 말한다. 유전자 변형 농산물은 병해충에 강한 농산물을 만들거나, 생산성을 높이기 위해 개발되기 시작해서 우리 식탁에 오른 지 십수 년이 지났지만 안정성과 관련한 논란이 여전히 거세다. 유전자 변형 농산물 개발은 과연 축복일까?

찬성

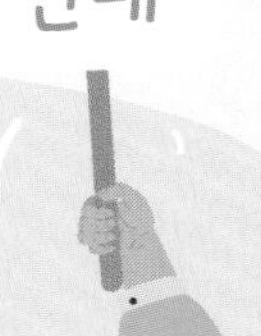

반대

축복이다

전 세계 인구의 절반가량이 영양 결핍 상태이고, 식량 부족으로 사망하는 아이가 3초에 한 명 꼴이라고 한다. 유전자 변형 농산물은 이를 해결할 수 있는 현실적인 해결책이다. 아프리카처럼 척박한 땅에서도 재배할 수 있는 유전자 변형 농산물이 보급된다면 그곳의 식량 문제를 해결하는 데 도움이 될 것이고, 특정 영양소를 강화한 농산물은 영양 결핍으로부터 아이들을 지켜 줄 수 있을 것이다.

오늘날 지구 온난화로 인한 기후 변화는 농산물을 재배하는 데 심각한 영향을 미치고 있다. 우리나라만 해도 매년 이상 저온과 일조량 부족으로 채소나 과일을 재배하는 데 어려움이 많다. 이때 환경 변화에 잘 적응하고 병해충에 강한 유전자 변형 농산물을 이용하면 이러한 어려움을 극복할 수 있다.

유전자 변형 농산물은 개발 단계에서 조금이라도 인체에 해를 끼칠 것으로 예상되면 개발이 중단되고 개발 후에도 엄격한 검사를 거치기 때문에 알려진 것과 달리 위험하지 않다. 유전자 변형 농산물에 막연한 두려움을 갖기보다는 이것이 우리에게 주는 다양한 혜택을 생각해서 축복으로 받아들여야 한다.

축복이 아니다

유전자 변형 농산물은 인류가 한번도 먹어 보지 않았던 식품으로, 어떤 위험성이 있을지 알 수 없다. 국제 환경 단체가 입수한 실험 보고서에 따르면 유전자 변형 옥수수를 먹인 쥐는 콩팥이 작아지고 혈액 성분에서 변이가 일어났다고 한다. 유전자 변형 농산물이 당장 인체에 해를 끼친다는 근거는 아직 없지만, 유전자에 관계된 문제는 대개 수십 년에 걸쳐 드러나기 때문에 당장 문제가 없다고 안심할 수 없다.

유전자 변형 농산물은 인위적으로 병해충에 강한 성질을 갖게 만들 수 있다. 하지만 농약에 내성이 있는 농작물의 성질이 잡초나 해충으로 옮겨 가면, 일반 농약으로 없앨 수 없는 초강력 잡초와 해충이 등장할 위험성이 있다. 이는 곧 생태계 교란으로 이어져 자연스러운 생태계 순환에 악영향을 끼칠 것이다.

또 유전자가 조작된 종자와 농산물을 판매하는 다국적 기업들은 이 분야에서 전 세계적인 독점을 추구하고 있다. 유전자 변형 농산물이 늘어날수록 종자 특허권을 지닌 다국적 기업들의 지위만 더 높아져 결국 농촌과 농민을 위협하는 결과를 가져올 수 있을 것이다.

나는 유전자 변형 농산물이 축복이라는 생각에 (찬성한다 , 반대한다).

왜냐하면 ______________________________

실전으로 차곡차곡 익숙하게!

독해 실전 4회

세종 대왕이 훈민정음을 만든 이유

교과 연계 **국어** _ 한글 창제

✎ 문단 요약하기

① 세종 대왕은 애민 정신을 바탕으로 (   )을/를 창제하였다.

② 훈민정음은 일반 백성들에게 우수한 (   )을/를 제공하기 위해 창제되었다.

③ '훈민'에 주목할 때 훈민정음은 (   )을/를 세우기 위해 창제되었다.

④ '(   )'에 주목할 때 훈민정음은 한자음을 우리의 음으로 바로잡아 통일된 표준음으로 정리하기 위해 창제되었다.

⑤ 훈민정음의 (   )을/를 다양한 맥락에서 살펴볼 수 있다.

① 훈민정음은 창제한 사람과 날짜가 알려져 있고 창제 원리가 명확히 기록된 세계 유일의 문자로, 세종 대왕이 1443년에 창제하여 1446년에 반포하였다. 훈민정음 해례본에는 "어리석은 백성이 말하고자 하는 바가 있어도 그 뜻을 펴지 못하는 사람이 많아"서 이를 불쌍히 여겨 훈민정음을 만들었다고 기록되어 있다. 백성을 사랑하는 마음, 즉 애민 정신이 훈민정음 창제의 정신적 바탕이 되었음을 분명히 알 수 있다.

② 그러나 '애민'은 구체적인 행동이라기보다 정서나 사상에 가깝다. 애민 정신이 가장 구체적으로 나타난 것은 표기 수단 제공이라는 훈민정음의 창제 목적이다. 당시 사용하던 한자나 이두는 일반 백성들이 배우고 익혀 쓰기가 어려웠다. 따라서 널리 사용할 수 있는 우수한 표기 수단을 제공하는 것이 훈민정음 창제의 으뜸가는 목적이었다고 할 수 있다.

③ 훈민정음의 또 다른 창제 목적은 '훈민정음'이라는 이름에서 찾아볼 수 있다. 세종은 한글 창제 이전에 《삼강행실도》를 편찬하도록 하고, 백성들이 그 내용을 쉽게 이해할 수 있게 그림을 그려 넣도록 하였다. 이는 조선 왕조 초기에 나라의 기틀을 만들고 유교적 질서를 세우기 위한 것이었다. 이후 새로 만든 문자는 이름 자체가 '훈민(訓民)'이니, 이 또한 글자를 통해 백성들을 훈도하고 교화하여 유교적 질서를 세우고자 한 것으로 이해할 수 있다. 더불어 세종은 훈민정음을 통해 각종 법령을 백성들에게 알리고, 훈민정음 창제 이전에 편찬한 《농사직설》을 훈민정음으로 번역하도록 하여 농사 지식을 전달하기도 하였다.

④ 더불어 '훈민정음'의 '정음(正音)'에 주목을 해서 한글 창제를 이해할 수도 있다. 당시 통일되지 못한 한자들의 발음을 정리하기 위해 '바른 소리'를 정했다는 것이다. 한자의 발음을 정리하기 위해서는 반드시 소리를 나타내는 글자가 필요했고, 그래서 만든 것이 우리의 글자인 훈민정음이라는 것이다. 이는 훈민정음 반포 1년 뒤인 1447년에 세종이 훈민정음 편찬에 참여한 여섯 명의 학자를 포함한 9명의 학자에게 《동국정운》을 편찬하게 한 것에서 나타난다. '동국정운'이란 '우리나라의 바른 음'이라는 뜻으로, 한자음을 우리의 음으로 바로잡아 통일된 표준음을 정리하려는 목적으로 편찬되었다.

⑤ 훈민정음의 창제 목적을 한 가지로 규정할 수는 없다. 그러나 세종 대왕이 밝힌 창제 목적을 중심으로 정치적, 사회적 맥락을 두루 살필 필요는 충분하다. 또 이러한 목적들이 모두 백성들을 사랑하는 세종 대왕의 사상을 바탕으로 한 것임을 부정할 수는 없을 것이다. 훈민정음 반포 후 세종은 새로운 우리 글자의 효용성을 입증하고, 백성들을 깨우치기 위하여 훈민정음으로 여러 책을 간행하였다.

- **반포하다** | 나눌 頒, 베 布 | 세상에 널리 퍼뜨려 모두 알게 하다.
- **이두** | 벼슬아치 吏, 구절 讀 | 한자의 음과 뜻을 빌려 우리말을 적은 표기법.
- **《삼강행실도》** | 우리나라와 중국의 서적에서 충신, 효자, 열녀에 관한 행적을 글과 그림으로 칭송한 책.
- **편찬하다** | 엮을 編, 모을 纂 | 여러 가지 자료를 모아 체계적으로 정리하여 책을 만들다.
- **훈도하다** | 향풀 薰, 도야할 陶 | 덕으로써 사람의 품성이나 도덕 따위를 가르치고 길러 선으로 나아가게 하다.
- **교화하다** | 가르칠 敎, 될 化 | 가르치고 이끌어서 좋은 방향으로 나아가게 하다.
- **간행하다** | 책 펴낼 刊, 행할 行 | 책 따위를 인쇄하여 발행하다.

1 이 글의 내용과 일치하지 <u>않는</u> 것은?

① 훈민정음은 창제 원리가 명확히 밝혀진 세계 유일의 문자이다.
② 세종 대왕은 훈민정음을 통해 각종 법령과 농사 지식을 전달하였다.
③ 훈민정음의 창제 목적은 세종 대왕의 애민 정신을 바탕으로 하고 있다.
④ 백성들이 한자를 쉽게 배울 수 있도록 하기 위해 훈민정음이 창제되었다.
⑤ 훈민정음은 소리를 나타내는 글자이기 때문에 한자의 발음을 나타낼 수 있었다.

개념으로 견해 파악하기

2 〈보기〉를 바탕으로 하여 이 글을 이해한 내용으로 가장 적절하지 <u>않은</u> 것은?

> 보기
> 민본주의는 백성의 행복을 중심으로 하는 정치사상으로, '민본'이란 '백성을 위주로 한다.'는 의미이다. 동양에서는 오래전부터 민본주의를 바탕으로 하여 백성을 위하는 정치를 하고자 하였다. 이때 동양에서는 정치란 '하늘의 뜻을 받들어 백성을 바르게 살게 하는 일'이라고 여겼으며, 이는 '백성의 뜻이 곧 하늘의 뜻'이라는 생각을 바탕으로 하였다.

① 훈민정음의 바탕인 애민 정신에는 백성을 위주로 한다는 의미가 들어 있다고 할 수 있군.
② 훈민정음이라는 우수한 표기 수단을 제공하는 것은 하늘의 뜻을 받드는 것과는 관련이 없다고 할 수 있군.
③ 훈민정음을 통해 각종 법령을 알린 것은 백성을 위주로 하는 정치사상을 실현하기 위해서라고 할 수 있군.
④ 훈민정음을 통해 백성들이 제 뜻을 펼 수 있게 함으로써 세종 대왕은 백성의 행복을 중심으로 한 정치를 펼쳤다고 할 수 있군.
⑤ 훈민정음 해례본에서 밝힌 세종의 정서나 사상에는 정치가 백성을 바르게 살도록 하는 일이라는 생각이 들어있다고 할 수 있군.

3 세종 대왕이 학자들에게 《동국정운》을 편찬하게 한 목적을 이 글에서 찾아 한 문장으로 쓰시오.

지문 분석하기

● 글의 전개 방식 [병렬]

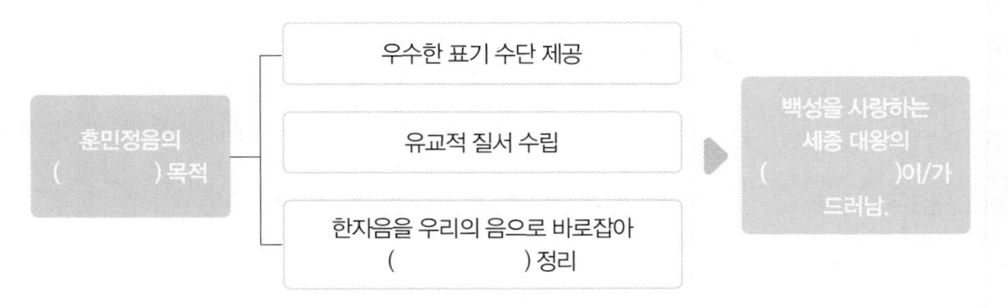

정답과 해설 43쪽

02 정신 기능이 정지된 시체는 인간일까

교과 연계 **도덕** _ 인간 중심주의적·생태 중심주의적 자연

문단 요약하기

① 렘브란트의 그림에 등장하는 인물들은 시체를 인간이 아닌 하나의 (　　　　)(으)로 보았다.

② 데카르트는 (　　　　) 만이 인간의 본질이라고 보았다.

③ 인간을 정신과 육체로 분리하는 사고는 (　　　　)와/과 자연을 분리하는 사고로 연결된다.

④ 자연·(　　　　) 문제의 원인이 되는 기계적 이원론을 극복하고 통합적 사고로 전환해야 한다.

▲ 렘브란트, 〈튈프 박사의 해부학 강의〉

① 렘브란트의 그림 〈튈프 박사의 해부학 강의〉는 해부학자 튈프 박사가 일곱 명의 학생 앞에서 시체의 팔의 피부와 근육, 뼈의 구조들을 설명하는 장면을 나타내고 있다. 해부 대상이 '인간'이라고 생각했다면 인물들의 표정에 감정의 동요가 나타났을텐데, ㉠도구를 이용하여 해부를 하는 박사나 주변의 학생들은 모두 눈 하나 깜빡하지 않는다. 이들은 시체를 인간이 아닌 하나의 물체로 본 것이다. 이들에게 해부 작업은 시계를 분해하고 조립하는 것과 마찬가지였다.

② 이 그림은 데카르트의 인간 이해와 관련하여 참고할 만한 장면을 보여 준다. 인간의 본질을 '정신'에서 찾는 데카르트의 생각에 따르면, 정신 기능이 멈춘 시체는 물질적 성분을 중심으로 한 '물체'에 가깝다. 의심하고 탐구하는 정신이 인간의 존재를 증명해 준다면, 그림에서 탐구 정신을 보이는 박사나 학생들이 여기에 가깝다. 시체는 정신이 없는 육체일 뿐이므로, 인간이 아닌 것이다. 그렇다면 데카르트에게 인간이란 존재는 도대체 무엇일까? 그는 인간이라는 존재는 오직 하나의 생각이나 정신, 이성일 따름이라고 하였다. 정신과 이성만이 인간의 본질일 수 있다는 것이다. 데카르트가 한 유명한 말인 "나는 생각한다. 고로 존재한다."가 의미하는 바를 분명히 알 수 있는 부분이다.

③ 이처럼 인간을 정신과 육체로 분리하는 사고는 인간과 자연을 분리하는 사고로 연결된다. 육체의 세계, 자연의 세계는 일종의 기계적 세계로, 이는 인간 정신에 종속된다. 정신을 특징으로 하는 인간은 주체가 되고, 자연은 객체가 되어 관찰과 이용의 대상이 되어 버린다. 정신과 육체, 인간과 자연을 분리하는 이러한 사고방식을 기계적 이원론이라 부른다.

④ 데카르트의 기계적 이원론은 근대 이후 현대에 이르기까지 광범위하게 나타난 자연·생태계 파괴 문제의 가장 중요한 원인으로 지목될 수 있다. 왜냐하면 기계적 이원론에서는 자연을 인간을 위해 존재하는 것, 그래서 단순히 인간의 필요에 따라 이용의 대상이 되는 것으로 보기 때문이다. 따라서 현대인의 생각을 지배하고 있는 기계적 이원론을 극복하고 인간과 자연을 하나로 이해하는 통합적 사고로 전환할 때 인류가 직면하고 있는 생태계 파괴의 문제가 해결될 수 있을 것이다.

- **해부** | 가를 解, 쪼갤 剖 | 생물체의 일부나 전부를 갈라 헤쳐 그 내부 구조와 각 부분 사이의 관련 및 병인, 사인 따위를 조사하는 일.
- **동요** | 움직일 動, 흔들릴 搖 | 생각이나 처지가 확고하지 못하고 흔들림.
- **기계적** | 틀 機, 형틀 械, 어조사 的 | 인간적인 감정이나 창의성이 없이 맹목적·수동적으로 하는.
- **종속되다** | 좇을 從, 무리 屬 | 자주성이 없이 주가 되는 것에 딸려 붙게 되다.
- **이원론** | 두 二, 으뜸 元, 논의할 論 | 대상을 고찰함에 있어서 서로 대립되는 두 개의 원리나 원인으로써 사물을 설명하려는 태도.
- **직면하다** | 곧을 直, 낯 面 | 어떠한 일이나 사물을 직접 당하거나 접하다.

글의 전개 구조 파악하기

1 **이 글의 서술상 특징으로 적절한 것을 모두 고른 것은?**

보기

가. 문제의 원인이 되는 개념을 제시하고 있다.
나. 구체적인 예를 활용하여 독자의 이해를 돕고 있다.
다. 대상의 공통점과 차이점을 중심으로 설명하고 있다.
라. 중심 화제의 변화 과정을 시간 순서대로 살펴보고 있다.

① 가, 나　② 가, 다　③ 나, 다　④ 나, 라　⑤ 다, 라

이유·원인 밝히기

2 **데카르트의 생각을 바탕으로 할 때, ㉠의 이유로 가장 적절한 것은?**

① 인간의 육체는 영원하지 않다고 보았기 때문에
② 정신이 소멸된 시체는 인간으로 볼 수 없기 때문에
③ 인간의 육체와 정신은 분리될 수 없다고 보았기 때문에
④ 시체를 해부하는 것이 윤리적으로 문제가 된다고 보았기 때문에
⑤ 시체의 해부를 통해 얻은 의학적 지식이 인류에 도움을 줄 수 있기 때문에

3 **이 글과 〈보기〉를 읽은 뒤의 반응으로 적절한 것은?**

보기

우리 옛 산수화에서는 산수 자체가 주인공이다. 인간은 주인공인 산을 소중하게 한가운데 모셔 두고서 치켜다 보고, 내려다보고, 비껴 보고, 휘둘러봄으로써 산수의 다양한 모습에 접근하려 한다. 그래서 산수화에서 인간은 도드라져 보이지 않고 자연의 일부로서 작은 비중을 차지할 뿐이다. 이와 같은 산수화는 자연을 인간에 종속되는 존재로 보지 않았던 동양의 관점을 반영한다.

① 동양은 자연과의 조화를 중시하는 반면, 서양은 자연을 이용의 대상으로 보는군.
② 동양과 서양은 모두 자연과 인간이 서로 경쟁하지 않는 상황이 바람직하다고 보았군.
③ 동양과 서양은 모두 자연을 인간으로부터 분리하여 인간에 종속되는 존재로 보고 있군.
④ 동양은 자연과 함께하는 삶을 즐기는 반면, 서양은 자연 속에서의 삶을 불편하다고 인식하는군.
⑤ 동양은 자연을 인간의 삶에 필요한 대상으로 인식하는 반면, 서양은 자연을 인간의 삶에 불필요한 대상으로 인식하는군.

지문 분석하기

● 글의 전개 방식 [문제 해결]

인간 본질에 대한 (　　　　)의 관점 육체적 요소가 아닌 정신적 요소가 (　　　　)의 본질임.	→	인간과 자연을 (　　　　) 기계적 이원론으로 이어짐.	→	자연과 생태계 파괴의 원인이 됨.	→	인간과 자연을 하나로 이해하는 (　　　　)(으)로 전환해야 함.

실전 4회
정답과 해설 44쪽

03 메세나를 통한 기업의 이윤 추구

교과 연계 **사회** _ 기업의 역할과 사회적 책임

✎ 문단 요약하기

① 기업에 대한 사회적 비판이 커지면서 기업은 (   ) 에 적극적으로 참여하고 있다.

② (   )은/는 사회적·인도적 공익사업에 대한 기업의 지원 행위이다.

③ 메세나는 크게 기업의 경영 전략, (   ), 후원 활동으로 구분된다.

④ (   )이/가 퍼지고 있기 때문에 기업의 사회적 활동이 이윤 추구에 도움이 된다.

⑤ (   )까지 고려하는 시장으로 진화했기 때문에 기업의 사회적 활동이 이윤 추구에 도움이 된다.

① 자본주의 경제 체제에서 기업은 이윤 추구를 최우선의 목적으로 경제 활동을 한다. 그러나 기업이 이윤 추구 활동을 하며 부당한 이익을 얻거나 횡포를 부리는 등의 문제가 나타나면서 기업에 대한 사회적 비판이 커지게 되었다. 이에 기업은 부정적인 시선을 없애고 사회 전체의 발전을 이루기 위해 사회적 활동에 적극적으로 참여하고 있다.

② 기업의 사회적 활동 중 대표적인 '메세나'는 예술·문화·과학을 보호하고 지원하는 것을 의미하는 프랑스어로, 넓은 의미에서는 예술을 넘어 사회적·인도적 공익사업에 대한 기업의 지원 행위를 말한다. 메세나의 대표적인 사례로는 르네상스 시대에 이탈리아 피렌체의 메디치 가문이 미켈란젤로 등의 예술가들을 지원한 것을 들 수 있다.

③ 메세나의 유형은 크게 세 가지로 구분해 볼 수 있다. 첫째, 기업의 경영 전략으로 조직 내의 교육, 복지 등에 예술을 활용하는 활동이다. 기업의 직원을 대상으로 예술 교육을 시행하여 조직 내의 갈등을 해결하고 관계를 더 좋게 만들며 기업에 대한 충성도를 높이는 등 다양한 형태로 기업 문화를 만드는 것이다. 둘째, 마케팅 전략으로 홍보, 광고, 영업 등에 예술을 활용하는 활동이다. 예술의 독창적이고 친근한 이미지를 통해 제품을 홍보하거나 기업의 이미지를 높이는 것이다. 셋째, 이익을 바라지 않는 후원 활동으로 예술 단체를 지원하거나 사회적·경제적으로 도움이 필요한 사람들에게 문화 활동을 누릴 수 있는 기회를 주는 것이 대표적이다.

④ 메세나와 같은 사회적 활동에 기업이 적극적으로 참여하는 것은 메세나 과정에서 기업의 호감도가 자연스럽게 올라감으로써, 결과적으로 기업의 이윤 추구에 도움이 될 수 있기 때문이다. 과거의 투자자들은 기업의 자산 구조를 분석하여 이를 투자의 기준으로 삼았다. 하지만 최근에는 메세나와 같은 사회적 활동을 통해 사회적 책임을 실천하는 기업에 적극적으로 자금을 투자하는 행위가 퍼지고 있다. 이를 '사회적 책임 투자'라고 한다. 사회적 책임에 관심을 가지고 적극적으로 참여하는 기업이 장래에도 높은 업적을 달성할 가능성이 높다고 판단하는 것이다.

⑤ 또 이러한 사회적 활동은 제품과 서비스를 구입하는 소비자의 소비 행위에도 영향을 미친다. 최근의 소비자들은 제품과 서비스 자체뿐만 아니라 제품과 서비스를 제공하는 기업의 행동에도 관심을 가지고 이를 소비 행위에 반영한다. 기업의 환경 문제에 대한 대처, 지역 사회에 기여한 정도 등에 주목하여 자신의 소비뿐만 아니라 다른 소비자들의 소비 행위에 영향을 주는 것이다. 이는 경제적 이익뿐만 아니라 공익적 가치까지 고려하는 시장으로 진화했음을 드러낸다.

- **부당하다** | 아닐 不, 마땅할 當 | 이치에 맞지 아니하다.
- **횡포** | 멋대로 橫, 사나울 暴 | 제멋대로 굴며 몹시 난폭함.
- **인도적** | 사람 人, 길 道, 어조사 的 | 사람으로서 마땅히 지켜야 할 도리에 관계되는.
- **공익사업** | 함께 公, 더할 益, 일 事, 업 業 | 공공의 이익을 위하여 하는 사업.
- **경영 전략** | 다스릴 經, 꾀할 營, 싸울 戰, 다스릴 略 | 환경 변화에 대한 기업 활동을 전체적·계획적으로 적응시키는 전략.
- **독창적** | 홀로 獨, 비롯할 創, 것 的 | 다른 것을 모방함이 없이 새로운 것을 처음으로 만들어 내거나 생각해 내는 것.
- **사회적 책임** | 환경과 인권, 지역 사회 개발 등의 면에서 국가나 기업이 지켜야 할 공적 책임.

1
이 글에서 다루고 있는 내용이 아닌 것은?

① 메세나의 유형
② 메세나의 의미와 사례
③ 사회적 책임 투자의 사례
④ 기업의 사회적 활동 참여 배경
⑤ 최근 소비자들의 소비 행위 경향

2
이 글을 읽고 알 수 있는 내용이 아닌 것은?

① 기업은 이윤 추구를 위해 경제 활동을 한다.
② 기업의 경영 전략으로 예술이 활용될 수 있다.
③ 메세나는 공익사업에 대한 기업의 지원 행위를 의미한다.
④ 최근의 소비자들은 기업의 행동을 소비 행위에 반영한다.
⑤ 사회적 책임 투자에서는 기업의 자산 구조를 분석하여 이를 투자의 기준으로 삼는다.

뒷받침 · 구체화하기

3
이 글을 바탕으로 하여 〈보기〉를 이해한 내용으로 적절하지 않은 것은?

보기

'○○ 기업'은 '지역 사회와 협력하여 성장하는 것을 추구하는 기업'이라는 목표 아래, 지역 주민의 편의와 지역 사회 발전을 위한 다양한 활동을 펼치고 있다. 기업 건물의 공간을 활용하여 주민 행사를 지원한다든지, 소장하고 있는 미술품을 군부대 등에 무료로 전시하는 사업이 대표적이다.

① '○○ 기업'은 사회적 책임 투자를 하는 투자자들에게 투자를 많이 받을 수 있겠군.
② '○○ 기업'의 활동은 사람들이 문화 활동을 누릴 수 있도록 하는 후원 활동이겠군.
③ '○○ 기업'이 군부대에 미술품을 전시하는 사업은 기업의 호감도를 상승하게 하겠군.
④ '○○ 기업'이 기업 공간을 활용하여 주민 행사를 지원하는 방식은 기업 내부 조직의 관계를 개선하겠군.
⑤ '○○ 기업'의 활동은 소비자의 소비 행위에 영향을 미쳐 결과적으로 기업의 이윤 추구에 도움이 될 수 있겠군.

실전 4회

정답과 해설 45쪽

지문 분석하기

● 글의 전개 방식 [병렬]

메세나(기업의 사회적 활동)

배경	유형	결과
기업의 ( ) 활동에서 나타난 여러 문제에 대한 사회적 비판이 커짐.	• ( ): 조직 내 교육, 복지 등에 예술 활용 • 마케팅 전략: 홍보, 광고, 영업 등에 예술 활용 • 후원 활동: 소외 계층의 문화 활동 후원	• 투자자들의 투자 유도 • 소비자들의 ( ) 행위에 영향 → 기업의 이윤 추구에 도움이 됨.

시장은 어떻게 만들어지는 것일까

교과 연계 **사회** _ 시장의 의미

문단 요약하기

① 시장의 형성을 이해하기 위해 (　　　　　)와/과 재화의 도달 범위를 알아야 한다.

② 어떤 중심 기능이 그 기능을 유지하기 위해 필요한 최소한의 (　　　　　)을/를 '최소 요구치'라고 한다.

③ 최소 요구치 범위는 어떤 기능이 (　　　　　)을/를 만들 수 있는 공간적 손익 분기점이다.

④ (　　　　　)은/는 재화의 기능이 미치는 최대의 공간적 범위이다.

⑤ 최소 요구치 범위보다 재화의 도달 범위가 (　　　　　) 경우에는 상설 시장이, 그 반대의 경우에는 정기 시장이 선다.

① 상품과 돈을 교환하는 장소인 시장은 오래 전부터 형성되어 왔다. 인구가 충분치 않은 지역에서는 매일 시장이 열리기가 어려워 일정한 간격을 두고 시장이 열리게 되는데, 5일장, 7일장 같은 이러한 시장을 정기 시장이라 한다. 대부분의 도시에는 주로 매일 문을 여는 상설 시장들이 있기 때문에 정기 시장을 찾아보기가 어렵다. 그러면 정기 시장과 상설 시장이 서는 곳에는 어떤 차이가 있을까? 이를 알기 위해서는 먼저 '최소 요구치'와 '재화의 도달 범위'를 이해해야 한다.

② '최소 요구치'란 어떠한 중심 기능이 그 기능을 유지하기 위해 요구되는 최소한의 수요이다. 예를 들어 한 아이스크림 가게에서 2,000원짜리 아이스크림을 하루 평균 100개 정도 팔면 주인은 하루에 20만 원의 수익을 올릴 수 있다. 그런데 순수한 이익, 즉 순이익을 따져 보려면 아이스크림을 만드는 비용과 가게를 빌리는 비용, 전기세, 일하는 사람에게 주는 비용 등 제품을 생산·판매하는 데 드는 모든 비용을 수익에서 빼야 한다. 이렇게 계산한 총비용이 하루에 30만 원이라고 가정해 보자. 이 아이스크림 가게는 적자를 보고 가게 운영을 유지하기 어려울 것이므로 문을 닫는 것이 더 낫다.

③ 따라서 아이스크림 가게가 문을 닫지 않기 위해서는 하루에 최소 30만 원어치의 아이스크림을 팔 수 있는 150명 이상의 구매자들이 있어야 하는데, 이 구매자들이 퍼져 있는 공간적 범위가 최소 요구치를 만족하는 범위이다. 결국 최소 요구치 범위란 어떤 기능이 이익을 만들 수 있는 공간적 손익 분기점으로도 볼 수 있다.

④ 그렇다면 '재화의 도달 범위'는 또 무엇일까? 재화란 사람들의 욕구를 만족시켜 줄 수 있는 물건을 두루 일컫는다. 그리고 재화의 도달 범위란 재화의 기능이 미치는 최대의 공간적 범위인데, 위의 사례에서는 아이스크림이 팔려 나가는 최대한의 공간적 범위이다. 재화의 판매를 통해 가게 운영이 유지되기 위해서는 최소 요구치 범위가 재화의 도달 범위 안에 포함되어야 하며, 그 반대의 상황에서는 가게가 유지되지 못한다.

⑤ 이 둘을 비교할 때 최소 요구치 범위보다 재화의 도달 범위가 넓어서 시장이 한곳에 계속 머무르며 유지될 수 있는 시장을 상설 시장이라고 한다. 이에 반해 재화의 도달 범위보다 최소 요구치 범위가 넓기 때문에 시장이 새로운 수요자를 찾아 이동할 수밖에 없는 경우에 생기는 시장이 정기 시장이다. 결국 인구가 많은 지역이나 경제적 수준이 높고 소비 지출 경향이 강한 도시 지역에는 (㉠) 시장이, 인구가 적고 경제적 수준이 낮은 지역에는 (㉡) 시장이 서게 된다.

- **수익** | 거둘 收, 더할 益 | 기업이 경제 활동의 대가로서 얻은 경제 가치.
- **적자** | 붉을 赤, 글자 字 | 지출이 수입보다 많아서 생기는 결손액.
- **손익 분기점** | 덜 損, 더할 益, 나눌 分, 갈림길 岐, 점 點 | 일정 기간의 매출액과 총비용이 일치하는 점. 비용을 회수하기 위하여 필요한 매출액을 의미하며, 매출액이 이 점을 넘으면 이익이 생긴다.
- **소비 지출** | 사라질 消, 쓸 費, 가를 支, 날 出 | 소비자가 소비재를 사들이기 위하여 하는 지출.

글의 전개 구조 파악하기

1 **①~⑤에 대한 설명으로 적절하지 않은 것은?**

① ①: 정기 시장과 상설 시장의 의미를 제시하고 있다.
② ②: 아이스크림 판매의 공간적 제약이 판매량에 미치는 영향을 설명하고 있다.
③ ③: 아이스크림 판매의 사례로 '최소 요구치 범위'에 대한 개념을 설명하고 있다.
④ ④: '재화의 도달 범위'의 개념을 아이스크림 판매에 적용하여 설명하고 있다.
⑤ ⑤: '최소 요구치 범위'와 '재화의 도달 범위'의 관계를 통해 상설 시장과 정기 시장이 만들어지는 조건을 설명하고 있다.

뒷받침 · 구체화하기

2 **이 글을 바탕으로 하여 〈보기〉를 이해한 내용으로 적절하지 않은 것은?**

보기

하나에 3,000원인 아이스크림을 파는 영수가 가게 운영에 드는 모든 비용을 메우기 위해서는 하루에 아이스크림 100개를 팔아야 한다. 가게에서 1km 떨어진 곳에 위치한 학원에는 총 30명의 학생이 다니고 있고, 3km 떨어진 곳에 위치한 다세대 주택에는 70명이 살고 있으며, 이들은 모두 영수의 가게에서 아이스크림을 사서 집까지 맛있게 먹으면서 갈 수 있다. 하지만 얼마 전 학원이 문을 닫아 손님이 줄자, 영수는 아이스크림이 녹지 않도록 얼음을 넣어 포장을 해 주기 시작했다. 그래서 영수의 가게에서 5km 떨어진, 총 직원이 30명인 회사에서도 영수의 가게에서 아이스크림을 사 먹을 수 있게 되었다.

* 얼음 포장을 해 주는 데에는 추가 비용이 들지 않으며, 사람들은 모두 아이스크림의 잠재적 구매자임을 가정함.

① 영수가 적자를 보지 않는 손익 분기점은 30만 원이다.
② 학원이 문을 닫기 전 최소 요구치 범위는 구매자 100명이 포함되어 있는 3km이다.
③ 학원이 문을 닫게 되어 최소 요구치 범위가 재화의 도달 범위보다 커졌다.
④ 영수가 얼음을 넣어 포장을 해 주면서 재화의 도달 범위가 5km까지 늘어났다.
⑤ 얼음을 넣어 포장을 해 주어 재화의 도달 범위가 넓어졌어도 영수는 손해를 볼 것이다.

정보 간의 관계 파악하기

3 **㉠, ㉡에 들어갈 알맞은 말을 이 글에서 각각 찾아 쓰시오.**

지문 분석하기

● **글의 전개 방식 [대비]**

상설 시장	(　　　) 시장
재화의 도달 범위 / (　　　)	최소 요구치 범위 / 재화의 도달 범위
최소 요구치 범위 < 재화의 도달 범위	최소 요구치 범위 > 재화의 도달 범위

아이스크림을 구매할 150명이 있는 범위
아이스크림이 팔려 나가는 범위

실전 4회

정답과 해설 46쪽

05 삼각대는 어디에서든 안정적이라고?

교과 연계 **수학** _ 도형의 닮음, 무게 중심

문단 요약하기

① 다리가 세 개인 삼각대가 다리가 네 개인 (　　　　)보다 안정적이다.

② 어떤 세 점이 한 직선 위에 있지 않을 때, 그 점을 모두 포함하는 평면은 (　　　　)만 존재한다.

③ 삼각대는 (　　　　)이/가 같지 않아도 안정적으로 하나의 평면에 놓일 수 있다.

④ 의자를 만들 때는 무게 중심과 경제성을 고려하여 정사각형 모양의 (　　　　)인 의자를 선호하게 되었다.

① 아름다운 경치를 배경으로 여러 명이 다 같이 사진을 찍기 위해서는 카메라와 카메라 삼각대가 필요할 것이다. 이때 카메라 삼각대는 다리가 세 개여서 다리들 사이의 공간이 삼각형을 이루는데, 바닥이 울퉁불퉁해도 삼각대는 흔들리지 않고 안정적으로 카메라를 받쳐 준다. 반면 우리가 사용하는 다리가 네 개인 대부분의 의자는 충격에 의해 의자 다리가 조금만 휘어져도 다리 하나가 바닥에 닿지 않고 들떠 의자가 흔들리게 된다. 왜 다리가 세 개인 카메라 삼각대보다 다리가 네 개인 의자가 더 흔들릴까?

② 1900년, 수학자 힐베르트가 발표한 21개의 수학의 공리(더 이상 증명할 필요가 없는 원리)에는 다음의 내용이 포함되어 있었다.

어떤 세 점이 한 직선 위에 있지 않을 때, 그 점을 모두 포함하는 평면은 단 하나만 존재한다.

③ 이 공리를 카메라 삼각대에 적용해 보자. 삼각대의 다리들이 바닥에 닿는 끝 부분을 하나의 '점'이라고 생각하면 삼각대의 다리 중 어느 하나가 다른 두 개에 비해 짧든 길든 상관없이 세 개의 다리는 눈에 보이지 않는 단 하나의 평면 위에 놓이게 된다. 그래서 삼각대는 다리의 길이가 같지 않아도 안정적인 평면을 찾을 수 있는 것이다. 반면, 다리가 네 개인 의자의 경우 다리 네 개의 끝을 사각형의 각 꼭짓점이라고 할 때, 사각형의 꼭짓점 네 개 중 세 개는 반드시 하나의 평면 위에 놓이게 되지만, 나머지 하나는 다리의 길이에 따라 같은 평면 위에 놓일 수도 있고 그렇지 않을 수도 있다.

④ 그렇다면 우리는 왜 다리가 세 개가 아니라 네 개인 의자를 만드는 것일까? 그 이유는 무게 중심과 관련이 있다. 위의 그림처럼 같은 크기의 원에 내접하는 정다각형을 그려 보면 정다각형의 무게 중심이 되는 원의 중심에서 다각형의 가장자리까지의 길이가 가장 짧은 것은 정삼각형이고, 길이가 가장 긴 것은 원에 가까운 정육각형이다. 사람이 의자에 앉아 이리저리 몸을 움직이다가 몸의 무게 중심이 의자의 다리로 이루어진 다각형의 영역 밖으로 넘어가게 되면 의자는 균형을 잃고 쓰러지게 되므로 이를 방지하는 데는 원에 가까운 정다각형이 더 낫다. 카메라 삼각대의 경우에도 다리 길이의 차이가 많이 나서 다리가 놓인 점들이 만든 삼각형의 폭이 좁아지면 카메라의 무게 중심이 밖으로 넘어가기 쉬워진다. 따라서 다리 길이가 모두 같은 의자를 평평한 바닥에서 사용한다고 가정했을 때는 정삼각형보다 무게 중심이 쉽게 넘어가지 않고, 정오각형보다 더 경제적인, 정사각형 모양의 다리가 네 개인 의자를 선호하게 되는 것이다.

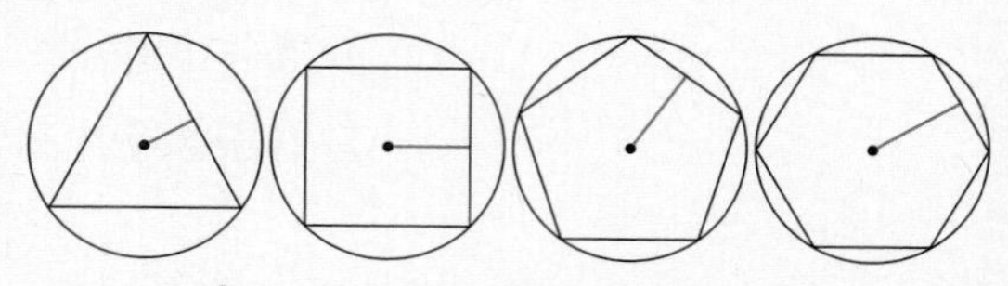

- **내접하다** | 안 內, 접할 接 | 원이나 구가 다각형이나 다면체의 모든 변 또는 면에 닿다.
- **경제적** | 다스릴 經, 건질 濟, 것 的 | 돈이나 시간, 노력을 적게 들이는 것.

1

이 글의 내용과 일치하지 <u>않는</u> 것은?

① 카메라 삼각대는 다리들 사이의 공간이 삼각형을 이룬다.
② 정사각형 모양의 의자 다리가 정오각형 모양의 의자 다리보다 더 경제적이다.
③ 무게 중심이 의자의 다리로 이루어진 다각형의 범위를 벗어나면 의자는 균형을 잃는다.
④ 다리가 네 개인 의자에서 네 다리는 각각의 길이와 상관없이 단 하나의 평면에 놓인다.
⑤ '어떤 세 점이 한 직선 위에 있지 않을 때, 그 점을 모두 포함하는 평면은 단 하나만 존재한다.'는 증명할 필요가 없는 원리이다.

개념으로 원리 이해하기

2

이 글의 내용을 바탕으로 하여 다음 대화의 괄호 안에 알맞은 내용을 각각 쓰시오.

철수: 산 위에서 사진을 찍으려고 카메라 삼각대를 바닥에 올려놓았더니, 바닥이 고르지 못해서 삼각대의 다리 길이가 아주 많이 차이 났어. 그 상태에서 삼각대 위에 카메라를 올렸더니 삼각대가 바로 쓰러지고 말았어.
진실: 카메라 삼각대가 쓰러진 이유는 카메라의 (　　　　　)이/가 삼각대의 다리가 만드는 삼각형 (　　　　)에 위치하게 되었기 때문이야.

3

㉠~㉤ 중, 의자가 안정적이지 못하고 흔들거리게 되는 경우를 모두 고른 것은?

구분	㉠	㉡	㉢	㉣	㉤
의자의 다리 수	세 개	세 개	네 개	네 개	네 개
다리의 길이	모두 다름.	모두 같음.	모두 다름.	하나만 다름.	모두 같음.
바닥의 상태	고름.	고르지 않음.	고름.	고름.	고르지 않음.

① ㉠, ㉡, ㉢　② ㉠, ㉢, ㉤　③ ㉡, ㉢, ㉣　④ ㉡, ㉣, ㉤　⑤ ㉢, ㉣, ㉤

지문 분석하기

● 글의 전개 방식 [대비]

다리가 세 개인 삼각대

세 개의 다리의 (　　　　)이/가 같지 않아도 안정적으로 서 있을 수 있음.

다리가 네 개인 의자

네 개의 다리의 길이가 같지 않으면 불안정하게 흔들거림.

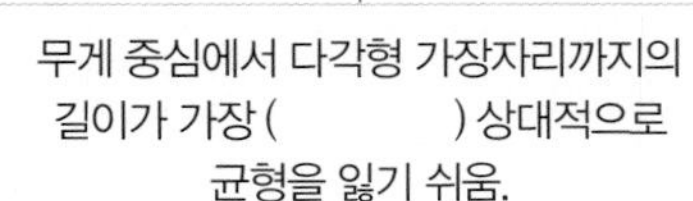

무게 중심에서 다각형 가장자리까지의 길이가 가장 (　　　　) 상대적으로 균형을 잃기 쉬움.

무게 중심에서 다각형 가장자리까지의 길이가 정삼각형보다 (　　　　) 의자로 사용하는 것을 선호함.

실전 4회

정답과 해설 47쪽

적도가 더 뜨거워지지 않는 이유

교과 연계 **과학** _ 대기와 해수의 순환

✎ 문단 요약하기

① 태양 복사 에너지의 양이 달라도 지구의 위도별 기온은 거의 (　　　　　)을/를 유지한다.

② 저위도 지역은 에너지 과잉 상태가 되고, 고위도 지역은 반대로 (　　　　　)이/가 된다.

③ (　　　　　)은/는 대기와 해양의 순환을 일으킨다.

④ 해양의 순환은 대기의 순환보다는 느리지만 역시 효율적인 (　　　　　)이/가 된다.

⑤ (　　　　　)와/과 해양의 순환을 통해 지구의 위도별 기온이 일정하게 유지된다.

① 지구는 둥글기 때문에 단위 면적당 지표가 받는 태양 복사 에너지의 양은 위도에 따라 달라진다. 즉 적도와 가까운 저위도 지역이 고위도 지역보다 태양의 고도가 높아 단위 면적당 받는 태양 에너지의 양이 많다. 지속적으로 이렇게 되면 저위도 지역의 연평균 기온은 계속 올라가고 고위도 지역의 연평균 기온은 계속 내려가야 할 것이다. 하지만 지구의 위도별 연평균 기온은 거의 일정한 값을 유지한다. 그 이유는 무엇일까?

② 지구로 들어온 태양 에너지의 약 30%는 구름이나 지면, 빙하 등에 의해 반사되거나 공기 분자 등에 의해 흩어져서 우주 공간으로 다시 방출되고, 약 70%만 지구에 흡수된다. 그러나 이렇게 흡수된 에너지도 다시 우주 공간으로 방출되는데, 이것을 '지구 복사'라고 한다. 흡수된 태양 에너지와 지구 복사 에너지는 위도별로 차이가 있다. 약 38° 이하의 저위도 지역은 흡수된 태양 에너지보다 방출된 지구 복사 에너지가 적어 에너지 과잉 상태가 되고, 고위도 지역은 그 반대가 되어 에너지 부족 상태가 된다.

③ 이 같은 에너지 불균형은 대기와 해양의 순환을 일으킨다. 대기는 쉽고 빠르게 움직일 수 있어서 효과적으로 에너지를 전달한다. 전반적으로 에너지 과잉인 적도 지역의 따뜻한 공기는 상층부로 상승하여 극지방으로 이동하고, 에너지가 부족한 극지방의 찬 공기는 하강하여 적도 쪽으로 이동하는 순환을 한다. 하지만 지구는 자전을 하기 때문에 실제 대기의 운동은 이보다 훨씬 복잡해진다. 이러한 에너지의 전달 과정에서 다양한 기상 변화가 나타난다. 특히 중위도 지역에서 역동적인 날씨 변화가 많이 일어나는데, 이것은 중위도가 열에너지 이동의 길목이기 때문이다.

④ 해양의 순환은 대기의 순환에 비해 느리지만 해양 역시 효율적인 에너지 운송 수단이 된다. 해양의 순환은 [표층 해류]에 의한 순환과 [심층 해류]에 의한 순환으로 나눌 수 있다. 표층 해류는 주로 해수면 위에서 지속적으로 부는 바람 때문에 생겨나고, 심층 해류는 주로 수온과 염분의 변화로 인한 바닷물의 밀도 차이 때문에 생겨난다. 표층 해류 중 난류는 따뜻한 적도 지역의 바닷물을 고위도 지역으로 이동시켜 고위도 지역의 기온이 일정 수준 이하로 내려가지 않게 하고, 한류는 차가운 고위도 지역의 바닷물을 저위도 지역으로 이동시켜 저위도 지역의 기온이 일정 수준 이상 높아지지 않게 한다.

⑤ 이처럼 지구는 대기와 해양의 순환을 통해 끊임없이 열에너지를 이동시키기 때문에 적도의 기온이 계속 올라가거나 극지방의 기온이 계속 내려가는 일이 벌어지지 않는 것이다.

- **복사** | 바퀴살 輻, 쏠 射 | 물체로부터 열이나 전자기파가 사방으로 방출됨.
- **위도** | 씨실 緯, 정도 度 | 지구 위의 위치를 나타내는 좌표축 중에서 가로로 된 것. 적도를 중심으로 하여 남북으로 평행하게 그은 선이다.
- **적도** | 붉을 赤, 길 道 | 위도의 기준이 되는 선. 지구의 남북 양극으로부터 같은 거리에 있는 지구 표면에서의 점을 이은 선이다.
- **방출되다** | 놓을 放, 날 出 | 입자나 전자기파의 형태로 에너지가 내보내지다.
- **과잉** | 지날 過, 남을 剩 | 예정하거나 필요한 수량보다 많아 남음.
- **길목** | 길의 중요한 통로가 되는 어귀.

1 이 글의 표제와 부제로 가장 적절한 것은?

① 지구의 에너지 순환 — 대기와 해양의 순환을 중심으로 —
② 지구의 에너지 이동 — 위도별 대기의 순환 과정을 중심으로 —
③ 지구의 주기적인 기후 변화 — 해류의 주기적인 이동을 중심으로 —
④ 지구의 온도가 계속 상승하는 이유 — 대기와 해류의 영향을 중심으로 —
⑤ 지구에 에너지를 공급하는 태양 — 태양 에너지의 이동 경로를 중심으로 —

정보 간의 관계 파악하기

2 이 글을 바탕으로 하여 〈보기〉를 이해한 내용으로 적절하지 않은 것은?

보기

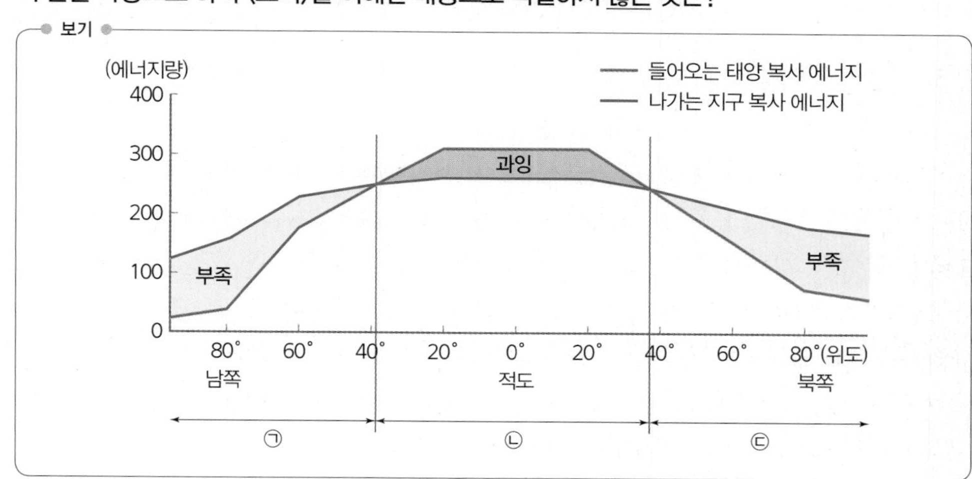

① ㉠~㉢ 지역의 연평균 기온은 각각 일정하게 유지될 것이다.
② ㉠과 ㉡, ㉡과 ㉢이 만나는 지역에서는 역동적인 날씨 변화가 많이 일어날 것이다.
③ ㉡ 지역에서 발생한 난류는 ㉠, ㉢ 지역으로 흘러 이 지역에 에너지를 공급할 것이다.
④ ㉡ 지역의 태양 복사 에너지의 양이 ㉠, ㉢ 지역과 다른 것은 태양의 고도 차이 때문이다.
⑤ ㉠, ㉢ 지역의 공기는 상승하여 ㉡ 지역으로 이동하고, ㉡ 지역의 공기는 하강하여 ㉠, ㉢ 지역으로 이동할 것이다.

이유·원인 밝히기

3 이 글을 참고하여 표층 해류와 심층 해류가 발생하는 이유를 각각 쓰시오.

지문 분석하기

● 글의 전개 방식 [병렬]

( )의 순환	• 저위도: 상승 기류(저위도 → 고위도) • 고위도: 하강 기류(고위도 → 저위도)
해양의 순환	• 저위도: 난류의 이동(저위도 → 고위도) • 고위도: ( )의 이동(고위도 → 저위도)

→ 지구의 위도별 ( ) 유지

1

가로와 세로 열쇠에 제시된 단어의 뜻을 참고하여 십자말풀이의 빈칸을 채우시오.

(1)			(2)		
		(3)		(4)	
	(5)				
(6)					(7)
				(7)	

가로 열쇠

(1) 예정하거나 필요한 수량보다 많아 남음.

(2) 대상을 고찰함에 있어서 서로 대립되는 두 개의 원리나 원인으로써 사물을 설명하려는 태도.

(4) 세상에 널리 퍼뜨려 모두 알게 함.

(5) 사람으로서 마땅히 지켜야 할 도리에 관계되는.

(7) 공동의 이익.

세로 열쇠

(2) 한자의 음과 뜻을 빌려 우리말을 적은 표기법.

(3) 덕으로써 사람의 품성이나 도덕 따위를 가르치고 길러 선으로 나아가게 함.

(6) 원이나 구가 다각형이나 다면체의 모든 변 또는 면에 닿는 일.

(7) 기업이 경제 활동의 대가로서 얻은 경제 가치.

2

〈보기〉의 뜻을 가지고 있는 단어로 알맞은 것은?

보기

「1」 큰길에서 좁은 길로 들어가는 어귀. 「2」 길의 중요한 통로가 되는 어귀.
「3」 어떤 시기에서 다른 시기로 넘어가는 때를 비유적으로 이르는 말.

① 통로 ② 출구 ③ 길목 ④ 거리 ⑤ 토대

3

제시된 뜻을 참고하여 다음 초성에 해당하는 단어를 괄호 안에 쓰시오.

(1) ㅎ ㅍ : 제멋대로 굴며 몹시 난폭함. ( )

(2) ㄱ ㅎ : 책 따위를 인쇄하여 발행함. ( )

(3) ㅈ ㅈ : 지출이 수입보다 많아서 생기는 결손액. ( )

(4) ㅈ ㅅ : 자주성이 없이 주가 되는 것에 딸려 붙음. ( )

(5) ㄱ ㅎ : 가르치고 이끌어서 좋은 방향으로 나아가게 함. ( )

한글의 독창성, 디자인과 만나다

우리가 알고 있는 지구상의 문자는 대부분 사물이나 자연의 모습을 본 떠 만든 것이다. 한글은 소리를 낼 때 사용하는 혀, 입술, 이, 목구멍의 모양을 본떠 자음 기본자를 만들고 소리가 나고 들리는 체계를 분석하여 이를 일정한 규칙과 질서로 시각화하였다. 또 과거 동양에서 만물의 근원이라고 여겼던 하늘과 땅, 사람을 본떠 모음 기본자를 만들었다.

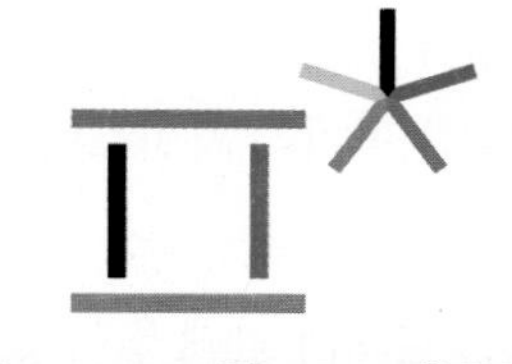

▲ 2018 평창 올림픽 엠블럼

한글은 직선과 원을 더하고 조합해서 만들었기 때문에 조형적인 면이 두드러지는 문자이다. 2018 평창 올림픽의 엠블럼은 바로 이 조형적 특징이 잘 나타나는 사례이다. 한글을 소재로 디자인한 이 작품은 한글이 그 자체로도 심벌의 기능을 할 수 있다는 것을 보여 준다. 'ㅍ'은 사람들이 어울리는 광장으로, 'ㅊ'은 눈과 얼음 그리고 동계 올림픽 선수들을 표현하여 올림픽에서 느낄 수 있는 젊음을 잘 반영했다는 평가를 받는다.

한글은 디자인 소재로서의 장단점을 모두 가지고 있다. 한글은 몇 개의 기본자를 활용하여 확장한 문자로 구성 요소가 단순하기 때문에 조금이라도 생략하면 문자의 기능이 어려워져 글자를 변형하거나 삭제하기 어렵다. 하지만 반복하며 확장하는 한글의 제자 원리를 조형의 질서로 이용하면 조형을 무한히 확장할 수 있다는 장점이 있다. 이와 같은 확장성은 한글이 가진 심미성의 특질을 잘 보여 준다. 이는 한글의 과학적인 제자 원리 덕분이다. 자음자를 만드는 가획의 원리와 모음자를 만드는 합성의 원리, 그리고 자음자와 모음자를 모아쓰는 쓰기 방식이 무한한 조형 요소를 생산할 수 있기 때문이다.

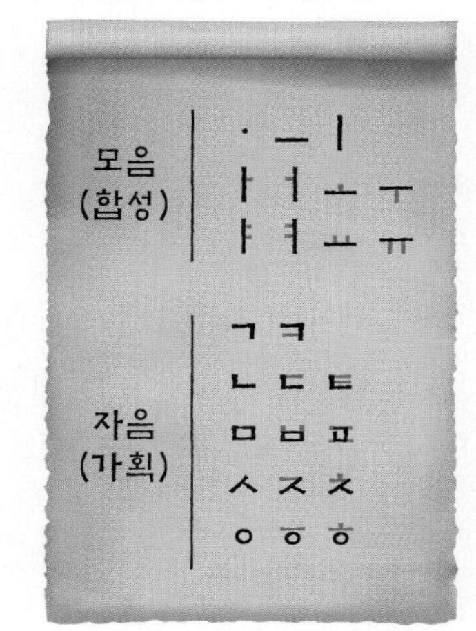

한글은 이와 같이 단순히 문자의 역할에 그치지 않고, 한글만이 가진 특유의 독창성으로 디자인 요소로서의 위용 또한 뽐낼 수 있는 글자라고 할 수 있다. 앞으로도 한글로 우리 일상의 시각 문화를 더 풍요롭게 할 수 있기를 기대한다.

- **엠블럼(emblem)** | 국가나 단체 또는 기업 따위의 상징으로 쓰이는 문장.
- **심벌(symbol)** | 어떠한 뜻을 나타내기 위하여 쓰이는 부호, 문자, 표지 따위를 통틀어 이르는 말.
- **심미성** | 살필 審, 아름다울 美, 성질 性 | 아름다움을 살펴 찾을 수 있는 성질.
- **위용** | 훌륭할 偉, 얼굴 容 | 훌륭하고 뛰어난 용모나 모양.

07 난방과 취사를 한 번에 해결하는 온돌

문단 요약하기

① 온돌은 (   )의 열기가 구들장을 덥히는 과정을 통해 난방이 된다.

② 온돌은 아궁이, (   ) 부넘기, 고래, 개자리, 굴뚝 등으로 이루어져 있다.

③ 온돌의 온기 유지 비결은 구들장의 재료와 (   )에 있다.

④ (   )은/는 과학적이며 효율적인 에너지 구조를 가지고 있다.

① 온돌은 아주 오래전부터 사용해 온 우리나라 고유의 난방 장치이다. 온돌은 아궁이에 불을 때면 열기가 방바닥 아래의 빈 공간을 지나면서 구들장을 덥히고, 따뜻해진 구들장의 열기가 방 전체에 전달되는 과정을 통해 난방이 된다. 여기서 구들장은 방바닥 아래에 깔아 두는 넓적한 돌을 가리킨다.

② 그러면 온돌은 어떤 구조로 되어 있을까? 온돌은 아궁이와 구들장, 부넘기, 고래, 개자리, 굴뚝 등으로 이루어져 있다. 온돌의 시작 부분인 아궁이는 열원의 최초 공급원으로, 아궁이에서 땔감을 태울 때 나오는 열에너지가 전달되어 방을 덥히게 된다. 이때 아궁이에서 구들장까지 높이가 서서히 높아져야 찬 공기가 자연스럽게 아래쪽 아궁이 속으로 들어가 덥혀진 공기를 밀어 줄 수 있다. 아궁이에서 구들장 밑으로 이어지는 입구에는 부넘기라는 것이 있는데 이 부분은 다른 부분보다 높게 쌓여 있다. 부넘기의 용도는 무엇일까? 기체는 넓은 곳에서 좁은 곳을 지나가면 압력이 낮아지고 속도가 빨라진다. 즉 아궁이에서 데워진 공기는 부넘기에서 갑자기 좁은 통로를 만나 압력이 낮아지고 속도가 빨라져 뜨거운 공기가 구들장 밑 부분인 고래로 쉽게 들어갈 수 있게 된다. 또한 압력이 아궁이보다 낮아지므로 아궁이의 열기는 계속 고래 안으로 들어온다. 부넘기를 넘어온 열기는 고래에서 머물며 구들장을 데운다. 그리고 고래와 굴뚝 사이, 즉 온돌방의 윗목 쪽에는 고래보다 깊이 파인 골이 있는데, 이를 개자리라 한다. 개자리는 고래보다 깊게 파여 있기 때문에 열기가 일정 시간동안 머물다가 굴뚝으로 빠져나간다. 이로 인해 구들장의 온기가 오래 유지될 수 있다.

③ 온돌이 오랫동안 온기를 유지할 수 있는 또 다른 비결은 바로 구들장의 재료와 두께에 있다. 구들장의 재료로는 백운모를 쓰는데, 백운모는 열전도율이 낮은 재료이기 때문에 아래의 뜨거운 열기를 한꺼번에 방 안으로 전달하지 않는다. 또한 아랫목의 구들장의 경우 아궁이와 가깝기 때문에 너무 뜨거워질 수 있어 두꺼운 돌을 쓴다. 이 때문에 아랫목의 구들장은 많은 양의 열을 저장할 수 있다. 한편 윗목의 구들장은 아궁이와 거리가 멀기 때문에 두께를 얇게 해 빨리 따뜻해지도록 했다. 방이 식을 때 아궁이에서의 열 공급이 중단되면 아랫목에 저장된 열이 점점 빠져나가면서 고래에서의 대류로 인해 윗목의 구들장도 급속히 냉각되지 않는다.

④ 온돌은 아궁이에서 발생된 열이 구들장 속에 오랫동안 머물러 있도록 만들어 에너지가 절약된다. 또 아궁이에서는 음식을 조리할 수도 있었다. 따라서 아궁이에 불을 땜으로써 난방과 동시에 취사도 할 수 있었다. 이처럼 온돌은 과학적이며 효율적인 에너지 구조를 가지고 있는 훌륭한 전통 문화의 소산이다.

- **열원** | 더울 熱, 근원 源 | 열이 생기는 근원.
- **윗목** | 온돌방에서 아궁이로부터 먼 쪽의 방바닥.
- **아랫목** | 온돌방에서 아궁이 가까운 쪽의 방바닥.
- **대류** | 대할 對, 흐를 流 | 기체나 액체에서, 물질이 이동함으로써 열이 전달되는 현상.
- **냉각되다** | 찰 冷, 물리칠 却 | 식어서 차게 되다.
- **취사** | 불 땔 炊, 일 事 | 끼니로 먹을 음식을 만드는 일.
- **소산** | 것 所, 낳을 產 | 어떤 행위나 상황 따위에 의한 결과로 나타나는 현상.

글의 전개 구조 파악하기

1 이 글에 대한 설명으로 가장 적절한 것은?

① 온돌의 장점을 다른 난방 장치와 비교하여 설명하고 있다.
② 온돌 제작 기술의 발전 과정을 시간의 흐름에 따라 제시하고 있다.
③ 온돌을 제작하는 과정에서의 문제점과 해결 방안을 설명하고 있다.
④ 온돌의 구조와 재료를 중심으로 난방 장치로서 온돌의 장점을 설명하고 있다.
⑤ 온돌의 한계를 언급한 후 그것을 보완할 수 있는 새로운 난방 방법을 제시하고 있다.

기능과 과정 이해하기

2 이 글을 바탕으로 하여 〈보기〉를 이해한 내용으로 적절하지 않은 것은?

보기

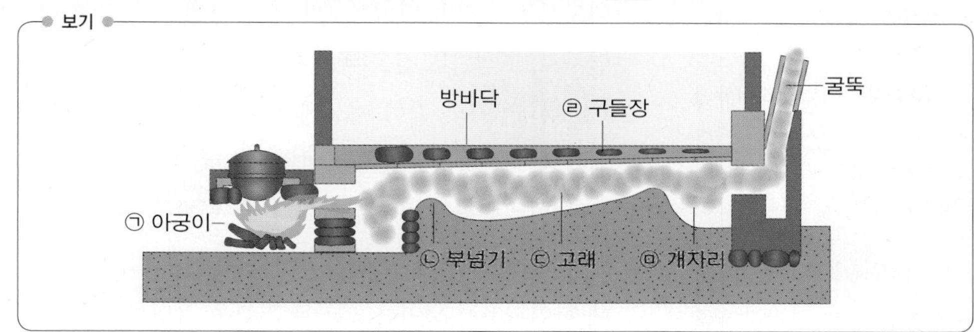

① ㉠에서 만들어진 열기가 방바닥을 덥히는 열원으로 작용하는군.
② ㉡에서는 기체의 압력이 높아지므로 ㉠에서 데워진 공기의 속도가 빨라지겠군.
③ ㉢에서는 기체의 속도가 ㉡에서보다 더 느려지겠군.
④ ㉣은 ㉠과의 거리에 따라 두께를 달리하여 너무 뜨거워지거나 너무 빨리 식지 않겠군.
⑤ ㉤을 ㉢보다 깊게 파는 이유는 열기가 온돌의 윗목 쪽에 오래 머물게 하기 위해서이군.

3 다음은 이 글을 읽은 후의 반응이다. 괄호 안에 알맞은 말을 각각 쓰시오.

온돌의 구조 중 구들장의 재료로 열전도율이 낮은 (　　　　)을/를 쓰되, 아랫목의 구들장 두께를 (　　　　), 윗목의 구들장 두께를 (　　　　) 만든 것은 온돌이 오랫동안 온기를 유지할 수 있도록 하기 위한 것이로군.

지문 분석하기

● 글의 전개 방식 [병렬]

온돌의 구조와 난방 과정	• 구조: 아궁이, 구들장, 부넘기, 고래, 개자리, 굴뚝 등 • 난방 과정(열기의 이동): 아궁이 → (　　　　) → 고래 → 개자리 → 굴뚝
(　　　)의 재료와 두께	• 재료: 백운모 • 두께: 아궁이와 가까운 아랫목은 두껍고, 아궁이와 먼 윗목은 얇음.

→ 온돌이 (　　　) 을/를 오랫동안 유지함.

→ 온돌의 장점
① (　　　　)을/를 절약할 수 있음.
② 난방과 취사가 동시에 가능함.

실전 4회
정답과 해설 49쪽

이것은 비행기인가 열차인가, 하이퍼루프

교과 연계 **기술·가정** _ 수송 기술

✎ 문단 요약하기

① 시속 1,000km의 속도로 달릴 수 있는 (   )은/는 새로운 교통수단으로 주목받고 있다.

② 하이퍼루프는 (   ) 와/과 공기 저항을 극복하여 빠른 속도로 달린다.

③ 하이퍼루프는 열차와 레일에 (   )을/를 탑재한다.

④ 하이퍼루프는 리니어 모터를 이용해서 열차에 추진력을 얻고, (   )와/과 레일의 유도 전류를 통해 부상력을 얻는다.

⑤ 하이퍼루프의 문제점들이 해결되면 (   )(으)로 우뚝 서게 될 것이다.

① 서울에서 부산까지 간다고 할 때, 이동 시간은 얼마나 걸릴까? 일반적으로 차량을 이용할 때는 5시간, KTX 열차를 이용할 때는 3시간, 비행기를 이용할 때는 약 1시간 정도가 걸린다. 그런데 서울-부산 거리를 단 16분 만에 갈 수 있는 교통수단이 나타난다면 어떨까? 머지않은 미래에는 '하이퍼루프'를 통해 실현이 가능할지도 모른다. 하이퍼루프는 일반 비행기보다 빠른 최대 시속 1,000km의 속도로 달릴 수 있는 초고속 열차로, 도심과 도심을 빠르게 연결할 것으로 주목받고 있는 새로운 교통수단이다.

② 하이퍼루프와 같이 지상에서 이렇게 빠른 속도로 달리기 위해서는 두 가지 장애를 극복해야 한다. 첫 번째는 마찰력으로, 이는 물체가 어떤 면과 접촉하여 운동할 때 그 물체의 운동을 방해하는 힘이다. 두 번째는 공기 저항으로, 물체는 공기 중에서 이동할 때 그 이동 방향과 반대로 공기로부터 저항을 받는다. 이 두 가지 장애를 극복하기 위해 하이퍼루프 열차는 진공과 가까운 상태로 만든 튜브 안을 뜬 채로 달린다. 튜브 안을 진공과 가까운 상태로 만들면 공기 저항을 줄일 수 있고, 또 자기 부상의 원리로 열차가 튜브 안에 떠 있으면 마찰력을 극복할 수 있다.

③ 그러면 하이퍼루프가 기존의 자기 부상 열차와 다른 점은 무엇일까? 자기 부상 열차는 자력의 반발력으로 열차를 레일 위로 띄워야 하기 때문에 대량의 전력을 공급할 수 있는 전자석 코일이 있어야 한다. 그러나 하이퍼루프는 전자석 코일 대신에 열차와 레일에 자기 시스템을 탑재하고, 두 가지 핵심 장치를 통해 빠르게 달릴 수 있다. 우선 열차에 탑재된 배터리에서 전력을 공급받아 열차에 추진력을 주는 리니어 모터가 하나이고, 열차를 레일에서 부상시키는 역할을 하는 차체 바닥의 인덕트랙이 나머지 하나이다.

④ 하이퍼루프의 구체적인 작동 과정에 대해 살펴보자. 열차가 앞으로 나아가기 위해서는 구동력이 필요한데, 하이퍼루프는 이를 리니어 모터에서 만들어 낸다. 열차는 차체 측면에 달려 있는 리니어 모터를 이용해서 추진력을 얻어 달리기 시작하는 것이다. 열차가 시속 32km에 도달하면 차체 바닥에 배치한 인덕트랙과 레일 사이에 유도 전류가 발생한다. 유도 전류가 발생하면 인덕트랙과 레일 사이에 반발력이 생기는데, 이는 열차를 레일 위로 띄우는 힘으로 작용한다. 따라서 추진력과 부상력 모두에 전력이 필요한 자기 부상 열차와 달리 하이퍼루프는 추진력을 얻는 데에만 전력이 필요하다.

⑤ 하이퍼루프가 일상적으로 쓰이기 위해서는 아직 넘어야 할 문제들이 많다. 경제성을 높여야 하는 것 외에 안전성의 문제도 있다. 높은 속도로 인해 사고 발생 시 대형 참사로 이어질 가능성을 염려하는 것이다. 이런 문제들이 해결되면 하이퍼루프는 차세대 교통수단으로 우뚝 서게 될 것이다.

- **진공** | 참 眞, 빌 空 | 물질이 전혀 존재하지 않는 공간.
- **자기 부상** | 자석 磁, 기운 氣, 뜰 浮, 위 上 | 전자기적인 힘을 이용하여 물체를 들어 올리는 것.
- **반발력** | 거꾸로 反, 튀길 撥, 힘 力 | 되받아 퉁기는 힘.
- **탑재하다** | 탈 搭, 실을 載 | 배, 비행기, 차 따위에 물건을 싣다.
- **추진력** | 옮길 推, 나아갈 進, 힘 力 | 물체를 밀어 앞으로 내보내는 힘.
- **구동력** | 몰 驅, 움직일 動, 힘 力 | 동력 기구를 움직이는 힘.
- **유도 전류** | 꾈 誘, 이끌 導, 번개 電, 흐를 流 | 전자기 유도에 의하여 회로에서 생긴 전류.

1

이 글을 통해 알 수 있는 내용이 아닌 것은?

① 하이퍼루프가 주목을 받는 이유
② 하이퍼루프 기술이 개발되어 발전해 온 과정
③ 하이퍼루프가 기존의 자기 부상 열차와 다른 점
④ 하이퍼루프의 일상적인 사용을 위해 극복해야 할 문제점
⑤ 열차가 지상에서 빠른 속도로 달리는 데 장애가 되는 요소

기능과 과정 이해하기

2

이 글을 바탕으로 하여 〈보기〉를 이해한 내용으로 적절하지 않은 것은?

보기

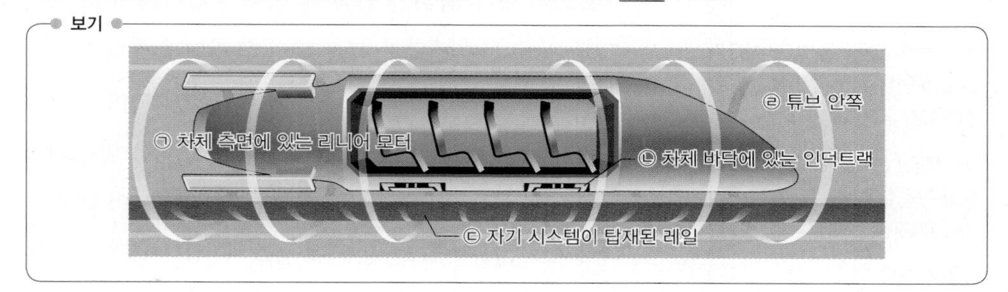

① 열차가 처음에 속력을 내는 과정에서의 구동력은 ㉠에 의해 만들어진다.
② 열차가 시속 32km를 넘으면 ㉠과 ㉡ 사이에 반발력이 생기게 된다.
③ 열차가 멈춰 있는 상태에서는 ㉡과 ㉢ 사이에 유도 전류가 생기지 않는다.
④ 열차는 ㉢과 일정한 간격을 두고 떨어져 달리기 때문에 마찰력이 생기지 않는다.
⑤ 공기의 저항을 줄이기 위해서는 ㉣을 진공에 가까운 상태로 만들어야 한다.

3

이 글을 바탕으로 하여 다음 괄호 안에 알맞은 말을 각각 쓰시오.

전력으로 열차를 띄우는 자기 부상 열차의 방식과 달리 인덕트랙을 활용한 하이퍼루프의 작동 방식은 열차의 (   )만으로도 열차를 (   )시킬 수 있다.

지문 분석하기

● 글의 전개 방식 [병렬]

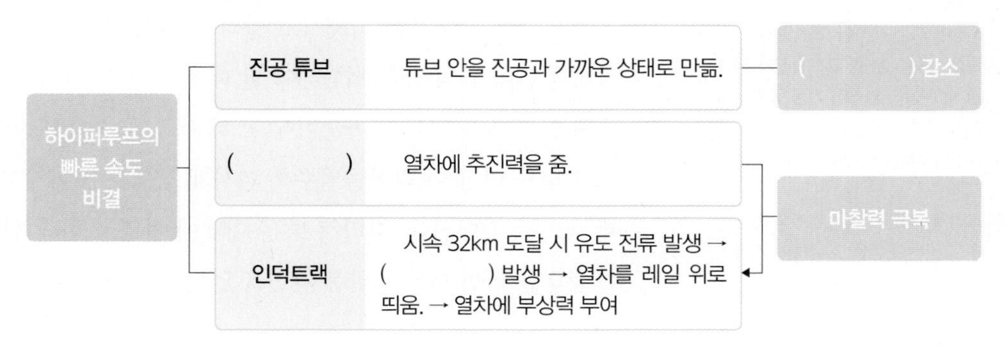

실전 4회

정답과 해설 50쪽

인물은 선명하게, 배경은 흐릿하게

✎ 문단 요약하기

① 카메라에서 초점이 맞는 공간의 범위가 (　　　　　)(이)다.

② 초점이 맞는 범위가 넓을 때 심도가 (　　　　　)고 하고, 그 반대의 경우 심도가 얕다고 한다.

③ (　　　　　) 화면은 많은 정보를 담을 수 있고, 심도가 얕은 화면은 특정 부분에 시선을 집중시킬 수 있다.

④ 렌즈의 (　　　　　)이/가 짧을수록 심도가 깊고, 초점 거리가 길수록 심도가 얕다.

⑤ 렌즈 구경이 (　　　　　) 심도가 얕고, 구경이 작을수록 심도가 깊다.

① 사진을 찍을 때 우리는 카메라로 한 피사체를 향하여 초점을 맞추게 된다. 그때 그 피사체의 앞뒤의 일정한 거리 내에 초점이 맞는 공간이 만들어져 그 공간에 있는 다른 물체도 모두 초점이 맞는 상태가 된다. 그리고 그 공간을 벗어난 물체들은 모두 탈초점 상태가 되는데, 여기서 초점이 맞는 공간의 범위를 피사계 심도라고 한다.

② 초점이 맞는 범위가 넓을 때 심도가 깊다고 하고 그 범위가 좁을 때에는 심도가 얕다고 하는데, 나타내고자 하는 바가 무엇인지에 따라 심도의 깊이가 결정된다. 예를 들어 산이나 바다와 같은 넓은 풍경을 선명하게 보여 주고자 할 경우에는 심도를 깊게 해야 하며, 인물의 모습과 같은 좁은 범위에 초점을 맞추려면 심도를 얕게 해야 한다.

③ 심도가 깊은 화면은 초점이 맞는 범위가 넓어 화면의 거의 모든 부분이 선명하게 나타나므로 많은 정보를 화면에 담을 수 있다. 또한 특정한 부분에 집중할 필요가 없으므로 카메라의 움직임이 자유롭다는 장점도 있다. 반면 모든 부분이 선명하여 보는 사람의 시선이 분산될 수 있으며 원근감이 약해진다는 단점이 있다. 이와 달리 심도가 얕은 화면은 초점이 맞는 범위가 상대적으로 좁아서 특정 부분에만 초점이 정확하게 맞고 다른 부분은 탈초점 상태가 된다. 따라서 초점이 맞는 피사체에 시선이 집중되는 효과가 있다. 그러나 초점이 맞는 구간이 좁기 때문에 카메라를 움직이면서 촬영하면 피사체가 탈초점 상태가 되기 쉽다는 단점도 있다.

④ 그렇다면 심도의 깊이는 무엇에 의해 결정될까? 심도에 가장 큰 영향을 주는 요인은 렌즈의 초점 거리이다. 초점 거리는 렌즈와 필름 면 사이의 거리로, 초점 거리가 짧은 광각 렌즈는 촬영 범위인 화각이 가장 넓으며 피사계 심도는 상대적으로 깊다. 반면 초점 거리가 긴 망원 렌즈는 화각이 좁고 피사계 심도는 상대적으로 얕다.

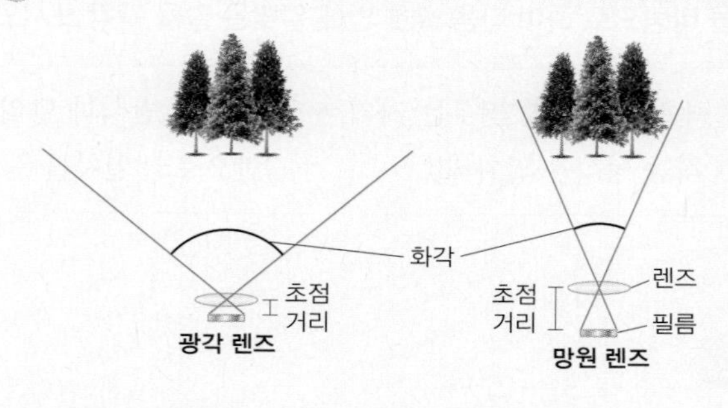

⑤ 심도는 렌즈 구경에 의해서도 달라지는데, 렌즈의 구경은 빛이 충분하기 때문에 조리개를 닫아 빛의 양을 제한해야 할 때 좁아진다. 반대로 빛이 충분하지 않아 조리개를 넓게 열어 빛을 많이 받아들여야 할 때 렌즈 구경이 커진다. 렌즈 구경이 클수록, 즉 렌즈가 빛을 더 많이 받아들일수록 피사계 심도는 얕아지고, 렌즈 구경이 좁을수록 피사계 심도는 깊어진다. 따라서 밝은 대낮에 촬영을 하면 심도가 깊은 화면을, 어두운 날에 촬영을 하면 심도가 얕은 화면을 얻는 경우가 많다.

- **피사체** | 당할 被, 베낄 寫, 몸 體 | 사진을 찍는 대상이 되는 물체.
- **초점** | 태울 焦, 점 點 | 사진을 찍을 때 대상의 영상이 가장 똑똑하게 나타나게 되는 점.
- **탈초점 상태** | 초점에서 벗어난 상태.
- **조리개** | 사진기에서, 렌즈를 통과하는 광선의 양을 조절하는 기계 장치.

글의 전개 구조 파악하기

1 **이 글에 대한 설명으로 가장 적절한 것은?**

① 중심 화제와 유사한 대상의 공통점과 차이점을 설명하고 있다.
② 중심 화제의 의의와 가치를 설명하여 그 중요성을 강조하고 있다.
③ 중심 화제에 대한 인식의 변화를 시간의 흐름에 따라 제시하고 있다.
④ 중심 화제의 개념을 제시하고 대조를 통해 관련 원리를 설명하고 있다.
⑤ 중심 화제에 대한 다양한 주장을 구체적인 근거와 함께 제시하고 있다.

뒷받침 · 구체화하기

2 **이 글을 바탕으로 하여 〈보기〉의 ㉠, ㉡을 이해한 내용으로 적절하지 않은 것은?**

보기

영수는 사진 촬영을 위해 설악산을 찾았다. 우선 봄을 맞이한 ㉠설악산 전체의 모습을 멀리서 찍은 후 ㉡새파랗게 돋아나는 나뭇잎을 가까이에서 찍었다.

① ㉠에서는 심도를 깊게, ㉡에서는 심도를 얕게 해야겠군.
② ㉠의 화면에서는 초점이 맞는 공간의 범위가 ㉡의 화면에서보다 넓겠군.
③ ㉡의 화면과 달리 ㉠의 화면에서는 탈초점 상태에 있는 피사체가 적겠군.
④ ㉡에서는 ㉠에서보다 상대적으로 피사체의 원근감이 약해지겠군.
⑤ ㉠과 달리 ㉡을 촬영할 때에는 카메라의 움직임이 자유롭지 못하겠군.

개념으로 방법 파악하기

3 **카메라로 가까이에서 꽃을 찍으려고 할 때, 〈보기〉의 ⓐ~ⓒ 중 가장 심도가 깊은 화면을 얻을 수 있는 경우를 고르시오.**

보기

ⓐ 구경이 좁은 광각 렌즈를 사용할 때
ⓑ 구경이 넓은 광각 렌즈를 사용할 때
ⓒ 구경이 좁은 망원 렌즈를 사용할 때

지문 분석하기

• 글의 전개 방식 [대비]

깊은 심도		↔	얕은 심도	
• 장점: 화면이 선명한 범위가 ( ), 카메라의 움직임이 자유로움. • 단점: 시선이 분산됨, ( )이/가 약해짐.			• 장점: 초점이 맞는 피사체에 시선이 집중됨. • 단점: 카메라를 움직이면서 촬영하기 힘듦.	
초점 거리가 짧은 광각 렌즈를 사용할 때	렌즈 구경이 작을 때		초점 거리가 긴 ( ) 렌즈를 사용할 때	렌즈 구경이 클 때

실전 4회

정답과 해설 51쪽

10 회화의 대상을 강조하고 싶다면?

교과 연계 **미술** _ 조형 요소와 원리의 효과

문단 요약하기

① 회화에서 주제나 특정 이미지를 두드러지게 나타내기 위해 조형의 원리 중 ( )을/를 사용한다.

② 대비에 의한 강조는 형태, 명암, ( ) 등의 대비를 활용한다.

③ ( ) 강조는 중심 대상을 그 외 대상으로부터 떨어져 있게 함으로써 중심 대상을 강조하는 것이다.

④ 강조의 방법 중 ( )은/는 중심 대상과 그 외 대상의 위치를 조정하여 중심 대상에 시선이 모이도록 하는 것이다.

⑤ 강조를 할 때는 전체와의 관계 속에서 ( )을/를 유지해야 한다.

① 화가들은 작품을 만들 때 주제를 강조하거나 특정 이미지를 두드러지게 나타내기 위해 '강조'라는 조형의 원리를 사용하는데, 강조의 방법에는 대비, 분리, 배치 등이 있다.

② 회화에서 널리 사용하는 강조의 방법은 형태, 명암, 색채 등을 ㉠대비하는 것이다. 화면에서 밝음과 어두움의 극적인 대비, 강렬한 정서적 변화를 이끌어 내는 색채의 충돌 등은 화면 전체나 특정 부분을 강조하는 효과를 준다. 화가 발로통의 목판화 〈플룻〉은 명암 대비의 효과를 강하게 느낄 수 있는 단색 판화로, 플룻을 연주하는 어두운 인물을 중심으로 왼쪽의 바닥과 오른쪽의 고양이가 밝게 강조되는 방식으로 대비되어 강렬한 분위기를 연출하고 있다.

▲ 펠릭스 발로통, 〈플룻〉

③ ㉡분리에 의한 강조는 화면에서 중심 대상을 그 외 대상으로부터 떨어져 있게 함으로써 중심 대상을 강조하는 것이다. 이는 형태나 명암, 색채가 인접하면서 나타나는 대비와는 달리, 공간 속 중심 대상을 그 외의 대상들과 격리함으로써 만드는 것으로, 집단과 독립의 대비라고 할 수 있다. 드가의 〈발레 수업〉은 스승의 설명을 듣고 있는 발레리나들의 모습을 담고 있는데, 스승은 화면에서 집단으로 길게 이어지는 발레리나들과 거리를 두고 서 있음으로써 강조되며 시각적인 중심은 물론 화면의 균형추 역할을 한다.

▲ 에드가 드가, 〈발레 수업〉

④ 화가들이 화면의 강조를 위해 사용하는 또 다른 방법은 ㉢배치이다. 이는 관람객의 시선이 중심 대상에 모이도록 중심 대상과 그 외 대상의 공간적 위치를 조정하는 것이다. 로트렉의 작품 〈물랭루즈에서의 춤〉은 한 사내와 여인이 춤을 추는 순간을 표현한 것으로, 춤을 추는 사내와 여인을 중심으로 이를 구경하는 사람들과 무도장의 다른 사람들의 모습이 방사형으로 배치되어 있다. 이를 통해 자연스럽게 두 사람에게 시선이 집중되어 강조되는 효과가 나타난다.

▲ 로트렉, 〈물랭루즈에서의 춤〉

⑤ 이처럼 회화 작품은 다양한 방식으로 강조의 원리를 사용하고 있다. 회화에서 강조의 정도는 작가의 의도에 의해 결정되고, 가장 강한 강조는 여러 가지 강조의 방법들을 동시에 효과적으로 사용할 때 나타날 수 있다. 그러나 중요한 점은 화면에서 강조하는 특정 부분이 전체와의 관계 속에서 질서를 유지해야 한다는 것이다. 강조가 주제나 소재, 표현 양식, 기법 등의 긴밀한 질서에서 벗어나면 본래의 역할을 다할 수 없기 때문이다.

- **인접하다** | 이웃 鄰, 접할 接 | 이웃하여 있다. 또는 옆에 닿아 있다.
- **격리하다** | 막을 隔, 떠날 離 | 다른 것과 통하지 못하게 사이를 막거나 떼어 놓다.
- **방사형** | 놓을 放, 쏠 射, 형상 形 | 중앙의 한 점에서 사방으로 거미줄이나 바퀴살처럼 뻗어 나간 모양.

글의 전개 구조 파악하기

1 **이 글에 대한 설명으로 가장 적절한 것은?**

① '강조'의 방법에 대한 다양한 미술가들의 견해를 소개하고 있다.
② '강조'를 위해 사용하는 다양한 방법들의 공통점과 차이점을 밝히고 있다.
③ '강조'의 방법이 발전해 온 과정을 구체적인 작품들을 활용하여 설명하고 있다.
④ '강조'를 위해 사용하는 특정한 방법이 다른 방법에 미친 영향을 제시하고 있다.
⑤ '강조'를 위해 사용하는 방법들을 나열한 뒤 '강조'를 할 때의 유의점을 제시하고 있다.

개념 견주어 보기

2 **㉠~㉢에 대한 이해로 적절하지 않은 것은?**

① ㉠은 ㉡과 달리 형태, 명암, 색채들이 인접하면서 효과가 나타난다.
② ㉡과 ㉢은 모두 화면의 대상들이 어떻게 자리잡는가에 따라 강조의 효과가 나타난다.
③ ㉢은 ㉠과 달리 강조하는 부분이 전체와의 관계 속에서 질서를 유지해야 효과적이다.
④ ㉠~㉢을 함께 효과적으로 사용할 때 강조의 효과가 가장 강하게 나타날 수 있다.
⑤ ㉠~㉢은 모두 화면의 특정 부분을 두드러지게 나타내거나 주제를 강조하기 위해 사용할 수 있다.

뒷받침 · 구체화하기

3 **이 글을 바탕으로 하여 〈보기〉와 같은 작품 제작 계획을 세웠다고 할 때, 적절한 것을 모두 고른 것은?**

보기

미술 시간에 강조의 조형 원리를 사용하여 그림을 그리려고 해. 지난 체육 대회 농구 경기에서 맹활약한 철수의 모습을 강조하기 위해 ⓐ철수의 모습은 밝게, 주변의 모습은 어둡게 그려서 대비의 효과를 살릴 거야. ⓑ이렇게 하면 철수의 모습이 화면의 균형추 역할을 하는 효과가 있을 거야. ⓒ슛을 하는 철수로부터 상대팀 선수들이 멀리 떨어져 있는 모습을 그려서 분리의 효과를 낼 수도 있겠지. 그리고 ⓓ배치의 효과를 최대화하기 위해서는 철수가 입은 유니폼과 상대팀 유니폼의 색을 강하게 대조해야겠어.

① ⓐ, ⓑ　② ⓐ, ⓒ　③ ⓑ, ⓒ　④ ⓑ, ⓓ　⑤ ⓒ, ⓓ

지문 분석하기

- 글의 전개 방식 [병렬]

강조의 방법

(　　　)	분리	배치
형태, 명암, 색채 등의 대비를 통해 화면 전체나 특정 부분을 강조하는 것	중심 대상을 그 외 대상으로부터 떨어져 있게 함으로써 중심 대상을 (　　　)하는 것	중심 대상과 그 외 대상의 공간적 위치를 조정하여 중심 대상을 강조하는 것

11 탄소를 배출할 때도 돈을 내야 하나요

① 이산화 탄소는 탄소 원자 하나에 산소 원자 둘이 결합한 화합물로 화학식은 CO_2이다. 이산화 탄소는 온실 효과를 일으키는 기체로, 지구 복사를 통해 우주 공간으로 나가는 에너지 중 일부를 다시 지구로 되돌린다. 이러한 이산화 탄소의 성질은 지구의 에너지 평형을 깨트려서, 지구 온난화의 원인이 된다. 이산화 탄소는 화석 연료와 같이 탄소를 포함한 물질을 완전히 태울 때 만들어져 배출되는데, 화석 연료의 사용이 크게 늘면서 이산화 탄소의 배출도 늘어 지구 온난화를 더욱 심화하고 있다. 이에 따라 이산화 탄소의 배출을 줄이기 위해 지구적 차원에서 노력하고 있는데, 대표적인 것이 탄소세와 탄소 배출권 거래 제도이다.

② 탄소세 제도는 이산화 탄소를 배출하는 석유, 석탄 등 각종 화석 연료의 사용량에 따라 세금을 부과하는 것이다. ㉠탄소세 제도를 실시하면 오염 배출자는 오염 물질 1단위를 추가로 배출함으로 인해 내야 하는 세금이 한계 감축 비용, 즉 오염 물질 1단위를 덜 배출하기 위해 드는 비용보다 큰 경우, 그 둘이 같아질 때까지 지속적으로 오염 배출을 줄이게 된다. 이로 인해 사회 전체의 오염 수준이 줄어들 수 있다. 하지만 탄소세가 부과되면 에너지 가격이 올라 최종 상품의 가격도 높아진다. 또한 난방 수단으로 석탄, 석유와 같은 화석 연료를 필요로 하는 저소득 계층의 부담이 커질 수 있다.

③ 탄소 배출권 거래 제도는 사회 전체적인 오염 통제 목표를 설정하고 그 목표를 달성할 수 있는 범위 내에서 오염 배출자들에게 오염 배출 권리를 나누어 준 다음에 그 권리에 따라 오염 배출을 할 수 있도록 하고, 필요에 따라 오염 배출자들이 그 배출권을 사고팔 수 있게 하는 제도이다. 제시된 그림과 같이 A 기업이 탄소 배출 허용량보다 실제 배출량이 적고 B 기업이 탄소 배출 허용량보다보다 실제 배출량이 많을 경우, A 기업은 배출권을 팔고 B 기업은 배출권을 사서 오염 물질을 배출하는 것이다. 이때 배출권의 가격은 배출권에 대한 수요와 공급이 균형을 이루는 지점에서 형성된다.

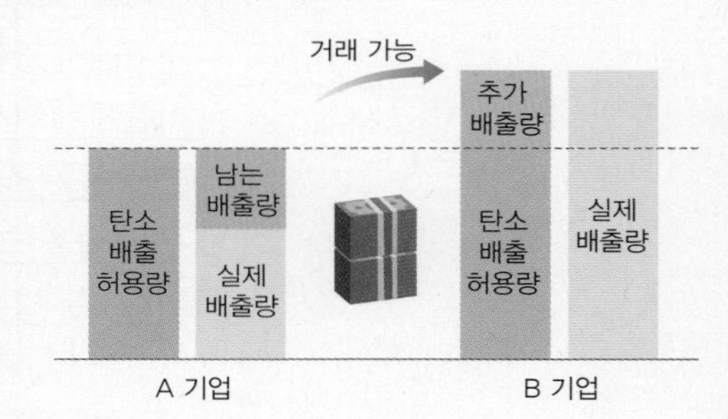

④ 배출권 거래 제도에서는 오염 배출자들이 배출권의 가격과 자신의 한계 감축 비용을 고려하여 더 저렴한 방법으로 오염 수준을 조정하므로, 오염 통제에 드는 비용이 아주 적어진다는 장점이 있다. 반면에 배출권 자체가 시장의 가격에 의해 정해지므로 투기의 대상이 될 우려가 있으며, 배출권을 사고파는 시장에서 판매자와 구매자의 수가 충분히 많지 않으면 시장 실패가 발생할 수 있다.

- **배출되다** | 밀칠 排, 날 出 | 안에서 밖으로 밀어 내보내지다.
- **부과하다** | 조세 賦, 매길 課 | 세금이나 부담금 따위를 매기어 부담하게 하다.
- **감축** | 덜 減, 줄일 縮 | 덜어서 줄임.
- **투기** | 던질 投, 때 機 | 시세 변동을 예상하여 차익을 얻기 위하여 하는 매매 거래.

1

이 글의 내용과 일치하지 않는 것은?

① 이산화 탄소는 지구 온난화를 일으키는 원인 중에 하나이다.
② 화석 연료를 완전히 태우는 과정에서 이산화 탄소가 배출된다.
③ 탄소세는 석유, 석탄과 같은 화석 연료의 사용에 대해 부과하는 세금이다.
④ 탄소 배출권 거래 제도를 시행하면 오염을 통제하는 데 드는 비용이 줄어든다.
⑤ 탄소 배출권 거래 제도를 시행할 경우 배출권의 가격은 정부의 주도로 결정된다.

뒷받침 · 구체화하기

2

이 글을 바탕으로 할 때, 〈보기〉에 대한 해석으로 적절하지 않은 것은?

보기

기업	A	B	C
탄소 배출량	5톤	4톤	5톤
배출권	3장	3장	3장
한계 감축 비용	12,000원/톤	16,000원/톤	15,000원/톤

* 배출권 한 장으로 1톤의 탄소 배출을 허용함. 그리고 배출권 거래 시장에 참여하는 기업은 A, B, C만 있다고 가정함.

① 배출권의 가격이 17,000원이라면 구매자가 없어 시장 실패가 발생할 수 있다.
② 배출권의 거래가 없다면 이산화 탄소 감축 비용은 B 기업에서 가장 많이 발생할 것이다.
③ 배출권의 가격이 12,000원에서 15,000원 사이라면 B 기업은 다른 기업으로부터 배출권을 사려 할 것이다.
④ 배출권의 가격이 12,000원을 넘는다면 A 기업은 가지고 있는 모든 배출권을 판매하는 것이 경제적으로 유리하다.
⑤ 나누어 받은 배출권의 거래가 허용되지 않는다면 이산화 탄소 감축을 위해 필요한 사회적 총 비용은 70,000원이 될 것이다.

인과 관계 파악하기

3

㉠으로 인해 발생할 수 있는 현상으로 적절한 것끼리 바르게 묶은 것은?

보기

ⓐ 저소득 계층의 부담이 커질 수 있다.
ⓑ 해외에 있는 자원의 개발이 활발해진다.
ⓒ 소비자가 사는 상품의 가격이 올라갈 수 있다.
ⓓ 물건을 낮은 가격으로 수출하는 데 도움이 된다.

① ⓐ, ⓑ ② ⓐ, ⓒ ③ ⓑ, ⓒ ④ ⓑ, ⓓ ⑤ ⓒ, ⓓ

1 사다리타기에 따라, 빈칸에 들어갈 단어의 뜻을 〈보기〉에서 찾아 그 번호를 쓰시오.

보기
① 덜어서 줄임.
② 물질이 전혀 존재하지 아니하는 공간.
③ 세금이나 부담금 따위를 매기어 부담하게 함.
④ 어떤 행위나 상황 따위에 의한 결과로 나타나는 현상.

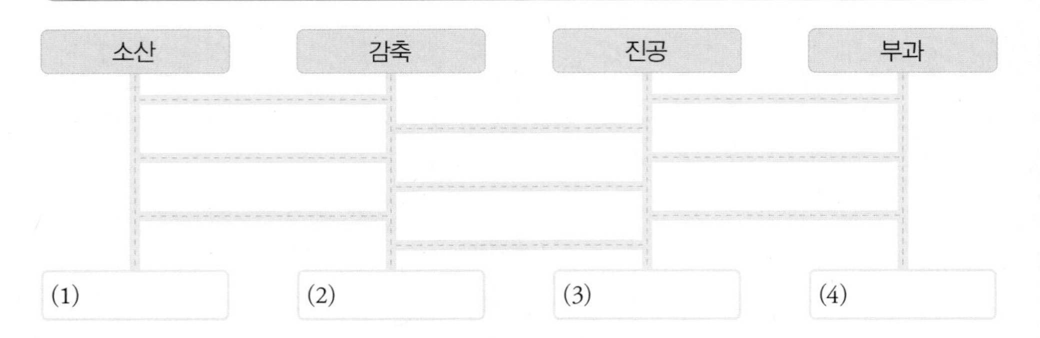

2 다음 문장의 괄호 안에 들어갈 알맞은 단어를 〈보기 1〉에서 찾아 쓰고, 그 단어의 뜻을 〈보기 2〉에서 찾아 그 기호를 쓰시오.

보기 1
탑재　　투기　　냉각　　격리

보기 2
㉠ 배, 비행기, 차 따위에 물건을 실음.
㉡ 식어서 차게 됨. 또는 식혀서 차게 함.
㉢ 다른 것과 통하지 못하게 사이를 막거나 떼어 놓음.
㉣ 시세 변동을 예상하여 차익을 얻기 위하여 하는 매매 거래.

(1) 흉악한 범죄자를 사회에서 (　　　)하자는 의견이 나왔다. ……………………(　　　)
(2) 남북한 사이에 흐르는 (　　　) 기류를 전환할 필요가 있다. ……………………(　　　)
(3) 정부의 정책은 부동산 (　　　)을/를 막는 것에 최우선을 두고 있다. ………(　　　)
(4) 항공기가 허용하는 범위 내에서 화물을 최대한 (　　　)할 수 있도록 해라. (　　　)

3 〈보기〉의 글자들을 조합하여 다음 뜻풀이에 해당하는 단어를 만들어 괄호 안에 쓰시오.

보기
원　발　접　반　실　력　인　시　열

(1) 실제로 시행함. ………… (　　　)　　(2) 이웃하여 있음. ………… (　　　)
(3) 열이 생기는 근원. ……… (　　　)　　(4) 되받아 튕기는 힘. ……… (　　　)

잇는 글 132쪽 기술 난방과 취사를 한 번에 해결하는 온돌

전통 한옥에 담긴 조상들의 지혜

충청남도 논산에 있는 조선 후기 유학자 명재 윤증(1629~1714)의 고택은 조선 중기의 전형적인 양반 가옥의 형태를 보여 주는 집으로, 우리나라의 중요한 민속 문화재로 등록되어 있다. 특히 이 고택의 안채와 곳간채는 나란하게 배치되어 있지 않고, 약간 기울어진 사다리꼴 형태로 특이하게 배치되어 있다. 조상들이 이 고택을 건축할 때 두 건물을 특이하게 배치한 이유는 무엇일까?

우리나라의 계절적 특징으로 겨울에는 북서풍이, 여름에는 남동풍이 분다. 이 고택의 안채와 곳간채는 이러한 바람 때문에 의도적으로 비스듬히 배치되어 있다. 북서풍은 산에서 집으로 들어오는 방향으로 불기 때문에 바람이 안채와 곳간채의 사이를 지나 들어오게 된다. 이때 바람이 지나는 통로가 좁아 산에서 불어온 바람이 통로로 들어올 때는 바람의 속도가 빨라지는 반면, 집 쪽으로 나올 때는 속도가 줄어들어 매서운 겨울바람을 피할 수 있었다. 또 여름에는 겨울과 반대로 집 앞에서 바람이 불어오기 때문에 넓은 공간을 지날 때는 바람의 속도가 느려지다가 좁은 통로를 지날 때는 바람의 속도가 빨라진다. 그래서 안채와 곳간채에 바람이 잘 통해서 여름에 시원하게 지낼 수 있었다.

▼ 명재 고택

이는 '베르누이의 원리'와 비슷하다. 1738년에 발표된 베르누이의 원리는 공기나 물처럼 흐를 수 있는 기체나 액체가 빠르게 흐르면 압력이 낮아지고 느리게 흐르면 압력이 커진다는 원리이다. 즉, 기체나 액체가 좁은 곳을 통과할 때는 속력이 빨라져 압력이 감소하고, 넓은 곳을 통과할 때는 속력이 느려져 압력이 증가한다는 것이다.

명재 윤증의 고택은 베르누이의 원리가 발표되기 약 30년 전에 지어졌음에도 이러한 원리를 고려하여 지어진 건축물이다. 당시 사람들이 집을 지을 때 그 원리는 정확히 몰랐더라도 바람의 특성을 이해하고 지었다는 것을 통해 우리는 전통 한옥에 담긴 조상의 지혜를 엿볼 수 있다.

- **고택** | 옛 古, 집 宅 | 옛날에 지은, 오래된 집.
- **안채** | 한 집 안에 안팎 두 채 이상의 집이 있을 때, 안에 있는 집채.
- **곳간채** | 한 집 안에 여러 개의 집채가 있을 때 물건을 간직하여 두는 곳간이 있는 집채.

과학 기술의 발전은 인간의 삶을 풍요롭게 할까?

현대 사회는 과학 기술 문명을 토대로 하고 있다. 인류가 그간 만들어 낸 과학 기술은 우리의 생활 양식을 지배해 왔고, 그 발달 속도는 점점 더 빨라지고 있다. 이러한 과학 기술은 인간에게 편리함을 가져다주지만, 핵무기와 같은 전쟁 무기 개발에 이용되어 인류를 위험으로 내몰기도 한다. 이렇듯 두 얼굴을 지닌 과학 기술의 발전은 과연 인간의 삶을 풍요롭게 할까?

찬성

풍요롭게 한다

우리 삶은 모두 과학 기술과 관계되어 있다. 그리고 그 과학 기술의 발달은 우리 삶에 많은 변화를 가져왔다. 세탁기, 전기밥솥, 전자레인지, 냉장고 등의 일반 가전제품은 우리의 일상을 편리하게 만들어 주었고, 비행기·고속 철도 등 교통 기술의 발달은 전국을 일일생활권으로 만들어 주었다. 인공위성을 이용한 통신 시스템은 지구를 한 지붕 아래의 세계로 만들어 아프리카 오지에서 일어나는 일도 우리 안방에서 바로바로 확인할 수 있는 시대를 만들었다.

또한 생명 의료 기술의 발전은 인간의 평균 수명을 늘리는 등 인간이 신체적 한계를 뛰어넘을 수 있게 해 주었다. 이처럼 앞으로 이루어질 과학 기술의 발달은 식량 문제, 에너지 문제, 각종 환경 문제 및 난치병 등을 해결할 수 있는 열쇠로서 우리의 삶을 보다 윤택하고, 건강하게 만들 수 있는 원동력이 될 것이다. 그러므로 다방면에서 생활에 편리함과 혜택을 가져다주는 과학 기술의 발전은 인간의 삶을 풍요롭게 한다.

반대

풍요롭게 하지 않는다

과학 기술의 발전은 인류가 경제적 풍요로움과 안락한 삶을 누릴 수 있게 한 반면, 생존의 위기라는 대가를 치르도록 만들었다. 과학 기술의 발전으로 인간이 자연을 무분별하게 개발하여 자원 고갈, 생태계 파괴, 기후 변화 등 심각한 환경 문제가 나타난 것이다. 또 핵무기를 비롯한 대량 살상 무기의 개발은 인류의 생존을 위협하고 있다.

또한 생명 의료 기술의 발전은 인류에게 건강 증진, 생명 연장 등의 혜택을 주었지만, 안락사, 생명 복제 등 생명의 존엄성을 해치는 윤리 문제를 일으키고 있다. 그 밖에도 과학 기술이 발전하면서 사회의 부가 증가하는 효과가 있지만, 한편으로는 과학 기술에 대한 접근 가능성의 차이에 따라 국가 간, 계층 간 부의 격차가 커지는 사회 문제가 생겨나기도 한다. 이처럼 과학 기술의 발전은 긍정적 영향의 이면에 환경 문제, 사회 문제뿐만 아니라 인간의 생존을 위협하는 문제를 일으켜 인간의 삶에 악영향을 미치므로 인간의 삶을 풍요롭게 하지 않는다.

나는 과학 기술의 발전이 인간의 삶을 풍요롭게 한다는 생각에 (찬성한다 , 반대한다).
왜냐하면 ______________________________

____

____

비문학 **독해 DNA** 깨우기

정답과 해설

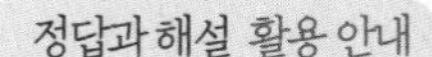

정답과 해설 활용 안내

- 지문의 내용을 이해하기 쉽게 상세하게 풀이하였습니다.
- 정답과 오답의 이유를 분명하게 풀이하였습니다.
- 지문의 주요 정보에 독해 기호를 적용하여 표시하였습니다.
- 실전 지문의 핵심 내용을 한눈에 파악할 수 있게 '지문 분석하기'를 제시하였습니다.
- 실전 지문의 내용 중 문제의 정답과 관련 있는 부분에는 노란색 음영을 넣어 표시하였습니다.

기술 01 문장 독해의 기술

바로 확인 본문 11~15쪽

1 주어+부사어+목적어+서술어
2 ㉠ 과도한 욕망, ㉡ 환경 파괴
3 흡수된 영양소는 ∨ 심장의 펌프 작용에 의해 ∨ 온몸의 세포로 ∨ 운반된다.
4 적외선은 ∨ [가시광선의 빨간빛 바깥쪽에 ∨ 있는] ∨ 빛이다.
5 적외선은 6 이유
7 예술가의 감정이나 느낌을 자유롭게 표현하는 것 8 ③

1 ㉮는 '국제 거래는 / 국내 경제에 / 많은 이익을 / 가져다준다.'와 같이 의미 단위가 나뉘며, '거래는'은 주어, '경제에'는 부사어, '이익을'은 목적어, '가져다준다'는 서술어에 해당한다. 따라서 ㉮는 '주어+부사어+목적어+서술어'의 구조에 '국제', '국내', '많은'과 같은 수식어가 결합되어 있는 문장 유형임을 알 수 있다.

2 ㉯의 서술어인 '불러온다'의 목적어는 '자원 고갈과 환경 파괴를'이다. 그리고 이러한 '자원 고갈과 환경 파괴'를 일으키는 주체로 '과도한 욕망'과 '과소비'를 찾을 수 있는데, 이들은 문장에서 주어 역할을 한다.

3 ㉰의 주어부는 '흡수된 영양소는'이고 서술어는 '운반된다'이다. 그리고 '심장의 펌프 작용에 의해'와 '온몸의 세포로'는 각각 서술어인 '운반된다'를 꾸며 주는 부사어이다.

4 ㉠은 안은문장으로, 서술어는 '빛이다'이고 이에 호응하는 주어는 '적외선은'이다. 그리고 '가시광선의 빨간빛 바깥쪽에 있는'은 안긴문장이다. 이 안긴문장을 의미 단위로 구분하면, '가시광선의 빨간빛 바깥쪽에'라는 부사어와 '있는'이라는 서술어로 나눌 수 있다.

5 ㉡의 서술어는 '활용된다'이고 주어는 '적외선은'이다. ㉡에는 '혈액 순환을 돕고 통증을 감소시키는'이라는 안긴문장이 포함되어 있다. 이 안긴문장은 '혈액 순환을 돕다'와 '통증을 감소시킨다'라는 두 문장이 연결된 이어진문장인데, 두 문장의 공통된 주어도 '적외선은'이다.

6 '~때문에'는 어떤 일이 일어난 원인이나 이유를 나타낼 때 사용되므로, ㉡은 '적외선이 병원의 치료에 활용되는 이유'라고 요약할 수 있다.

7 둘 이상의 대상이 대비될 때, 차이점을 나타내는 말들이 핵심 어구가 된다. 제시된 문장에서 '고전주의 예술에서는 대상을 잘 모방하는 것을 중시'했는데, 이에 반해 '낭만주의 예술에서는 예술가의 감정이나 느낌을 자유롭게 표현하는 것을 중시'했다고 하였다. 여기서 '대상을 잘 모방하는 것'을 중시하는 고전주의 예술과 대비되는 낭만주의 예술의 특징을 찾으면 '예술가의 감정이나 느낌을 자유롭게 표현하는 것'을 중시한다는 내용을 들 수 있다.

8 제시된 문장을 통해 상부의 눈이 하부의 눈에 가하는 압력이 커지는 것은 하부의 눈이 얼음으로 변하는 것의 원인이 됨을 알 수 있다. 따라서 이 문장의 앞부분은 원인, 뒷부분은 결과를 나타내는 관계라고 할 수 있다.

기술 적용 본문 16쪽

1 • 의미 단위: 이러한 처지를 / 보완·강화해 주는 것이 / 헌법에서 보장하고 있는 / 노동 삼권이다. • 서술어: 노동 삼권이다
2 ④ 3 ② 4 신재생 에너지, 화석 에너지

[1~4]
㉮ **헌법에서 보장하고 있는 노동 삼권**
㉯ **화석 에너지와 신재생 에너지**

• **해제** ㉮ 사회·경제적으로 열등한 지위에 있는 근로자의 처지를 보완·강화해 주기 위해 헌법에서 노동 삼권을 보장해 주고 있다는 사실을 소개하고 있는 글이다.
㉯ 화석 에너지를 대체하기 위한 신재생 에너지의 개발과 보급에 많은 관심을 기울이고 있다는 사실을 소개하고 있는 글이다.

• **문단 요약**

㉮	근로자의 권리를 보장하기 위해 헌법에서 보장하고 있는 노동 삼권
㉯	화석 에너지의 한계로 인한 신재생 에너지의 개발과 보급에 대한 관심의 증대

• **주제** ㉮ 헌법에서 노동 삼권을 보장하고 있는 취지
㉯ 신재생 에너지의 개발과 보급에 많은 관심을 기울이고 있는 이유

가 근로자가 사용자와 개별적으로 근로 조건에 관한 계약을 체결할 경우에 근로자는 사용자에 비해 사회·경제적으로 열등한 지위에 있기 때문에 불리할 수밖에 없다. ㉠이러한 처지를 보완·강화해 주는 것이/헌법에서 보장하고 있는/노동 삼권이다. ㉡헌법은/근로 관계에서 경제적으로 약자인 근로자의 권리를/보장하기 위하여/근로자에게/노동 삼권을/부여하고 있다. ㉢노동 삼권에는 단결권, 단체 교섭권, 단체 행동권이 있다.

(주어, 서술어, 주어 1, 2, 목적어 1, 서술어 1, 부사어, 목적어 2, 서술어 2, 노동 삼권의 종류)

나 우리가 사용하는 에너지 자원에는 석탄, 석유, 천연가스와 같은 화석 에너지와 핵융합을 이용한 원자력 에너지 등이 있다. 그런데 ⓐ화석 에너지는 연소 시 환경 오염 물질을 발생시키고 매장량이 한정되어 있어 각 나라는 ⓑ신재생 에너지의 개발과 보급에 큰 관심을 기울이고 있다.

(문제점(원인) ①, 문제점(원인) ②, ⇒, 대책(결과))

1 ㉠은 네 개의 의미 단위로 나눌 수 있다. 서술어는 '노동 삼권이다'이고, 이에 호응하는 주어부는 '이러한 처지를 보완·강화해 주는 것이'이다. 그런데 이 주어부는 '이러한 처지를'과 '보완·강화해 주는 것이'로 의미 단위가 나뉜다. 그리고 서술어를 수식하고 있는 '헌법에서 보장하고 있는'이 서술어와 다른 의미 단위가 된다.

2 ㉡은 주어 '헌법은'으로 문장을 시작하고 있다. 그리고 '근로 관계에서 경제적으로 약자인 근로자의 권리를 보장하기 위하여'는 '목적어+서술어'의 기본 구조를 지니므로 '근로 관계에서 경제적으로 약자인 근로자의 권리를'과 '보장하기'로 의미 단위를 나눌 수 있다. 이 두 의미 단위에서 핵심어는 '근로자의 권리를'과 '보장'이다. 그리고 '근로자에게'와 '노동 삼권을'은 각각 전체 문장의 부사어와 목적어로 별개의 의미 단위가 된다. 마지막으로 전체 문장의 서술어인 '부여하고 있다'에서 핵심어는 '부여'이다. 독해할 때는 핵심 어구를 중심으로 내용을 이해해야 하므로, ㉡은 '헌법 / 근로자의 권리를 / 보장 / 근로자에게 / 노동 삼권을 / 부여' 등의 말을 중심으로 독해해야 한다.

3 ㉢은 노동 삼권의 종류를 나열하고 있는 문장이다. 대등한 것들이 나열되어 있는 경우, 각각을 하나의 의미 단위로 보고 핵심 어구로 중시하는 독해를 해야 한다.

4 ⓐ에서는 화석 에너지가 연소 시 환경 오염 물질을 발생시키고, 매장량이 한정되어 있다는 문제점을 제시하고 있다. 그리고 ⓑ에서 화석 에너지의 이러한 문제점 때문에 각 나라는 신재생 에너지의 개발과 보급에 큰 관심을 기울이고 있다는 사실을 제시하고 있다. 이와 같이 ⓐ와 ⓑ가 이유와 결과의 논리적 관계가 성립하기 위해서는 신재생 에너지가 화석 에너지를 대체할 수 있다는 전제가 필요하다.

기술 02 문단 독해의 기술

바로 확인 본문 18~23쪽

1 ② **2** ② **3** ②
4 ㉠ 열등감, ㉡ 권력에의 의지 **5** ③

1 문단에서는 중요한 내용이 반복되는 경우가 많은데, 동일한 말로 반복되기도 하지만 유사한 의미를 지닌 말로 반복되기도 한다. 이 글에서는 ㉠에 시달리는 현대인들이 많다는 것을 문제 삼고 있는데, 이러한 문제를 마지막 문장에서 '정보 불안 의식이 확산되고 있는 것'이라고 표현하고 있다. 따라서 ㉠과 '정보 불안 의식'은 같은 의미로 사용되고 있어 반복되는 말이라고 할 수 있다.

오답 풀이 ① '정보 과잉'은 ㉠의 원인으로 제시된 말이므로 반복적으로 제시된 말이라고 할 수 없다.
③ '업그레이드 강박증'에 시달리는 사람들이 '정보 기술의 발달에 민감해지고 있다'고 하였으므로, ㉠의 반복적인 말로 볼 수 없다.

2 ㉠은 금리가 낮음에도 불구하고 사람들이 저축을 함으로써 나타나는 현상을 말한다. 이는 제시된 문단의 내용에 따라 예기치 않은 소득 감소나 질병 등 장래에 닥칠 수 있는 경제적 위험에 대비하기 위한 현상으로 볼 수 있다. 또 ㉠과 같은 현상에는 이러한 위험에 대비하고자 하는 적극적 의지가 반영된 것이라 할 수 있다고 하였으므로 ㉠의 이유로 가장 적절한 것은 ②이다.

오답 풀이 ① 사람들이 단기적인 금전상의 이익을 중시한다는 내용은 나타나 있지 않다.
③ 이 글에서는 장래에 닥칠 경제적 위험에 대비하기 위해 금리가 낮음에도 불구하고 저축을 한다고 하였다. 따라서 저축만으로 예기치 않은 소득 감소 상황에 효과적으로 대응하기 어렵다는 것은 글의 내용과 일치하지 않는다.

3 제시된 문단에서 ㉠은 '기술이 사회의 발전과 진보를 창조하는 원인'이라는 입장을 밝히고 있다. 이 입장에서는 뉴미디어와 정보 기술이 민주주의에 결합된 전자 민주주의가 현대 민주주의의 여러 문제점을 해결해 줄 수 있다고 하였다. 그런데 이 글의 글쓴이는 사회 구성원들의 의식과 사회

구조에 있어서 바람직한 정치 환경이 조성되지 않으면 전자 민주주의의 미래가 결코 희망적이거나 낙관적이지 않다고 말하고 있다. 이는 ㉠과 상반된 입장을 취하고 있는 것이라 할 수 있다. 이러한 글쓴이의 입장에서 ㉠을 비판하면, '민주주의를 운영하는 사회 구성원들의 의식과 정치 환경에 따라 전자 민주주의의 미래에 대한 전망이 결정될 것이다.'라고 말할 수 있다.

오답 풀이 ① 정보 기술이 발전할수록 정치 발전에 미치는 영향이 커진다고 보는 것은 ㉠의 입장으로 볼 수 있다.

③ 기술을 사회의 발전을 이끄는 것으로 본다는 점에서 ㉠과 같은 입장으로 볼 수 있다. 또한 ㉠과 상반된 입장을 취하는 이 글의 글쓴이는 바람직한 정치 환경을 전자 민주주의를 위한 조건으로 보았지만, ③에서는 전자 민주주의를 바람직한 정치 환경의 조건으로 보았으므로 글쓴이와 반대 입장이라고 할 수 있다.

4 제시된 문단에서 아들러는 열등감의 긍정적 기능에 주목했다. 그는 열등감이 모든 인간이 가지고 있는 일반적인 심리라고 보았다. 그리고 열등감은 우월감을 갖기 위해서 목표를 설정하고 그 목표가 구체화되는 것을 돕는 역할을 한다고 하였다. 또한 의지를 갖고 열등감을 극복하여 남에게 인정받으려는 마음의 움직임을 '권력에의 의지'라고 하였고, 이러한 권력에의 의지가 인간을 움직이는 최대의 동기가 된다고 보았다.

5 이 글은 오랜 시간 동안 우리의 밥상을 지켜 주었던 무쇠솥의 밥맛의 비밀에 관해 설명하는 글로, 무쇠솥에서 맛있는 밥을 짓는 데 중요한 역할을 하는 묵직한 솥뚜껑의 역할에 주목하여 독해를 해야 한다. 1기압에서 물은 100°C가 되면 끓고 그 이상 온도가 오르지 않지만, 무쇠솥의 묵직한 솥뚜껑은 솥 안의 수증기가 밖으로 빠져나가지 못하게 함으로써 솥 안의 기압을 높여 물의 온도를 100°C 이상으로 올라가게 해 준다. 그래서 높은 온도에서 쌀이 빠르게 익어 찰기와 향기가 뛰어난 밥이 만들어지는 것이다. 따라서 무쇠솥의 묵직한 솥뚜껑이 물의 온도를 100°C로 유지시켜 준다는 ③의 내용은 적절하지 않다.

오답 풀이 ① 1기압에서 물은 100°C가 되면 끓지만, ㉠은 수증기가 밖으로 쉽게 빠져나가지 못하게 막아 솥 안의 기압을 1기압 이상으로 올려 물의 온도를 100°C 이상으로 올라가게 만든다. 따라서 밥을 지을 때 솥 안의 압력은 1기압보다 더 높다고 할 수 있다.

② ㉠으로 인해 솥 안의 기압이 높아지고 이에 따라 물이 100°C 이상으로 올라 쌀이 더 높은 온도에서 빠르게 익게 되어 더 찰기가 있고 향기가 좋은 무쇠솥 밥이 만들어진다.

기술 적용

본문 24쪽

1 ⑤ **2** ㄷ, ㄹ **3** ③

[1~3]
㉮ 지구 온난화와 태풍
㉯ 공리주의

• **해제** ㉮는 지구 온난화가 태풍의 발생에 미치는 영향에 대해 설명하고 있는 글이다.
㉯는 어떤 행위를 할 때 그 행위자나 연관된 당사자의 특수한 이해관계나 욕구, 정서적 유대 등을 무시하고 행위의 도덕적 가치 기준을 행위의 유용성에 두는 공리주의의 입장에 대해 설명하고 있는 글이다.

• **문단 요약**

㉮	태풍의 발생 과정과, 지구 온난화가 그 과정에서 미치는 영향
㉯	특수한 이해관계나 욕구, 정서적 유대 등을 무시하는 공리주의의 입장

• **주제** ㉮ 지구 온난화가 태풍을 강하게 만드는 데 미치는 영향
㉯ 행위의 유용성을 중시하는 공리주의의 입장

㉮ 지구 온난화가 태풍을 강하게 만드는 데 영향을 미치고 있을까? 지구 온난화와 태풍의 연결 고리는 해수면 온도다. (화제 제시) 태풍은 (중심 화제) 적도 부근의 바다가 태양열을 받아 수증기로 증발하면서 발달하는 열대 저기압이다. 이때 해수면의 온도는 27℃가 넘는다. 「수증기가 증발해 상승하게 되면 저기압 지역이 생겨나고 이 저기압은 주변의 덥고 습한 공기를 계속 빨아들인다. 이렇게 공기가 몰려들고 상승하는 과정에서 강한 회오리바람과 수분을 품게 된 저기압은 점차 고위도로 이동하게 된다. 이 중에서 최대 풍속이 초속 17m 이상으로 발달한 것이 태풍이다.」 (「 」: 태풍의 발생 과정(발생 원리)) 지구 온난화로 해수면 온도가 상승하여 더 많은 수증기가 발생하므로 지구 온난화는 태풍을 강하게 만든다고 할 수 있다.

㉯ 행위의 도덕적 가치 기준을 그 행위의 유용성에 두는 (공리주의의 입장 ①) 공리주의(핵심어)에서는 어떤 행위를 할 때 ㉠그 행위자나 연관된 당사자의 특수한 이해관계나 욕구, 정서적 유대 등을 무시한다. (공리주의의 입장 ②) 예를 들어 ⓐ두 사람이 물에 빠졌을 때, 한 사람은 애인이고 다른 한 사람은 모르는 사람이다. 그런데 ⓑ내가 지금 타고 있는 구명보트는 2인용이어서 두 사람을 모두 구할 수가 없다. ⓒ누구를 구할 것인가라는 질문에 대해 공리주의에서는 누구든 좋다고 대답한다. (사례에 나타난 공리주의의 입장 ③) 왜냐하면 ⓓ행위의 평가의 대상이 되는 것은 어떤 '상태'로서의 결과이지 ⓔ나와 행위 연관 당사자 사이의 정서적 유대 따위가 아니기 때문이다.

1 ㉮는 지구 온난화가 태풍을 강하는 만드는 데 미치는 영향에 대해 설명하고 있다. 이에 따라 '지구 온난화', '해수면 온도', '수증기 증발', '저기압' 등과 같은 단어가 반복적으로 제시되어 있다. 그러나 '최대 풍속'은 태풍의 개념을 설명하기 위해 제시되었을 뿐 반복되지 않는다. 이 글은 지구 온난화가 태풍의 세기에 미치는 영향에 대해 설명하는 글이므로 태풍의 개념을 정의하는 데 필요한 말을 반복적으로 제시할 필요가 없는 것이다.

2 ㉮는 지구 온난화가 태풍의 발생과 세기에 미치는 영향에 대해 과학적 사실을 중심으로 설명하고 있는 글이다. 그렇기 때문에 태풍을 초래하는 현상의 원인과 관련하여 제시된 과학적 원리에 주목해야 한다. 즉 해수면 온도가 27℃보다 높아지면 수증기가 증발해 상승하게 되고, 저기압 지역이 생겨, 태풍이 발생한다고 제시한 원리를 정확하게 이해해야 하는 것이다. 그리고 태풍이 발생하고 그 세기가 강해지는 과정을 단계적으로 설명하고 있으므로, 단계 간의 차이점에 유의하여 태풍의 생성 과정을 이해해야 한다.

오답 풀이 이 글에서 대상의 차이점이나 특징을 구체화한 사례들은 나타나지 않으므로, ㄱ, ㄴ은 이 글을 읽는 적절한 방법이 아니다.

3 ㉠에는 행위자나 연관된 당사자의 특수한 이해관계나 욕구, 정서적 유대 등을 무시한다는 공리주의의 입장이 나타나 있다. ⓐ~ⓔ 중에서 특수한 이해관계나 욕구, 정서적 유대 등을 무시한다는 것과 가장 직접적으로 연결되는 것은 ⓒ이다. ⓒ는 누구를 구할 것인가라는 질문에 대해 공리주의에서는 누구든 좋다고 대답한다는 내용인데, 이는 바로 행위자나 연관된 당사자의 특수성을 고려하지 않는다는 의미를 나타내는 구체적 사례이기 때문이다.

오답 풀이 ①, ② ⓐ, ⓑ는 공리주의 입장을 보여 주기 위한 구체적 예시 상황에 대한 설명일 뿐 공리주의의 입장인 ㉠을 구체화한다고 볼 수 없다.

④ ⓓ는 공리주의에서 중시하는 내용을 나타내는 부분으로, ㉠보다는 행위의 가치를 그 행위의 유용성에 둔다는 공리주의의 입장을 구체화한 것에 가깝다.

⑤ ⓔ는 공리주의에서 중요하게 여기지 않는 내용이므로 공리주의 입장과 반대되는 내용이다.

기술 03 글 독해의 기술

바로 확인 본문 25~30쪽

1 감각 경험, 상상 **2** ③ **3** ① **4** ①
5 ㉠ 틀 짓기, ㉡ 틀, ㉢ 다시 틀 짓기, ㉣ 수용자, ㉤ 인지 구조, ㉥ 재구성, ㉦ 여론, ㉧ 여론, ㉨ 뉴스 틀, ㉩ 뉴스 수용자, ㉪ 갬슨, ㉫ 다시 틀 짓기

• 독해 기호 다시 보기

정보 구분	독해 기호의 예
개념	개념어 [네모], 개념 설명 ~~~~
대비되는 짝	△ ⟷ ▽
문제점(한계) – 대안(방안)	문제점(한계) 〈 〉 ⟵ 대안(방안) [ ]
과정	각 단계 구분 /, 과정 완료 //
지칭어(명칭)	지칭어(명칭) ◯
인과(원인(이유) – 결과)	원인(이유) ~~~~ ⟹ 결과 ~~~~
기타, 핵심 정보	견해·주장, 특징 등의 기타 핵심 정보 설명 ~~~~

사물이나 대상의 개념들은 어떻게 생겨날까? 먼저 ㉠'사과', '배'와 같은 사물의 개념 형성에 대해 생각해 보자. '사과', '배'라고 하면 우리는 감각 경험을 통해 인식할 수 있는 어떤 모양이나 맛을 가진 과일을 떠올리는데, 이는 이것들의 공통 성질이다. 따라서 사물의 개념은 각각의 공통 성질을 바탕으로 만들어짐을 알 수 있다.
사물의 개념 형성

병렬

상상의 존재인 ㉡'도깨비', '인어' 같은 대상의 개념은 어떻게 만들어질까? 이들은 감각 경험의 대상은 아니지만, 각각이 지닌 공통된 성질을 감각적으로 떠올릴 수 있다. 이는 상상을 통한 감각 경험의 변형과 결합으로 개념이 만들어짐을 나타낸다.
대상의 개념 형성

1 ㉠은 어떤 모양, 맛을 갖고 있는 사물이다. 이러한 사물들의 성질은 감각 경험을 통해 인식할 수 있는 것들이다. 따라서 ㉠과 같이 어떤 모양이나 맛 등을 갖고 있는 사물들의 개념은 감각 경험을 통해 인식할 수 있는 공통의 성질을 토대로 만들어진다고 할 수 있다.

반면, ㉡은 상상 속 존재들이다. 제시된 글에서는 이러한 대상들에 대한 개념은 상상을 통한 감각 경험의 변형과 결합으로 만들어진다고 말하고 있다.

우리가 흔히 사용하는 일반 ㉠종이는 여러 목재에서 화학적 방법을 통해 얻은 섬유의 집합체인 '펄프'로 만들어지며, [일반 종이의 재료] 산성인 상태로 제작되기 때문에 완성된 종이도 pH 4.5~5의 산성을 띠게 된다. [일반 종이의 화학적 성질] 이런 산성 종이들은 자체적인 변질에 의해서 100년 이상 보존되기가 힘들다. [일반 종이의 단점] 오래된 책방에서 쉽게 볼 수 있는 누렇게 변질된 책들은 이렇게 산성을 띤 종이의 운명을 보여 준다.

[대비]

그러나 ㉡한지 제작 과정은 염기성 상태에서 시작된다. 일반적인 종이는 종이 제작에 필요한 식물 섬유를 뽑아내기 위해 펄프를 빻고 찧는 등 물리적인 힘을 가하는 데 반해, [일반 종이를 만들 때 식물 섬유를 뽑아내는 방법] 한지는 '닥나무'를 [한지의 재료] 염기성을 가진 잿물(pH 9~10)에 넣어 삶아 식물 섬유를 손상 없이 뽑아내기 [한지를 만들 때 식물 섬유를 뽑아내는 방법] 때문이다. 이렇게 섬유를 손상 없이 뽑아낸 후, 최종적으로 중성을 띠는 닥풀에 담가 만들어 낸 한지의 pH는 7.89로, 중성을 띤다. [한지의 화학적 성질] 이렇게 중성을 띠는 한지는 화학적으로 매우 안정되어 있어 오랜 시간 동안 변질되지 않고 보존될 수 있다. [일반 종이와 비교되는 한지의 장점]

오늘날의 민주 정치는 어떻게 발전해 왔을까? 민주 정치는 고대 그리스의 아테네에서 시작되었다. [민주 정치의 시작] 당시에는 시민이라면 누구나 직접 나라의 중요한 일을 결정하고 공직자가 될 수 있었지만, [고대 그리스의 민주 정치의 특성] 여성, 노예, 외국인은 시민으로 인정되지 않았다. [고대 그리스의 민주 정치의 한계]

고대 아테네 이후 사라졌던 민주 정치는 근대에 이르러 시민 혁명으로 다시 등장하게 되었다. [근대 민주 정치의 시작] 상공업으로 부를 쌓은 시민 계급이 경제 활동의 자유와 정치에 참여할 권리를 요구하며 왕이 지배하는 봉건적 질서에 저항하였고, 이를 계기로 시민이 참여하는 의회 중심의 대의 민주 정치가 형성되었다. [근대 민주 정치의 특성] 그러나 당시 시민은 재산을 가진 남성으로 한정되었고, 가난한 사람과 여성, 노동자, 농민은 제외되었다. [근대 민주 정치의 한계]

근대 시민 혁명 이후에도 여전히 정치에서 배제된 사람들은 정치에 참여할 수 있는 권리(참정권)를 요구하는 운동을 전개하였고, [현대 민주 정치를 위한 노력] 이러한 노력의 결과로 성별, 신분, 재산 등과 관계없이 일정한 나이 이상의 모든 국민에게 참정권이 주어지는 [현대 민주 정치의 특성] 현대 민주 정치가 자리잡게 되었다.

2 이 글은 일반 종이와의 대비를 통해 한지의 우수성을 설명하고 있는 글이다. 한지는 재료와 제작 과정에서부터 일반 종이와 차이가 있는데, 종이는 식물 섬유를 뽑아내기 위해 펄프를 빻고 찧는 등 물리적인 힘을 가한다고 하였다. 그러나 한지는 닥나무를 잿물에 넣어 삶아 식물 섬유를 손상 없이 뽑아낸다고 하였다. 따라서 물리적인 힘을 가해 식물 섬유를 뽑아내는 것은 일반 종이의 제작 방법이므로, ③은 적절하지 않다.

오답 풀이 ① 첫 번째 문단에서 일반 종이는 산성인 상태로 제작되어 완성된 종이도 산성을 띠는데, 이런 산성 종이들은 자체적인 변질에 의해 100년 이상 보존되기가 힘들다고 밝히고 있다.

② 두 번째 문단에서 한지는 재료인 닥나무를 염기성을 가진 잿물에 넣어 삶아 식물 섬유를 뽑아낸다고 하였으므로 이 과정에서 한지는 염기성을 띠게 된다. 하지만 섬유를 뽑아낸 후 중성을 띠는 닥풀에 풀어 놓았다가 건지게 되면 최종적으로 한지의 pH는 7.89가 되어, 중성을 띠게 된다.

3 민주 정치의 발전 과정을 '고대–근대–현대'로 시대의 흐름에 따라 설명하고 있는 글이다. 민주 정치는 고대 그리스의 아테네에서 시작되었다가 그 이후에 사라진 후 근대 시민 혁명을 계기로 다시 등장하였다. 그러나 근대에도 모든 국민에게 정치에 참여할 수 있는 권리가 주어지지는 않았으며, 참정권을 갖기 위한 노동자와 여성의 많은 노력 끝에 현재의 민주 정치가 자리잡게 되었다. 고대 그리스의 아테네에서는 시민들에게만 참정권이 주어졌지만, 당시에는 여성과 노예, 외국인은 시민으로 인정하지 않았다고 하였다. 따라서 아테네에 사는 사람이라면 누구나 공직자가 될 수 있었다는 내용은 적절하지 않다.

오답 풀이 ② 두 번째 문단에서는 시민 혁명을 통해 시민이 참여하는 의회 중심의 대의 민주 정치가 형성되었다고 하였다. 하지만 당시에 시민은 재산을 가진 남성으로 한정되었으므로, 재산을 가진 남성만이 정치에 참여할 수 있었다.

③ 두 번째 문단에서 근대 민주 정치에서 가난한 사람과 여성, 노동자들은 참정권이 없어 정치에 참여할 수 없었다고 하였다. 그리고 세 번째 문단에서 노동자와 여성 등 정치에서 배제된 사람들의 운동을 통해 모든 국민이 일정한 나이를 넘으면 정치에 참여할 수 있는 현대 민주 정치가 자리잡게 되었다고 밝히고 있다. 따라서 현대 민주 정치 제도에서는 일정한 나이 이상의 노동자와 여성도 참정권을 가진다고 할 수 있다.

일반적으로 실업은 일을 할 수 있는 능력이 있을 뿐만 아니라 일할 생각을 가지고 있지만 일자리를 갖지 못한 상태를 말한다. (실업의 개념)

실업은 경제적으로나 개인적으로 여러 가지 폐해를 초래한다. 경제적으로 실업이 증가한다는 것은 그 경제 사회가 생산할 수 있는 재화와 용역의 양이 생산되지 못함을 의미한다. (실업의 폐해 ①) 여기서 생산할 수 있는데도 불구하고 생산하지 못하는 재화와 용역의 양이 바로 실업의 경제적 손실이다. (실업으로 인한 경제적 손실) 이러한 경제적 손실과 달리 쉽게 계산될 수 없는 실업의 폐해도 있다. 그것은 실업을 경험하는 개인이 느끼는 실의와 좌절감이다. (실업의 폐해 ②)

대부분의 국가에서는 실업을 해소하기 위해 여러 가지 정책을 시행하고 있다. 정부가 공공 취로 사업을 늘리고, (실업 해소를 위한 정부 정책 ①) 기업에게 고용 시 세금을 감면해 주거나 보조금을 지급하는 등의 제도를 도입하고, (실업 해소를 위한 정부 정책 ②) 기업의 기술 훈련 제도를 지원하는 것이 그 예에 해당한다. (실업 해소를 위한 정부 정책 ③)

4 제시된 글의 첫 문단에서 실업의 개념을 소개하고 있다. 그리고 두 번째 문단에서 실업이 초래하는 문제점들을 설명하고 있으며, 세 번째 문단에서는 대부분의 국가에서 실업의 해소를 위해 시행하고 있는 정책들을 제시하고 있다. 따라서 제시된 글은 실업의 개념을 소개하고 문제점을 밝힌 후 해결 방안을 제시하고 있다고 설명할 수 있다.

오답 풀이 ② 실업률을 구하는 방법과 실업을 초래하는 원인은 이 글에 나타나지 않는다.

③ 실업을 해소하기 위한 정부의 정책은 소개되어 있지만, 실업 해결을 위한 기존의 방안과 그에 대한 문제점 지적은 나타나 있지 않다.

가 뉴스(개념어)는 언론이 현실을 '틀 짓기[framing]' 하여 전달한 것이다. (핵심 정보) 틀 짓기(개념어)란 일정한 선택과 배제의 원리에 따라 현실을 구성하는 것을 말한다. (개념 설명) 그런데 수용자는 이러한 뉴스를 그대로 받아들이지는 않는다. 수용자는 능동적인 행위자가 되어 언론이 전하는 뉴스의 의미를 재구성한다./(단계 구분) 이렇게 재구성된 의미들을 바탕으로 여론이 만들어지고,/(단계 구분) 이것은 다시 뉴스 구성의 '틀[frame]'에 영향을 준다. (핵심 정보) //(과정 완료) 이를 뉴스 틀 짓기에 대한 수용자의 '다시 틀 짓기[reframing]'(개념어)라고 한다. '다시 틀 짓기'가 가능한(결과 ⇑) 이유는 수용자가 주체적인 의미 해석자로, 사회 속에서 사회와 상호 작용하는 존재이기 때문이다. (이유)

나 그렇다면 수용자의 주체적인 의미 해석은 어떻게 가능할까?(결과 ⇑) 그것은 수용자가 외부 정보를 해석하는 인지 구조를 갖고 있기 때문이다. (이유) 인지 구조(개념어)는 경험과 지식, 편향성(지칭어) 등으로 구성되는데, 뉴스 틀과 수용자의 인지 구조는 일치하기도 하고 갈등하기도 한다. (핵심 정보) 이 과정에서 수용자는 자신의 경험, 지식, 편향성 등에 따라 뉴스가 전달하는 의미를 재구성하게 된다. (핵심 정보) 즉 수용자에 의한 주체적 해석(개념어)이 이루어지는 것이다.

다 특정 화제에 대한 수용자의 다양한 해석들은/(단계 구분) 수용자들이 사회 속에서 상호 작용하는 과정에서 여론의 형태로 나타난다./(단계 구분) 이렇게 형성된 여론은 다시 뉴스 틀에 영향을 주며,/(단계 구분) 이에 따라 새로운 틀과 여론이 만들어진다.//(과정 완료) 새로운 틀이 만들어짐으로써(원인 ⇓) 특정 화제에 대한 사회적 논의들은 후퇴하거나 발전할 수 있으며, 보다 다양해질 수 있다. (결과)

라 사회학자 갬슨(명칭)은 뉴스와 뉴스 수용자의 관계를 주체와 객체의 고정된 관계가 아닌, 상호 작용을 바탕으로 하는 역동적인 관계로 보았다. (핵심 정보) 이러한 역동성은 수용자인 우리가 능동적인 행위자로 '다시 틀 짓기'를 할 때 가능하다. 그러므로 우리는 뉴스로 전해지는 내용들을 언제나 비판적으로 바라보고 능동적으로 해석해야 하며, (핵심 정보) 수용자의 해석에 따라 형성되는 여론에 대해서도 항상 관심을 가져야 한다. (핵심 정보)

5 가에서는 '틀 짓기'의 개념을 제시하고 있으며, 뉴스 수용자가 뉴스의 의미를 재구성하는 과정에 주목하여 '다시 틀 짓기'의 개념도 제시하고 있다. 따라서 이들 개념에 주목하는 읽기를 해야 한다.

나에서는 수용자의 주체적인 의미 해석이 가능한 이유를 설명하고 있다. 그 이유로 인지 구조에 따라 뉴스의 의미가 재구성되는 것을 제시했으므로, 이러한 이유에 주목하여 독해해야 한다.

다는 수용자들의 다양한 해석이 여론의 형태로 나타나고, 이 여론이 다시 뉴스 틀에 영향을 주는 것에 대해 설명하고 있다. 따라서 이러한 과정에 주목해서 독해해야 한다.

라는 뉴스와 뉴스 수용자의 관계에 대한 갬슨의 견해를 제시하고 있으므로, 갬슨의 견해를 세부적으로 이해한 후 핵심 정보에 주목하는 독해를 해야 한다.

기술 적용 본문 31~32쪽

1 ② **2** ② **3** ㉠ 병렬적, ㉡ 핵심 내용 **4** ④

[1~2]

오케스트라와 지휘자

• **해제** 이 글은 시간의 흐름에 따라 오케스트라의 규모가 어떻게 변화해 왔는지를 제시하면서, 오케스트라의 변화에 따른 지휘자의 역할 변화에 대해 설명하고 있다.

• **문단 요약**

- 가 오늘날 오케스트라에서 지휘자의 위상
- 나 17세기 오케스트라에서 지휘자의 역할
- 다 18세기 오케스트라에서 지휘자의 역할
- 라 19세기 오케스트라에서 지휘자의 역할
- 마 오케스트라의 변화와 그에 따른 지휘자의 역할 변화 양상

• **주제** 오케스트라의 변화와 지휘자의 역할 변화 양상

가 오케스트라 공연에서 지휘자는 연주자들이 박자를 잘 맞출 수 있도록 손으로 표시할 뿐 아니라 여러 가지 표정, 몸짓 등으로 감정을 표하거나 음악의 느낌을 이끌어 낸다. 공연이 끝난 뒤 박수를 많이 받고 가장 주목받지만, 지휘자가 오케스트라에서 이와 같은 위상을 갖게 된 것은 그리 오래된 일이 아니다.
(오늘날 오케스트라에서 지휘자의 역할 ①) (오늘날 오케스트라에서 지휘자의 역할 ②)

나 지금보다 오케스트라의 규모가 작고 음악이 복잡하지 않았던 시대에는 연주자들끼리 박자를 맞추고 신호를 주고받으면서 연주했다. 12명에서 15명 정도로 구성된 17세기 실내 오케스트라에서는 첼발로 연주자가 다른 연주자들을 이끌고 지휘자 역할을 했는데, 그는 대개 그 음악의 작곡가였다. 그는 지휘 없이 약박에서 손을 올리고 강박에서 손을 내려 긋는 등의 비교적 단순한 동작으로 지휘했다.
(17세기 오케스트라에서의 지휘자)

다 18세기에 좀 더 복잡해진 근대적 형태의 오케스트라가 출현하자, 이들의 조화를 이끌어 낼 수 있는 지휘자가 필요해졌다. 이 시기의 오케스트라에서는 첼발로 연주자 외에, 오케스트라 제1바이올린 파트의 리더이자 전체 오케스트라를 대표했던 악장이 활로 지휘하며 연주자들을 이끌기도 했다. 하지만 이 당시까지의 지휘자는 다른 연주자들과 함께 박자를 맞추며 합주하는 것이 여전히 더 중요한 일이었고, 전체를 이끄는 것은 부차적인 일이었다.
(18세기 오케스트라의 변화) (18세기 오케스트라에서의 지휘자) (18세기까지의 지휘자의 주요 역할)

라 오케스트라의 규모가 커지고 음악이 더욱 복잡해진 19세기에는 지휘를 전담하는 지휘자가 등장했다. 이때부터 지휘자는 악보의 내용을 단순히 재현하는 역할을 넘어, 작품을 새롭게 해석해서 창조하는 예술가의 역할을 하게 되었다. 또한 이 시기부터 지휘자는 지휘봉을 사용하여 곡에 대한 자신의 독창적인 해석을 자유자재로 표현할 수 있게 되었다. 19세기부터 지휘자가 독립적이고 전문적인 역할을 한 것이다.
(19세기 오케스트라의 변화) (19세기 오케스트라에서 지휘자의 역할 ①) (19세기 오케스트라에서 지휘자의 역할 ②) (19세기 오케스트라에서 지휘자의 역할)

마 오케스트라는 그 규모가 커지고 연주되는 음악이 복잡해지면서 다양한 악기 소리들을 아름답게 조율해 낼 필요가 생겼다. 이러한 과정을 통해 지휘자는 음악을 단순하게 재현하는 역할에서 창조적으로 해석하는 역할을 하게 되었다.
(지휘자의 역할의 변화)

1 나~라에서는 시간 순서에 따라 오케스트라 지휘자의 역할에 일어난 변화에 대해 설명하고 있는데, 나에서는 17세기, 다에서는 18세기, 라에서는 19세기의 지휘자의 역할 변화에 대해 설명하고 있다. 따라서 이 글을 읽을 때에는 이러한 단계를 파악하고, 각 단계 간의 차이점에 주목하여 변화 과정을 정확하게 이해하는 읽기를 해야 한다.

오답 풀이 ① 이 글에는 이론 관련한 내용이 나타나지 않는다.
③ 이 글에서는 오케스트라 지휘자의 역할이 시간에 따라 변화한 과정을 설명하고 있으므로, 대상의 특징이 아니라 대상의 변화 과정에 초점을 두고 읽어야 한다.
④ 이 글에는 현상과 원리에 대한 내용은 나와 있지 않다.
⑤ 이 글은 대상의 변화 과정이 드러난 글이므로, 문제와 해결 방안의 관계로 문단 간의 관계를 파악하며 읽는 것은 적절하지 않다.

2 다를 바탕으로 할 때, 18세기에는 첼발로 연주자 외에 제1바이올린 파트의 리더이자 전체 오케스트라를 대표하는 악장이 활로 지휘하며 연주자를 이끌기도 했다. 하지만 이 당시까지의 지휘자는 다른 연주자들과 함께 박자를 맞추며 합주하는 것이 여전히 더 중요한 일이었고, 전체를 이끄는 것은 부차적인 일이었다. 따라서 18세기에 오케스트라 전체를 이끄는 것이 지휘자의 주요 역할이 되었다고 이해하는 것은 18세기에 일어난 변화에 대해 잘못 이해한 것이다.

오답 풀이 ① 나에서 17세기에 실내 오케스트라에서는 첼발로 연주자가 지휘자 역할을 했으며, 대개 그 음악의 작곡가라고 하였다.
③ 다에서 오케스트라 제1바이올린 파트의 리더이자 전체 오케스트라를 대표했던 악장이 연주자들을 이끌기도 했다고 언급하였다.
④ 라에 19세기에 오케스트라의 규모가 커지고 음악이 더욱 복잡해져 지휘자가 지휘봉을 사용하여 곡에 대한 자신의 독창적인 해석을 표현할 수 있게 되었다는 내용이 나타나 있다.
⑤ 나~라에서 17세기부터 19세기에 이르는 동안의 오케스트라의 규모의 변화에 따른 지휘자의 역할에 대해 설명하고 있다. 그리고 마에서 오케스트라의 규모와 연주되는 음악의 변화 양상에 따라 지휘자의 역할이 달라졌음을 정리하고 있다.

[3~4]

전체를 위한 세포의 희생

- **해제** 우리 몸이 제대로 기능하도록 도와주며, 정상 세포가 암이 되지 않도록 우리 몸을 보호하는 아포토시스에 대해 설명하고 있는 글이다. 아포토시스의 개념을 제시하고, 대비의 방법을 사용하여 그 특징과 과정, 영향을 미치는 요인 등을 설명하고 있다.
- **문단 요약**
  - 가 세포의 특징과 아포토시스의 개념
  - 나 아포토시스의 특징과 아포토시스가 일어나는 과정
  - 다 인체 내에서 아포토시스가 일어나는 두 가지 경우
  - 라 아포토시스의 발생에 영향을 미치는 두 유전자의 역할
  - 마 우리 몸을 보호하는 아포토시스의 중요한 역할
- **주제** 아포토시스가 일어나는 과정과 그에 영향을 미치는 요인

가 '어떤 목적을 위하여 자신의 목숨, 재산, 명예, 이익 따위를 바치거나 버리는 정신'을 일컫는 '희생정신'이란 말이 있다. 우리 몸에서 희생정신을 충실하게 실천하고 있는 것이 바로 세포이다. 세포는 전체 개체에 유익한 경우, 자신을 던져 전체를 살리는 희생정신을 발휘한다. 이러한 세포의 죽음을 '아포토시스'라고 한다.

나 아포토시스는 세포가 생체 에너지 ATP를 적극적으로 소모하면서 죽음에 이르는 과정을 말한다. 세포가 손상되어 어쩔 수 없이 죽음에 이르는 '네크로시스'와 달리, 아포토시스에서는 세포는 쪼그라들고, 세포 내의 DNA는 규칙적으로 절단된다. 쪼그라들어 단편화된 세포 조각들은/주변의 식세포가 잡아먹게 되는데,/이로써 아포토시스가 종료된다.//

다 인체 내에서 아포토시스가 일어나는 경우는 크게 두 가지이다. 하나는 발생과 분화의 과정 중에 불필요한 부분을 없애기 위해서 일어나는 것이다. 올챙이가 개구리가 되면서 꼬리가 없어지는 것이 대표적인 예이다. 다른 하나는 세포가 심각하게 훼손되어 암세포로 변할 가능성이 있을 때 전체 개체를 보호하기 위해 아포토시스가 일어나는 것이다. 「방사선, 화학 약품, 바이러스 감염 등으로 유전자 변형이 일어나면/세포는 이를 감지하고/자신이 암세포로 변해 전체 개체에 피해를 입히기 전에 죽음을 결정한다./이때 아포토시스 과정에 문제가 있는 세포는 죽지 못하고 암세포로 변한다.//」

라 아포토시스가 일어나는 데는 수많은 유전자와 단백질이 관여하지만, 가장 중요한 역할을 하는 유전자는 p53이다. 많은 세포에서 p53은 세포의 DNA가 심각한 손상을 입는 경우, 세포 분열을 멈추고 아포토시스가 일어나도록 시동을 켜는 역할을 한다. 반면 bcl-2 유전자는 아포토시스가 일어나지 않도록 방해하는 역할을 한다. 일단 아포토시스가 일어나도록 결정이 되면,/단계적인 유전자 조절 과정을 거쳐 캐스패이즈라는 효소를 활성화시키게 되는데,/이들이 미토콘드리아의 핵심 단백질 NDUSF1을 파괴하여/세포 사멸에 이르게 한다.//

마 아포토시스는 발생 과정에서 몸의 형태 만들기를 담당하고, 성체에서는 정상적인 세포를 갱신하거나 이상이 생긴 세포를 제거하는 일을 담당한다. 아포토시스가 우리 몸이 제대로 기능하도록 도와주며 정상 세포가 암이 되지 않도록 우리 몸을 보호하는 중요한 역할을 하고 있는 것이다.

3 가에서 '아포토시스'를 글의 중심 화제로 제시하고 있으며, 나~라에서 각각 아포토시스가 일어나는 과정, 아포토시스가 일어나는 경우, 아포토시스의 발생에 영향을 미치는 요인 등에 대해 병렬적으로 설명하고 있다. 그리고 마에서 앞서 설명한 핵심 내용을 요약적으로 정리하며 글을 마무리하고 있다.

4 p53은 세포의 DNA가 심각한 손상을 입은 경우, 아포토시스가 일어나도록 시동을 켜는 역할을 한다. 캐스패이즈라는 효소가 활성화되는 것은 아포토시스가 일어나도록 결정이 된 후이다. 따라서 아포토시스 과정에서 p53이 캐스패이즈 효소를 활성화시키는 방법을 파악하며 읽는 것은 라를 읽는 방법으로 적절하지 않다.

오답 풀이 ① 가에서는 희생정신의 의미를 밝히며 세포의 희생정신이 발휘된 현상인 아포토시스를 제시하고 있으므로, 희생정신의 의미와 관련하여 중심 화제인 아포토시스의 개념을 이해하며 읽어야 한다.

② 나에서는 아포토시스와 네크로시스의 특징을 대조적으로 드러내며, 아포토시스의 과정을 밝히고 있다. 따라서 대조되는 대상의 차이점에 주목하여 아포토시스의 과정을 이해하며 읽어야 한다.

③ 다에서는 아포토시스가 일어나는 두 가지 경우를 구체적인 사례와 함께 설명하고 있으므로 사례를 바탕으로 아포토시스가 일어나는 두 가지 경우를 정확하게 파악하며 독해해야 한다.

⑤ 마에서는 아포토시스의 기능을 나열하며 우리 몸에서 아포토시스의 중요성에 대해 정리하고 있으므로, 아포토시스의 역할과 그 중요성을 바르게 이해하며 독해해야 한다.

인문 01 모두가 '예' 하면, 나도 '예' 한다?

본문 34~35쪽

1 ③ 2 ④ 3 ②

① 「친구들과 중국집에 가서 음식을 주문할 때, 모두 짬뽕을 주문하면 내키지 않지만 자신도 짬뽕을 시키게 되는 경우가 종종 있다. 또한 자신은 별로 입고 싶지 않았지만, 주변에서 모두 패딩을 입고 다니는 것을 보면 왠지 자신도 그 패딩을 입어야 할 것 같은 생각이 들기도 한다.」 이러한 현상은 모두 동조라는 심리적 현상과 관련이 있다.
「」: 문제 1 - ⑤ 관련, 일상생활에서 동조가 일어나는 경우
1문단 요약 답 자신의 의도와는 달리 다른 사람들의 선택을 따라 하는 현상은 (동조)와 관련이 있다.

② 동조란 자신의 판단과 다르더라도 타인이 선택한 것을 따라 하는 현상을 말한다. 동조는 나와 대등한 위치에 있는 사람에게도 영향을 받을 수 있으며 자발적이라는 점에서 나보다 권위 있는 사람이 시키는 대로 따라 하는 복종과는 다르다.
문제 3 - ④ 관련, 동조의 정의 / 동조의 특징 / 문제 1 - ② 관련, 복종의 특징
2문단 요약 답 동조는 자신의 판단과 다르더라도 (타인이 선택한 것)을 따라 하는 현상을 말한다.

③ 동조 현상과 관련해서 미국의 사회 심리학자 솔로몬 애쉬의 선분 맞히기 실험이 있다. 이 실험에서 실험자는 참가자 6명을 책상에 둘러앉힌다. 이 중 6번 참가자를 제외한 나머지 참가자는 실험자와 공모한 실험 협조자들이다. 실험자는 참가자들에게 하나의 기준선을 보여 주고, 비교선 A, B, C를 제시한 후 이 중 기준선과 동일한 길이의 선분이 어느 것인지 맞히도록 하였다. 1번부터 5번 참가자에게 누가 봐도 명백히 오답인 A를 선택하게 한 뒤, 진짜 참가자인 6번 참가자에게도 하나를 선택하게 한다. 그 결과 6번 참가자는 다른 참가자들이 선택한 틀린 답에 동조하는 경향을 보였다. 집단의 잘못된 견해에 동조하는 현상이 나타난 것이다. 이는 실제 생활에서 대부분의 사람이 집단의 선택과 다른 생각을 하고 있더라도 집단의 압력에 굴복하게 된다는 것을 보여 준다.

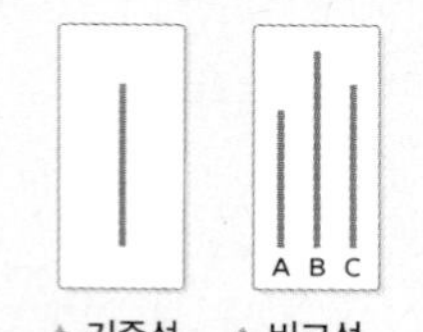

▲ 기준선 ▲ 비교선

선분 맞히기 실험의 결과 / 애쉬의 선분 맞히기 실험을 통해 알 수 있는 내용
3문단 요약 답 애쉬의 (선분 맞히기 실험)은 집단의 선택에 동조하는 현상이 나타남을 보여 준다.

④ 동조 현상이 발생하는 이유는 크게 두 가지로 설명할 수 있다. 우선 사람들은 자신이 가진 정보보다 집단이 지닌 정보의 가치를 높이 평가해 다수의 판단에 따르려고 하기 때문이다. 또 집단으로부터 배척당하는 것을 두려워하고, 인정을 받고 싶은 심리가 압박감으로 작용하기 때문이다.
문제 1 - ① 관련, 동조가 일어나는 원인 1 / 문제 1 - ①, 문제 2 - ④, 문제 3 - ⑤ 관련, 동조가 일어나는 원인 2
4문단 요약 답 집단이 지닌 (정보의 가치)를 더 높이 평가하고 집단으로부터 심리적 압박이 작용하기 때문에 동조가 일어난다.

⑤ 한편 동조는 개인의 심리 작용에 영향을 미치는 요인이 무엇이냐에 따라 그 강도가 다르게 나타난다. 「가지고 있는 정보가 부족하여 자신의 판단에 확신이 들지 않을수록 동조 현상은 강하게 나타난다. 또 집단의 구성원 수가 많고 그 결속력이 강할수록, 정보를 제공하는 사람의 권위와 그에 대한 신뢰도가 높을수록 동조 현상은 강하게 나타난다.」 그러나 만약 단 한 명이라도 집단으로부터 이탈자가 생기면 동조의 정도는 급격히 약화될 수 있다.
「」: 문제 1 - ④ / 문제 2 - ④ 관련, 동조의 강도를 높이는 요인 1 / 문제 3 - ② 관련, 동조의 강도를 높이는 요인 2 / 문제 3 - ① 관련, 동조의 강도를 높이는 요인 3 / 동조 현상에 동의하지 않는 사람 / 문제 3 - ③ 관련, 동조의 강도가 약화되는 요인
5문단 요약 답 개인의 심리 작용에 영향을 미치는 요인이 무엇이냐에 따라 동조의 (강도)가 다르게 나타난다.

해제 | 이 글은 동조의 개념과 동조를 일으키는 요인 등에 대해 실생활의 예를 들어 설명하고 있다.
주제 | 동조의 개념과 발생 요인

지문 분석하기

동조의 개념	동조의 (원인)	동조가 강화되는 요인
자신의 판단과 다르더라도 타인의 선택을 따라 하는 현상	• 집단의 정보 가치를 더 높이 평가하기 때문에 • 집단으로부터 심리적 압박이 작용하기 때문에	• 정보의 (부족)(으)로 자신의 판단에 확신이 들지 않을 경우 • 집단의 구성원 수가 많고 결속력이 강할 경우 • 정보를 제공하는 사람의 권위와 그에 대한 (신뢰도)이/가 높을 경우

1 이 글에서 동조로 인한 문제점에 대해서는 설명하고 있지 않다.

오답 풀이 ① 4문단에 동조 현상이 일어나는 이유가 나타나 있다.
② 2문단에 동조와 복종을 대비하여 이들의 차이점을 제시하고 있다.
④ 5문단에 동조의 강도를 높이는 요인이 제시되어 있다.
⑤ 1문단에 일상생활에서 동조가 일어나는 경우를 제시하고 있다.

2 동조란 자신의 판단과 다르더라도 타인이 선택한 것을 따라 하는 현상을 말하는데, 집단으로부터 압박감이 작용할 때 발생하며, 정보가 부족하여 자신의 판단에 확신이 들지 않을수록 더 강하게 나타난다.

오답 풀이 ① 타인의 판단에 굴복하여 자신의 선택을 바꾸는 것은 복종하는 것으로 볼 수 있다.
② 동조는 자신의 문제를 해결하기 위한 것도 아니고 타인의 힘을 빌리는 것과도 다르다.
③ 이 글의 내용으로 볼 때 동조가 합리적 판단에 따른 것이라고 보기는 어렵다.
⑤ 더 나은 대안을 찾기 위해 타인의 선택을 개방적으로 수용하는 것은 동조와 거리가 있다.

3 5문단에서 집단의 구성원 수가 많고 그 결속력이 강할수록 동조 현상이 강하게 나타난다고 하였으므로, 왕과 백성들의 결속력이 강했다면 백성들이 진실을 말하기가 더 쉬웠을 것이라는 내용은 적절하지 않다.

오답 풀이 ① 정보를 제공하는 사람의 권위가 높을수록 동조 현상은 강하게 나타난다.
③ 왕이 벌거벗었다고 소리친 아이로 인해 동조의 정도가 급속히 약화되었으므로, 아이는 동조를 약화시킨 이탈자로 볼 수 있다.
④ 백성들은 자신이 직접 본 것보다 집단이 보이는 반응을 따르고 있는데, 이러한 현상을 동조라고 한다.
⑤ 백성들이 본 것을 사실대로 말하지 못한 것은 집단에서 배척당하고 싶지 않은 심리적 압박감이 작용했기 때문이다.

인문 02 좋은 것과 옳은 것

본문 36~37쪽

1 ④ 2 ⑤ 3 ⑤

① 윤리는 사람이 마땅히 지켜야 할 도리를 말한다. 그런데 무엇을 윤리로 볼 것인가에 대해서 많은 논란이 있다. 이와 관련하여 서양에서는 윤리를 크게 ㉠'목적을 중시하는 윤리'와 ㉡'의무를 중시하는 윤리'로 나누어 왔다. 우선 목적을 중시하는 윤리는 어떤 행위가 좋은 결과를 가져온다면 그것이 곧 윤리라고 본다. 즉 '좋은 것'이 윤리라는 것이다. 이러한 논리에 따르면 좋은 결과를 낼 수 있다면 어떠한 수단도 정당화될 수 있다.

윤리의 개념 / 문제 2 - ① 관련, 목적을 중시하는 윤리의 관점 / 문제 1 - ④ 관련, 목적을 중시하는 윤리의 특징

1문단 요약 답 목적을 중시하는 윤리는 행위에 따른 좋은 결과, 즉 (**좋은 것**)이 윤리라고 본다.

② 반면 의무를 중시하는 윤리는 우리가 마땅히 지켜야 할 도덕적 의무, 즉 '옳은 것'이 미리 존재한다고 본다. 그리고 '옳은 것'을 위반하면 그 결과가 아무리 좋다고 하더라도 결코 윤리적인 행위로 볼 수 없다는 것이다. 즉 상황에 따라 윤리의 기준이 달라질 수 없으며, 목적이 아무리 옳아도 수단이 정당하지 않으면 안 된다는 것이다.

문제 2 - ④ 관련, 의무를 중시하는 윤리의 관점 / 문제 1 - ④ 관련, 의미를 중시하는 윤리의 특징 / 문제 2 - ② 관련

2문단 요약 답 (**의무**)를 중시하는 윤리는 옳은 것이 미리 존재한다고 본다.

③ 그런데 의무를 중시하는 윤리는 몇 가지 해결해야 할 문제점을 안고 있다. 예를 들어 자신이 진실을 말했을 때 무고한 사람이 죽게 될 경우, '진실을 말해야 한다.'라는 도덕적 의무와 '무고한 사람을 죽게 해서는 안 된다.'라는 도덕적 의무가 서로 부딪치게 된다. 이러한 상황에서는 어떠한 도덕적 의무를 따라야 하는지 판단하기 어렵다. 이러한 이유로 의무를 중시하는 윤리는 평범한 사람들이 실천하기 어려운 윤리라는 평가를 받는다.

문제 1 - ④ 관련 / 문제점 1 / 문제점 2

3문단 요약 답 의무를 중시하는 윤리에서는 (**도덕적 의무**)가 서로 부딪치게 되는 문제점이 있다.

④ 그래서 사람들은 목적을 중시하는 윤리에 더 끌리게 된다. 목적을 중시하는 윤리를 대표하는 것이 바로 '공리주의'이다. 공리주의자들은 '최대 다수의 최대 행복'을 중요하게 생각하며, 이를 위해서라면 도덕적 의무를 어겨도 좋다고 말한다. 이처럼 공리주의는 도덕적 의무보다 행위가 가져올 결과를 더 중시한다. 하지만 공리주의 윤리에서도 해결해야 할 문제가 있다. 행위의 결과만을 중요하게 생각하기 때문에 윤리적 행위를 하기까지의 내적 동기를 너무 가볍게 여기는 것이다. 또한 다수에게 이익이 되는 행위가 일반적인 도덕적 의무와 서로 부딪칠 수도 있다. 예를 들어 노숙자들을 한곳에 감금해 놓으면 다수의 사람이 느끼는 불편함은 크게 해소할 수 있겠지만, 이것은 개인의 자유와 권리를 존중해야 한다는 도덕적 의무에서는 크게 벗어나는 것이다.

문제 2 - ⑤, 문제 3 - ⑤ 관련 / 문제 1 - ④ 관련 / 문제 2 - ③ 관련 / 문제점 2 / 문제 3 - ④ 관련, 문제점 1

4문단 요약 답 사람들은 (**목적**)을 중시하는 윤리에 더 끌리지만, 이 또한 여러 가지 문제점이 있다.

⑤ 이와 같이 목적을 중시하는 윤리와 의무를 중시하는 윤리에서 각각의 문제점이 발생하므로 두 가지 윤리를 대신할 새로운 윤리가 절실히 필요하다. 이 때문에 현대 윤리학자들은 이 두 가지 윤리설을 대신할 새로운 윤리를 구상하기 위해 많은 노력을 기울이고 있다.

기존 윤리의 문제점 / 문제 1 - ④ 관련, 새로운 윤리의 필요성

5문단 요약 답 두 가지 윤리설을 대신할 수 있는 (**새로운 윤리**)가 필요하다.

해제 | 이 글은 목적을 중시하는 윤리와 의무를 중시하는 윤리의 특징과 문제점을 대비하여 설명하고 있다.
주제 | 목적을 중시하는 윤리와 의무를 중시하는 윤리의 특징과 문제점

지문 분석하기

서양 윤리의 두 흐름			새로운 윤리의 (필요성)
	(목적)을/를 중시하는 윤리	• 행위에 따른 좋은 결과, 즉 좋은 것이 윤리임. • (다수)에게 이익이 되는 행위가 일반적인 도덕적 의무와 부딪칠 수 있음.	
	의무를 중시하는 윤리	• 지켜야 할 도덕적 의무, 즉 (옳은 것)이/가 미리 존재함. • 두 가지 도덕적 의무가 부딪치는 경우, 윤리를 실천하기 어려움.	

1 이 글에서는 '목적을 중시하는 윤리'와 '의무를 중시하는 윤리'의 특징과 각각의 윤리설이 안고 있는 문제점을 설명한 후 이들을 대신할 새로운 윤리가 필요하다는 점을 언급하였다.

오답 풀이 ① 두 가지 윤리설의 문제점을 검토하였으나 하나의 관점을 제시한 것은 아니며, 해결 방안도 제시하고 있지 않다.
② 두 가지 윤리설의 특징과 문제점을 비교하였으나, 이들을 절충한 새로운 윤리설을 이끌어 내지는 않았다.

2 윤리의 기준이 대다수가 누릴 수 있는 행복에 있어야 한다고 본 윤리설은 ㉠이다. 따라서 ㉡도 대다수의 행복을 윤리의 기준으로 본다고 설명한 ⑤는 적절하지 않다.

오답 풀이 ① ㉠은 좋은 결과에 도움이 된다면 어떠한 수단도 정당화될 수 있다고 보는 입장이다.
② ㉡은 결과가 아무리 좋다고 하더라도 수단이 정당하지 않으면 안 된다고 보는 입장이다.
③ ㉠은 행위에 따른 결과를 중요하게 생각하므로, 결과에 따라 행위의 가치가 달라진다고 볼 수 있는 반면, ㉡은 상황에 따라 윤리가 달라질 수 없다고 본다.
④ ㉡은 어떠한 상황에서도 지켜야 할 도덕적 의무가 있다고 본 점에서, 결과에 따라 윤리에 대한 판단이 달라진다고 본 ㉠과 구별된다.

3 목적을 중시하는 윤리의 대표적인 것이 공리주의이다. 공리주의는 다수에게 이익이 되는 것을 윤리로 본 반면, ㉡은 마땅히 지켜야 할 도덕적 의무가 존재한다고 보았기 때문에 ㉡의 입장에서는 공리주의자에게 ⑤와 같은 질문을 던질 수 있다.

오답 풀이 ① ㉡의 입장에서 다수의 주장인가 소수의 주장인가는 윤리 여부를 판단하는 기준이 아니다.
②, ③ 목적을 중시하는 윤리는 도덕적 의무를 설정하지 않으므로 예외적인 상황의 기준을 따져 물을 수 없다.
④ 공리주의에서는 윤리적 행위를 하기까지의 내적 동기를 중요하게 생각하지 않는다.

사회 03 대한민국은 민주 공화국이다

본문 38~39쪽

1 ④ **2** ② **3** ①

① 헌법은 국가의 통치 조직과 통치 작용의 기본 원칙을 규정한 근본적 규범으로, 국가를 구성하는 최상위 법규이자 국가 구성원들의 가장 기본적인 합의이다. 우리 헌법 제1조 제1항은 '대한민국은 민주 공화국이다.'라고 규정하고 있다. 이 말 속에는 어떠한 뜻이 담겨 있는 것일까?

헌법의 의미 / 문제 1 - ③, 문제 2 - ⑤ 관련 / 우리 헌법 제1조 제1항의 내용

1문단 요약 답 | 우리 헌법 제1조 제1항에서 '대한민국은 (**민주 공화국**)이다.'라고 규정하고 있다.

② 『먼저, '대한민국'이라는 이름은 1919년 상해에서 만들어진 임시정부에서 처음 사용하였다. 조선 말기에 사용한 '대한 제국'이라는 국호에서 '대한'을 가져와 민족적인 동일성을 유지하면서, '민국'을 사용하여 세습 군주가 통치하던 시대가 끝나고 국민이 주인인 나라임을 선언한 것이었다.』

『 』: 문제 1 - ② 관련, 국호의 유래 / 문제 2 - ④ 관련

2문단 요약 답 | '대한민국'이라는 이름은 민족적인 동일성을 유지하면서 더불어 (**국민이 주인인 나라**)임을 선언한 것이다.

③ '민주 공화국'은 '민주'와 '공화국'을 합성한 말이다. '공화국'은 원래 '공공의 것'이라는 의미의 라틴어를 어원으로 한다. 공화국은 공공의 이익을 실현하기 위하여 그에 알맞은 덕성을 갖춘 자유롭고 평등한 시민이 펼치는 정치, 즉 공화정을 보장하는 국가이다. 그러면서 전제 군주 또는 특권 귀족 계층의 이익에 봉사하는 정치를 배격한다. 이러한 점에서 공화국의 현대적 의미는 주권이 국민에게 있는 나라라는 뜻으로 볼 수 있다. 이때 '공화국'은 '민주'와 거의 같은 뜻이라고 할 수 있다. 그런데도 굳이 '민주 공화국'이라는 말을 만들어 헌법에 넣은 이유는 무엇일까? 20세기에 들어서 공화국이라 칭한 나라들이 많이 세워졌는데, 그들이 택한 정치 형태는 제각각이었다. 권력 분립을 기본으로 하는 나라가 있는가 하면, 의회 제도와 사법권의 독립을 폐지한 나라도 있었다. 또 그런가 하면 행정·입법·사법, 즉 3부의 권력이 하나로 통합된 제도를 택한 나라도 있었다. 이러한 상황에서 대한민국은 3부의 권력이 나누어진 3권 분립을 기본으로 하는 민주제를 택한 나라임을 분명히 하기 위하여 헌법에 '민주 공화국'이라는 개념을 사용한 것이다.

문제 1 - ① 관련, '공화국'이라는 말의 어원 / 공화국의 의미 / 공화정의 특징 / 공화국의 현대적 의미 / 공화국의 다양한 양상 / 문제 2 - ② 관련

3문단 요약 답 | '민주 공화국'이라는 개념을 헌법에 나타냄으로써 대한민국이 (**3권 분립**)을 기본으로 하는 민주제를 택한 나라임을 드러낸다.

④ 여기에 대한민국의 헌법은 '대한민국의 주권은 국민에게 있고, 모든 권력은 국민으로부터 나온다.'라는 조문을 추가하여 국민 주권의 원칙을 분명히 하였다. 국민 주권의 원칙은 왕이 주권을 가진다는 것을 부정할 뿐만 아니라, 국민의 뜻에 따라 통치 권력이 주어진다는 점에서 민주주의 국가의 기본적인 원리라고 할 수 있다. 즉, 대한민국이 민주 공화국임을 선언하는 의미는 단순히 세습 군주를 부정하는 데서 그치는 것이 아니다. 이는 더 나아가 대한민국은 개인의 자유와 평등을 충분히 존중하고 끊임없이 공공의 조화를 추구하여야 하며, 이를 무엇보다도 민주적으로 실현해 나가도록 노력해야 함을 나타낸 것이라 할 수 있다.

문제 1 - ⑤ 관련 / 문제 2 - ③ 관련 / 문제 2 - ① 관련

4문단 요약 답 | 대한민국 헌법 제1조는 개인의 (**자유와 평등**)을 존중하고 공공의 조화를 추구해야 한다는 원칙을 담고 있다.

해제 | 이 글은 헌법에서 규정하고 있는 '대한민국은 민주 공화국이다.'의 의미에 대해 자세히 설명하고 있다.
주제 | 헌법 제1조 제1항에 담긴 의미

지문 분석하기

(헌법) 제1조 제1항: 대한민국은 민주 공화국이다.

대한민국		민주 공화국		
'대한 제국'의 민족적 동일성(대한) + 국민이 주인인 나라(민국)	+	3권 분립을 기본으로 하는 민주제(민주) + 주권이 국민에게 있는 나라(공화국)	→	민주적으로 개인의 자유와 평등을 존중하고, (공공의 조화)을/를 실현함.

1 3문단에서 공화국이 택한 정치 형태는 제각각이라고 하며 여러 사례를 제시했지만, 공화국에서 3권 분립이 선택된 이유는 이 글에서 다루어지지 않았다.

오답 풀이 ① 3문단에서 공화국이라는 말의 어원을 언급하였다.
② 2문단에서 대한민국이라는 이름의 유래를 설명하였다.
③ 1문단에서 국가에서 헌법이 차지하는 의미에 대해 언급하였다.
⑤ 4문단에서 국민 주권의 원칙이 담긴 헌법의 조문을 설명하였다.

2 3문단에서 대한민국은 3부의 권력이 나누어진 3권 분립을 기본으로 하는 민주제를 택한 나라라고 하였다.

오답 풀이 ① 4문단에 따르면 대한민국의 헌법은 대한민국이 민주 공화국임을 분명히 하고 있으므로, 헌법에 따라 공공의 조화를 추구하여야 한다.
③ 4문단에 따르면 대한민국의 헌법은 대한민국이 세습 군주에 의한 정치 형태를 부정하는 공화국임을 분명히 하고 있다.
④ 2문단에 따르면 대한민국이라는 이름은 상해 임시정부에서 처음 사용하였다.
⑤ 1문단에 따르면 대한민국의 헌법은 국가를 구성하는 최상위 법규이자 국가 구성원들의 가장 기본적인 합의이다.

3 〈보기〉의 '○○ 공화국'은 원래 군주제였으나 최근 헌법 개정을 통해 민주주의 국가의 기본 원리를 따르고 있다고 했으므로, 이는 국가의 형태가 군주제에서 민주제로 바뀐 것으로 볼 수 있다.

오답 풀이 ② 시민 혁명은 헌법을 만드는 권력을 귀족에서 국민으로 바꾸어 놓았다.
③ 의회가 새로운 헌법을 만들었다고 해서 국가 권력이 둘로 나뉘게 된 것은 아니다.
④ 의회 제도의 독립성에 대해서는 이 글에 나타나 있지 않다.
⑤ '○○ 공화국'이라는 국호는 군주제를 택하고 있을 때에도 사용하였다.

사회 04 한쪽으로 기울어진 정보로 인한 개살구 시장 본문 40~41쪽

1 ④ **2** ④ **3** 선별

① 한쪽에는 정보가 있는데 다른 한쪽에는 정보가 없거나 부족한 경우, 즉 정보가 비대칭적인 경우가 있다. 정보가 비대칭적일 경우 바람직하지 않은 거래가 이루어질 가능성이 크다. 이와 같은 현상을 '역선택'이라고 하며, 역선택이 이루어지는 시장을 '개살구 시장'이라고 한다.

(역선택이 일어나는 배경 / 역선택 현상이 일어남. / 개살구 시장의 개념)

1문단 요약 답 (비대칭적인) 정보로 역선택이 일어나는 시장을 개살구 시장이라고 한다.

② 그렇다면 개살구 시장은 어떻게 만들어질까? 가령 「어떤 시장에서 한 소비자가 좋은 상품이라면 30만 원까지 낼 용의가 있고, 나쁜 상품이라면 20만 원까지만 낼 용의가 있다고 하자. 그런데 이 소비자는 어느 상품이 좋고 나쁜지 알 수 없기 때문에 두 상품의 평균치인 25만 원 정도를 내고 상품을 사려고 할 것이다. 그렇다면 이 시장에는 30만 원 수준에 이르는 좋은 상품은 잘 나오지 않고 25만 원 이하의 나쁜 상품들이 주로 나오게 될 것이다. 이로 인해 이 시장은 질 낮은 상품들만 모이는 '개살구 시장'이 되는 것이다.」 비슷한 예를 생산자 입장에서도 생각해 볼 수 있다. 「보험 회사는 보험 가입자에게 일정 금액을 받고, 가입자가 사고를 당했을 때 약속한 보험금을 지급하는 일을 담당한다. 가입자가 회사에 낸 금액보다, 사고를 당해 회사에서 가입자에게 지급하는 금액이 더 클 경우 회사의 손해가 발생한다. 이와 같은 이유로 보험 회사는 사고 위험이 적은 사람들 위주로 보험에 가입시키고 싶어 할 것이다. 하지만 보험 회사는 보험 가입자가 어떤 유형의 사람인지 미리 알 수가 없다. 따라서 사고 위험이 높은 사람들이 주로 보험에 가입하게 될 가능성이 높아진다. 이로 인해 보험 회사 입장에서는 원하지 않는 사람들만 모이는 '개살구 시장'이 형성되는 것이다.」

(「 」: 개살구 시장이 형성되는 사례 1 / 소비자의 입장에서 형성되는 개살구 시장 / 「 」: 개살구 시장이 형성되는 사례 2 / 생산자의 입장에서 형성되는 개살구 시장)

2문단 요약 답 (개살구 시장)은 소비자 입장과 생산자 입장에서 모두 형성될 수 있다.

③ 개살구 시장의 이러한 거래는 ⟨경제적인 효용을 떨어뜨린다.⟩ 그래서 경제 주체들은 정보의 비대칭을 해소하기 위해 많은 노력을 하게 되는데, 그중 ['선별'과 '신호 발송']이 대표적이다. 선별이란 경제 주체가 간접적인 방법을 통해 정보를 얻으려고 노력하는 행위이다. 「예를 들어 고용주가 직원을 뽑을 때, 개인의 능력 자체에 대한 정보는 얻기 어렵기 때문에 능력을 대신할 선별의 수단으로 학력을 사용하는 것이다. 즉, 높은 수준의 교육을 받기 위해서는 지적 능력은 물론 근면성이나 성실성 등도 갖추고 있어야 하므로, 교육 수준으로 근면성, 성실성 등과 같은 개인의 능력을 대신 평가할 수 있다고 믿는 것이다.」

(문제 1 ~ ④ 관련, 정보의 비대칭으로 인한 문제점 / 해결 방안 / 문제 3 관련, 선별의 개념 / 「 」: 선별의 예)

3문단 요약 답 경제 주체들은 정보를 얻기 위한 간접적인 방법인 선별을 통해 (정보의 비대칭)을 해소하려 한다.

④ 한편, 신호 발송은 정보를 가지고 있는 경제 주체가 자신에 관한 정보를 상대방에게 전달하려고 노력하는 행위를 뜻한다. 상대방에게 정보를 전달하여 정보의 비대칭을 해소하는 것이 정보를 가지고 있는 측에게 더 유리한 경우도 있기 때문이다. 자신이 만든 제품에 품질 보증을 제공하는 것은 상품의 질에 대한 신호 발송의 예라고 할 수 있다.

(신호 발송의 개념 / 신호 발송의 예)

4문단 요약 답 경제 주체는 자신의 정보를 상대방에게 전달하려고 노력하는 행위인 (신호 발송)을 통해 정보의 비대칭을 해소하려 한다.

해제 | 이 글은 정보의 비대칭 문제와 그것을 해결하기 위한 다양한 방안에 대해 설명하고 있다.

주제 | 정보의 비대칭으로 인한 문제점과 해결 방안

지문 분석하기

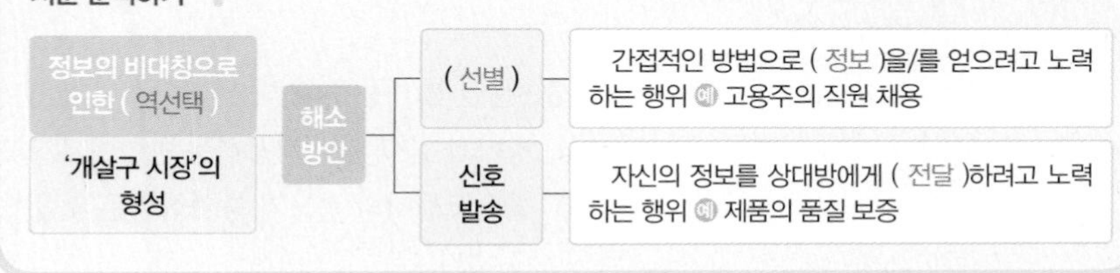

1 이 글은 정보의 비대칭으로 인해 발생하게 되는 여러 가지 문제점과 이를 해결하기 위한 방안에 대해 설명하고 있다.

오답 풀이 ① 2문단에서 역선택으로 형성된 개살구 시장을 사례를 들어 설명하였으나, 역선택의 특징과 종류를 핵심 내용으로 다루고 있지 않다.
② 정보의 비대칭이 경제의 각 분야에 미치는 영향에 대해서는 자세히 언급하지 않았다.
③ 개살구 시장이 발생하는 이유는 설명하였지만 그로 인한 경제적 손실이 얼마인지는 구체적으로 언급하지 않았다.
⑤ 정보의 비대칭이 발생하는 이유는 설명하였으나 이를 막기 위한 정부의 노력에 대해서는 언급하지 않았다.

2 D는 그릇의 품질에 상관없이 30,000원 이하의 가격에 제품을 사고 싶어 하는데, B는 최소 30,000원만 받으면 그릇을 팔려고 하기 때문에 이 시장에서 두 사람이 모두 만족스러운 거래가 이루어질 수 있다. 따라서 ④와 같은 이해는 적절하지 않다.

오답 풀이 ① A가 판매할 그릇은 B가 파는 그릇과는 달리 좋은 품질의 그릇이므로, A는 이 점을 알리기 위해 신호 발송을 할 필요가 있다.
② 이 시장에서는 최소 30,000원 이상의 가격이 형성되어 B가 원하는 가격 수준에 맞으므로 B는 자신의 그릇을 적극적으로 팔려고 할 것이다.
③ C는 시장에서 어느 그릇이 좋은지 쉽게 구별하기 어려워하므로, 적절한 선별의 방법을 찾아 역선택을 하지 않도록 노력해야 한다.
⑤ 이 시장에서는 정보가 비대칭적이므로, 계속 이 상태로 운영된다면 결국 '개살구 시장'이 될 수 있다.

3 ⟨보기⟩의 김 감독은 선수의 실력에 대한 정보를 얻기 어려웠기 때문에, 이것을 대신할 선별의 수단으로 연봉과 성과급 중 하나를 선택하게 한 것이다. 즉, 성과급을 선호하기 위해서는 선수의 실력이 뒷받침되어야 하므로, 성과급에 대한 선호 여부로 선수 개인의 실력에 대한 정보를 얻을 수 있다고 믿은 것이다.

과학 05 롤러코스터 200% 즐기기

본문 42~43쪽

1 ⑤ **2** ③ **3** 알짜 힘

① 스릴을 느낀다는 것은 심리적인 반응이므로 롤러코스터를 타면서 가장 스릴을 느끼는 순간은 사람마다 다르다. 일반적으로 스릴을 느끼게 하는 원인은 롤러코스터가 거의 추락하듯 선로를 따라 내려올 때 느껴지는 속도감이다. 그렇다면 이때 느끼는 스릴을 가장 오래 느낄 수 있는 자리는 어디일까?

결과 / 원인 / 중심 화제 제시

(1문단 요약 답) 롤러코스터가 선로를 따라 내려올 때 느껴지는 (**속도감**) 때문에 스릴을 즐길 수 있다.

② 롤러코스터의 앞자리와 뒷자리를 비교해 보자. 롤러코스터가 지표면과 평행한 선로에 있을 때에는 앞자리와 뒷자리의 속도 차이가 거의 없으며, 롤러코스터가 지표면의 수직 방향으로 치솟은 선로 꼭대기를 지날 때에는 앞자리와 뒷자리의 속도는 큰 차이가 난다. 롤러코스터가 선로의 꼭대기를 지나는 세 가지 경우를 살펴보자. 먼저 롤러코스터의 앞부분이 정점에 도착할 때를 [A], 롤러코스터의 중간 부분이 정점에 도착할 때를 [B], 롤러코스터의 뒷부분이 정점에 도착할 때를 [C]라고 하자.

(2문단 요약 답) (**롤러코스터**)가 지나는 선로의 위치에 따라 앞자리, 뒷자리의 속력이 달라진다.

③ A에서는 롤러코스터의 뒤쪽이 무거워 '알짜 힘'이 운동 방향과 반대 방향인 뒤쪽으로 작용하여 속도가 줄어든다. 이때 '알짜 힘'이란 물체에 작용하는 모든 힘을 합한 것으로, 실제로 물체의 운동 상태를 바꾸는 힘을 의미한다. 다음으로 B를 지나는 순간에서는 롤러코스터의 앞쪽이 무거워 알짜 힘이 운동 방향과 같은 방향인 앞쪽으로 작용하여 속도가 증가한다. A를 지나는 순간 맨 앞자리에 앉은 사람은 아래를 향하고 있지만 속도는 줄어든다. 점점 빨라질 것이라는 기대와는 반대다. B를 지나는 순간 맨 뒷자리에 앉은 사람은 위를 향하고 있으므로 속도가 줄어들 것으로 기대하지만, 실제로는 위로 빨려 들어가듯 속도가 증가한다.

문제 2 – ①, ② 관련 / 원인 / 결과 / 알짜 힘의 개념 / 문제 2 – ③, ④, 문제 3 관련 / 원인 / 결과

(3문단 요약 답) 롤러코스터의 각 부분이 정점을 지날 때, (**알짜 힘**)의 작용 방향에 따라 속도가 느려지거나 빨라진다.

④ 속도감을 제대로 느낄 수 있는 순간은 C 이후이다. 롤러코스터의 모든 부분이 함께 아래로 가속되기 때문이다. 앞쪽에 앉은 사람은 C 이후부터 바닥에 도달할 때까지의 짧은 구간에서만 속도감을 느낀다. 반면에 뒤쪽에 앉은 사람은 빠른 속도로 출발할 뿐만 아니라 더 긴 구간에서 짜릿한 속도감을 맛볼 수 있다. 꼭대기에서 바닥에 이르기까지 가장 빠른 평균 속력으로 내려가는 사람은 맨 뒷자리에 앉은 사람이다. 게다가 앞쪽에 앉은 사람은 바닥을 보면서 이제 곧 느려질 것이라는 기대를 할 수 있지만 뒤쪽에 앉은 사람은 바로 앞에 앉은 사람에 가려 앞의 상황을 제대로 볼 수도 없다. 따라서 롤러코스터를 타고 스릴을 오랜 시간 동안 느끼고 싶다면 맨 뒷자리에 앉아야 한다.

결과 / 원인 / 문제 2 – ⑤ 관련 / 문제 2 – ⑤ 관련, 맨 뒷자리에 앉은 사람이 스릴을 더 크게 느끼는 이유 1 / C 이후 앞쪽에 앉은 사람의 상황 / 맨 뒷자리에 앉은 사람이 스릴을 더 크게 느끼는 이유 2 / 문제 1 – ⑤ 관련

(4문단 요약 답) 롤러코스터의 (**맨 뒷자리**)에 앉은 사람이 스릴을 오랜 시간 동안 즐길 수 있다.

해제 | 이 글은 롤러코스터에서 짜릿한 속도감으로 스릴을 느끼게 하는 자리가 어디인지를 과학적 원리를 통해 설명하고 있다.

주제 | 롤러코스터의 속도 변화와 스릴

출전 | 한국물리학회, 《속 보이는 물리: 힘과 운동 뛰어넘기》

지문 분석하기

A의 순간	B를 지나는 순간	C의 순간 이후
[원인] 알짜 힘이 운동 방향과 (반대)인 아래쪽으로 작용함. **[결과]** 롤러코스터의 속도가 줄어듦.	**[원인]** 알짜 힘이 운동 방향과 같은 앞쪽으로 작용함. **[결과]** 롤러코스터의 속도가 빨라짐.	**[원인]** 롤러코스터의 모든 부분이 아래로 가속함. **[결과]** 가장 빠른 (속도감)을/를 느낄 수 있음.

↓

맨 뒷자리에 앉은 사람이 스릴을 가장 오래 느낌.

1 이 글은 롤러코스터의 속도감으로 인한 스릴을 가장 오래 느낄 수 있는 자리가 어디인지를 과학적 원리를 통해 설명하고 있다.

오답 풀이 ① 이 글은 롤러코스터의 앞자리와 뒷자리의 차이를 설명하기 위한 글이 아니다.
② 이 글에서 롤러코스터가 빠르게 달리는 과학적 원리에 대해서는 설명하고 있지 않다.
③ 이 글에서는 롤러코스터를 통해 느낄 수 있는 스릴에 대해 서술하고 있지만 얼마나 빨리 달려야 하는지에 대해서는 설명하고 있지 않다.
④ 이 글은 롤러코스터가 방향 전환을 하는 이유에 대해서 설명하고 있지 않다.

2 B에서 C로 롤러코스터가 이동할 때에는 롤러코스터의 진행 방향과 알짜 힘의 방향이 같아져 롤러코스터 전체가 가속된다. 그러므로 맨 앞자리의 속도도 증가한다.

오답 풀이 ① A에서 B에 이르기 전까지 롤러코스터는 위쪽 방향으로 진행하지만, 알짜 힘은 그 반대인 뒤쪽으로 작용한다.
② A에서 B에 이르기 전까지 롤러코스터의 뒤쪽으로 알짜 힘이 작용하므로 맨 앞자리와 맨 뒷자리 모두 속도가 감소한다.
④ B에서 C로 롤러코스터가 이동할 때에는 롤러코스터의 앞쪽이 무거워 알짜 힘이 운동 방향과 같은 방향인 앞쪽으로 작용하여 속도가 증가한다.
⑤ C 이후 선로의 바닥까지 내려갈 때에는 맨 뒷자리에 앉아 있는 사람이 짜릿한 속도감을 느끼는 시간이 가장 길다.

3 3문단의 내용을 통해 롤러코스터의 진행 방향과 알짜 힘이 작용하는 방향이 같으면 롤러코스터의 속도가 증가한다는 것을 알 수 있다.

과학 06 허블의 관측과 우주 팽창

본문 44~45쪽

1 ⑤ **2** ④ **3** 우주는 팽창한다.

① 옛날부터 사람들은 시간이 흐르더라도 우주의 범위가 같다고 생각했다. 이런 생각 은 오랫동안 지속되어 시간과 공간이 상대적이라고 주장한 아인슈타인마저도 우주는 언제나 동일한 모양을 하고 있으며 정지해 있는 것이라고 굳게 믿었다. 그러나 고성능의 망원경이 천체 관측에 이용되면서부터 이와 같은 견해는 깨지기 시작했다.

문제 1 - 〈보기〉 ㄷ, 문제 2 - ① 관련, 1900년대 이전 사람들이 가진 과거 우주에 대한 통념 / 실제 관측을 통해 우주에 대한 생각이 바뀌게 됨.

1문단 요약 답 고성능 망원경이 이용되면서 우주의 (**범위가 같다**)는 생각이 바뀌기 시작했다.

② 1920년대, 미국의 천문학자인 에드윈 허블은 윌슨산 천문대에 있는 구경 2.5미터의 망원경을 사용해 우주를 관측하고 있었다. 허블은 우주에 다른 은하가 있을지, 다른 은하와의 거리를 어떻게 잴 수 있을지에 대한 의문을 품고 수년 동안 관측했다. 그러나 먼 거리의 별을 망원경으로 관측하는 것만으로는 별다른 성과를 얻지 못하자 은하로부터 나오는 희미한 빛의 스펙트럼을 이용해서 은하와 별들을 조사해 보기로 했다.

문제 2 - ② 관련 / 문제 2 - ② 관련

2문단 요약 답 허블은 은하로부터 나오는 빛의 (**스펙트럼**)을 이용하여 은하와 별들을 조사했다.

③ 스펙트럼이란 빛을 프리즘으로 통과시켜 분산시켰을 때 나타나는 여러 가지 색깔의 띠를 말하는데, 빛의 종류에 따라 조금씩 다르게 나타난다. 예를 들어 스펙트럼이 파란색을 띠면 온도가 높고, 붉은 색을 띠면 온도가 낮다는 점을 이용하면 별의 온도를 추정할 수 있다. 또 「화학 원소는 특정한 색의 빛을 흡수하는 성질이 있어, 어떤 별에서 나온 빛의 스펙트럼에서 특정 색에 어두운 띠가 나타난다면 그 별의 대기가 어떤 성분으로 되어 있는지 알 수 있다.」

스펙트럼의 개념 / 문제 2 - ③ 관련 / 「 」: 문제 2 - ④ 관련 / 스펙트럼 중 특정 색에 어두운 띠가 나타나면 그 색의 빛을 흡수하는 화학 원소로 대기가 구성되어 있을 것임을 추정함.

3문단 요약 답 스펙트럼의 특징을 이용하면 (**별의 온도**)와 대기 성분을 추정할 수 있다.

④ 허블은 이런 연구를 통해 우리 은하계가 우주 공간에 있는 수많은 은하들 중 하나에 불과하다는 사실을 밝혀냈고, 여러 은하들까지의 거리를 재기도 하였다. 그렇게 관측과 연구를 반복하던 중 허블은 우리 은하계가 아닌 다른 은하에 있는 별들의 스펙트럼이 대부분 붉은 색 쪽으로 쏠려 있는 현상을 발견했다. 이와 같은 현상을 '적색 편이'라고 하는데, 이는 별들이 관측자로부터 멀어지는 것을 나타낸다. 이와 반대로 관측자를 향해 가까워지는 별들의 스펙트럼이 푸른 색 쪽으로 쏠리는 현상을 '청색 편이'라고 하며, 이러한 적색 편이, 청색 편이 현상을 빛의 도플러 효과라고 한다.

관측을 통해 알게 된 사실 1 / 관측을 통해 알게 된 사실 2 / 관측을 통해 알게 된 사실 3 / 우주가 팽창한다는 증거 / 문제 2 - ④ 관련, 빛의 도플러 효과를 통해 별들과 관측자의 거리 변화 양상을 알 수 있음.

4문단 요약 답 허블은 관측자와 별들 사이의 거리 변화 양상을 청색 편이, (**적색 편이**) 현상을 통해 발견했다.

⑤ 당시 많은 과학자들은 은하의 운동이 일정하지 않으며, 지구와 가까워지거나 멀어지는 은하의 수가 비슷할 것이라고 생각했다. 하지만 허블은 은하의 대부분이 적색 편이 현상을 나타내며, 지구에서 멀리 떨어진 은하일수록 적색 편이가 크게 나타난다는 사실을 알아냈다. 또 적색 편이의 크기가 지구와의 거리에 따라 일정한 비율로 늘어난다는 것을 발견했다. 즉, 지구에서 멀리 떨어져 있는 은하일수록 더 빠른 속도로 지구에서 멀어지고 있으며, 이는 우주가 팽창한다는 사실을 뒷받침한다. 허블은 이 팽창 우주론을 1929년에 정식으로 발표했고, 이로써 당시 사람들이 갖고 있던 우주에 대한 생각은 바뀌게 되었다.

과거 과학자들이 가진 우주에 대한 통념 / 관측을 통해 알게 된 사실 4 / 관측을 통해 알게 된 사실 5 / 관측을 통해 알게 된 사실 6 / 문제 1 - 〈보기〉 ㄹ, 문제 3 관련, 관측의 결론 / 문제 1 - 〈보기〉 ㄷ 관련, 과거 우주에 대한 통념이 완전히 뒤바뀜.

5문단 요약 답 허블은 적색 편이 현상을 바탕으로 (**팽창 우주론**)을 발표했다.

해제 | 이 글은 허블이 스펙트럼을 이용하여 우주가 팽창한다는 사실을 밝혀 낸 과정을 설명하고 있다.
주제 | 망원경과 스펙트럼을 활용한 허블의 관측과 팽창 우주론
출전 | 과학세대, 《우주의 탄생에서 종말까지》

지문 분석하기

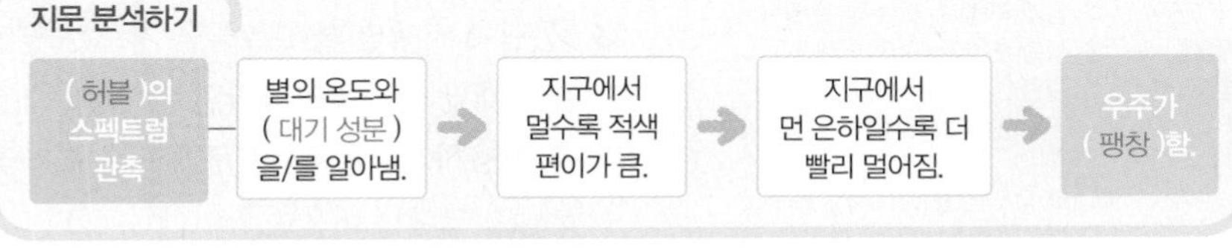

1 ㄷ. 이 글은 과거부터 믿어 온 우주에 대한 통념이 허블의 관측에 의해 바뀌게 된 것을 설명하고 있다.
ㄹ. 허블의 관측을 통해 지구로부터 멀리 있는 은하일수록 적색 편이의 크기가 크게 나타난다는 사실이 밝혀졌다. 이를 근거로 우주가 팽창하고 있다는 결론을 제시하고 있다.

오답 풀이 ㄱ. 허블의 관측 결과가 제시되었으나, 이를 다양한 견해에 따라 해석하고 있지 않다.
ㄴ. 과거의 과학자들이 가진 우주에 대한 통념과 허블의 입장이 제시되어 있으나 이들을 비판적으로 분석하고 있지 않다.

2 4문단에서 청색 편이, 적색 편이 현상으로 나타나는 빛의 도플러 효과를 통해 관측자와 별들의 거리 변화 양상을 추정할 수 있음을 알 수 있다. 별의 온도나 대기 성분은 스펙트럼의 색과 스펙트럼에 나타나는 어두운 띠를 통해 알 수 있음이 3문단에 나타나 있다.

오답 풀이 ① 1문단에 따르면 시간이 흐르더라도 우주의 범위가 같다고 생각한 옛날 사람들의 믿음은 고성능의 망원경이 천체 관측에 이용되면서부터 깨지기 시작했다.
② 2문단에서 허블이 망원경과 스펙트럼을 이용해서 별들을 조사해 보기로 했다고 하였다.
③ 3문단에서 스펙트럼의 색을 통해 별의 온도를 추정할 수 있다고 하였다.
⑤ 5문단에서 허블은 관측을 통해 지구에서 멀리 떨어진 은하일수록 적색 편이가 크게 나타난다는 사실을 밝혔다고 하였다.

3 허블은 별들의 스펙트럼을 관찰하여 적색 편이의 크기가 지구와의 거리에 따라 일정한 비율로 늘어난다는 것을 발견했다. 이를 통해 허블은 우주가 팽창한다는 팽창 우주론을 발표했다.

어휘 더 쌓기 46쪽

1 (1) ㉣ (2) ㉠ (3) ㉢ (4) ㉡ **2** ③
3 위반한, 무고하다, 굴복하였다 **4** ④

기술 07 인간을 위한 따뜻한 기술

본문 48~49쪽

1 ④ **2** ⑤ **3** 필터(재료)를 저개발 국가에서 제작할 수 없다. / 이용자가 구매하기에 가격(경제적) 부담이 크다.

① 적정 기술은 주로 저개발 지역의 문화적·정치적·환경적 상황을 고려하여, 삶의 질 향상과 빈곤 퇴치 등을 위해 개발된 기술이다. 적정 기술은 빈곤 퇴치를 위한 방안이라는 의미에서 대안 기술로 불리기도 한다. 지금까지 아시아, 아프리카, 남미의 저개발 국가에서 활용되어 왔으며 의미 있는 성과를 거두기도 하였다.

문제 1 - ① 관련, 적정 기술의 정의

1문단 요약 답 | 적정 기술은 주로 저개발 지역의 (**삶의 질 향상**)과 빈곤 퇴치 등을 위해 개발된 기술이다.

② 적정 기술은 주로 열악한 빈곤 지역에서 활용되는 경우가 많아 기술 개발에 몇 가지 조건이 요구된다. 먼저 적정 기술 제품은 적은 비용으로 제작이 가능해야 하고, 쉽게 구할 수 있는 재료를 활용하여야 한다. 또 기술이 쓰이는 지역의 주민 스스로가 제품을 만들 수 있어야 하고, 상황에 맞게 변형할 수 있어야 한다. 그리고 그러한 제품의 사용자가 전문적 지식 없이도 사용 절차와 과정을 쉽게 이해할 수 있어야 한다. 나아가 적정 기술은 현지에서 관련 일자리를 창출하는 것을 목표로 한다.

문제 1 - ② 관련, 적정 기술의 조건 1 → 주로 빈곤 지역에서 사용되기 때문에 / 적정 기술의 조건 2 / 적정 기술의 조건 3 / 적정 기술의 조건 4 / 문제 1 - ④ 관련, 적정 기술의 조건 5 / 적정 기술의 조건 6

2문단 요약 답 | 적정 기술은 (**빈곤 지역**)에서 활용되는 경우가 많아 기술 개발에 몇 가지 조건이 요구된다.

③ 적정 기술의 대표적인 사례로는 먼저 생명 빨대가 있다. 생명 빨대는 한 사람이 1년간 먹기에 충분한 700리터의 물을 정수할 수 있어, 기생충 감염이나 장티푸스, 콜레라 등 수인성 전염병을 예방할 수 있다. 또 개인용 생명 빨대를 변형하여 가정용 생명 빨대로 활용하기도 한다.

생명 빨대의 기능 / 생명 빨대의 효과 / 문제 1 - ③ 관련

3문단 요약 답 | 적정 기술의 대표적인 사례인 (**생명 빨대**)는 물을 정수하여 질병을 예방할 수 있다.

④ 적정 기술의 또 다른 사례로 큐드럼과 페트병 전구가 있다. 큐드럼은 도넛 모양의 플라스틱 물통으로, 약 50리터의 물을 담고 굴려서 이동시킬 수 있다. 아프리카에서는 식수원이 부족해 몇 시간 거리를 이동해 물을 길어 와 일상생활에 활용하는데, 이를 위해 『어린아이들이 변변치 않은 물통을 옮겨 나르느라 ⟨오랜 시간 힘든 노동⟩을 해야만 했다. 하지만 [큐드럼은 물통을 밧줄로 끌거나 굴릴 수 있어] 이러한 문제가 크게 개선되었다.』 또 페트병 전구는 어디서나 쉽게 구할 수 있는 페트병과 물, 표백제만으로 일반 가정에서 사용하는 전구와 맞먹는 빛을 내는 전구이다. 태양빛이 페트병 속을 지나다가 표백제가 섞인 물에 부딪혀 산란되면서 전구와 같이 빛을 내는 것이다. 페트병 전구는 전기가 부족한 저개발 지역에서 주민들 스스로가 손쉽게 제작하여 실내조명으로 널리 활용되고 있다.

큐드럼의 특징 / 『 』: 문제 1 - ⑤ 관련 / [ ]: 해결 방안 / 문제 / 큐드럼의 특징 / 문제 2 - ③, ④ 관련 / 문제 2 - ①, ② 관련, 페트병 전구의 원리 / 문제 2 - ⑤ 관련 / 페트병 전구의 활용

4문단 요약 답 | 또 다른 사례로는 물을 쉽게 운반하게 하는 (**큐드럼**)과 전기가 없어도 빛을 낼 수 있는 (**페트병 전구**)가 있다.

⑤ 하지만 적정 기술 제품이 모두 성공하는 것은 아니다. 예를 들어 생명 빨대는 물을 거르는 필터를 저개발 국가에서 제작할 수 없고, 그것을 이용하는 사람들이 구매하기에는 가격 부담이 크다. 그러므로 적정 기술을 사용하는 사람들에게 실질적인 도움이 될 수 있도록 적정 기술에 대한 지속적인 연구와 개발이 이루어질 필요가 있다.

문제 3 관련, 생명 빨대의 단점: 적정 기술의 조건을 충족하지 못함. / 적정 기술에 대한 지속적인 연구와 개발의 필요성

5문단 요약 답 | (**적정 기술**) 제품이 모두 성공하는 것은 아니므로 지속적인 연구와 개발이 필요하다.

해제 | 이 글은 주로 저개발 국가에서 활용되고 있는 적정 기술의 개념과 조건, 구체적 사례 등을 설명하고 있다.

지문 분석하기

주제 | 적정 기술의 개념과 사례

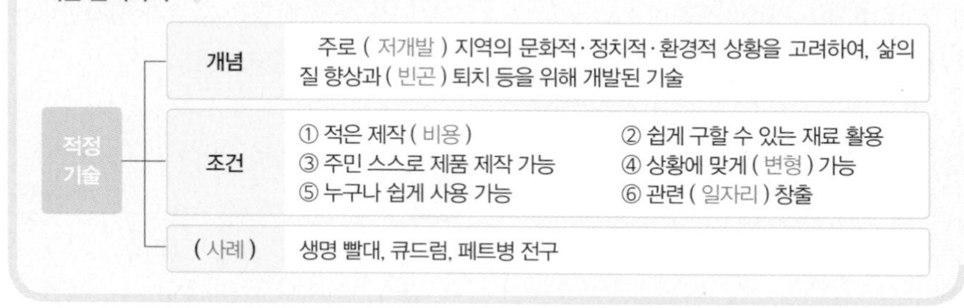

1 2문단에 따르면 적정 기술은 전문적 지식 없이도 사용 절차와 과정을 쉽게 이해할 수 있어야 한다.

오답 풀이 ① 1문단에서 적정 기술은 주로 저개발 국가에서 활용되어 왔다고 언급하고 있다.
② 2문단에서 적정 기술 제품은 적은 비용으로 제작이 가능해야 한다고 언급하고 있다.
③ 3문단에서 개인용 생명 빨대를 변형하여 가정용으로 활용하기도 한다고 언급하고 있다.
⑤ 4문단에서 큐드럼은 물통을 옮기느라 오랜 시간 힘든 노동을 해야만 했던 어린아이들의 문제를 크게 개선했다고 언급하고 있다.

2 4문단에 따르면 페트병 전구는 전기가 부족한 저개발 국가의 주민들이 손쉽게 제작하여 실내조명으로 널리 활용되고 있다. 그러므로 페트병 전구의 제작을 위한 노동력이 필요하여 현지에 새로운 일자리를 창출한다는 내용은 과도한 반응이라고 할 수 있다.

오답 풀이 ①, ② 4문단에 따르면 페트병 전구는 태양빛이 페트병에 담긴 물과 표백제에 산란을 일으켜 빛을 내는 기구이다. 따라서 태양빛이 줄어들면 페트병의 전구 기능도 줄어들 것으로 볼 수 있다. 또 태양빛이 없다면 페트병 전구를 쓸 수 없으므로, 이러한 문제점을 개선한 적정 기술이 개발될 필요가 있다고 할 수 있다.
③, ④ 4문단에 따르면 페트병 전구는 어디서나 쉽게 구할 수 있는 재료인 페트병, 물, 표백제만 있으면 손쉽게 만들 수 있다고 하였다.

3 5문단에서 생명 빨대는 물을 거르는 필터를 저개발 국가에서 제작할 수 없고, 그것을 이용하는 사람들이 구매하기에 가격 부담이 크다는 내용을 확인할 수 있다.

기술 08 현실이 아닌 또 다른 현실 본문 50~51쪽

1 ② **2** 컴퓨터에 의해 가상으로 만들어진 세계만을 경험한다. **3** ③

① ㉠가상 현실이란 컴퓨터 소프트웨어를 사용하여 현실 세계와 매우 비슷한 가상 세계를 만들어 사용자에게 실제 같은 영상, 음향 및 기타 감각 정보를 제공하는 기술이다. 가상 현실에서 사용자는 현실 세계에 대한 정보 없이 가상으로 만들어진 세계만을 경험하면서 이를 시간적·공간적으로 실제로 존재하는 것처럼 느끼며 컴퓨터와 상호 작용을 할 수 있다. 가상 현실을 체험하려면 삼차원의 정보 표현이 가능한 디스플레이 장치와, 장치가 사용자의 반응을 알 수 있는 시스템을 갖추어야 한다. 헤드셋을 착용하고 컨트롤러를 들고 즐기는 게임이나, 항공기의 비행 훈련 시스템이 대표적인 사례이다.

(컴퓨터를 활용하여 필요한 정보를 제공하는 기술 1 / 가상 현실의 개념 / 문제 2 관련, 가상 현실의 특징 / 기술을 구현하는 장치 필요 / 문제 1 - ② 관련, 가상 현실의 사례)

1문단 요약 답 (**가상 현실**)은 가상 세계를 만들어 사용자에게 정보를 제공하는 기술이다.

② 이와 달리 ㉡증강 현실은 사용자의 눈앞에 보이는 현실 세계에 컴퓨터로 만들어진 그래픽이나 소리 등의 가상 정보를 더하는 기술이다. 증강 현실은 현실 세계를 가상 세계로 채우는 것으로, 가상 정보를 사용하지만 현실 세계가 중심이 된다. QR코드와 같은 특정한 표시가 있는 곳을 스마트폰으로 비추면 그 안에 숨겨진 정보를 화면에 증강해서 보여 주는 방식이 대표적이다. 거실 내부를 카메라로 비추면 소파나 테이블의 이미지를 증강시켜 가구를 두었을 때의 모습을 미리 예상해 볼 수 있도록 도와주는 프로그램도 예로 들 수 있다. 증강 현실에서는 사용자의 움직임에 따라 가상 정보가 제공되기 때문에 컴퓨터에 사용자의 위치와 방향 정보를 전송하여 필요한 정보를 실제 화면에 나타낼 수 있는 시스템이 필요하다.

(컴퓨터를 활용하여 필요한 정보를 제공하는 기술 2 / 증강 현실의 개념 / 증강 현실의 핵심 / 문제 1 - ② 관련, 증강 현실의 사례 / 기술을 구현하는 장치 필요)

2문단 요약 답 증강 현실은 (**현실 세계**)에 가상 정보를 더하는 기술이다.

③ 최근에는 ⓐ가상 현실이나 증강 현실의 한계를 뛰어넘는 ㉢혼합 현실이나 ㉣공존 현실이 등장하여 사회적 관심을 끌고 있다. 혼합 현실은 현실 세계의 삼차원 정보를 감지하여 사용자의 위치와 자세에 따라 가상 물체나 정보가 현실 세계 속 물체와 함께 존재하는 기술이다. 증강 현실이 필요한 정보를 단순히 제시하는 것에 그쳤다면 혼합 현실은 사용자와 가상 물체뿐만 아니라 가상 물체와 실제 물체가 물리적으로 상호 작용을 하며 모두 실제로 존재하는 것처럼 느끼게 하는 것이다. 가상의 컵을 실제 탁상 위에 올려놓는다거나, 가상의 캐릭터와 공을 주고받는 게임 등이 예가 될 수 있다.

(컴퓨터를 활용하여 필요한 정보를 제공하는 기술 3 / 혼합 현실의 개념 / 문제 3 - ③ 관련, 가상 현실, 증강 현실과의 차별점 / 문제 1 - ② 관련, 혼합 현실의 사례)

3문단 요약 답 (**혼합 현실**)은 사용자와 가상 물체, 가상 물체와 실제 물체가 상호 작용하는 기술이다.

④ 공존 현실은 현실과 가상이 하나의 공간으로 연결된다는 점에서는 혼합 현실과 같지만, 여러 명의 사용자들이 네트워크를 통해 서로 소통하고 정보를 나누며 자연스럽게 상호 작용할 수 있다는 점이 강조되는 기술이다. 한 영화에서 각각 다른 장소에 있는 사람들이 자신의 아바타를 한 장소로 보내 함께 회의를 하는 모습이 그 예이다. 공존 현실은 아직 일상에서 일반적으로 쓰이고 있지는 않지만, 미래에는 곧 활발히 쓰일 수 있는 것으로 전망된다.

(컴퓨터를 활용하여 필요한 정보를 제공하는 기술 4 / 공존 현실의 개념 / 문제 1 - ② 관련, 공존 현실의 사례)

4문단 요약 답 공존 현실은 여러 사용자들이 (**네트워크**)를 통해 상호 작용하고 소통할 수 있는 기술이다.

해제 | 이 글은 컴퓨터를 활용하여 필요한 정보를 제공하는 각각의 기술들의 개념과 사례를 설명하고 있다.

주제 | 컴퓨터를 활용한 정보 제공 기술의 종류와 사례

지문 분석하기

컴퓨터를 활용하여 필요한 정보를 제공하는 기술

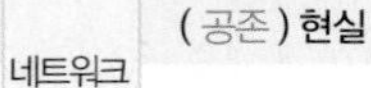
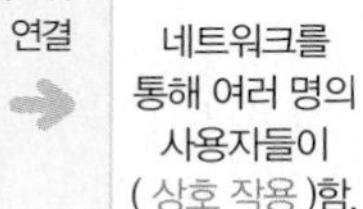

가상 현실	(증강) 현실	혼합 현실		(공존) 현실
• 컴퓨터가 만든 가상의 세계 • 디스플레이 장치를 통해 가상의 공간만을 경험함.	• 현실 세계에 그래픽을 추가한 세계 • 가상 세계를 증강하기 위해 사용자의 정보가 필요함.	• 가상 물체가 현실 세계에 존재하는 세계 • 가상 물체를 실제로 존재하는 것처럼 느끼게 함.	네트워크 연결 ➔	네트워크를 통해 여러 명의 사용자들이 (상호 작용)함.

1 1문단에서는 가상 현실의 예로 헤드셋을 착용하고 컨트롤러를 사용하는 게임을, 2문단에서는 증강 현실의 예로 가구의 이미지를 증강시켜 가구를 공간에 두었을 때의 모습을 미리 보여 주는 프로그램을, 3문단에서는 혼합 현실의 예로 가상의 캐릭터와 공을 주고받는 게임을, 4문단에서는 공존 현실의 예로 영화 속 상황을 제시하여 각각의 기술들을 설명하고 있다.

오답 풀이 ① 각 기술들의 개념을 사례를 들어 설명하고 있을 뿐 장단점을 제시하고 있지는 않다.

③ 각각의 기술이 맺는 상호 보완적인 관계가 나타나지 않으며, 또 이를 분석하고 있지 않다.

④ 가상 현실과 증강 현실을 뛰어넘는 기술로 혼합 현실과 공존 현실을 설명하고 있으나, 이 글에 제시된 기술들을 하나로 통합하는 것은 아니다.

⑤ 각각의 기술이 발전하게 된 역사적 배경을 설명하고 있지 않다.

2 ㉡~㉣은 모두 현실 세계를 기반으로 하여 가상의 정보가 제공되는 기술이다. ㉠은 컴퓨터에 의해 가상으로 만들어진 세계만이 제공되며 사용자는 이러한 가상 세계만을 경험한다.

3 3문단에서는 사용자와 가상 물체, 가상 물체와 실제 물체가 상호 작용이 가능한 혼합 현실에 대해 설명하고 있다. 이를 바탕으로 할 때, 가상 현실이나 증강 현실의 한계란 가상 물체가 실제 존재하는 물체와 상호 작용하지 않는다는 것을 들 수 있다.

예술 09 바로크 음악의 '바로크'는 무슨 뜻일까 본문 52~53쪽

1 ② **2** ① **3** 르네상스

① 서양 음악사에서 오페라가 탄생한 1600년경부터 바흐가 세상을 떠난 1750년까지를 바로크 시대라고 한다. 그런데 다른 시대는 고대, 중세, 고전, 낭만, 현대라고 하면서 유독 그 시기에만 '바로크'라는 이름을 붙인 이유는 무엇일까? 바로크라는 말의 유래에 대해서는 이탈리아어 '바로코(baroco)'에서 나왔다는 설과 포르투갈어 '바로코(barroco)'에서 비롯되었다는 설이 있는데, 둘 중 무엇이 정확한 기원인지는 모르지만 공통적으로 '찌그러진', '왜곡된' 등의 부정적인 의미를 가지고 있었다. 하지만 오늘날 바로크 시대의 대표적 작곡가인 바흐, 헨델, 비발디의 음악을 부정적인 음악이라고 생각하는 사람은 거의 없다.

(바로크 시대의 기간 / 문제 1 – ② 관련, 의문 제기 / '바로크'라는 말의 유래 / 문제 2 – ⑤ 관련, 어원들의 공통점: 부정적인 의미를 가짐 / 문제 2 – ② 관련)

1문단 요약 답 바로크 시대에서 '바로크'는 '(**찌그러진**), 왜곡된' 등의 부정적인 의미를 가지고 있었다.

② 그런데 왜 이런 이름이 붙게 되었을까? '바로크'라는 단어가 음악에 처음 적용된 때는 1746년이다. 당시 프랑스의 철학자 노엘 플뤼쉬는 음악을 '부드러운 음악'과 '거친 음악'으로 분류했는데, 이때 '바로크'라는 단어를 후자의 의미로 사용했다. 바로크 시대는 르네상스 시대에 싹튼 인간 중심적 세계관이 음악에까지 영향을 준 시기로, 이 시대 음악은 음악적 안정감 대신 약동성이 특징이었다. 인간의 감정에 직접 호소하려는 욕구로 인해 강렬한 극적 효과를 표출하는 음악을 만들어 낸 것이다. 이 음악들은 당시에는 너무나 진보적이고 반항적이어서 오늘날 ㉠바로크 음악의 특징이라 불리는 요소들이 '비정상적인, 과장된, 거친, 괴상한 것' 등으로 치부되었다.

(문제 1 – ② 관련, 의문 제기 / 거친 음악 / 문제 3 관련 / 문제 2 – ③ 관련, 인간 중심적 세계관의 영향, 바로크 음악의 특징 1 / 바로크 음악의 특징 2 / 바로크 음악의 특징 3)

2문단 요약 답 바로크 시대의 음악은 안정감 대신 (**약동성**)이 특징이었다.

③ 바로크 음악에 대한 부정적 시각은 17세기 프랑스를 중심으로 일어난 신고전주의 운동에서 비롯되었다. 『신고전주의자들은 고대 문예 부흥 운동인 르네상스의 합리주의와 이성을 신봉하고, 고대 그리스와 로마 예술의 특징인 보편성, 조화, 균형을 추구하였다. 이들의 시각에서 바로크 예술은 비정상적이고 기괴하며 조화롭지 못한 것이었다. 그래서 은근히 경멸하는 말투로 '바로크'라는 용어를 사용했다.』 시간이 지나며 몇몇 예술사가에 의해 이러한 시각이 수정되기도 했지만, 19세기 후반까지 바로크 음악은 '비정상, 기괴함, 과장됨'이라는 평가에서 벗어나지 못했다.

(부정적 평가의 사회·역사적 배경 / 『 』: 문제 3 관련, 문제 2 – ① 관련, 신고전주의자들의 특징 / 신고전주의자들 / 문제 2 – ④ 관련, '바로크'라는 이름이 붙게 된 이유 / 예술의 역사를 연구하는 사람 / 부정적 인식)

3문단 요약 답 (**신고전주의자들**)의 시각에서 바로크 예술은 기괴하며 조화롭지 못한 것이었다.

④ 기존의 부정적 이미지에서 벗어나 처음으로 바로크 예술을 객관적 시선으로 바라본 인물은 스위스의 예술사가인 하인리히 뵐플린이었다. 그는 1888년 발표한 《르네상스와 바로크》에서 '바로크'라는 말을 한 시대의 예술 양식을 지칭하는 이름으로 사용했다. 그 결과 지금은 어느 누구도 바로크라는 말에서 부정적인 이미지를 떠올리지 않게 되었다.

(부정적 인식에서 벗어난 이유 / 결과)

4문단 요약 답 '바로크'를 한 시대의 예술 양식을 지칭하는 이름으로 사용하면서 바로크 음악은 (**부정적인**) 이미지에서 벗어날 수 있었다.

해제 | 이 글은 바로크 음악의 '바로크'라는 명칭이 가진 의미와 그러한 이름이 붙게 된 이유를 설명하고 있다.
주제 | '바로크'의 의미와 '바로크'라는 이름이 붙게 된 이유
출전 | 진회숙, 《클래식 노트》

지문 분석하기

17~18세기 중엽 음악의 특징	음악적 (안정감) 대신 약동성을 추구함.	'바로크 음악'이 부정적인 음악으로 인식됨.
	고대 그리스와 로마 예술의 특징인 보편성, (조화), 균형 추구와는 다른 속성을 가진 음악을 추구함.	

1 이 글은 1, 2문단에서 '바로크'라는 이름이 붙게 된 이유에 대해 의문을 제기하고 3, 4문단에서 이에 대한 답을 제시하는 형식으로 글의 내용이 전개되고 있다.

오답 풀이 ① 이 글은 특정 현상에 대한 다양한 견해를 열거하고 있지 않다.
③ 이 글에는 바로크 음악의 특성이 소개되어 있지만 구체적 사례가 제시되어 있지는 않다.
④ 이 글은 바로크 음악과 관련하여 용어의 개념을 밝히고 있지 않다.
⑤ 이 글에서는 공간의 이동에 따른 대상의 변화가 서술된 부분을 찾아볼 수 없다.

2 3문단의 내용을 통해 고대 그리스와 로마 예술의 특징을 따르고자 한 것은 신고전주의자들로, 이들은 바로크 예술을 비정상적이며 기괴하고 조화롭지 못한 것이라고 생각했음을 알 수 있다.

오답 풀이 ② 1문단에서 바흐, 헨델, 비발디가 바로크 음악의 대표적 작곡가라고 언급하고 있다.
③ 2문단에서 바로크 음악은 음악적 안정감 대신 약동성이 특징이었다고 언급하고 있다.
④ 3문단의 내용을 통해 신고전주의자들은 바로크 예술을 비정상적이며 기괴하고 조화롭지 못한 것이라고 생각했음을 알 수 있다.
⑤ 1문단에서 '바로크'가 '찌그러진', '왜곡된'과 같은 부정적 의미의 어원을 가지고 있다는 내용을 확인할 수 있다.

3 2문단의 내용을 통해 바로크 음악이 약동성이라는 특성을 갖게 된 것이 르네상스의 영향이었음을 확인할 수 있다. 또 3문단의 내용을 통해 르네상스의 합리주의와 이성을 신봉하던 신고전주의자들로부터 바로크 음악이 부정적 평가를 받았다는 내용을 확인할 수 있다.

예술 10 쪼개어 보고 합쳐서 그린다

본문 54~55쪽

1 ② **2** ⑤ **3** ③

① 우리는 고정된 하나의 시점만으로 주변의 세계를 온전하게 파악하기가 쉽지 않다. 그래서 관찰자는 대상을 파악할 때 자신의 눈이나 몸을 움직여 다양한 시점에서 대상을 파악하게 된다. 예를 들어 〈하나의 고정된 시점만으로 방 안에 있는 것들을 파악하여 대상을 정확하고 온전하게 표현하는 것은 불가능하다.〉(투시 원근법의 원리 / 투시 원근법의 한계) 따라서 [방 안의 모습을 제대로 파악하기 위해서는 눈과 몸을 움직여 여러 각도와 방향에서 보아야 한다.](한계 극복 방안, 복합적인 묘사 방법과 관련된 화제 제시)

1문단 요약 답 | 우리가 살아가는 세계에서는 순간적이고 (**고정된**) 하나의 시점만으로 대상을 완전하게 파악하기가 쉽지 않다.

② 이런 이유로 입체감을 지닌 대상을 한 장의 평면에 묘사해야 하는 화가는 자신이 파악한 대상의 진면목을 전달하는 데 많은 어려움을 느끼게 된다. 그래서 19세기 프랑스 화가 폴 세잔은 공간의 여러 부분을 여러 각도에서 각각 파악한 뒤, 자신이 살펴본 다양한 모습을 하나의 화면에서 다시 결합하는 복합적인 묘사 방법(문제 1 - ②, 문제 3 - ④ 관련)을 고안하였다.

2문단 요약 답 | 폴 세잔은 공간을 묘사하는 데 있어 (**복합적인**) 묘사 방법을 고안하였다.

③ 세잔의 그림 〈사과 광주리가 있는 정물〉(복합적인 묘사 방법이 사용된 작품의 예)은 이러한 복합적인 묘사 방법이 잘 드러나는 작품이다. 그림을 자세히 살펴보면, 「흰 천이 깔린 탁자 위에 사과가 여기저기 흩어져 있고, 탁자 한가운데 술병이, 그 양옆으로 사과 바구니와 과자를 담은 그릇이 있다. 그런데 화면 한가운데 있는 병은 정면에서 바라본 것이고, 바구니에 가득 담긴 사과는 화면의 오른쪽 방향에서 보고 그린 것이며, 하얀 식탁보와 사과들은 위에서 내려다본 모습으로 묘사되어 있다.」(「 」: 복합적인 묘사 방법이 사용된 결과) 이와 같이 공간을 새로운 방법으로 묘사하려 한 세잔의 시도는(문제 2 - ⑤ 관련) 감상자에게 역동적인 시각 경험을 제공해 주었다.(복합적인 묘사 방법의 특징)

▲ 폴 세잔, 〈사과 광주리가 있는 정물〉

3문단 요약 답 | 공간을 새로운 방법으로 묘사하려 한 세잔의 시도는 감상자에게 (**역동적인**) 시각 경험을 제공해 주었다.

④ 세잔이 살았던 19세기의 화가들은 물체와 공간을 묘사하는 데 있어 르네상스 시대 화가들이 사용했던 투시 원근법을 굳건한 기준으로 여기고 있었다. 투시 원근법은 마치 카메라로 찍는 것처럼 하나의 고정된 시점에서 대상을 파악하여 이것을 평면에 표현하는 기법이다.(문제 3 - ③ 관련) 같은 시대를 살았던 모네와 피사로 같은 인상주의 화가들은 물감이나 색채를 이색적인 방식으로 사용하여(문제 2 - ① 관련, 인상주의 미술의 특징) 상당한 논란을 불러일으켰지만, 공간 설정에 있어서 투시 원근법에 따른 구성 방식을 사용함으로써 본질적으로 르네상스 시대의 전통을 크게 벗어나지 못했다.(인상주의 미술의 한계) 따라서 투시 원근법에서 벗어난 공간 묘사 방식을 추구했던 ㉠세잔의 노력은 더욱 특별한 것으로 평가되었으며,(문제 2 - ④ 관련, 세잔의 노력) 이후 입체파를 비롯한 여러 화가에게 많은 영향을 주었다.

4문단 요약 답 | 새로운 시도를 한 세잔의 노력은 이후 (**입체파**)를 비롯한 여러 화가에게 많은 영향을 주었다.

해제 | 이 글은 입체감을 지닌 대상에 대한 세잔의 새로운 묘사 방법에 대해 설명하고 있다.

주제 | 세잔의 새로운 입체 표현

지문 분석하기

세잔의 복합적인 묘사 방법			
① 여러 각도에서 바라본 공간의 여러 부분을 하나의 화면에서 다시 (결합)하는 방식	② 르네상스 시대의 화가들이 사용했던 전통적인 (투시 원근법)에서 벗어난 공간 묘사 방식	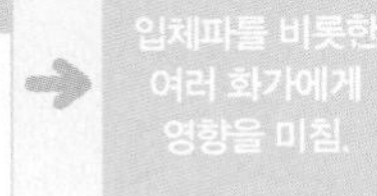	입체파를 비롯한 여러 화가에게 영향을 미침.

1 이 글은 입체감을 지닌 대상에 대한 세잔의 새로운 묘사 방법에 대해 설명한 글이다.

오답 풀이 ① 세잔이 미술사에서 차지하는 중요성에 대한 자세한 설명은 나타나 있지 않다.
③ 세잔은 르네상스의 미술 전통에서 벗어나 새로운 시도를 한 인물이다.
④ 세잔이 새로운 창작 방법을 개발한 사실은 언급이 되었으나, 그 과정에 대한 자세한 설명은 제시되어 있지 않다.
⑤ 세잔이 새로운 기법을 탄생시킨 역사적 배경에 대한 내용은 확인할 수 없다.

2 세잔의 노력이 더욱 특별한 것으로 평가받는 이유는 르네상스 시대의 전통을 크게 벗어나지 못했던 기존의 투시 원근법에서 벗어나 새로운 공간 묘사 방식을 추구했기 때문이다.

오답 풀이 ① 물감이나 색채를 이색적인 방식으로 구사한 것은 인상주의 화가들이다.
② 세잔은 인상주의 화가들과는 다른 방법을 추구한 것이지, 그들이 실패했던 방법을 성공시킨 것은 아니다.
③ 세잔이 인상주의 화가들이 놓친 새로운 시대 정신을 특별히 표현했다고 보기는 어렵다.
④ 세잔은 르네상스 시대에 사용된 투시 원근법을 새로운 시각에서 이어 나간 것이 아니라 이를 벗어난 새로운 시도를 한 것이다.

3 대상을 하나의 시점에서 파악한 인상을 표현의 중요한 요소로 삼은 것은 세잔이나 입체파 화가가 아니라 투시 원근법을 사용한 화가들이다.

오답 풀이 ① 입체파 화가는 세잔의 영향을 받았으므로 전통적인 투시 원근법과는 다른 기법으로 표현했음을 알 수 있다.
② 이 그림은 복합적인 묘사 방법을 사용하였으므로 역동적인 시각 경험을 얻을 수 있다.
④ 〈보기〉의 그림도 각각 다른 시각에서 바라본 여러 부분을 하나의 화면에서 결합하는 세잔의 복합적인 묘사 방식을 이어받았다.
⑤ 세잔의 영향을 받은 입체파 화가가 그린 〈보기〉의 그림은 공간 속에서 파악한 인물의 복합적인 모습을 한 장의 평면에 표현하기 위한 시도였다고 할 수 있다.

통합 11 뇌과학과 경제학이 만났을 때

본문 56~57쪽

1 ③ **2** ③ **3** 소비자들의 숨어 있는 선호와 욕구를 언어적으로는 완전히 파악하기 어렵다. **4** ③

① 대부분의 의류 매장에서 거울은 좁고 어두운 탈의실 안이 아니라 조명이 밝은 매장 안에 설치된다. 이것은 우리의 뇌가 어두운 곳보다 밝은 조명이 있는 곳에서 옷을 더 좋게 인식하는 성향이 있기 때문이다. 이처럼 소비자들의 무의식적인 성향을 과학적으로 분석하여 마케팅에 이용하는 방법이 등장했는데, 이것을 ㉠'뉴로 마케팅'이라고 한다. 뉴로 마케팅은 뇌에 정보를 전달하는 뉴런과 마케팅이 합쳐져서 만들어진 단어이다.

1문단 요약 | 뉴로 마케팅은 소비자들의 무의식적인 성향을 과학적으로 분석하여 마케팅에 이용하는 방법이다.

② 뉴로 마케팅의 기본인 소비자들의 심리 분석은 주로 '뉴로 리서치'를 통해 이루어진다. 뉴로 리서치는 상품 또는 브랜드에 대한 소비자의 반응을 과학적으로 측정하는 방법이다. 〈뉴로 마케팅은 소비자들의 숨어 있는 선호와 욕구를 언어적으로는 완전히 파악하기 어렵다는 가정에서 출발한다.〉 그래서 소비자의 숨어 있는 선호와 욕구를 파악하기 위해 [다양한 과학적 방법을 사용하게 된다.] 우선 생리적 지표를 통해 뇌의 변화를 추적하는 방식인 EMG가 있다. EMG는 감정의 지표, 즉 웃을 때나 인상을 찌푸릴 때 변화하는 얼굴의 근육 등을 측정하여 그 신호들을 상품이나 브랜드에 대한 소비자의 반응으로 해석하는 것이다. 그런가 하면 뇌파나 뇌 이미지를 분석하는 EEG와 fMRI 등도 있다. EEG는 뇌파 측정을 통해 뇌의 신경 신호들을 파악하는 것이다. EEG는 뇌파의 측정 속도가 신속하기 때문에 아주 빠르게 변화하는 소비자들의 작은 감정 변화도 정확하게 포착할 수 있다. 한편 fMRI는 자기장을 이용해 몸의 내부를 촬영하는 첨단 기계이다. fMRI는 뇌 중심부의 깊숙한 곳에서 발생하는 활동과 그 변화를 측정하는 것이 가능하기 때문에 상품이나 브랜드에 대한 뇌의 미세한 반응까지 포착할 수 있다.

2문단 요약 | 뉴로 마케팅은 뉴로 리서치인 EMG, EEG, fMRI를 사용하여 소비자의 반응을 측정한다.

③ 이에 관한 하나의 예로 A 기업이 뉴로 마케팅을 실시했던 사례를 살펴볼 수 있다. 「A 기업은 시간대별로 광고에 대한 시청자의 반응이 어떻게 달라지는지를 측정했다. 시청자의 뇌를 fMRI로 촬영한 결과, 광고 효과가 가장 높다고 알려진 저녁 시간대보다 아침 시간대의 광고가 뇌를 더 많이 활성화한다는 사실을 알아냈다. 이에 따라 A 기업은 아침 시간에 광고를 내보냄으로써 마케팅에서 큰 성공을 거두었다.」

3문단 요약 | 뉴로 마케팅의 실시 사례를 통해 소비자의 반응을 파악하는 것이 중요하다는 것을 알 수 있다.

④ 이처럼 뉴로 마케팅은 소비자의 숨은 의도나 선호를 과학적인 방법으로 정확하게 측정함으로써 기존 마케팅 기법의 한계를 극복하고 소비자 중심의 마케팅을 가능케 했다. 그러나 한편에서는 윤리적 문제와 관련해 ㉡뉴로 마케팅에 대한 우려도 적지 않다. 따라서 뉴로 마케팅의 적극적인 도입에 앞서 이 문제에 대한 충분한 논의가 먼저 이루어져야 할 것이다.

4문단 요약 | 뉴로 마케팅은 소비자 중심의 마케팅을 가능하게 하지만, 윤리적 문제에 대한 논의가 먼저 이루어져야 한다.

해제 | 이 글은 뉴로 마케팅의 개념과 효과, 뉴로 리서치의 방법에 대해 설명하고 있다.

주제 | 뉴로 마케팅의 개념과 특징 및 방법 / **출전** | 이가영, 〈무의식의 목소리를 듣다, 뉴로 마케팅〉, 성대 신문

지문 분석하기

뉴로 마케팅	뉴로 리서치	
소비자들의 무의식적 성향을 마케팅에 이용하는 방법	• EMG: 감정의 지표 분석	← 윤리적 문제와 관련해 충분한 논의가 선행되어야 함.
	• EEG: 뇌파 분석 • fMRI: 뇌의 이미지 분석	

1 이 글에서 뉴로 리서치가 발전해 온 과정에 대해서는 다루고 있지 않다.

오답 풀이 ① 2문단에서 뉴로 리서치의 개념을 소개하였다.
② 4문단에서 뉴로 마케팅의 문제점을 언급하였다.
④ 4문단에서 뉴로 마케팅의 긍정적 효과에 대해 설명하였다.
⑤ 3문단에서 뉴로 마케팅을 실시한 사례를 소개하였다.

2 뇌에서 발생하는 미세한 뇌파의 변화를 측정할 수 있는 첨단 장비는 fMRI가 아니라 EEG이다. fMRI는 뇌 이미지를 촬영하는 첨단 장비이다.

오답 풀이 ① EMG는 감정의 지표가 보내는 신호를 측정하여 상품에 대한 반응으로 해석하는 방식이다.
② EEG는 뇌파의 측정 속도가 빠르기 때문에 아주 빠르게 변화하는 소비자들의 작은 감정 변화를 파악하는 데 유리하다.
④ fMRI는 자기장을 이용한 뇌 이미지 촬영을 통해 뇌의 깊숙한 곳에서 일어나는 미세한 변화까지 포착할 수 있다.
⑤ 뉴로 리서치의 방법을 통해 소비자의 숨은 선호와 의도를 파악할 수 있게 됨으로써 기존과는 다른 마케팅이 가능하게 되었다.

3 뉴로 마케팅은 소비자들의 숨어 있는 선호와 욕구를 언어적으로는 완전히 파악하기 어렵다는 가정에서 출발한다.

4 2문단에 따르면 뉴로 마케팅은 뉴로 리서치를 통해 인간의 생체 정보를 측정하여 이를 마케팅에 활용하는 것이다. 따라서 개인 생체 정보를 마케팅에 활용하는 것의 윤리성 문제 때문에 우려가 제기될 수 있다.

더 쌓기 58쪽

1 (1) ③ (2) ① (3) ② (4) ④ **2** (1) 역동적 (2) 증강 (3) 진면목 (4) 신봉 **3** (1) ㉣ (2) ㉡ (3) ㉠ (4) ㉢

인문 01 즐겁거나 보상을 바라거나

본문 62~63쪽

1 ② 2 ⑤ 3 ③

① '동기'란 어떤 일이나 행동을 일으키게 하는 계기로, 전통적으로 인간의 동기에 영향을 미치는 것으로는 개개인이 가지는 감정, 욕구, 신념 등이 있다. 여기서 감정을 의미하는 'emotion'은 동기를 뜻하는 'motive'와 어원이 같다. 동기와 감정은 매우 밀접한 관련을 맺고 있는데, 이는 즐거움을 가져오는 행동은 하고자 하고, 불쾌감이나 슬픔을 초래하는 행동은 하지 않으려는 인간의 성향을 통해 확인할 수 있다.

(○: 인간의 동기에 영향을 미치는 요소 / 문제 2 – ③ 관련)

1문단 요약 답 | 인간의 (동기)와 감정은 밀접한 관련을 맺고 있다.

② 감정과 더불어 동기에 영향을 미치는 것은 욕구이다. 욕구란 인간이 생명체로서 유지되고 성장하기 위해 채워져야 하는 식욕이나 성욕과 같이 원래는 생리학적인 개념이었는데, 이 개념을 심리적 차원까지 넓히면서 심리적 욕구라는 개념이 나타났다. 자율성이나 타인과의 관계를 유지하고자 하는 관계 욕구 등은 이러한 심리적 욕구 중 하나이다.

(문제 2 – ② 관련 / 범위 확대)

2문단 요약 답 | (욕구)는 생리학적·심리적인 것으로 동기에 영향을 미친다.

③ 그러나 인간은 감정이나 욕구에 따라 행동하기보다, 동기에 영향을 미치는 또 다른 요소인 자신의 신념을 따르려고 노력한다. 그리고 종종 자신의 신념이나 소망을 위해 인생을 바치기도 한다. 이러한 신념이나 소망은 사고 작용의 결과이며 이를 '인지 활동'이라고 한다. 이때 인지란 '생각'이나 '앎'과 같은 말로, 뇌에서 생각하는 과정 전체를 의미한다.

(문제 2 – ① 관련)

3문단 요약 답 | 동기는 인지 활동의 결과인 (신념)이나 소망에도 영향을 받는다.

④ 한편 현대의 동기 이론에서는 동기가 생성되는 원천이 어디냐에 따라 동기를 '내적 동기'와 '외적 동기'로 나눈다. 내적 동기에서 비롯된 활동은 사람들이 활동 자체에 흥미를 느끼거나, 도전하고 성장하는 것 자체가 목적으로서, 자발적으로 이루어지는 것이 특징이다. 일반적으로 사람들은 내적 동기에서 유발된 활동을 즐기거나 재미있어 한다. 반면 외적 동기란, 인간을 행동하게 만드는 원인이 보수나 칭찬과 같이 자신의 외부에서 비롯된 것을 의미한다. 외적 동기에 의한 활동은 그 활동 자체가 의미 있는 것이 아니며, 활동은 결과를 얻기 위한 수단인 셈이다.

(내적 동기에 의한 활동의 특징 / 외적 동기의 의미와 그로 인한 활동의 특징)

4문단 요약 답 | 동기는 (동기가 생성되는) 원천이 어디냐에 따라 내적 동기와 외적 동기로 나뉜다.

⑤ 하지만 대부분의 활동에서 내적 혹은 외적 동기가 명확하게 구분되는 것은 아니며 두 가지 동기가 같이 나타나는 경우가 많다. 또 일상에서는 내적으로 동기화된 활동이나 외적으로 동기화된 활동이 비슷하게 보이기도 한다. 「예를 들어 공부가 즐거워서 하는 학생이나 좋은 대학에 가기 위해 공부하는 학생 모두가 공부를 열심히 한다면, 겉으로는 그 차이를 구별하기 어렵다. 하지만 본질적으로 내적 동기를 가진 학생은 성적에 관계없이 공부 자체로 행복을 느끼지만, 외적 동기에 의해 공부하는 학생은 결과가 좋아야만 행복을 느낀다.」 우리나라 학생들이 졸업과 동시에 공부를 등한시하는 이유도 바로 공부가 외적 동기에서 비롯되는 경우가 많기 때문이다. 이처럼 내적 동기, 외적 동기에 의한 활동은 겉으로 비슷해 보이지만 행복을 느끼는 경우는 다르게 나타난다.

(문제 2 – ⑤ 관련 / 문제 2 – ④ 관련, 내적 동기와 외적 동기의 관계 / 「」: 내적 동기와 외적 동기의 사례 / 결과 / 이유)

5문단 요약 답 | 내적 동기와 외적 동기에 의한 활동은 겉으로는 비슷해 보이지만 (행복)을 느끼는 경우는 다르게 나타난다.

해제 | 이 글은 인간의 동기에 영향을 미치는 요소와 동기가 생성되는 원천에 대해 설명하고 있다.

주제 | 동기에 영향을 미치는 요소와 종류 / **출전** | 최현석, 《인간의 모든 동기》

지문 분석하기

동기의 영향 요소			동기의 생성 원천	
감정	욕구	신념	(내적) 동기	외적 동기
감정에 따라 특정 행동을 하고자 함.	식욕, 성욕, 관계 욕구 등을 따름.	인지 활동의 결과를 따르고자 함.	• 활동 자체에 흥미를 느낌. • 도전하고 성장하는 것이 목적이며, 자발적임.	• 행동의 원인이 외부에서 비롯됨. • 활동은 (결과)을/를 얻기 위한 수단임.

1 이 글의 중심 소재는 '인간의 동기'이며 이와 관련해 '인지 활동', '인지', '내적 동기', '외적 동기' 등의 개념을 설명하고 있다.

오답 풀이 ① 이 글에는 일부 인간과 관련한 현상이 제시되어 있지만 이와 관련된 상반된 견해가 제시되어 있지는 않다.
③ 이 글에서는 구체적 사례를 통해 일반적 원리를 이끌어 낸 부분을 찾아볼 수 없다.
④ 이 글에는 동기를 형성하는 요인이 제시되어 있지만, 이와 관련된 여러 견해를 제시한 뒤 이를 절충하고 있다고 보기 어렵다.
⑤ 이 글에는 시간의 흐름에 따른 서술 방식이 사용되지 않았다.

2 5문단에 따르면 외적 동기에 의한 행동이나 내적 동기에 의한 행동은 겉으로는 그 차이를 구별하기 어렵다고 하였다.

오답 풀이 ① 3문단에서 신념이나 소망과 같은 사고 작용의 결과를 '인지 활동'이라고 하며 이는 인간의 동기에 영향을 준다고 하였다.
② 2문단에서 식욕이나 성욕 같은 욕구가 인간의 동기 형성에 영향을 미친다고 설명하였다.
③ 1문단에서 즐거움이나 불쾌감과 같은 감정은 인간의 동기 형성에 영향을 준다고 설명하였다.
④ 5문단에서 대부분의 활동에서 내적 혹은 외적 동기가 구분되는 것은 아니며, 두 가지 동기가 같이 나타나는 경우가 많다고 설명하였다.

3 B가 선수 생활을 그만둔 것은 연봉의 액수가 줄어들었기 때문이다. 즉, 외적 동기가 제거되었기 때문에 선수 생활을 그만둔 것이라고 볼 수 있다.

오답 풀이 ① A는 야구 선수 생활이라는 활동 자체에 흥미를 느끼고, 자신만의 신념을 바탕으로 국내 팀에서 야구를 계속하였으므로, 이는 내적 동기에 의한 것으로 볼 수 있다.
② A가 눈물을 흘린 행위는 A가 가진 감정을 기반으로 하여 발생한 동기가 원인이 된 것으로 볼 수 있다.
④ 외부적인 칭찬이나 보수 등은 외적 동기로 볼 수 있다.
⑤ A와 B는 각각 내적 동기와 외적 동기에 의해 행동하는 사람이라고 볼 수 있으며, 이러한 동기는 곧 두 선수가 선수 생활을 마무리하는 상반된 방식으로 실현되었다고 볼 수 있다.

인문 02 '장가가기'와 '시집가기'

본문 64~65쪽

1 ④ **2** ③ **3** 조선은 성리학을 국가 이념으로 받아들인 나라였다.

① 결혼을 할 때우리는 '장가간다'와 '시집간다'라는 표현을 사용한다. 이것은 우리 역사 속에 결혼에 관한 다양한 문화가 있었음을 의미한다. 고대 국가의 결혼 풍습은 잘 전해지지 않지만, 그나마 알려진 것이 초기 고구려의 결혼 풍습이다.『고구려에서는 먼저 말로 가문끼리 약혼을 한 후 신랑이 처가 뒤편에 작은 집(서옥)을 짓고 기다린다. 신랑은 해가 진 뒤에 처가 문 앞에 가서 이름을 말하고 엎드려 재워 줄 것을 세 번 청한다. 신부의 부모가 이를 승낙하면, 신랑과 신부는 그 서옥에서 첫날밤을 치른다. 신랑은 서옥에 머물러 살다가 자식을 낳고 자식이 성장하면 아내와 자식을 데리고 자기 집으로 돌아갔다.』 이러한 초기 고구려의 결혼 풍습을 '서옥제'라고 한다.

『 』: 초기 고구려의 결혼 풍습, 문제 2 – ① 관련

1문단 요약 답 | 초기 고구려의 결혼 풍습은 신랑이 처가 뒤편에 서옥을 짓고 생활하는 (서옥제)이다.

② 이처럼 사위가 일정 기간 처가에 머무는 것을 '서류부가혼'이라고 한다. 이러한 풍습은 남자가 처가로 간다는 의미인 ㉠'장가가기'로 볼 수 있다. 고구려에 대한 기록에 따르면 고구려에서는 혼인 당사자의 의사가 존중되었으며 까다로운 격식이 요구되지 않았다. 또 예물을 주고받는 허례허식이 없었는데, 재물을 받는 자가 있으면 여자를 종으로 파는 것이라 하여 큰 수치로 여겼다. 이는 백제나 신라도 마찬가지였다.

문제 1 – ① 관련 / 고구려 결혼 풍습의 특성 1 / 고구려 결혼 풍습의 특성 2 / 문제 1 – ② 관련, 고구려 결혼 풍습의 특성 3 / 문제 1 – ② 관련

2문단 요약 답 | 고구려의 결혼 풍습은 서류부가혼으로 이는 (장가가기)로 볼 수 있으며, 이때 삼국의 결혼 풍습에는 허례허식이 없었다.

③ 고려 시대에도 여전히 서류부가혼이 일반적이었다. 자유연애를 통한 결혼이 가능했고, 여성의 이혼과 재혼도 가능했다. 그러나 귀족 사회에서는 결혼이 개인과 개인이 아닌, 가문과 가문의 결합이라는 생각이 지배적이었으며 중매인을 통해 혼례를 하는 것이 일반적이었다. 그리고 이러한 풍습은 조선 시대의 양반층에게도 이어졌다.

장가가기 / 고려 결혼 풍습의 특성 1 / 고려 결혼 풍습의 특성 2 / 고려 결혼 풍습의 특성 3 / 문제 1 – ③ 관련

3문단 요약 답 | (고려) 시대에도 서류부가혼이 일반적이었지만, 귀족 사회에서는 중매인을 통해 결혼하였다.

④ 조선은 성리학을 국가 이념으로 받아들인 나라였다. 조선 사람들의 기본 생활 지침서인 《주자가례》에 따르면 여자가 시집을 가야 했다. 하지만 조선 시대에 이르기까지 변하지 않은 결혼 풍습은 여전히 서류부가혼이었다. 그래서 1435년 왕실에서는 신랑이 처가에 가서 신부를 데리고 와서 신랑집에서 혼례를 올리는 '친영례'로 풍습을 바꾸려고 했다. 하지만 장가가기에 익숙한 사람들에게 시집가기를 강요하다 보니 16세기에 신부 집에서 혼례를 치르고 처가에서 3일 정도 머물다가 시댁으로 가는 '반(半)친영'이 생겼다.

문제 3 관련, 시집가기 풍습의 원인 / 문제 1 – ④, 문제 2 – ② 관련, 성리학에 충실하려는 왕실의 노력 / 시집가기 / 문제 2 – ③ 관련 / '장가가기'에서 '시집가기'로 변하는 과도기적 형태

4문단 요약 답 | 조선 시대에는 결혼 풍습을 시집가기인 친영례로 바꾸고자 했으나, (반친영)이 생겼다.

⑤ 하지만 반친영이 생겨났다고 해서 결혼하자마자 곧장 신부를 데려오지는 못했다. 처갓집에 신부를 두고 남편이 처가에 다니는 경우도 많았다.『남성이 장가드는 풍습은 17~18세기까지 지속되었고, 18세기 들어 가부장제가 확고해지면서 성리학에 기반한 ㉡'시집가기'가 일반화되었다.』 이에 따라 처가살이를 부끄러운 것으로 여기는 풍조도 함께 나타나게 되었다.

서류부가혼의 풍습이 오래도록 지속되었기 때문에 / 『 』: 문제 2 – ④, ⑤ 관련 / 원인 / 문제 1 – ⑤ 관련, 결과

5문단 요약 답 | 조선 후기에는 성리학에 기반한 (시집가기)가 일반화되었다.

해제 | 이 글은 고대 국가인 초기 고구려부터 조선 후기까지 우리나라의 결혼 풍습이 변화하는 과정을 설명하고 있다. / **주제** | 우리나라의 결혼 풍습의 변화 과정

지문 분석하기

(초기) 고구려	고려	조선
• (사위)이/가 일정 기간 처가에 머무는 서류부가혼이 일반적임. • 혼인 당사자의 의사를 존중하고, 까다로운 격식이 요구되지 않음.	• (자유연애)을/를 통한 결혼이 가능함. • 귀족 사회에서는 결혼을 (가문) 간의 결합으로 여겨 중매인을 통해 결혼함.	• 왕실이 '친영례'로 풍속을 바꾸고자 함. • 16세기에 (반친영)이/가 생김. • 18세기 이후 시집가기가 일반화됨.

장가가기 → 시집가기

1 4문단에서 1435년 조선 왕실에서 결혼 풍습을 '친영례'로 바꾸려고 시도하였음을 알 수 있다.

오답 풀이 ① 1문단에 따르면 초기 고구려의 결혼 풍습은 '서옥제'로, '서류부가혼'의 한 종류였음을 알 수 있다.
② 2문단에서 고구려를 비롯해 백제, 신라도 마찬가지로 결혼할 때 예물을 주고받는 허례허식이 없었다는 내용을 확인할 수 있다.
③ 3문단에서 고려 시대의 귀족 사회에서 나타났던 가문과 가문의 결합은 조선 시대의 양반층에게 이어졌다는 내용을 확인할 수 있다.
⑤ 5문단을 통해 조선 후기에 '시집가기'가 일반화되면서 처가살이를 부끄럽게 여기는 풍조가 나타나게 되었음을 알 수 있다.

2 4문단에 따르면, '반친영'은 '친영례'가 일반 백성들에게 잘 적용되지 않자 나타난 일종의 절충안이었다. 그러므로 '반친영'은 ㉠이 ㉡으로 변화하는 과정에 나타난 과도기적 형태라고 볼 수 있다.

오답 풀이 ① 1문단에 따르면 '서옥제'는 사위가 처가에서 일정 기간 동안 머무르며 자식을 낳아 기르다가 자기 집으로 데리고 돌아가는 제도로, ㉠의 사례로 볼 수 있다.
② 4문단에 따르면 조선 왕실에서 시도했던 '친영례'는 신랑이 처가에 가서 신부를 데리고 와서 신랑집에서 혼례를 치르는 것이라 하였으므로, ㉡에 해당한다.
④ 5문단을 통해 18세기 들어 ㉡이 일반화되었다는 사실을 확인할 수 있다.
⑤ 이 글의 내용을 통해 조선 후기 이전까지 우리나라에서는 ㉠이 일반적이었음을 알 수 있다.

3 4문단의 내용에 따르면 조선은 성리학을 국가 이념으로 받아들인 나라였으며, 성리학에서는 《주자가례》에 따라 여자가 시집을 가야 한다고 했다. 또한 이와 같은 이유로 조선 왕실에서는 결혼 풍습을 친영례로 바꾸고자 하였으며, 18세기 들어 성리학에 기반한 시집가기가 일반화되었음을 알 수 있다.

사회 03 장소의 매력을 어필하는 장소 마케팅

본문 66~67쪽

1 ③ **2** 생태적 장소 마케팅 **3** ④

① 「장소 마케팅」은 '장소'와 '마케팅'이 합쳐진 말이다. 일반적으로 마케팅은 상품과 서비스 등을 생산자로부터 소비자에게 전달하는 일체의 활동을 말한다. 이러한 마케팅의 정의에 비추어 보면 장소 마케팅은 지역의 특정 장소가 기업과 관광객, 주민들에게 매력적인 곳으로 인식되도록 이미지를 만들고, 지역 문화와 관광 자원을 활용하여 지역 경제를 활성화하려고 노력하는 일련의 활동을 의미한다.
문제 1 - ① 관련, 장소 마케팅의 개념

1문단 요약 답 장소 마케팅은 특정 장소가 (**매력적인 곳**)으로 인식되도록 이미지를 만드는 활동이다.

② 「장소 마케팅은 각 지역 간에 기업과 관광객을 데려오기 위한 경쟁이 심화되는 상황에서, 서구 산업 도시들이 도시 이미지를 바꾸기 위해 자본과 인구 등을 끌어들이고자 시도한 것에서 유래한다.」 지역 간 경쟁에서 지역의 긍정적인 이미지가 자원을 얻을 수 있는 강력한 도구가 되면서 장소 마케팅에 대한 요구가 증가하게 되었다.
「 」: 장소 마케팅의 유래, 문제 1 - ②, ⑤ 관련
장소 마케팅이 주목받는 이유

2문단 요약 답 지역의 이미지가 자원을 얻는 도구가 되면서 (**장소 마케팅**)에 대한 요구가 증가하고 있다.

③ 장소 마케팅을 실행하기 위해서는 가장 먼저 '장소 자산'에 대한 인식이 필요하다. 장소 자산이란 지역이 가지고 있는 장소의 요소 중 개발이 가능한 유·무형의 자원으로, 여기에는 자연적 요소, 문화적 요소, 산업적 요소 등 다양한 것들이 있다. 장소 자산을 활용한 장소 마케팅의 사례 중 생태적 장소 마케팅은 양질의 생태 자연을 활용하는 것으로, 충남 보령의 머드 축제가 이에 해당한다. 문화적 장소 마케팅은 장소가 가지고 있는 특수한 문화를 활용하는데, 안동 하회 마을 같은 경우가 이에 해당한다. 그리고 산업적 장소 마케팅은 산업적 입지가 좋은 환경을 만들어 기업을 끌어들임으로써 일자리 창출과 지역 활성화를 이루는 것으로, 전국에 있는 산업 단지가 이에 해당한다.
장소 자산의 개념 / 문제 2 관련, 생태적 장소 마케팅의 개념 / 생태적 장소 마케팅의 사례 / 문화적 장소 마케팅의 개념 / 문화적 장소 마케팅의 사례 / 산업적 장소 마케팅의 개념 / 산업적 장소 마케팅의 사례

3문단 요약 답 장소의 요소 중 개발이 가능한 자원인 (**장소 자산**)을 활용하여 장소 마케팅을 실행한다.

④ 그렇다면 장소 마케팅은 어떤 단계를 거쳐 실행될까? 「장소 마케팅의 첫 번째 단계는 장소 분석으로, 지역의 상황 및 강·약점을 파악하는 것이다. / 두 번째 단계는 일관성 있는 목표를 설정하는 것이고, / 세 번째 단계는 목표 달성을 위해 구체적인 마케팅 전략을 짜는 것이다. 이 단계에서는 무엇을, 어떻게 홍보할 것인지에 대한 전략을 짠다. / 네 번째 단계에서는 사업의 책임자, 필요한 비용, 완료 시기 등을 분명하게 드러내는 실행 계획을 수립해야 한다. / 마지막 단계는 계획된 사업을 실행하고 이를 평가하는 것으로, 이 평가의 내용은 목표나 전략, 실행 계획에 다시 반영된다. //」
「 」: 장소 마케팅의 실행 단계(과정) / 문제 3 - 〈보기〉 ㉠ 관련 / 문제 3 - 〈보기〉 ㉡ 관련 / 문제 3 - 〈보기〉 ㉢ 관련 / 문제 3 - 〈보기〉 ㉣ 관련 / 문제 3 - 〈보기〉 ㉤ 관련

4문단 요약 답 장소 마케팅은 장소 분석, 목표 설정, (**마케팅 전략**) 수립, 실행 계획 수립, 실행 및 평가의 단계를 거친다.

⑤ 장소 마케팅은 재원과 인력이 부족한 도시로 인구와 자본을 끌어들여 침체에 빠진 지역들을 활성화할 수 있는 가능성을 열어 주었다. 자율적인 성장 기반을 되찾고 지속적인 발전 기반을 쌓으려는 지방 자치 단체가 많아지면서 장소 마케팅에 대한 관심은 계속 증가하고 있다.
문제 1 - ③ 관련 / 문제 1 - ④ 관련

5문단 요약 답 장소 마케팅은 침체에 빠진 지역을 (**활성화**)할 수 있는 가능성을 열어 주었다.

해제 | 이 글은 침체에 빠진 지역을 활성화할 수 있는 방법인 장소 마케팅에 대해 설명하고 있다.

주제 | 장소 마케팅의 개념과 특징 및 실행 단계

지문 분석하기

(장소 마케팅)

개념	유래	활용 요소	실행 단계
특정 장소에 대한 긍정적인 이미지를 만드는 활동	기업이나 관광객을 끌어들이려는 도시들 간의 심화된 경쟁 상황	장소 자산: 자연적 요소, (문화적) 요소, 산업적 요소 등	(장소 분석) → 목표 설정 → 마케팅 전략 수립 → 실행 계획 수립 → 실행 및 평가

1 5문단에 따르면 장소 마케팅은 재원과 인력이 충분하지 않은 지역에서, 그 지역을 활성화할 수 있는 수단으로 활용됨을 확인할 수 있으므로 ③은 적절하지 않다.

오답 풀이 ① 1문단에서 장소 마케팅은 지역의 특정 장소가 매력적인 곳으로 인식되도록 이미지를 만들어 주는 활동이라고 설명하였다.
② 2문단에 따르면 장소 마케팅은 자본과 인구를 끌어들이고자 시도되었다.
④ 5문단에 따르면 장소 마케팅은 자율적인 성장과 기반을 되찾고 지속적인 발전 기반을 쌓으려는 지방 자치 단체가 많아지면서 주목을 받고 있다.
⑤ 2문단에서 장소 마케팅은 기업과 관광객을 데려오기 위한 경쟁이 심화되는 상황에서 유래되었다는 것을 알 수 있다.

2 A시가 대나무 숲길을 대대적으로 홍보한 것은 지역의 생태 자연을 활용한 것이므로, 이는 생태적 장소 마케팅으로 볼 수 있다.

3 4문단에 따르면 장소 마케팅의 네 번째 단계에서는 사업 책임자, 필요한 비용, 완료 시기 등을 분명하게 드러내는 실행 계획을 세워야 한다. 〈보기〉의 ㉣은 구체적인 마케팅 전략에 해당하므로 세 번째 단계로 보는 것이 적절하다.

오답 풀이 ① ㉠은 지역의 현황 및 강·약점을 파악한 것이므로 첫 번째 단계에 해당한다.
② ㉡은 '지역 경제 활성화를 위해 관광객을 늘려야 한다'는 목표를 설정하였으므로 두 번째 단계에 해당한다.
③ ㉢은 인터넷 누리집을 통해 캠핑장을 홍보하는 것으로, 구체적인 마케팅 전략을 짜는 세 번째 단계에 해당한다.
⑤ ㉤의 경제적 효과를 분석하고 계획대로 되지 않은 부분을 점검하는 것은 마지막 단계에 해당한다.

사회 04 자본주의 경제 체제의 작동 원리

본문 68~69쪽

1 ④ **2** ① **3** 공공의 이익

① 재화와 서비스의 생산·교환·분배·소비와 관련되는 사회 질서와 제도, 인간 행위를 모두 '경제'라고 한다. '경제 체제'는 경제에서 해결해야 하는 문제를 풀어 나가는 제도나 방식을 말하는데, 우리나라는 자본주의 경제 체제를 선택하고 있다. 자본주의 경제 체제란 생산자와 소비자가 자유롭게 자기의 이익을 추구하는 가운데 시장에서 기본적인 경제 문제들이 해결되도록 하는 경제 체제이다.

경제의 개념 / 문제 1 – ① 관련, 자본주의 경제 체제의 작동 원리

1문단 요약 답 자본주의 경제 체제에서는 생산자와 소비자가 자기의 (**이익을 추구**)할 수 있다.

② 자본주의 경제 체제는 자본과 토지 등의 생산 수단을 대부분 개인이 가지고, 이 사유 재산을 자유롭게 사용·처분할 수 있는 제도인 '사유 재산 제도'와 직업의 선택이나 영업 등의 경제 행위에 대한 개인의 결정과 선택이 자유롭게 이루어지는 '경제적 자유'를 바탕으로 한다. 자본주의 경제 체제에서는 생산자와 소비자가 시장에서 형성되는 가격을 기준으로 하여 자유롭게 생산·교환·소비 활동을 한다. 따라서 자본주의 경제 체제를 자유 시장 경제 체제라고도 부른다.

사유 재산 제도의 개념 / 자본주의 경제 체제의 바탕 1 / 경제적 자유의 개념 / 자본주의 경제 체제의 바탕 2 / 시장을 중심으로 운영

2문단 요약 답 자본주의 경제 체제는 사유 재산 제도와 (**경제적 자유**)를 바탕으로 한다.

③ 자본주의 경제 체제에서는 생산 수단을 가지고 있는 생산자가 이윤을 얻을 목적으로 노동자를 고용하여 상품을 만들어 낸다. 이 체제에서는 생산물뿐만 아니라 토지, 노동, 자본과 같은 생산 요소들도 상품으로 거래되며, 생산·유통·소비가 모두 시장을 통해 이루어진다. 「시장에서는 상품의 가격이 올라가면 공급자는 이익을 키우기 위해 공급량을 늘리려고 하는 반면, 소비자는 상품을 사지 않으려고 하므로 수요량은 줄어든다. 반대로 상품의 가격이 떨어지면 공급량은 줄어들지만 수요량은 늘어난다. 즉, 시장의 가격에 따라 공급량과 수요량은 자율적으로 조절되며, 공급량과 수요량이 만나는 균형점에서 시장 균형 가격이 결정된다.」

문제 1 – ② 관련 / 「 」: 시장에서의 공급량과 수요량의 조절, 문제 2 관련 / 공급량과 수요량이 일치하는 지점

3문단 요약 답 자본주의 경제 체제에서는 (**시장의 가격**)에 따라 상품의 공급량과 수요량이 자율적으로 조절된다.

④ 한편 〈자본주의 경제 체제는 개인의 자유를 강조하며 사유 재산을 인정하기 때문에 소득과 자산이 고르게 나누어지지 않을 수 있다. 그리고 탐욕스러운 이윤의 추구로 환경이 파괴되거나 공공의 이익이 무시될 수도 있다. 이러한 현상들은 사회 전체의 효율적인 자원 분배를 방해하는 문제를 일으킨다.〉

문제 1 – ④, 문제 3 관련, 자본주의 경제 체제에서의 문제점 / 문제 1 – ③ 관련

4문단 요약 답 자본주의 경제 체제에서는 효율적인 (**자원 분배**)를 방해하는 문제가 나타나기도 한다.

⑤ 이러한 문제 때문에 [정부는 경제 활동을 시장에 모두 맡기지 않고 경제 활동에 개입하게 되었다. 자본주의 경제 체제에서는 기본적인 경제 문제를 시장이 풀게 하는 것이 원칙이지만, 시장에서 해결되지 못하는 문제는 정부가 개입하여 자본주의 경제 체제의 단점을 보완하고 자원 분배의 효율성을 높이고자 하는 것이다.]

자본주의 경제 체제의 문제점 보완 / 문제 1 – ⑤ 관련

5문단 요약 답 시장이 해결하지 못하는 문제를 해결하기 위해 (**정부**)가 개입할 수 있다.

해제 | 이 글은 자본주의 경제 체제의 개념과 특징을 소개하고 문제점에 대한 해결 방안을 설명하고 있다.
주제 | 자본주의 경제 체제의 개념과 작동 원리

지문 분석하기

(자본주의) 경제 체제	
사유 재산 제도	(경제적 자유)
사유 재산을 자유롭게 사용하고 처분할 수 있는 제도	경제 행위에 대한 개인의 결정과 선택이 자유롭게 이루어지는 것

→ 사회 전체의 효율적인 자원 분배를 방해하는 문제가 발생함. → (시장)에서 해결되지 못하는 문제를 위해 정부가 개입함.

1 4문단에서 자본주의 경제 체제에서는 탐욕스러운 이윤 추구로 공공의 이익이 무시될 수도 있다고 하였다. 따라서 공공의 이익이 무시될 수 있기 때문에 사유 재산을 강조한다는 ④의 내용은 적절하지 않다.

오답 풀이 ① 1문단에서 자본주의 경제 체제란 생산자와 소비자가 자유롭게 자기의 이익을 추구하는 것이라고 하였다.
② 3문단에 따르면 자본주의 경제 체제에서는 생산물뿐만 아니라 토지, 노동, 자본과 같은 생산 요소들도 시장을 통하여 상품으로 거래된다.
③ 4문단에서 자본주의 경제 체제에서는 탐욕스러운 이윤 추구로 인해 발생하는 문제들 때문에 사회 전체의 효율적인 자원 분배에 방해가 될 수 있다고 하였다.
⑤ 5문단에서 자본주의 경제 체제는 기본적으로 경제 문제를 시장이 풀게 하는 것이 원칙이지만 시장에서 해결되지 못하는 문제는 정부가 개입하여 자원 분배의 효율성을 높인다고 하였다.

2 P_0에서 P_2로 상품의 가격이 올라간다면 공급량은 늘고, 수요량은 줄어들게 된다. 따라서 이때 수요량이 늘어난다는 이해는 적절하지 않다.

오답 풀이 ② P_0에서 P_1으로 상품의 가격이 떨어진다면 P_0와 공급선이 만났던 점이 P_1과 공급선이 만나는 점으로 이동하게 되는데, 이는 곧 공급량이 줄어듦을 나타낸다.
③ 공급 곡선과 수요 곡선이 만나는 균형점에서 생산자는 P_0의 가격으로 Q_0만큼의 상품을 판매할 수 있다. 따라서 생산자의 수입은 $(P_0 \times Q_0)$가 될 것이다.
④ 공급 곡선과 수요 곡선이 만나는 지점에서 상품의 시장 균형 가격이 결정된다.
⑤ 공급 곡선이 우상향하는 것은 상품의 가격이 올라갈수록 공급량을 늘린다는 의미이다.

3 4문단에서 자본주의 경제 체제에서는 사유 재산을 인정하기 때문에 소득과 자산이 고르게 나누어지지 않을 수 있고, 탐욕스러운 이윤 추구로 인해 환경이 파괴되거나 공공의 이익이 무시될 수도 있다고 하였다.

과학 05 사우나가 목욕물보다 덜 뜨거운 이유 본문 70~71쪽

1 ⑤ 2 ⑤ 3 ②

① 과학자들이 열을 탐구하기 시작한 것은 17세기 이후부터이다. 처음에 과학자들은 열의 근원을 '눈에 보이지 않는 작은 알갱이'로 생각하여 그것을 '열소(caloric)'라고 불렀다. 즉 ㉠열의 이동을 열소가 많은 곳에서 적은 곳으로 흐르는 것이라고 설명한 것이다. 이와 같이 열이 열소로 이루어져 있다고 보는 이론을 '열소설'이라고 한다.
문제 1 - ③ 관련, 열소설의 정의 1문단 요약 답 17세기 이후 열을 탐구한 과학자들은 (**열의 근원**)을 열소라고 불렀다.

② 그러나 열소설에는 몇 가지 의문이 생긴다. 우선 물체의 온도가 올라간다는 것은 열소가 많아진다는 것인데, 그럴 경우 ㉡온도가 올라갈수록 물체의 질량이 증가해야 한다. 하지만 실생활에서 온도 증가에 따른 질량의 증가는 관찰되지 않았다. 또한 말의 힘을 이용해 드릴을 돌려서 쇠기둥을 깎을 때, 쇠기둥 주변에는 엄청나게 많은 열이 발생하였는데 그렇다면 ㉢이렇게 많은 열소가 애초에 어디에서 왔는지 설명하기도 어렵다.
열소설에 관한 의문 1 / 열소설에 관한 의문 2 2문단 요약 답 (**열소설**)에는 설명하기 어려운 몇 가지 의문이 있었다.

③ 이러한 의문 속에서 새로운 관점으로 열의 정체를 밝힌 사람은 줄이었다. 줄은 물그릇 안에 회전 날개를 장치하고, 날개와 연결된 추를 떨어뜨리면 물속의 날개가 회전하는 실험 장치를 고안하였다. 그리고 추가 떨어져 회전 날개를 돌리면 물의 온도가 올라간다는 것을 관찰하여, 물체가 일을 하면 온도가 올라간다는 것을 알아냈다. 이 실험은 열의 근원이 열소가 아니라 운동 에너지임을 보여 주었다. 이로 인해 ㉣열은 물질을 구성하는 분자나 원자의 운동 에너지가 열에너지로 전환된 것이라는 생각을 하게 되었다.
줄의 실험 → 줄의 실험의 결과 / 문제 1 - ④ 관련 3문단 요약 답 줄은 실험을 통해 열의 근원이 (**운동 에너지**)임을 보여 주었다.

④ 그렇다면 온도란 무엇일까? 덥고 찬 정도를 나타내는 온도 역시 원자나 분자와 같은 입자의 운동으로 설명할 수 있다. 즉 온도는 물질을 구성하는 원자나 분자가 운동하는 격렬함의 정도라고 할 수 있다. 온도가 높다는 것은 원자나 분자의 운동이 더 활발하다는 것이고, 온도가 낮다는 것은 원자나 분자의 운동이 덜 활발하다는 것이다. 그러므로 ㉤온도는 여러 방향으로 운동하는 여러 입자들이 가진 격렬함의 평균값이라고 정의할 수 있다.
차가움과 뜨거움에 영향을 주는 요소 1 / 문제 1 - ②, 문제 2 - ⑤ 관련, 온도의 정의 4문단 요약 답 온도는 여러 방향으로 운동하는 여러 입자들이 가진 격렬함의 (**평균값**)이다.

⑤ 그렇다면 우리가 느끼는 차가움과 뜨거움은 온도에만 영향을 받는 것일까? 꼭 그렇지만은 않다. 예컨대 45℃의 목욕물은 상당히 뜨겁게 느껴지는 반면, 60℃의 사우나 안은 별로 뜨겁게 느껴지지 않는다. 이것은 열에너지의 유입량 및 유출량과 관계가 있기 때문이다. 『사우나 안의 온도가 목욕물의 온도보다 높아도 상대적으로 덜 뜨겁게 느껴지는 이유는 수증기의 분자 밀도가 물의 분자 밀도보다 1,000분의 1 정도로 낮아서 몸에 전달되는 열에너지의 유입량이 훨씬 적기 때문이다.』 게다가 사우나 안에 있으면 우리 몸에서 땀으로 많은 수분이 빠져나오므로 열의 유출량도 많아져 몸의 온도가 올라가지 않고 일정한 체온을 유지하기 때문이다.
차가움과 뜨거움에 영향을 주는 요소 2 / 『 』: 문제 1 - ⑤, 문제 3 - ② 관련 / 결과 / 사우나가 목욕물보다 덜 뜨거운 이유 1 / 사우나가 목욕물보다 덜 뜨거운 이유 2 5문단 요약 답 우리가 느끼는 차가움과 뜨거움은 (**열에너지**)의 유입량 및 유출량과 관계가 있다.

해제 | 이 글은 열과 온도에 대해 탐구해 온 과정과, 사람이 뜨거움을 느끼는 과학적 원리를 설명하고 있다.
주제 | 열과 온도의 과학적 원리 및 우리가 뜨거움을 느끼는 이유

지문 분석하기

(열)		온도	
열소설	열에너지설	입자의 운동	입자의 밀도
열의 근원은 눈에 보이지 않는 알갱이인 열소임. →	열은 물질을 구성하는 입자의 운동 에너지가 열에너지로 변한 것임.	온도는 운동하는 여러 입자들이 가진 격렬함의 평균값임. +	입자의 (밀도)에 따라 전달되는 차가움과 뜨거움의 정도가 달라짐.

1 5문단에 따르면 수증기의 분자 밀도는 물의 분자 밀도보다 약 1,000분의 1 정도로 낮기 때문에 사우나와 목욕물이 같은 온도라면 몸에 전달되는 열에너지의 유입량은 사우나가 목욕물보다 훨씬 적다.

오답 풀이 ①, ② 4문단에 따르면 물질은 원자나 분자들로 구성되어 있으며 이것은 여러 방향으로 운동한다. 또한 온도는 여러 방향으로 운동하는 여러 입자들이 가진 격렬함의 평균값이므로 입자의 운동 정도에 따라 온도가 달라질 수 있다.
③ 1문단에 따르면 열소설은 열의 근원이 되는 열소가 열을 전달한다고 보는 이론이다.
④ 3문단에 따르면 줄은 물속 회전 날개 실험을 통해 열의 근원이 운동 에너지라고 생각했다.

2 동일한 물질을 구성하는 입자들은 제각기 다른 속도로 운동을 하기 때문에 온도를 여러 입자들이 가진 격렬함의 평균값으로 정의한 것이다. 따라서 동일한 물질을 구성하는 입자들이 모두 일정한 속도로 운동한다는 것은 ㉤의 전제가 될 수 없다.

오답 풀이 ① 열은 고온의 물질에서 저온의 물질로 이동한다. 따라서 열소설에서 열의 이동을 열소가 많은 곳에서 적은 곳으로 흐르는 것으로 설명한 것이다.
② 모든 물질은 질량을 갖는다. 따라서 온도가 올라갈수록 열소의 증가로 인해 물체의 질량이 증가한다고 본 것이다.
③ 외부에서 열소가 유입되지 않으면 열소가 생길 수 없다는 전제가 있었기 때문에 쇠기둥 주변에서 발생한 열의 근원을 설명할 수 없었던 것이다.
④ 물질의 운동 에너지는 다른 상태의 에너지로 전환될 수 있다. 따라서 줄은 분자나 원자의 운동 에너지가 열에너지로 전환될 수 있다고 본 것이다.

3 몸에 전달되는 열에너지의 유입량은 밀도와 관련이 있다. 따라서 밀도가 매우 낮다면 아무리 온도가 높다고 하더라도 우리 몸에 전달되는 열에너지의 유입량이 적기 때문에 별로 뜨겁게 느껴지지 않을 것이다.

과학 06 수영장 속에도 과학이 있다

본문 72~73쪽

1 ① **2** ④ **3** ④

① 물에 들어간 인체는 중력과 부력, 마찰력을 동시에 받는다. 중력은 지구가 물체 등을 지구의 중심 방향으로 끌어당기는 힘으로, 질량, 즉 몸무게만큼 아래로 작용한다. 반면, 부력은 물에서의 압력에 의해 물체를 떠받쳐 올리는 힘이므로 위로 작용한다. 이 두 힘은 각각 무게 중심과 부심에 작용하여 인체에 힘을 가하는데, 두 점의 위치가 어디냐에 따라 몸의 균형이 바로잡히기도 하고 몸이 물속으로 가라앉기도 한다.

중력의 의미 / 부력의 의미 / 중력의 작용점 / 부력의 작용점 / 무게 중심과 부심의 영향

(1문단 요약 답) 물에 들어간 인체는 무게 중심과 (**부심**)의 위치에 따라 균형 상태가 결정된다.

② 무게 중심과 부심은 인체의 형태와 밀접한 연관이 있다. 몸무게가 같아도 상체가 발달했느냐 하체가 발달했느냐에 따라 달라지고, 물에 들어간 사람의 자세에 따라서도 무게 중심과 부심은 시시각각으로 변한다. 그러므로 물속에서 몸을 적절히 변형시키면 뜨고 가라앉음을 조절할 수 있다. 『예를 들어 손을 머리 위로 쭉 뻗어 올리면 손을 허리에 붙일 때보다 상체의 부피가 커지고 몸에서 가장 부력이 큰 폐의 위치가 높아져 부심이 몸의 위쪽으로 이동한다. 따라서 상체가 위로 떠오르고 다리 쪽은 가라앉는 결과가 나타난다.』

문제 2 – ⑤ 관련, 무게 중심과 부심의 위치 변화 / 문제 2 – ① 관련 / 무게 중심이 위로 이동 / 『 』: 문제 1 – ①, 문제 2 – ③ 관련, 예시에 의한 내용 전개 / 부심의 위치가 높아짐.

(2문단 요약 답) 물에서의 무게 중심과 부심은 (**인체의 형태**)와 밀접한 관련이 있다.

③ 수중 발레 선수들이 팔을 내뻗고 다리를 오므리고 벌리는 동작을 살펴보면 그들의 동작에 따라 무게 중심과 부심의 위치가 수시로 달라지는 모습을 흥미롭게 감상할 수 있다. 수중 발레 선수들은 손과 발을 이용할 뿐만 아니라 숨을 내뱉어서 폐의 공기량을 줄이거나, 숨을 들이마셔서 공기량을 늘리기도 하고, 손과 발을 수면 밖으로 내뻗는 동작으로 몸의 뜨고 가라앉음을 다양하게 변화시키며 연기한다.

문제 1 – ① 관련 / 문제 2 – ② 관련, 부심의 조절 / 무게 중심의 조절

(3문단 요약 답) 수중 발레 선수들은 손과 발을 이용하고, 폐의 (**공기량**)을 조절하며 연기한다.

④ 마찰력은 물체가 어떤 면과 접촉하여 운동할 때 그 운동을 방해하는 힘을 말한다. 물에 들어간 인체는 마찰 저항을 받는데, 물속에서 받는 마찰 저항은 대단해서 ㉠수영 선수와 육상 선수의 기록은 비교가 되지 않는다. 마찰 저항은 물체의 형태에 따라 민감하게 달라지는데, 각이 진 물체보다는 둥글게 다듬은 것일수록 물의 마찰 저항을 덜 받는다. 그래서 물에서는 유선형을 선호한다. 물고기의 형태가 그러한 모양을 띠는 이유이다. 이렇듯이 물에서는 마찰 저항이 중요하다 보니, 기록 단축이 최우선인 수영 선수들에게 마찰 저항을 줄이는 것은 최우선 과제일 수밖에 없다. 몸에 착 달라붙는 수영복을 입는다거나 중요 부위만 살짝 가린 날렵한 수영복을 입고, 그것도 모자라서 머리를 박박 밀어 버린다거나 몸에 난 털을 다 깎는 것 등이 다 저항을 줄이려는 처절한 몸부림인 것이다.

문제 3 – ④ 관련 / 마찰 저항의 차이: 수중 마찰력 > 공기 중 마찰력 / 이유 / 결과 / 유선형 / 물속에서 마찰 저항을 줄이기 위한 노력 1 / 물속에서 마찰 저항을 줄이기 위한 노력 2 / 물속에서 마찰 저항을 줄이기 위한 노력 3

(4문단 요약 답) 수영 선수들은 물속에서 받는 (**마찰 저항**)을 줄이기 위해 다양한 노력을 한다.

해제 | 이 글은 물속에 들어간 인체에 작용하는 중력, 부력, 마찰력의 관계와 이에 따른 인체의 상태를 과학적으로 설명하고 있다. / **주제** | 물속에 들어간 인체에 작용하는 중력, 부력, 마찰력의 관계

출전 | 한국과학문화재단, 《교양으로 읽는 과학의 모든 것 1》

지문 분석하기

물속에서 인체가 받는 힘		
	중력	• 지구가 물체를 지구의 (중심) 방향으로 끌어당기는 힘 • 질량(몸무게)만큼 아래로 작용함. 예 몸무게가 많이 나갈수록 물속에서 아래로 작용하는 중력의 힘이 큼.
	부력	• 물에서의 압력에 의해 떠받쳐 올리는 힘 • 중력의 (반대) 방향인 위쪽으로 작용함. 예 물속에서 손을 머리 위로 뻗어 올리면 부력이 큰 폐의 위치가 높아져 상체가 위로 떠오름.
	마찰력	• 물체가 어떤 면과 접촉하여 운동할 때 그 운동을 방해하는 힘 • 지상에서보다 물속에서 (마찰) 저항이 매우 크게 나타남. 예 물체의 표면이 매끄러울수록 물의 마찰 저항을 덜 받음.

1 이 글에서는 인체의 형태와 수중 발레 선수의 예 등을 통해 물속에서 작용하는 힘의 원리에 대해 설명하고 있다.

2 수면 위에 팔을 뻗고 있던 사람이 물속으로 몸을 웅크리게 되면 부력이 큰 폐의 위치와 무게 중심의 위치가 낮아진다. 그러나 몸무게가 변화하는 것은 아니므로 중력이 증가하지는 않는다.

오답 풀이 ① 2문단에서 물속에서의 자세에 따라 무게 중심과 부심이 수시로 변하는데, 몸을 적절히 변형시켜 무게 중심과 부심의 위치를 조절하면 몸의 균형을 조절할 수 있다고 하였다.
② 3문단에서 폐의 공기량을 줄이거나 늘려 몸의 뜨고 가라앉음을 조절할 수 있다고 언급하고 있다. 그러므로 폐의 공기량이 적어지면 부력도 작아진다고 볼 수 있다.
③ 2문단에 따르면 손을 머리 위로 쭉 뻗어 올리면 상체의 부피가 커지고 폐의 위치가 높아져 부심이 머리 쪽으로 이동한다.
⑤ 2문단에 따르면 몸무게는 같아도 상체가 발달했느냐 하체가 발달했느냐에 따라 무게 중심과 부심이 달라진다. 따라서 하체가 발달했다면 몸무게가 하체에 더 집중되므로 무게 중심이 다리 쪽으로 치우치게 된다고 볼 수 있다.

3 ㉠은 수영 선수가 물속에서 받는 마찰 저항이 육상 선수가 지상의 공기 중에서 받는 마찰 저항보다 크기 때문이다.

오답 풀이 ① 수영 선수가 육상 선수와 달리 유선형 몸매를 하고 있는 것은 아니다.
② 육상 선수가 수영 선수에 비해 무게 중심의 위치가 낮은 것은 아니다.
③ 같은 대상이라면 물속과 지상에서 그 대상에 작용하는 중력은 같다.
⑤ 공기 중에 부력이 없기는 하지만, 두 선수의 기록 차이의 원인은 마찰 저항 때문이다.

어휘 더 쌓기 74쪽

1 (1) ㉠ (2) ㉡ (3) ㉢ (4) ㉣ **2** (1) ② (2) ④ (3) ⑤ **3** (1) ㉢ (2) ㉡ (3) ㉠ (4) ㉣

기술 07 데이터를 줄 세우는 두 가지 질서

본문 76~77쪽

1 ① **2** ③ **3** ㉠ 큐, ㉡ 스택

① 우리가 사용하는 컴퓨터의 데이터 처리 방식 중에는 큐(queue)와 스택(stack)이 있다. 큐와 스택은 데이터의 저장과 삭제 방식에 따라 구분되는데, 큐는 한쪽 끝인 리어(rear)에서 데이터가 입력되고, 그 반대쪽 끝인 프런트(front)에서만 삭제가 이루어지는 방식이다. 「은행이나 식당에서 서비스를 받기 위해 줄을 서는 경우와 마찬가지이다. 가장 먼저 와서 줄의 앞부분에 서 있는 사람이 먼저 서비스를 받게 되고, 나중에 온 사람은 뒤에서 차례를 기다려야 한다.」

(문제 1 – ④ 관련, 큐와 스택의 구분 기준 / 큐의 개념 / 「 」: 큐의 원리가 나타나는 사례)

1문단 요약 답 | 큐에서 데이터는 (리어)에서 입력되고, 프런트에서 삭제된다.

② 큐에 데이터가 입력되면 데이터는 입력되는 순서에 따라 차례대로 저장된다. 데이터의 저장 위치는 '리어 포인터'가 가리키게 된다. 비어 있는 저장 공간에 처음으로 데이터 'A'가 입력된다고 가정해 보자. 그러면 리어 포인터는 첫 번째 칸을 가리키게 되고 그 위치에 데이터가 저장된다. 새로운 데이터 'B', 'C', 'D'가 연속적으로 입력된다면 리어 포인터의 위치는 한 칸씩 뒤쪽으로 이동하며 차례대로 데이터를 저장하게 된다.

(문제 1 – ① 관련 / └큐에서 데이터의 저장 위치를 가리키는 눈금 / 문제 1 – ② 관련)

2문단 요약 답 | 큐는 (리어 포인터)의 위치에 따라 데이터가 저장된다.

③ 한편 데이터의 삭제는 '프런트 포인터'가 가리키는 위치에 의해 결정된다. 저장된 데이터 'A'를 처음으로 삭제한다면 프런트 포인터는 첫 번째 칸을 가리키게 되고 그 위치에 저장되어 있는 데이터를 삭제한다. 저장되어 있는 데이터를 연속적으로 삭제한다면 프런트 포인터의 위치는 한 칸씩 뒤쪽으로 이동하며 차례대로 데이터를 삭제하게 된다.

(└큐에서 데이터의 삭제 위치를 가리키는 눈금)

3문단 요약 답 | 큐는 (프런트 포인터)의 위치에 따라 데이터가 삭제된다.

④ 이와 달리 스택은 데이터의 저장과 삭제가 한쪽 끝에서만 이루어지는 데이터 구조이기 때문에 먼저 저장된 데이터가 가장 나중에 삭제된다. 「한쪽만 열려 있는 길쭉한 통에 책을 보관하는 경우를 생각해 보자. 가장 먼저 넣은 책은 바닥에 깔리고 가장 나중에 넣은 책은 위쪽에 위치하여 다시 책을 꺼내려 한다면 가장 나중에 넣은 책부터 차례대로 꺼내야 한다.」

(스택의 개념 / 「 」: 스택의 원리가 나타나는 사례)

4문단 요약 답 | (스택)에서 데이터는 한쪽 끝에서만 저장되고 삭제된다.

⑤ 스택에서 데이터가 저장되거나 삭제되는 위치는 '탑(top)'에 의해 결정된다. 비어 있는 저장 공간에 처음으로 데이터 'A'가 입력되면 탑은 가장 아래 칸을 가리키게 되고 그 위치에 데이터를 저장한다. 새로운 데이터 'B', 'C', 'D'가 연속적으로 입력된다면 탑의 위치는 한 칸씩 위쪽으로 이동하며 차례대로 데이터를 저장하게 된다. 데이터의 삭제가 이루어질 경우 현재 탑이 가리키고 있는 위치의 데이터가 삭제되고, 연속적으로 데이터를 삭제한다면 탑의 위치는 아래쪽으로 이동하며 차례대로 데이터를 삭제하게 된다.

(스택에서 데이터의 저장과 삭제 위치를 가리키는 눈금 / 문제 1 – ⑤ 관련 / 문제 1 – ③ 관련)

5문단 요약 답 | 스택은 (탑)의 위치에 따라 데이터가 저장되고 삭제된다.

해제 | 이 글은 데이터의 처리 방식인 큐와 스택의 개념과 원리를 설명하고 있다.

주제 | 큐와 스택의 개념과 원리

지문 분석하기

데이터의 처리 방식			
	(큐)	한쪽 끝(리어 포인터)에서 데이터가 (저장)되고 반대쪽 끝(프런트 포인터)에서 삭제됨.	← 삭제 | A | B | C | … | ← 저장
	스택	같은 쪽 끝(탑)에서만 데이터가 저장되고 삭제됨.	(저장) … (삭제) / C / B / A

1 2문단에서 큐의 방식에서 데이터의 저장 위치는 '리어 포인터'가 가리키게 된다고 하였다.

오답 풀이 ② 2문단에서 큐에 처음으로 데이터가 입력되면 리어 포인터는 첫 번째 칸을 가리키게 되고 그 위치에 데이터가 저장된다고 하였다.

③ 5문단에서 스택에서 연속적으로 데이터를 삭제한다면 탑의 위치는 아래쪽으로 이동하며 차례대로 데이터를 삭제하게 된다고 하였으므로, 가장 먼저 저장된 데이터는 가장 나중에 삭제될 것이다.

④ 1문단에서 큐와 스택은 데이터의 저장과 삭제 방식에 따라 구분된다고 밝히고 있다.

⑤ 5문단에서 스택에서 데이터가 저장되거나 삭제되는 위치는 '탑'에 의해 결정된다고 하였다.

2 데이터 처리 방식인 큐나 스택에서 'A', 'B', 'C'를 차례로 입력하면, 각각 입력 순서대로 'A-B-C'가 저장될 것이다. 이 상태에서 1개의 데이터를 지우게 되면, 큐에는 F가 맨 처음으로 입력된 'A'를 가리켜 삭제할 것이고, 스택에서는 Top이 가장 나중에 입력한 'C'를 가리켜 삭제할 것이다. 그리고 큐에서는 R이 'C'의 뒤 칸을 가리켜 그곳에 'D'가 입력되어 'B-C-D'의 순서대로 저장될 것이고, 스택에서는 Top이 'B'의 위 칸을 가리켜, 그곳에 'D'가 입력되어 'A-B-D'가 저장될 것이다. 따라서 〈보기〉를 실행한 결과로 알맞은 것은 ③이다.

오답 풀이 ④ 스택에서 'A-B-D'가 저장되었다고 할 때, Top의 위치는 'D'를 가리켜야 한다.

3 가장 먼저 입력된 것의 순서대로 데이터가 삭제(처리)되는 데이터 처리 방식은 큐, 인터넷의 '뒤로 가기' 버튼처럼 바로 이전 데이터로 순서대로 이동하는 데이터 처리 방식은 스택이다.

기술 08 터치스크린에는 어떤 원리가 숨어 있을까 본문 78~79쪽

1 ⑤ 2 ③ 3 ③

① 컴퓨터는 0과 1로 정보를 해석하고 처리한다. 컴퓨터는 사람들이 사용하는 문자, 도형, 목소리, 숫자 등의 자료를 읽어 들여 0과 1의 형태로 바꾸어 주는 장치가 필요한데, 이를 입력 장치라고 한다(입력 장치의 개념). 키보드, 마우스, 조이스틱, 스캐너, 터치스크린 등이 대표적인 입력 장치에 속한다(입력 장치의 종류). 이 중에서 화면을 손이나 펜 등으로 접촉하여 정보를 입력하는 장치가 터치스크린이다(터치스크린의 개념).

1문단 요약 답 터치스크린은 화면을 손이나 펜 등으로 접촉하여 (**정보를 입력**)하는 장치이다.

② 터치스크린은 작동 원리와 방법에 따라 여러 가지 방식으로 나눌 수 있는데(문제 1 - ⑤ 관련), 저항막 방식과 정전 용량 방식이 가장 대표적이다. 저항막 방식은 액정 위에 여러 겹의 막이 쌓여 있는 형태의 터치스크린이다(저항막 방식의 개념). 여러 겹의 막 중에서 가장 중요한 것이 두 장의 투명 전도막인데, 상부 전도막에는 은이 평행하게 프린트되어 있고(문제 3 - ④ 관련) 하부 전도막에는 은이 수직으로 프린트되어 있어(문제 3 - ④ 관련) 이 두 장의 전도막에는 모두 전기가 흐르도록 되어 있다(문제 3 - ③ 관련). 그러나 그 사이에는 절연체 알갱이를 넣어 상부와 하부의 전도막 사이에는 전기가 흐르지 않는다(문제 3 - ② 관련). 그런데 액정의 한 지점을 누르면/상부의 투명 전도막이 하부의 투명 전도막과 접촉하여/이 지점으로 전기가 흐르면서(상부 전도막이 하부 전도막과 접촉하는 지점)/투명 전도막에 가해지는 전압의 값이 변하게 된다(문제 3 - ⑤ 관련)./이를 통해 입력 지점의 X, Y 좌표를 측정하여(문제 3 - ① 관련)/그 지점의 입력을 판별할 수 있게 한 것이다.//

2문단 요약 답 저항막 방식은 (**전압의 값**)의 변화로 입력 지점을 판별한다.

③ 따라서 이 방식은 대부분의 물체를 이용해 화면을 터치할 수 있으며(저항막 방식의 장점 1), 작은 아이콘 터치에도 유리하다(장점 2). 또한 제조 비용이 싸기(장점 3) 때문에 휴대용 게임기나 내비게이션 등에 널리 쓰인다. 그러나 여러 겹으로 막을 쌓아 올린 만큼 충격에 약하고(저항막 방식의 단점 1), 선명도가 떨어져(단점 2) 고해상도 화면을 요구하는 기기에는 잘 사용하지 않는다.

3문단 요약 답 저항막 방식은 제조 비용이 싸고 작은 터치에도 유리하지만 충격에 약하고, (**선명도**)가 떨어진다.

④ 정전 용량 방식은 우리 몸에 있는 정전기를 이용하는 방식이다(정전 용량 방식의 개념). 즉 액정 유리에 전기가 통하는 화합물을 코팅해서 전류가 계속 흐르도록 한다. 그러다가 화면에 손가락이 닿으면/액정 위를 흐르던 전자가 접촉 지점으로 끌려오게 된다(문제 2 - ⑤ 관련)./그러면 터치스크린의 센서가 이를 감지해서/입력을 판별하게 된다.//

4문단 요약 답 (**정전 용량 방식**)은 정전기에 의해 액정 위의 전자가 접촉 지점으로 끌려오는 원리를 이용한다.

⑤ 이 방식은 화질도 선명하고(문제 2 - ② 관련, 정전 용량 방식의 장점 1), 손가락을 벌리거나 좁히면서 화면을 확대·축소하는 멀티 터치도 가능하여(문제 2 - ③ 관련, 장점 2) 스마트폰이나 태블릿 PC 등에 널리 사용된다. 그러나 손가락처럼 전자를 유도하는 물질이 아닐 경우 터치 입력이 불가능하다는 불편함도 있다(문제 2 - ① 관련, 정전 용량 방식의 단점 1). 또한 강화 유리를 사용해 비교적 내구성은 뛰어나지만(문제 2 - ④ 관련, 장점 3) 작은 손상에도 터치스크린이 오작동할 가능성이 높다는 단점이 있다(단점 2).

5문단 요약 답 정전 용량 방식에서는 전자를 (**유도**)하는 물질이 아니면 터치가 불가능하고 작은 손상에도 오작동할 가능성이 높다.

해제 | 이 글은 입력 장치인 저항막 방식과 정전 용량 방식의 작동 원리와 장단점에 대해 설명하고 있다.

주제 | 입력 장치의 종류별 작동 원리 및 장단점

지문 분석하기

터치스크린	방식	작동 원리	장단점
	(저항막) 방식	투명 전도막에 가해지는 전압 값의 변화를 통해 입력 지점의 (X, Y 좌표)을/를 측정하여 입력을 판별함.	• 장점: 제조 비용이 저렴하고 대부분의 물체로 화면 터치가 가능함. • 단점: 내구성이 약하고 선명도가 떨어짐.
	정전 용량 방식	액정 위의 (전자)이/가 정전기에 의해 접촉 지점으로 끌려오는 원리를 이용하여 입력 지점을 판별함.	• 장점: 화질의 선명도가 높으며 (멀티 터치)이/가 가능함. • 단점: 전자 유도 물질만 터치가 가능하고 오작동 가능성이 큼.

1 이 글에서는 터치스크린을 작동 원리와 방법에 따라 두 가지로 나누고 각각의 작동 원리와 장단점을 설명하였다.

오답 풀이 ① 대상을 구성하는 요소는 제시되어 있으나 이것의 제작 과정에 대한 설명은 없다.
② 대상의 단점은 제시되어 있으나 성능 개선을 위한 요건에 대해서는 설명하지 않았다.
③ 대상의 구조를 중심으로 한 발전 과정에 대한 설명은 없다.
④ 터치스크린을 작동 원리와 방법에 따라 분류하였다.

2 5문단에 따르면 정전 용량 방식은 손가락을 벌리거나 좁히면서 확대·축소하는 멀티 터치가 가능하다. 따라서 멀티 터치를 위한 별도의 전도막 부착은 필요하지 않다.

오답 풀이 ① 일반 장갑은 전자를 유도하는 물질이 아니기 때문에 맨손과 달리 장갑을 낀 손으로는 터치스크린의 터치 입력이 불가능하다. 따라서 장갑을 끼고 터치스크린을 사용할 경우 제대로 작동하지 않을 수 있다.
② 5문단에 따르면 저항막 방식에 비해 정전 용량 방식은 화질이 선명하다.
④ 5문단에 따르면 정전 용량 방식은 강화 유리를 사용하기 때문에 충격에 약한 저항막 방식보다 내구성이 뛰어나다.
⑤ 4문단에 따르면 정전 용량 방식은 정전기를 이용하기 때문에 화면에 손가락을 대면 액정 위를 흐르던 전자가 손가락 쪽으로 끌려온다.

3 액정에 입력이 없으면 ⓑ와 ⓒ 사이에는 ⓐ가 절연체 역할을 하기 때문에 전기가 흐르지 않는다. 하지만 입력이 없더라도 ⓑ와 ⓒ는 각각 전기가 흐르는 상태이다.

오답 풀이 ① 손가락으로 누른 위치는 입력 지점의 X 좌표와 Y 좌표를 측정하여 그 지점의 입력을 판별한다.
② 2문단에 따르면 ⓐ는 입력 없이 ⓑ와 ⓒ가 접촉하여 그 사이에 전기가 흐르는 것을 막아 준다.
④ 2문단에 따르면 ⓑ와 ⓒ에 프린트되어 있는 은은 서로 수직인 방향으로 되어 있다.
⑤ 〈보기〉의 그림에서 액정에 입력이 있으므로 ⓑ와 ⓒ는 서로 접촉하여 이 접촉 지점에 전기가 흐르면서 전압 변화가 발생한다. 이를 통해 입력 지점의 좌표를 측정할 수 있다.

예술 09 미술은 꼭 아름다워야 하나

본문 80~81쪽

1 ③ **2** ⑤ **3** 사진의 발달과 보급

① 사람들은 미술이 시각적인 아름다움을 표현하는 예술이라고 생각한다. 하지만 아름다움에 대한 판단은 사람마다 다른 것이어서 무엇을 아름다움으로 정해야 하는지 말하기가 쉽지 않다. 더 나아가 미술이 꼭 아름다운 것을 표현하는 예술이어야 하는가에 대해서도 생각해 볼 필요가 있다.

(미술에 대한 통념 / 문제 1 - ① 관련, 미술에 대한 통념이 가진 문제점 / 문제 1 - ① 관련, 미술이 가진 통념에 대한 의문(글의 화제) 제시)

1문단 요약 답 | 미술이 꼭 (**아름다움**)을 표현해야 하는가에 대해서 생각해 볼 필요가 있다.

② 「15세기 르네상스 미술가들은 중세의 종교적 속박에서 벗어나 조화롭고 균형 잡힌 자연의 모습을 자신들의 회화에 반영하려고 노력했다. 그래서 고안한 것이 원근법이었다. 수학적 법칙을 사용해 자연의 근사치에 도달하고자 한 것이었다. 16세기 이후에는 유화가 개발되어 자연에 대한 더욱 정밀한 묘사가 가능해졌다. 유화는 마르는 동안에도 덧칠과 수정이 가능하기 때문에 대상의 세세한 부분까지 사실적으로 그릴 수 있었던 것이다.」 이와 같이 미술은 한동안 자연을 얼마나 더 정확하고 사실적으로 묘사할 수 있는가에 주력했고 거기에 조화와 균형으로 대표되는 미술의 아름다움이 있다고 믿어 왔다.

(「 」: 문제 1 - ② 관련 / 15세기 미술의 특징 / 자연의 사실적 묘사를 중시함. / 16세기 미술의 특징)

2문단 요약 답 | 19세기 전까지 회화에서는 사실적인 묘사와 (**조화와 균형**)을 미술의 아름다움으로 믿어 왔다.

③ 그러나 19세기에 들어와 사진이 발명되면서 이러한 생각은 흔들리기 시작했다. 사진은 원근법의 도움 없이도 외부 세계를 정확하게 포착해 냈고, 유화와는 비교가 되지 않을 정도로 정밀한 표현이 가능했다. 결과적으로 「사진의 발달과 보급은 회화에서 대상의 외형에 대한 사실적 재현에 의존하지 않고 대상의 특성과 본질을 표현하는 데 더 중점을 두게 만들었다. 20세기에 등장한 ㉠추상 회화는 이러한 변화를 반영한 것이었다.」

(19세기의 특징 / 사진의 특징 1 / 사진의 특징 2 / 「 」: 문제 1 - ③, 문제 3 관련 원인 ⟹ 결과 / 문제 2 - ⑤ 관련 / 대상의 외형에 대한 사실적 재현 → 대상의 특성과 본질 표현)

3문단 요약 답 | 사진의 발명 이후 20세기에 등장한 추상 회화에서는 대상의 (**특성과 본질**)을 표현하는 데 중점을 두었다.

④ 그 이후 팝 아티스트들은 예술 작품과 그것이 가리키는 실제 사물 사이의 차이를 없애려고 했다. 「앤디 워홀은 슈퍼마켓에서 파는 세제인 브릴로 박스를 쌓아 작품을 만들고 이를 전시함으로써 단지 바라보는 것만으로 예술 작품과 일상 용품 사이의 차이를 구분할 수 없다는 철학을 보여 주었다. 이는 즉 실제 사물이 곧 예술 작품이라는 관점과 그동안 예술 작품에 부여해 온 미술의 전통적인 권위는 이제 무의미하다는 생각을 드러낸 것이었다.」

(20세기에 등장한 팝 아트 작품을 창작하거나 표현하는 예술가 / 대표적인 팝 아티스트 / 「 」: 문제 1 - ④ 관련, 예술 작품과 실제 사물 사이의 차이를 없애려 한 팝 아트의 시도 / 팝 아티스트들의 예술 철학 / 미술은 아름다워야만 함.)

4문단 요약 답 | (**팝 아티스트**)들은 예술 작품과 실제 사물 사이의 차이를 없애려고 했다.

⑤ 이와 같이 미술은 추상 회화처럼 사실적인 외형의 표현을 포기하거나 팝 아트처럼 일상 속에 존재하는 것 그 자체가 될 수도 있게 되었다. 미술이 반드시 조화롭고 균형 잡힌 특별한 것이나 자연을 그대로 재현한 것이 아니어도 상관없다는 것이다. 이러한 변화는 500년 이상 지속해 온 미술의 개념을 흔들어 놓았으며, 미술이 아름다움을 표현해야 한다는 강박에서도 벗어날 수 있게 해 주었다. 미술이 꼭 시각적인 아름다움을 표현하는 예술이어야 할 필요가 없게 된 것이다.

(미술에 대한 통념이 변함. / 문제 1 - ⑤ 관련, 새로운 관점 제시)

5문단 요약 답 | (**미술**)이 꼭 시각적인 아름다움을 표현하는 예술이어야 할 필요가 없게 되었다.

해제 | 이 글은 역사적으로 전개된 미술의 변화를 통해 미술이 반드시 아름다움을 표현하는 예술이어야 하는가에 대해 설명하고 있다. / **주제** | 미술에서 아름다움의 표현

지문 분석하기

미술이 꼭 아름다움을 표현하는 예술이어야 하는가?	15, 16세기 회화	20세기 (추상 회화)	팝 아트	미술이 꼭 아름다움을 표현하는 예술이어야 할 필요는 없음.
	조화롭고 균형 잡힌 (자연)의 사실적 묘사	시각적인 형태에 대한 의존에서 벗어나 대상의 본질을 표현함.	예술 작품과 실제 사물 사이의 차이를 구분할 수 없음.	

1 3문단에서는 사진의 등장으로 인해 더 이상 자연의 사실적 묘사에 매달릴 필요가 없게 된 미술이 대상의 특징과 본질에 집중하게 되면서 추상 회화가 등장하게 되었음을 설명하였다. 따라서 추상 회화가 등장한 이유를 분석하여 사진이 등장하게 된 배경과 비교하고 있다는 설명은 적절하지 않다.

오답 풀이 ① 1문단에서는 미술이 아름다워야 한다는 통념과 관련하여 '미술이 꼭 아름다워야 하는가'라는 의문을 밝히며 화제를 제시하고 있다.
② 2문단에서는 자연의 사실적 묘사를 중시해 온 미술의 특징을 15세와 16세기로 나누어 시대순으로 설명하였다.
④ 4문단에서는 앤디 워홀의 작품을 중심으로 팝 아트의 사례를 들면서 팝 아트의 특징과 기존 미술과의 차이점을 소개하였다.
⑤ 5문단에서는 앞에서 말한 주요 내용을 다시 언급하며 미술이 꼭 아름다움을 표현하는 예술일 필요가 없다는 새로운 관점을 제시하였다.

2 추상 회화의 작가들은 대상의 사실적인 외형을 재현하는 것이 중요한 것이 아니라 그 대상이 지닌 특징과 본질을 드러내는 것이 중요하다고 보았다. 따라서 〈보기〉의 그림처럼 사물의 형태를 간략하게 해 나가는 과정을 통해 몬드리안이 보여 주고자 한 것은 구체적인 사물의 형태에 의존하지 않더라도 대상의 본질을 드러낼 수 있다는 믿음이었다고 할 수 있다.

3 사진의 발달과 보급으로 외부 세계를 정확하게 포착해 내는 것이 가능해지면서 추상 회화가 등장하게 되었다.

예술 10 불교의 탑과 예술성

본문 82~83쪽

1 ③ **2** ② **3** 안정감, 상승감

① 부처가 열반했을 때, 부처의 시신을 화장하고 남은 유골을 '사리'라고 하며, 사리를 모셔 둔 곳이 바로 탑이다. 탑은 원래 석가모니의 사리를 묻고 그 위에 돌이나 흙을 높이 쌓은 무덤이었는데 후에 건축물의 형태로 발전했다. 인도 마우리아 왕조의 아소카왕은 불교의 전파를 위해 인도 전역에 8만여 기의 탑을 세웠는데, 그 후 불교가 여러 나라로 전파되면서 각지에 탑이 세워졌다. 불교가 국교가 된 이후 우리나라에도 많은 탑이 세워지기 시작했으며 오늘날까지 약 1,500여 기의 탑이 남아 있다. 그러나 사리의 수는 한정되어 있어 모든 탑에 부처의 사리를 넣을 수 없었다. 그래서 나중에는 금, 은, 옥 등으로 대신하거나, 불경, 작은 탑 등 부처의 상징물을 넣었다. 이때 탑 속에 넣은 부처의 사리를 '진신 사리'라고 하고, 대신하여 넣은 것을 '법신 사리'라고 한다.

(사리의 개념 / 문제 1 - ①, ③ 관련, 탑의 개념 / 탑이 늘어난 이유 / 문제 1 - ④ / 사리의 종류 2, 문제 1 - ② 관련 / 진신 사리의 의미 / 사리의 종류 1 / 법신 사리의 의미)

1문단 요약 답 | 불교의 탑은 (사리)를 모셔 둔 곳이다.

② 탑은 부처의 사리를 모셔 둔 곳, 즉 부처가 영원히 쉬고 있는 집이다. 그러므로 탑에 대한 예배는 불상에 대한 예배와 마찬가지로 부처에 대한 예배의 의미를 가지고 있다. 불교에서 절을 세우는 목적은 탑과 불상을 봉안하고 예배를 하기 위해서이다. 즉 불교에서 신앙의 대상 중 하나가 탑이며, 따라서 탑은 절의 중심부에 세우는 것이 원칙이다. 이처럼 탑은 불교에서는 신앙의 대상이지만, 역사에서는 중요한 고대 예술품의 하나이기도 하다. 따라서 탑을 고찰할 때에는 그것에 깃든 의미와 상징성을 살피고, 그것을 바탕으로 탑의 건축적 예술성을 살펴야 한다.

(문제 1 - ⑤ 관련, 탑의 의미)

2문단 요약 답 | 불교의 (탑)은 신앙의 대상인 동시에 중요한 고대 예술품이라고 볼 수 있다.

③ 대개 탑의 예술성은 안정감과 상승감이라는 두 가지 측면에서 살피게 된다. 안정감은 「탑의 구조적 안정성에서 오는 것으로, 탑의 받침에 해당하는 기단과 탑 전체의 높이가 이루는 비율에 영향을 받는다. 일반적으로 기단부의 폭이 넓고, 탑의 높이가 낮을수록 안정감이 높다.」 상승감은 「탑의 높이와 관련된 것으로, 탑의 중앙인 탑신부가 다층으로 이루어져 전체 높이가 높을수록 상승감이 강조된다.」 원래 인도의 탑은 무덤의 의미가 강조되어 탑의 높이가 낮지만, 중국과 우리나라의 탑은 신앙의 대상으로서 상승감이 강조되면서 다층 양식이 자리를 잡았다. 그리고 이 두 요소를 모두 갖추어 상하좌우가 잘 조화된 균형미를 살펴 예술성을 평가한다.

(문제 3 관련 / 탑의 예술성 판단 기준 1 / 「」: 문제 2 - ③ 관련, 안정감의 의미와 조건 / 탑의 예술성 판단 기준 2 / 「」: 상승감의 의미와 조건 / 문제 2 - ②, ④ 관련 / 문제 2 - ① 관련, 인도의 탑의 특징 / 중국과 우리나라의 탑의 특징 / 안정감, 상승감)

3문단 요약 답 | 불교의 탑의 예술성은 안정감과 (상승감)의 두 가지 측면에서 살핀다.

④ 우리나라의 탑은 초기에는 목탑이 주류를 이루었으나 /점차 석탑 양식이 자리를 잡았으며,/ 복잡한 다층 구조의 중국 목탑 형식을 단순하게 하여 상승감과 안정감이 조화를 이루는 형태로 발전했다.//특히 불국사의 석가탑은 가장 단순하고 명확한 형식을 구현한 삼층 석탑으로 안정감과 상승감의 균형미를 갖춘 대표적인 석탑으로 평가된다.

(우리나라 탑의 대표적 사례 / 문제 2 - ⑤ 관련)

4문단 요약 답 | 불국사의 (석가탑)은 안정감과 상승감의 균형미를 갖춘 대표적인 석탑이다.

해제 | 이 글은 불교 미술로서의 탑의 역사와 관련 개념, 예술성 등에 대해 설명하고 있다.

주제 | 불교의 탑과 예술성 / **출전** | 백유선 외, 《청소년을 위한 한국사》

지문 분석하기

구분		내용
불교의 탑의 정의		부처의 시신을 화장하고 남은 유골인 사리를 모셔 두는 곳
불교의 탑의 예술성	안정감	• 기단과 탑의 높이가 이루는 (비율)에 영향을 받음. • 기단의 폭이 넓고 탑의 높이가 낮을수록 높음.
	상승감	• (탑신부)이/가 다층으로 이루어져 탑의 높이가 높을수록 강조됨. • 무덤의 의미보다 (신앙)의 대상으로서의 의미가 강조됨.

1 1, 2문단에 따르면, 불교의 탑은 부처의 사리를 모시는 곳으로, 불상을 봉안하기 위한 곳이 아니다.

오답 풀이 ① 1, 2문단의 내용을 통해 불교의 탑은 부처의 사리를 모시는 곳이었음을 알 수 있다.
② 1문단에서 탑 속에 사리 대신 넣었던 금, 은, 옥 등을 법신 사리라고 하였다.
④ 1문단에서 불교가 여러 나라로 전파되면서 각지에 탑이 세워졌다는 내용을 확인할 수 있다.
⑤ 2문단에서 탑은 신앙의 대상이지만 역사에서는 중요한 예술품의 하나라는 내용을 확인할 수 있다.

2 3문단에 따르면 탑의 다층 구조는 탑 전체의 높이를 높여 탑의 상승감을 강조하며 이는 신앙의 의미를 강화한다.

오답 풀이 ① ㉠은 둥근 무덤의 형태를 하고 있으며, 3문단에서 인도의 탑은 무덤의 의미가 강조되었다고 서술하고 있다.
③ ㉠을 보면 ㉡에 비해 탑의 높이가 낮아 안정감이 더 느껴진다고 볼 수 있다.
④ 3문단에 따르면 탑의 다층 구조는 탑 전체의 높이를 높여 탑의 상승감을 강조하므로 ㉡이 ㉠보다 상승감이 높게 느껴진다.
⑤ ㉡은 경주 불국사의 석가탑으로, 4문단에서 불국사의 석가탑은 안정감과 상승감의 균형미를 갖춘 대표적인 석탑으로 평가된다고 언급하고 있다.

3 3문단에서 대개 탑의 예술성은 안정감과 상승감이라는 두 가지 측면에서 살피게 된다는 내용을 확인할 수 있다.

통합 11 적벽 대전과 남동풍(南東風)

본문 84~85쪽

1 ② 2 ④ 3 ⑤

① 나관중의 역사 소설 《삼국지연의》에 나오는 적벽 대전은 중국 후한 말인 208년, 오나라의 손권과 촉나라의 유비가 연합하여 위나라의 조조와 싸웠던 전쟁이다. 중국 전체를 정복하기를 꿈꿨던 조조는 여러 전투를 거쳐 양쯔강 남쪽의 강가인 적벽(지명)에서 손권, 유비와 대치하게 된다. 이때 손권과 유비의 연합군을 이끌던 주유는 거짓으로 항복하는 기지를 발휘해서 위나라의 배들을 묶어 놓는 데 성공했지만, 조조의 대군과 정면 승부를 벌이기에는 역부족이었다.(문제 2 - ③ 관련)

1문단 요약 《삼국지연의》에 등장하는 적벽 대전에서 손권과 유비의 연합군은 적벽에서 조조의 대군과 대치하고 있었다.

② 바로 이때 제갈공명이 주유에게 편지를 보냈다. "조조를 이기려면 화공(火攻)을 해야 하리, 모든 것을 갖추었으나 남동풍(화공의 조건)만이 없구나." 위나라 군대는 북서쪽에 머무르고 있었기 때문에 남동풍이 불어야만 화공을 성공할 수 있었다. 하지만 적벽 대전이 일어난 11월은 북서풍이 불어 화공의 성공을 기대하기는 어려웠다. 주유는 즉시 제갈공명에게 달려가 남동풍을 구할 계책을 구했다.(문제 2 - ② 관련) 제갈공명은 못 이기는 체하며(자연적으로 남동풍이 불 것을 알았기 때문에), 남병산에 제단을 쌓고는 하늘에 빌어 동짓달 스무날부터 삼일 동안 남동풍이 불게 하겠다고 약속했다. 약속된 날짜에서 하루가 지나자 남동풍이 불기 시작했고, 오나라는 화공을 이용하여 조조의 모든 배들을 불태우고 위나라 대군을 몰살하였다.(문제 2 - ⑤, 문제 3 - ③ 관련)

2문단 요약 제갈공명의 계책으로 오나라는 화공을 이용하여 위나라 대군을 몰살하였다.

③ 과연 제갈공명은 남동풍을 부르는 능력이 있었을까? 제갈공명이 가지고 있던 능력은 날씨를 바꾸는 것이 아니라 날씨를 이용할 줄 아는 지혜였을 것이다. 적벽 대전이 일어난 2~3세기경은 대체로 기후 변화가 심한 한랭기였다. 또한 때가 11월이어서 중국 대륙은 북쪽의 차가운 시베리아 기단의 영향권에 들어 북서풍이 매우 강하게 부는 계절이었다.

3문단 요약 제갈공명은 적벽의 날씨를 이용할 줄 아는 지혜를 가지고 있었다.

④ 그런데 어떻게 남동풍이 불게 되었을까? 오늘날의 기단과 전선의 배치를 알면 쉽게 이해할 수 있다. 적벽 지역은 겨울에는 고기압인 북쪽의 시베리아 기단의 세력권에 들어 북서풍이 불지만(문제 3 - ① 관련)/지구 북반구의 편서풍(서쪽에서 동쪽으로 치우쳐 부는 바람)에 의해 고기압이 일시적으로 북동쪽으로 이동하며(문제 3 - ② 관련)/그 사이에 남동쪽에 있던 온난 전선이 파고든다./시베리아 기단의 후면은 한랭 전선을 형성해 춥고 눈비가 오지만 온난 전선에서는 남동풍이 분다.(문제 3 - ①, ⑤ 관련)/온난 전선 앞면은 시베리아 기단이 형성한 한랭 전선과 맞닿아 저기압의 정체 전선을 형성한다.//제갈공명은 저기압으로 인해 나타나는 여러 가지 징후를 보며 곧 온난 전선이 적벽 지역을 파고들어 남동풍이 불 것을 알았던 것이다.(문제 3 - ④ 관련)

4문단 요약 제갈공명은 저기압의 징후를 통해 남동풍이 불 것을 알았다.

⑤ 특히 조조는 "겨울에는 바람이 북서풍으로 부는데 오나라는 남동쪽에 있으니 염려할 것 없다.(온난 전선의 존재를 알아차리지 못함.)"라며, 적의 화공에 대비해야 한다는 권고를 무시한 바 있다.(문제 2 - ④ 관련) 조조는 이러한 경우의 기압 배치 상황을 미리 깨닫지 못한 것이다. 반면 제갈공명은 기상의 변화를 꿰뚫은 날씨 관측자이자 예보자였으며, 날씨를 전쟁에 활용한 뛰어난 기상 전문가였던 것이다.(문제 2 - ① 관련)

5문단 요약 제갈공명은 기상의 변화를 예측하여 전쟁에 활용한 뛰어난 기상 전문가였다.

해제 | 이 글은 《삼국지연의》에 등장하는 적벽 대전에서 남동풍이 불어 손권과 유비의 연합군이 조조의 대군에게 승리했던 이유를 과학적 지식을 통해 밝히고 있다. / **주제** | 적벽 대전에서 남동풍이 불었던 과학적 이유

출전 | 한국과학문화재단, 《교양으로 읽는 과학의 모든 것 2》

지문 분석하기

적벽에서 손권과 유비의 연합군이 조조의 대군과 대치함.	제갈공명의 계책: 남동풍을 이용하여 화공을 해야 할 것이라고 함.	남동풍이 불게 된 과정: 고기압 세력권 → 편서풍으로 고기압 이동 → 온난 전선이 파고듦. → 남동풍이 붊.	문제 해결	남동풍을 이용하여 화공으로 조조의 대군을 물리침.

1 이 글은 나관중의 역사 소설 《삼국지연의》에 등장하는 적벽 대전에서 남동풍이 불게 된 이유를 과학적으로 설명하고 있는 글이다.

2 5문단에서 조조는 남동풍이 불 수 있다는 권고를 무시했음을 알 수 있다.

오답 풀이 ① 5문단에서 제갈공명은 기상의 변화를 꿰뚫어 날씨를 전쟁에 활용한 뛰어난 기상 전문가였다는 내용을 확인할 수 있다.
② 2문단에서 주유는 제갈공명에게서 남동풍이 필요하다는 편지를 받고, 이에 제갈공명에게 달려가 남동풍을 구할 계책을 구했다. 따라서 제갈공명이 주유로부터 바람의 방향을 바꾸어 달라는 부탁을 받았음을 알 수 있다.
③ 1문단에서 조조의 대군이 손권과 유비의 연합군을 압도해 적벽에서 대치하게 되었다는 내용을 확인할 수 있다.
⑤ 2문단에서 남동풍이 불자 오나라 군대가 화공으로 위나라 대군을 몰살했다는 내용을 확인할 수 있다.

3 4문단에 따르면 조조는 고기압이 일시적으로 이동하면 남동풍이 부는 온난 전선이 파고든다는 사실을 몰랐음을 알 수 있다.

오답 풀이 ① 4문단에서 고기압인 시베리아 기단이 북서풍이 부는 원인임을 알 수 있다. 또 저기압의 온난 전선이 남동풍을 불게 하는 이유임을 알 수 있다.
② 4문단에서 지구 북반구의 편서풍에 의해 고기압이 일시적으로 북동쪽으로 이동한다고 언급하고 있다.
③ 2문단에서 오나라 군대는 남동풍이 불자 화공을 통해 위나라 군대를 무찔렀다는 내용을 확인할 수 있다.
④ 4문단에서 제갈공명은 저기압으로 인해 나타나는 여러 가지 징후를 보며 온난 전선이 적벽 지역을 파고들어 남동풍이 불 것을 알았다고 언급하고 있다.

어휘 더 쌓기 86쪽

1 (1) 열반 (2) 연속적 (3) 오작동 (4) 강박
2 (1) ㉠ (2) ㉣ (3) ㉢ (4) ㉡ **3** ② **4** ④

인문 01 아무리 힘들어도 삶은 의미 있는 거야 　본문 90~91쪽

1 ⑤　**2** ⑤　**3** ③

① 근대화 시기의 산업 혁명을 겪으며 현대 사회는 물질적으로 풍요로워졌다. 그러나 현대인들은 삶의 불확실성이 주는 불안과 고독, 치열한 경쟁으로 피로감과 무기력에 부딪히고 있다. 그리고 이는 삶의 의미에 대한 질문으로 이어진다.(문제 1 - ④ 관련) 이에 대하여 심리학자이자 정신과 의사였던 빅터 프랭클은 ㉠'로고테라피'를 통한 접근을 제시했다.

(1문단 요약 답) 현대인들의 정신적 문제에 대해 프랭클은 (**로고테라피**)를 통한 접근을 제시했다.

② 로고테라피는 '의미 치료'라고도 불리는데, 인간이 영혼을 가진 존재로서 의미를 추구하는 것이 삶에서 가장 중요한 목표라고 본다.(로고테라피의 핵심 개념) 프랭클은 삶에서의 의미는 어떤 일을 창조하거나, 어떤 경험을 하거나, 피할 수 없는 어떤 고통을 겪는 과정에서 얻어질 수 있다고 보았는데, 이를 각각 창조 가치, 경험 가치, 태도 가치라 불렀다.(문제 3 - ③, ④ 관련) 그는 이 중에서 특히 태도 가치를 강조했다. 자신이 처한 상황이나 환경을 변화시킬 수 없을지라도 인간이 마지막까지 선택할 수 있는 것은 삶에 대한 태도와 반응이라고 역설하면서,(문제 3 - ①, ② 관련) 주어진 상황에 대해 어떻게 생각하고 반응할지에 대한 선택은 누구도 빼앗을 수 없는 개인의 자유 의지라는 것을 강조했다.

(2문단 요약 답) 프랭클은 삶에서의 의미 추구를 위한 여러 가지 가치 중에서 특히 (**태도 가치**)를 강조했다.

③ 이러한 관점은 당시 정신 의학계에 주된 흐름으로 자리 잡고 있던 ㉡프로이트의 정신 분석학과 차이가 있다. 정신 분석학에서는 무의식적 욕구의 충족, 쾌락의 추구를 강조하였다.(문제 2 - ③ 관련) 그러나 로고테라피에서는 욕구를 충족하기 위한 의미 추구가 아닌,(문제 2 - ① 관련, 정신 분석학에서 강조하는 것) 의미 추구 그 자체가 삶의 목표라고 강조한다.(로고테라피에서 강조하는 것) 즉, 의미 추구를 수단이 아니라 목적으로 본 것이다. 아울러 개인이 가지고 있는 잠재력과 강점에 초점을 맞추며, 의미를 찾는 과정을 통하여 미래를 지향하도록 한다.(문제 2 - ④ 관련) 또 내적인 갈등이 없는 상태를 의미하는 항상성에 대해서도 프로이트의 관점과는 다른 입장을 취한다. 정신 분석학에서는 항상성을 유지하는 것이 바람직하다고 보는 반면, 로고테라피에서는 갈등이 반드시 부정적인 것이 아니며, 오히려 삶의 어려움을 극복할 수 있도록 하는 힘이 된다고 본다.(문제 2 - ②, ⑤ 관련)

(3문단 요약 답) 로고테라피는 의미 추구, 갈등에 대해 당시 주된 흐름이었던 프로이트의 (**정신 분석학**)과 차이가 있다.

④ 삶의 의미와 태도를 강조하는 「로고테라피는 자신의 내적 문제에 깊이 빠지지 않고 객관적으로 바라볼 수 있도록 하는 '자신과의 거리 두기', 환자 스스로가 답을 찾을 수 있도록 도와주는 '문답 방법' 등을 치료 과정에서 활용한다.」(「 」: 문제 1 - ② 관련) 로고테라피에서 치료자는 방법을 제시하고 가르치는 교사의 역할보다는 환자가 스스로 의미를 발견할 수 있도록 돕는 조력자의 역할을 한다. 특히 로고테라피는 삶이 주는 고난과 역경에 대해 인정하면서도 긍정적인 믿음을 잃지 않는 낙관주의를 활용하여 불안, 우울, 외상 후 스트레스 장애 등 다양한 정신 장애의 치료에 유용하게 사용된다.(문제 1 - ①, ③ 관련)

(4문단 요약 답) 프랭클의 로고테라피는 다양한 (**정신 장애**)의 치료에 유용하게 사용된다.

해제 | 이 글은 빅터 프랭클의 로고테라피의 개념 및 성격을 프로이트의 정신 분석학과 대조하여 설명하고 있다.

주제 | 삶의 의미 추구를 위해 태도 가치를 강조한 로고테라피

지문 분석하기

(빅터 프랭클)의 로고테라피		(프로이트)의 정신 분석학
• 욕구를 충족하기 위한 의미 추구가 아닌, 의미 추구 그 자체가 삶의 목표라고 강조함. • 갈등이 반드시 (부정적)인 것은 아니라고 봄.		• 무의식적 욕구의 충족, 쾌락의 추구를 강조함. • 내적인 갈등이 없는 상태인 (항상성)을/를 유지하는 것이 바람직하다고 봄.

1 이 글에서는 로고테라피 발전의 역사적 과정이 제시되어 있지 않다.

오답 풀이 ①, ③ 4문단에서 로고테라피는 다양한 정신 장애의 치료에 유용하게 사용된다는 내용이 제시되어 있다.
② 4문단에서 로고테라피는 자신과의 거리 두기, 문답 방법 등을 치료 과정에서 활용한다는 내용을 확인할 수 있다.
④ 1문단에서 로고테라피는 근대화 시기 이후 현대인들이 불안과 고독 등을 겪으며, 삶에 의미에 대해 가지는 질문에 답을 제시하면서 나타났다는 것을 알 수 있다.

2 3문단에서 ㉠은 갈등이 반드시 부정적인 것이 아니라 오히려 삶의 어려움을 극복할 수 있는 힘이 된다고 본 반면, ㉡은 항상성을 유지하는 것이 바람직하다고 보았음을 알 수 있다.

오답 풀이 ① 삶의 의미를 추구하는 과정을 욕구 충족의 과정으로 본 것은 ㉡이다.
② 3문단에서 항상성은 내적 갈등이 없는 상태를 의미한다고 하였다. ㉡은 욕구의 충족을 강조하므로, ㉡에서 내적 갈등이 없는 상태란 이는 욕구가 충족된 상태라고 할 수 있다.
③ 쾌락의 추구를 강조한 것은 ㉡이다. ㉠이 이를 강조했다는 내용은 확인할 수 없다.
④ 개인의 강점에 초점을 맞추며, 의미를 찾는 과정을 통해 미래를 지향하도록 하는 것은 ㉠에 대한 설명이다.

3 ⓑ는 프랭클에게 주어진 고통스러운 상황으로 볼 수 있다. 이는 태도 가치를 얻을 수 있는 상황일 뿐 창조 가치를 태도 가치로 바꾸게 하는 것은 아니다.

오답 풀이 ② ⓐ는 프랭클에게 태도 가치의 중요성을 인식하게 하는 계기가 되었음을 알 수 있다. 태도 가치는 개인의 자유 의지를 강조한다.
④ ⓒ는 외적 상황에 굴복하지 않고 인간다움을 잃지 않기 위해 한 노력이다. 이는 고통스러운 상황에서 인간의 자유 의지를 행한 것으로, 태도 가치를 실현한 것이라 할 수 있다.

인문 02 시대를 뛰어넘은 홍대용의 개혁 사상 본문 92~93쪽

1 오랑캐의 문물을 수용할 필요가 있다. **2** ④ **3** ③

① 「18세기 후반의 조선은 지배 계층의 권력 투쟁이 지속되던 정치적 혼란기였다. 또 농민을 중심으로 한 피지배 계층이 갑자기 줄어 ㉠생산력이 낮아지던 사회적 불안기였다.」 이러한 시기에 조선의 실학자 홍대용은 무위도식하는 지배 계층과 헛된 이론에만 빠져 있는 유학자들의 행태를 비판하며, 선진 문물과 사상을 받아들임으로써 조선 내부의 인식을 변화시켜 국가 발전을 이루자고 주장한 개혁적 인물이었다. 당시 조선의 문화는 중국의 학자인 공자(孔子)의 가르침을 근본으로 삼는 학문인 유학을 중심으로 이루어져 있었다. 이에 홍대용은 유학을 유교의 사상과 교리를 써 놓은 책의 해석에만 매달리며, 현실에 쓸모없는 이론을 펼치는 허황된 것이라고 비판하였다. 홍대용의 책 《의산문답》에는 유학에 매달리는 당대 지식인들에 대한 비판적 입장과 함께 그 당시에 받아들여지기 어려웠던 개혁적인 사고가 담겨 있다.

(「 」: 개화기의 시대적 배경 / 당시 조선의 문제점 / 홍대용의 주장 / 문제 2 – ②, ③ 관련, 홍대용의 유학 비판 / 유학자들)

1문단 요약 답 18세기 후반 실학자 홍대용은 (**선진 문물과 사상**)을 받아들임으로써 국가 발전을 이루자고 주장하였다.

② 우선 홍대용은 인간 중심의 관점을 타파하고자 하였다. 인간과 동물을 상대적 관점에서 대등하게 봄으로써, 동물보다 인간이 우월한 것이 아니라 인간과 동물이 조화롭게 함께 존재한다는 새로운 가치를 세웠다. 홍대용은 인간과 동물이 모두 '털과 살로 된 체질과 정액의 교감'으로 이루어진 동등한 존재라고 생각하였다. 그리고 인간과 동물이 동등하다면 모든 인간도 동등하다고 생각하였다. 인간 사이의 동등성은 당시 조선 사회에 퍼져 있던 신분 제도의 불평등과 무위도식하는 지배 계층을 배격하는 근거가 될 수 있었다.

(문제 3 – ②, ④ 관련 / 논리 1: 동물 = 인간 / 문제 3 – ⑤ 관련 / 문제 1, 문제 2 – ⑤ 관련, 논리 2: 양반 = 노비 / 문제 3 – ③ 관련, 논리 3: 신분제 폐지, 무위도식 배격)

2문단 요약 답 홍대용은 상대적 관점을 통해 인간 사이의 (**동등성**)을 주장하였다.

③ 또 홍대용은 인간 중심의 가치관에서 벗어나 모든 동물이 나름의 생존 방식과 장점을 가지고 있다는 점에도 주목하였다. 각각의 개체가 가진 특수한 성질이나 장점을 인정한다면 인간 역시 개개인이 가지고 있는 개별적 특성이나 장점도 인정할 수 있다는 것이었다. 그리고 그러한 전제를 바탕으로 하여 사회 내 구성원들이 지닌 장점을 최대한 활용한다면 국가적 차원의 생산력이 훨씬 증가할 수 있을 것이라 하였다.

(자연을 관찰한 결과 / 논리 1: 모든 동물은 장점이 있음. / 논리 2: 모든 인간 역시 장점이 있음. / 문제 2 – ④ 관련, 논리 3: 사회 내 구성원의 장점을 활용하여 국가적 차원의 생산력 증대가 가능함.)

3문단 요약 답 홍대용은 개개인의 개별적 특성이나 (**장점**)을 인정하고 활용하면 국가적 차원의 생산력이 증가할 수 있다고 하였다.

④ 홍대용의 이러한 생각은 당시 팽배했던 중국 중심의 세계관인 화이(華夷) 질서관을 깨뜨리는 토대가 되었다. 홍대용은 개개인은 모두 평등하며, 개인의 특성을 인정한다는 인식 구조를 국가·민족·지역 간의 관계에도 그대로 적용하였다. 즉, 중국의 민족과 청의 민족의 차별이 있을 수 없다는 것이다. 낮잡아 오랑캐라 불리던 청의 민족이라 하더라도 중국의 민족인 한족보다 우월한 인간이 있을 수 있으므로 오랑캐의 문물을 수용할 필요가 있다고 주장하였다.

(중국과 오랑캐의 구분이 있다는 생각 / 문제 1, 문제 3 – ① 관련)

4문단 요약 답 홍대용은 (**화이 질서관**)을 깨트리고 오랑캐 문물의 수용을 주장하였다.

해제 | 이 글은 18세기 후반 조선의 문제점을 밝히고 이를 해결하고자 한 홍대용의 개혁 사상을 설명하고 있다.
주제 | 홍대용의 개혁 사상

지문 분석하기

홍대용의 개혁 사상	인간과 동물을 상대적 관점에서 (대등)하게 보아야 함.	모든 인간은 (동등)함.	→	중국 중심의 세계관을 깨트리고, 청나라의 문물을 (수용)하여 국가의 발전을 이루어야 함.
	각각의 개체가 가진 특수한 성질이나 장점을 (인정)해야 함.	누구나 장점이 있음.		

1 인간과 동물이 동등하다면 모든 인간도 동등하다는 홍대용의 생각은 한족과 오랑캐의 차별이 있을 수 없다는 논리로 이어진다. 또 모든 동물들이 장점을 가지고 있다는 생각은 모든 사람들도 각자의 장점을 가지고 있다는 논리로 이어진다. 이러한 생각은 오랑캐라고 얕잡아 부르던 청나라를 차별해서는 안 되며, 청나라가 뛰어난 점이 있다면 그러한 점을 배우고 문물을 수용해야 한다는 주장으로 이어진다.

2 3문단에서 홍대용은 사회 내 구성원들이 지닌 장점을 최대한 활용한다면 국가적 차원의 생산력이 훨씬 증가할 수 있을 것이라 하였다.

오답 풀이 ① 동물이 가지고 있는 생존 방식을 배움으로써 생산력이 증가한다는 내용은 언급되지 않았다.
②, ③ 1문단에서 홍대용은 무위도식하는 유학자들의 행태를 비판하였다.
⑤ 2문단을 바탕으로 인간과 동물을 대등하게 취급하는 것은 신분 제도의 불평등과 지배 계층을 배격하는 근거가 될 수 있다.

3 홍대용은 인간과 동물이 털과 살로 된 체질과 정액의 교감으로 이루어진 동등한 존재라고 생각했다. 때문에 인간과 동물이 동등하다면 모든 사람 또한 동등하다고 생각하였다. 그리고 이를 조선 사회에 널리 퍼져 있던 신분 제도를 배격하는 근거로 삼았다. 따라서 신분 제도가 유지되어야 한다는 내용은 《의산문답》에 담길 내용으로 적절하지 않다.

오답 풀이 ① 4문단에서 홍대용은 오랑캐라 하더라도 장점이 있다면 이를 배워야 한다고 주장했음을 알 수 있다.
②, ④ 2문단에서 홍대용이 인간과 동물이 동등한 존재라는 것을 상대적 관점에서 파악했음을 알 수 있다.
⑤ 2문단에 홍대용이 인간과 동물을 모두 털과 살로 된 체질이기에 동등한 존재로 보았다는 것이 나타나 있다.

사회 03 젠트리피케이션의 빛과 그림자

본문 94~95쪽

1 ④ 2 ③ 3 도심 인근에 살고 있던 원주민과 영세 상공업자 등을 강제로 도심 밖으로 밀어낸다.

1 「도시의 규모가 작은 경우 대부분의 주거 지역은 도시의 중심부인 도심에 위치한다./ 그러나 점차 도시가 확대되면/도심에서는 상업과 업무 기능이 확대되고 거주 여건이 악화된다./그러면 자동차를 소유하고 있는 부유층은 도시 주변 지역인 교외로 주거지를 옮긴다./도심 인근에 남은 주거 지역은 노동자들의 거처로 사용되다가 노후화되면서/도시 빈민이나 부랑자들이 거주하는 공간으로 바뀌며/점차 황폐해진다./

「 」: 문제 1 – ④ 관련, 젠트리피케이션의 과정 / 문제 2 – ① 관련 / 문제 2 – ② 관련 / 원인 / 결과 / 문제 2 – ③ 관련, 땅값 하락의 원인

1문단 요약 답 도시 규모가 확대되면 도심에서는 (상업과 업무 기능)이 확대되고 거주 여건이 악화된다.

2 최근 세계 곳곳에는 도심 인근에 위치한 황폐한 공간을 재개발하는 이른바 도시 재활성화 사업이 이루어지고 있다. /재개발이 이루어지면 과거보다 더 높은 이윤을 창출하는 사무실, 상업 시설 그리고 고소득층을 위한 주거지가 들어서며,/ 원래의 거주자들은 다른 지역으로 쫓겨나게 된다.// 도심 인근 낙후 지역에 고급 상업 및 주거 지역이 새로 형성되고 원래의 거주자들이 다른 지역으로 밀려나는 이 같은 현상을 ㉠젠트리피케이션(gentrification)이라고 한다.

문제 2 – ⑤ 관련, 젠트리피케이션의 개념

2문단 요약 답 도심 인근 낙후 지역에 고급 상업 및 주거 지역이 형성되고 원래의 거주자들이 다른 지역으로 밀려나는 현상을 (젠트리피케이션)이라고 한다.

3 젠트리피케이션의 원인은 다양한 관점에서 설명되고 있다. 지리학자 닐 스미스는 자본의 흐름과 도시 공간의 생산 과정이라는 관점에서 이 현상을 살핀다. 중심 시가지에서 도시 주변으로 거주 인구가 확산하는 교외화 현상이 일어나는 과정에서 자본이 교외 지역에 집중 투자되면서 도심 인근 지역은 낙후 지역이 되어버린다. 이때 이 낙후 지역의 낮은 땅값에 주목한 개발업자들이 자본가와 결탁해 젠트리피케이션이 이루어진다고 보는 것이다. 한편 인문 지리학자 데이비드 레이는 '신중간 계층'의 등장에 주목한다. 신중간 계층은 예술가, 교수, 교사 등의 전문가 집단으로, 이들이 도심 인근을 자신들이 거주하는 공간으로 탈바꿈하면서 젠트리피케이션이 나타난다는 것이다.

문제 1 – ④ 관련, 젠트리피케이션의 원인 1 / 문제 2 – ④ 관련 / 문제 1 – ④ 관련, 젠트리피케이션의 원인 2

3문단 요약 답 지리적·계층적 관점에서 젠트리피케이션의 (원인)을 살펴볼 수 있다.

4 ㉡도시 재활성화가 이루어지면 도심이 활성화되고 미관이 개선되며 주민들의 평균 소득과 땅값도 오르는 효과를 얻을 수 있다. 그래서 서울을 비롯한 많은 도시에서 도시 재활성화가 진행되는 것이다. 하지만 도시 재활성화는 도심 인근에 살고 있던 원주민과 영세 상공업자 등을 강제로 도심 밖으로 밀어내는 부작용을 만들어 낸다. 그러므로 도시의 발전 과정에서 젠트리피케이션과 이로 인한 부작용을 피할 수 없다면 도시 재활성화가 이루어지는 지역의 원주민과 영세 상공업자 등을 배려하고 그들과의 상생을 도모하는 노력도 함께 이루어질 필요가 있다.

젠트리피케이션의 장점(효과) / 문제 3 관련, 젠트리피케이션의 단점(부작용)

4문단 요약 답 젠트리피케이션의 부작용을 극복하기 위해 지역 원주민 등과의 (상생)을 도모해야 한다.

해제 | 이 글은 젠트리피케이션의 효과와 부작용에 대해 설명하고 있다.
주제 | 젠트리피케이션의 과정과 장단점 / **출전** | 전국지리교사연합회, 《살아있는 지리 교과서》

지문 분석하기

젠트리피케이션의 과정

작은 도시의 확대 → (거주 여건 악화) → 부유층의 (교외화) 현상 → 도심 인근의 노후화와 황폐화 → (도시 재활성화) → (땅값 상승) → 원주민, 영세 상공업자의 이주

- 작은 도시의 확대: 상업, 업무 기능 확대
- 도심 인근의 노후화와 황폐화: 빈민이나 부랑자의 거처로 사용
- 도시 재활성화: 고급 상업, 주거 지역 형성

• 장점(빛): 도심 활성화, 평균 (소득) 향상과 땅값 상승
• 단점(그림자): (원주민)와/과 영세 상공업자 등을 강제로 도심 밖으로 밀어냄.

1 이 글은 젠트리피케이션이라는 사회적 현상이 발생하는 원인과 과정에 대해 설명하고 있다.

오답 풀이 ① 이 글에는 묻고 답하는 서술 방식이 사용되고 있지 않다.
② 이 글에는 대립적 견해를 절충해 새로운 견해를 제시한 부분이 나타나 있지 않다.
③ 이 글은 젠트리피케이션에 대한 핵심 주장과 근거를 제시하는 글이 아니라 젠트리피케이션에 대한 정보를 전달하는 글이다.
⑤ 이 글에는 젠트리피케션과 관련한 구성 요소와 각각의 기능이 설명되어 있지는 않다.

2 1문단에서 도심의 부유층이 교외로 나가는 현상이 나타나면 도심 인근은 빈민이나 부랑자들이 거주하는 공간으로 바뀌게 된다는 것이 언급되어 있다.

오답 풀이 ① 1문단에 따르면, 작은 규모의 도시는 주거 지역의 대부분이 도심에 위치한다.
② 1문단에 따르면, 도심에 상업과 업무 기능이 확대되면 거주 여건이 악화된다.
④ 3문단에서 도심 인근 지역이 낙후되고 황폐화되면 해당 지역의 땅값이 낮은 것에 개발업자가 주목하게 된다고 언급되어 있다.
⑤ 2문단의 내용을 통해 도시 재활성화가 이루어지면 고급 상업 및 주거 지역이 형성된다는 것을 알 수 있다.

3 4문단에서 도시 재활성화로 인해 도심 인근에 살고 있던 원주민과 영세 상공업자 등을 강제로 도심 밖으로 밀어내는 부작용을 만들어 낸다는 내용을 확인할 수 있다.

사회 04 법원과 헌법 재판소

본문 96~97쪽

1 ④ 2 ② 3 ⑤

① 법관들로 구성된 법원은 사법권을 담당하는 기구이다. 법원의 사법 기능은 「법(법률)을 해석하여 그 적법성, 위법성, 권리 관계 등을 확정해 선언하거나 적용하는 것으로, 잘못을 판별하고 분쟁을 해결하는 역할을 한다.」 사법권을 실현하는 대표적 방법인 재판 과정은 법관의 신분 보장을 통해 외부의 간섭 없이 진행되도록 철저히 독립을 보장한다. 따라서 법관은 외부 압력에 영향을 받지 않으며, 재판 결과에 책임을 지지 않는다. 또 법관의 자격은 법률로, 임기는 헌법으로 규정되어 있다.

(법원의 개념 / 「 」: 법원의 기능과 역할 / 법관의 신분 보장)

1문단 요약 답 법원은 (사법권)을 담당하는 기구이다.

② 재판에는 개인 사이에 다툼이 생겼을 때 이를 해결하는 민사 재판과 범죄자에게 벌을 주는 형사 재판, 행정 업무와 관련된 행정 재판, 선거의 효력에 관한 선거 재판이 있다. 민사 재판은 개인과 개인 간의 재판으로 손해 배상 등의 판결이 내려지지만, 형사 재판은 수사권을 가지는 검사의 기소가 필요하기 때문에 검사와 재판을 받게 된 사람 간에 재판이 이루어지고 그에 대한 판결로 범죄에 대한 형벌이 내려진다. 선거 재판은 그 중요성을 고려하여 대법원에서 재판하도록 되어 있다. 그러나 「법관 역시 인간이어서 잘못 판단할 가능성이 있으므로, 한 사건에 세 번의 재판을 받을 수 있는 심급 제도와 공개 재판의 원칙, 증거 재판주의 등을 시행하고 있다.」

(◯: 법원에서 하는 재판의 종류, 문제 1 – ④ 관련 / 문제 3 – ②, ④ 관련 / 문제 3 – ① 관련 / 선거 재판의 특징 / 「 」: 오심을 방지하기 위한 제도)

2문단 요약 답 법원의 재판의 종류에는 민사 재판, (형사) 재판, 행정 재판, 선거 재판이 있다.

③ 1988년에 설치된 ㉠헌법 재판소는 법원과 별도의 조직으로, 헌법의 해석과 관련된 정치적 사건을 사법적 절차에 따라 심판하는 헌법 기관이다. 헌법 재판소는 9명의 헌법 재판관으로 구성되어 있으며 위헌 법률 심판, 헌법 소원 심판, 탄핵 심판, 정당 해산 심판, 권한 쟁의 심판 등의 권한을 갖는다.

(헌법 재판소의 기능과 역할 / 문제 1 – ④ 관련)

3문단 요약 답 법원과 별도의 조직인 헌법 재판소는 (헌법의 해석)과 관련된 정치적 사건을 사법적 절차에 따라 심판한다.

④ 위헌 법률 심판은 법률이 헌법에 어긋나는지 따져 보고자 할 때 법원에서 요청하는 제도로, 사법부가 입법부를 견제하는 기능을 한다. 다음으로 헌법 소원 심판은 법률에 의해 자신의 권리가 침해되었는지 따져 보기 위해 국민이 제기하는 심판이다. 또 헌법 재판소는 헌법에서 권한을 정하고 있는 대통령이나 고위 공직자에 대한 국회의 탄핵 소추가 있을 때, 탄핵이 정당한 것인지를 최종 심판하는 권한을 갖는다. 아울러 국가의 헌법 질서를 파괴한 정당이 있다면 대통령이 소송을 제기하여 헌법 재판소에서 정당 해산 심판을 진행할 수 있으며, 정부 기관 간 권한과 책임에 대한 다툼이 있을 때 이를 조정하는 권한 쟁의 심판을 담당하기도 한다.

(◯: 헌법 재판소에서 하는 심판의 종류 / 문제 2 – ① 관련 / 문제 2 – ⑤ 관련 / 국회가 대통령과 행정부를 견제 / 문제 2 – ③ 관련, 탄핵 심판 / 문제 2 – ② 관련, 대통령이 국회를 견제)

4문단 요약 답 헌법 재판소에서는 위헌 법률 심판, 헌법 소원 심판, 탄핵 심판, 정당 해산 심판, (권한 쟁의) 심판을 진행한다.

⑤ 헌법 재판소의 심판과 결정은 재판관 7인 이상의 출석에 6인 이상의 찬성이 있어야 하는데, 권한 쟁의 심판은 출석 과반수의 찬성만으로 결정된다. 그리고 위헌 법률 심판이나 헌법 소원 심판에 따라 위헌 결정이 내려지는 경우 해당 법률은 그 즉시 효력을 상실하게 된다.

(문제 2 – ④ 관련)

5문단 요약 답 (헌법 재판소)의 심판과 결정은 규정된 재판관 수 이상의 찬성에 의해 이루어진다.

해제 | 이 글은 법원과 헌법 재판소의 개념과 기능, 각 기관의 재판과 심판의 종류에 대해 설명하고 있다.

주제 | 법원과 헌법 재판소의 기능 / **출전** | 이종학, 《내 손으로 경작하는 민주주의》

지문 분석하기

사법 기구		
	법원	• 역할: 법(법률)을 해석하여 잘못을 판별하고 (분쟁)을/를 해결하는 사법권 담당 • 종류: 민사 재판, 형사 재판, 행정 재판, 선거 재판
	헌법 재판소	• 역할: 헌법의 해석과 관련된 정치적 사건을 (사법적 절차)에 따라 심판 • 종류: 위헌 법률 심판, 헌법 소원 심판, 탄핵 심판, 정당 해산 심판, 권한 쟁의 심판

1 이 글에서는 법원과 헌법 재판소의 기능을 설명하며, 법원에서 수행하는 재판과 헌법 재판소에서 수행하는 심판에 대해 설명하고 있다.

오답 풀이 ② 이 글에는 법원의 재판이 잘못될 것을 대비하기 위한 원칙이 소개되어 있을 뿐, 공정한 재판을 위해 지켜져야 할 다양한 원칙을 언급하고 있지는 않다.

2 4문단에 따르면, 정당 해산 심판은 대통령이 소송을 제기함으로써 이루어진다. 그러므로 대통령을 견제하는 기능을 한다는 말은 적절하지 않다.

오답 풀이 ① 4문단에 따르면, 헌법 재판소의 위헌 법률 심판은 법률이 헌법에 어긋나는지 따져 보고자 할 때 법원에서 요청하는 제도이다.
③ 4문단에 따르면, 헌법 재판소는 대통령이나 고위 공직자의 탄핵 소추가 있을 때 탄핵이 정당한 것인지를 최종 심판하는 권한을 갖고 있다.
④ 5문단에서 헌법 재판소의 심판과 결정은 재판관 6인 이상의 찬성이 있어야 한다고 언급하고 있다. 그러므로 헌법 재판관의 의견이 모두 일치하지 않는 경우에도 심판이 가능하다.
⑤ 4문단에 따르면, 헌법 소원 심판은 부당한 법률에 의해 개인의 권리가 침해되었는지 따져 보기 위해 국민이 제기하는 심판이다.

3 ⓑ는 농작물 주인에게 500만 원을 보상하라는 손해 배상 판결을 받았으므로 민사 재판을 받은 것이라고 할 수 있다. 그러므로 ⓑ에게 형벌을 내린 것은 아니다.

오답 풀이 ①, ③ ⓐ는 「반려동물 안전 관리에 관한 법률」 위반으로 재판에 넘겨졌는데, 이는 개인과 개인 간의 갈등이 아닌 법률 위반에 관한 것으로 형사 재판이다. 그러므로 ⓐ는 수사권을 가진 검사의 기소로 재판에 넘겨졌다고 볼 수 있다.
② ⓐ는 현재 형사 재판에 넘겨진 것이며, 피해를 입은 행인이 보상받으려면 개인 간의 다툼에 대한 분쟁을 해결하는 민사 재판을 해야 한다.
④ ⓑ가 농작물 주인에게 500만 원을 보상하라는 판결은 개인 간의 다툼에 대한 손해 배상에 관한 것으로 민사 재판에 의해 나타난 결과이다.

과학 05 열쇠와 자물쇠 속의 수학, 경우의 수

본문 98~99쪽

1 ④ 2 ④ 3 ⑤

① 우리가 사용하는 열쇠는 대부분 비슷한 모양을 하고 있다. 그렇지만 ㉠구멍에 열쇠를 꽂아서 여닫는 자물쇠는 열쇠와 자물쇠가 맞지 않으면 열 수 없다. 이러한 열쇠는 어떤 원리로 만들었을까? 전통적인 열쇠는 자물쇠를 여는 부분이 3부분이나 4부분으로 이루어져 있다. 그리고 각 부분의 높낮이를 다르게 만들고 이에 맞는 자물쇠를 만들어 같은 높낮이의 열쇠와 자물쇠가 맞물렸을 때에만 자물쇠가 돌아가 열리게 되어 있다.

문단, 화제 제시 / 문제 1 – 〈보기〉 나. 관련, 전통적인 열쇠의 작동 원리

(1문단 요약 답) 열쇠로 자물쇠를 열 때는 같은 높낮이의 열쇠와 (**자물쇠**)가 맞물려야 한다.

② 그렇다면 높낮이를 다르게 해서 몇 개의 열쇠를 만들 수 있을까? ⓐ, ⓑ, ⓒ 세 부분으로 되어 있고, 높이가 0, 1, 2인 열쇠를 생각해 보자. 『ⓐ의 높이를 0으로 하는 경우는 오른쪽 그림처럼 9가지이고, 높이를 1이나 2로 하는 경우도 각각 9가지가 있으므로 모두 27가지의 열쇠를 만들 수 있다.』 만약 열쇠를 이루는 부분의 수를 늘리고, 각 부분의 높이를 더 다양하게 만든다면 더 많은 수의 열쇠를 만들어 낼 수 있을 것이다.

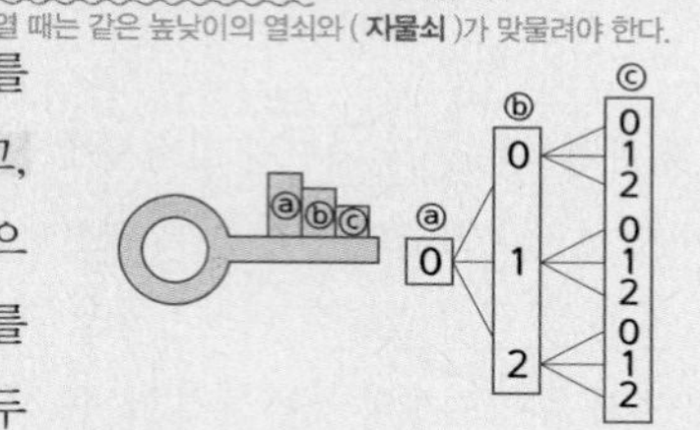

문제 1 – 〈보기〉 가. 관련, 사례 1 / 『 』: 경우의 수로 살펴본 전통적인 열쇠를 만들 수 있는 경우의 수

(2문단 요약 답) 열쇠의 각 부분의 수를 늘리고 (**높이**)를 다양하게 만들면 많은 수의 열쇠를 만들 수 있다.

③ 그런데 열쇠를 잃어버리면 자물쇠를 열지 못하게 된다. 번호를 눌러 여는 ㉡수동식 번호 자물쇠는 이런 위험에서 벗어날 수 있게 해 준다. 번호 자물쇠는 일반적으로 1부터 8까지의 숫자 중 4자리를 누르는 방식이 많이 사용되는데, 그 이유는 무엇일까? 만약 2개의 번호를 누르는 자물쇠라면, 첫 번째 숫자는 8개에서, 두 번째 숫자는 남은 7개에서 고를 수 있다. 번호 자물쇠는 번호를 누르는 순서에 상관이 없으므로 같은 조합을 제외하면 (8×7)÷(2×1)=28개의 자물쇠를 만들 수 있다. 비밀번호 3개를 누르는 방식이라면 (8×7×6)÷(3×2×1)=56개의 자물쇠를 만들 수 있으며, ⓐ비밀번호가 5개인 경우도 역시 56가지의 자물쇠를 만들 수 있다. 같은 방식으로 8개의 숫자 중에 4개를 누르는 경우는 (8×7×6×5)÷(4×3×2×1)=70가지의 자물쇠를 만들 수 있다. 따라서 8개의 숫자에서 4개를 누르는 방식이 이 중 가장 많은 수의 자물쇠를 만들 수 있다.

문제 2 – ① 관련 / 문제 1 – 〈보기〉 가. 나. 관련, 사례 2, 수동식 번호 자물쇠의 작동 원리 / 가장 많은 수의 자물쇠를 만들 수 있기 때문에 / 문제 1 – 〈보기〉 다. 관련

(3문단 요약 답) 8개의 숫자로 구성된 수동식 번호 자물쇠는 숫자 4개를 누르는 방식으로 가장 (**많은**) 수의 자물쇠를 만들 수 있다.

④ 최근 많은 가정에서 사용하는 ㉢디지털 도어락은 대부분 0부터 9까지의 숫자 중에서 몇 자리의 번호를 순서에 맞게 누르면 문이 열린다. 도어락 번호 키가 8개이고, 그중에 4자리를 누르는 경우를 가정해 보자. 같은 번호를 반복해 눌러도 되므로 첫 번째에 고를 수 있는 숫자는 8개, 두 번째, 세 번째, 네 번째에 고를 수 있는 숫자도 각각 8개이다. 이때 경우의 수는 8×8×8×8=4096가지나 된다. 이처럼 열쇠와 자물쇠 속에 숨겨진 많은 경우의 수는 우리 주변의 것들을 계속해서 지켜 내고 있다.

디지털 도어락의 작동 원리 / 문제 1 – 〈보기〉 나. 다. 문제 2 – ⑤ 관련 / 문제 1 – 〈보기〉 가. 관련, 사례 3 / 문제 2 – ③ 관련

(4문단 요약 답) 디지털 도어락은 몇 자리의 번호를 (**순서**)에 맞게 눌러야 하고, 이때 같은 번호를 반복해 눌러도 되므로 더 큰 경우의 수를 만들 수 있다.

해제 | 이 글은 전통적인 열쇠, 수동식 번호 자물쇠, 디지털 도어락의 작동 과정과 원리를 설명하고 있다.

주제 | 열쇠와 자물쇠의 작동 과정 및 원리 / **출전** | 이화영, 《수학이 보인다》

지문 분석하기

	전통적인 열쇠	수동식 번호 자물쇠	디지털 도어락
원리	(열쇠)의 각 부분의 높낮이를 다르게 하여 자물쇠와 맞물리도록 함.	일반적으로 8개의 숫자 중 서로 다른 (4)개를 눌러 자물쇠가 열리도록 함.	대부분 10개의 숫자 중 순서를 고려하여 번호를 눌러 문이 열리도록 함.
특징	각 열쇠와 그에 맞는 자물쇠를 사용함.	번호를 누르는 순서에 상관이 없으며, 같은 번호를 누를 수 없음.	번호를 누르는 순서에 상관이 있으며, (같은 번호)을/를 반복해 눌러도 됨.

1 가. 2문단에서 세 부분으로 이루어진 열쇠의 예를, 3문단에서 1부터 8까지의 숫자 중 4자리를 누르는 수동식 번호 자물쇠의 예를, 4문단에서 디지털 도어락 번호 키 8개 중 4자리를 누르는 예를 제시하고 있다.

나. 이 글은 전통적인 열쇠, 수동식 번호 자물쇠, 디지털 도어락의 작동 과정 및 원리를 설명하고 있다.

다. 3문단에서 수동식 번호 자물쇠는 번호를 누르는 순서에 상관이 없지만 같은 번호를 반복해 누를 수 없고, 4문단에서 디지털 도어락은 번호를 순서에 맞게 눌러야 하지만 같은 번호를 반복해 눌러도 된다는 차이점이 드러나 있다.

오답 풀이 라. 3문단에서 열쇠를 잃어버리면 자물쇠를 열 수 없다는 전통적인 열쇠의 단점이 드러나 있으나, 열쇠의 문제점을 지적하고 이에 대한 해결 방안을 제시하고 있다고 볼 수 없다.

2 일반적으로 ㉡의 경우 몇 가지 숫자를 정해 놓고, 이때 누를 수 있는 숫자의 수를 제한적으로 설정하여 사용하는 자물쇠이기 때문에 제작할 수 있는 자물쇠의 수에 제한이 있다.

오답 풀이 ① ㉠은 자물쇠에 맞는 열쇠를 분실하면 자물쇠를 여닫을 수 없다는 단점이 있다. ② ㉡에서 누를 수 있는 번호의 수를 늘리면 자릿수가 적을 때보다 더 많은 조합이 가능하므로 기존보다 더 많은 수의 자물쇠를 만들 수 있다. ③ ㉢은 동일한 숫자를 연속으로 누를 수 있다. ⑤ ㉢은 ㉡과 달리 숫자를 누르는 순서가 맞아야 열린다.

3 8개의 숫자 중에 3개의 숫자를 고르는 것은 3문단에 제시된 바와 같이 56가지의 자물쇠가 생성된다. 8개의 숫자 중에 5개의 숫자를 고르는 것은 5개를 제외한 나머지 3개의 숫자를 고르는 것과 같으므로 이 두 가지 방식으로 만들 수 있는 자물쇠의 수는 같음을 알 수 있다.

과학 06 콩팥 안에서는 어떤 일이 벌어지고 있을까 본문 100~101쪽

1 ③ **2** ⑤ **3** 크기가 크기

① 우리 몸에 생긴 불필요한 물질을 몸 밖으로 내보내는 콩팥에는 보먼주머니에 둘러싸인 사구체가 있다. 모세 혈관이 뭉쳐진 덩어리인 사구체는 들세동맥에서 흘러 들어오는 혈액 속의 노폐물이나 독소를 일차적으로 여과한다. 이때 ㉠혈액 중 혈구나 단백질은 여과시키지 않고 날세동맥으로 흘려보내며, 요소·포도당 등과 같이 작은 물질들은 물과 함께 사구체 막을 통과시켜 보먼주머니를 거쳐 세뇨관으로 나가게 한다. 이렇게 혈액이 사구체 막을 통과하는 과정을 '사구체 여과'라고 한다.

(콩팥의 기능 / 문제 2 - ② 관련, 사구체의 역할 / 문제 1 - ②, 문제 3 관련, 사구체가 여과를 하는 방법 / 사구체 여과의 의미)

1문단 요약 답 (**사구체 여과**)는 혈액이 사구체 막을 통과하는 과정이다.

② 사구체 막은 모세 혈관 벽, 기저막, 보먼주머니 내층으로 이루어져 있다. 모세 혈관 벽은 편평한 내피세포 층으로 이루어져 있으며, 내피세포 층에는 구멍이 많아 다른 신체 기관의 모세 혈관에 비해 투과성이 높다. 기저막은 내피세포와 보먼주머니 내층 사이의 층으로, 콜라겐과 당단백질로 구성된다. 보먼주머니 내층은 문어 모양의 발세포로 이루어지는데, 각각의 발세포에는 돌기가 나와 기저막을 감싸고 있다. 돌기 사이의 좁은 틈을 따라 여과액이 빠져나오면 보먼주머니 내강에 도달하게 된다.

(사구체 막의 구조 / 문제 2 - ② 관련, 여과가 쉽게 일어날 수 있는 이유 / 문제 1 - ③ 관련 / 문제 1 - ⑤ 관련, 여과액의 이동 경로)

2문단 요약 답 사구체 막은 모세 혈관 벽, 기저막, (**보먼주머니**) 내층으로 이루어진다.

③ 사구체 여과는 들세동맥과 날세동맥의 직경 차이에서 비롯된다. 사구체로 혈액이 들어가는 들세동맥의 직경은 사구체로부터 혈액이 나오는 날세동맥의 직경보다 크다. 따라서 사구체로 들어오는 혈액의 양이 나가는 혈액의 양보다 많기 때문에 사구체의 모세 혈관에는 높은 혈압이 발생하는데, 이로 인해 사구체의 모세 혈관에서 사구체 여과가 이루어진다.

(들세동맥의 직경 > 날세동맥의 직경 / 문제 2 - ⑤ 관련, 사구체 여과가 발생하는 원인)

3문단 요약 답 사구체 여과는 들세동맥과 날세동맥의 (**직경 차이**)로 발생한 모세 혈관의 높은 혈압 때문에 이루어진다.

④ 한편 사구체 막을 사이에 두고 사구체 여과를 억제하는 압력이 발생하기도 한다. 혈액 속 대부분의 단백질은 여과되지 않기 때문에 사구체의 모세 혈관 내에는 단백질이 존재하지만 보먼주머니 내강에는 거의 존재하지 않는다. 따라서 「보먼주머니 내강보다 사구체의 모세 혈관의 단백질 농도가 높다. 그 결과 보먼주머니 내강의 물이 사구체의 모세 혈관 쪽으로 이동하려는 삼투압이 발생」하는데, 이를 '혈장 교질 삼투압'이라고 한다. 또 보먼주머니 내강에 도달한 여과액으로 보먼주머니 수압이 발생하는데, 이 압력은 보먼주머니 쪽에서 사구체의 모세 혈관 쪽으로 작용하기 때문에 사구체의 여과를 방해한다.

(→ 혈장 교질 삼투압, 보먼주머니 수압 / 「 」: 문제 1 - ①, 문제 2 - ④ 관련 / 여과를 억제하는 압력 1 / 여과를 억제하는 압력 2 / 문제 2 - ③ 관련)

4문단 요약 답 (**혈장 교질 삼투압**)과 보먼주머니 수압은 사구체 여과를 방해한다.

⑤ 건강한 상태에서는 혈장 교질 삼투압과 보먼주머니 수압이 크게 변하지 않는다. 그러나 심한 운동 등의 활동으로 심장이 사구체에 혈액을 보내는 힘에 영향을 받으면, 혈압이 증가하거나 감소함으로써 사구체의 혈압도 변할 수 있다. 생명 유지를 위해 콩팥은 혈압에 이와 같은 변동이 생기더라도 들세동맥의 직경을 조절함으로써 사구체로 유입되는 혈액의 양을 일정하게 유지하는 자가 조절 기능에 의해 관리된다.

(문제 1 - ④ 관련 / 들세동맥의 혈압이 변할 수 있는 경우 / 문제 2 - ① 관련, 혈압이 높아지면 들세동맥의 직경을 줄이고, 낮아지면 들세동맥의 직경을 늘림.)

5문단 요약 답 사구체 여과는 (**들세동맥**)의 직경을 조절하여 일정하게 유지된다.

해제 | 이 글은 사구체 여과의 과정을 중심으로 사구체의 기능과 사구체 막의 구성 요소 등을 설명하고 있다.

주제 | 사구체 여과의 과정

지문 분석하기

사구체 여과		
	의미	혈액이 (사구체 막)(모세 혈관 벽, 기저막, 보먼주머니 내층)을/를 통과하는 과정
	발생 원인	들세동맥과 날세동맥의 직경 차이로 발생한 모세 혈관의 높은 혈압
	방해 요소	혈장 교질 삼투압, (보먼주머니 수압)

1 2문단에서 사구체 막의 모세 혈관 벽을 이루는 내피세포 층은 구멍이 많아 다른 신체 기관의 모세 혈관에 비해 투과성이 높다고 하였다.

오답 풀이 ① 4문단에서 보먼주머니 내강보다 모세 혈관의 단백질 농도가 높다고 하였다.
② 1문단에서 사구체는 혈액 중 요소, 포도당과 같이 작은 물질들은 물과 함께 통과시켜 보먼주머니를 거쳐 세뇨관으로 나가게 한다고 하였다.
④ 5문단에서 건강한 상태에서는 혈장 교질 삼투압과 보먼주머니 수압이 크게 변하지 않는다고 하였다.
⑤ 2문단에서 발세포에 나 있는 돌기 사이의 좁은 틈을 따라 여과액이 빠져나오면 보먼주머니 내강에 도달하게 된다고 하였다.

2 3문단에서 사구체의 ⓐ에 발생하는 높은 혈압으로 사구체 여과가 이루어진다고 하였으므로, ⓐ의 혈압이 ⓑ에서 발생하는 압력보다 높기 때문에 여과액이 ⓑ에 도달할 수 있다는 것을 알 수 있다.

오답 풀이 ① 5문단에서 콩팥은 들세동맥의 직경을 조절하는 자가 조절 기능에 의해 관리된다고 하였다.
② 사구체 여과는 ⓐ를 통과하는 과정으로 이루어진다. 따라서 ⓐ를 이루는 내피세포 층의 구멍들을 통해 노폐물이나 독소가 빠져나간다는 이해는 적절하다.
③, ④ 4문단에서 ⓑ에 도달하는 여과액으로 보먼주머니 수압이 발생하고, ⓐ의 단백질 농도가 높아 ⓑ의 물이 ⓐ 쪽으로 이동하려는 혈장 교질 삼투압이 발생하여 사구체 여과를 방해한다고 하였다.

3 요소나 포도당 등과 같이 작은 물질은 사구체 막을 통과하여 보먼주머니로 여과되는 반면, 혈구나 단백질은 크기가 크기 때문에 사구체를 빠져나오지 못하고 혈액 속에 남아 날세동맥으로 흘러간다.

어휘 더 쌓기 102쪽

1 (1) 미관 (2) 역설 (3) 문답 (4) 무위도식 (5) 자유 의지 **2** ④ **3** ② **4** (1) ② (2) ① (3) ③ (4) ④

기술 07 전자기 유도가 밥도 한다?

본문 104~105쪽

1 ③ **2** ③ **3** 전자기 유도 현상(원리)의 발견

① 요즘 대부분의 가정에서는 불을 사용하지 않고 전기를 이용한 전기밥솥으로 편리하게 밥을 짓고 있다. 그러나 아직도 많은 사람들은 전기밥솥에서 전기가 열을 발생시켜 쌀을 익히기 때문에 밥이 지어진다고 생각할 뿐, 전기밥솥의 작동 원리에 대해 잘 모르고 있다. 전기밥솥은 열을 발생시키는 방식에 따라(분류 기준(가열 방식)) 전열선 가열 방식(전기밥솥의 종류 1)과 전자기 유도 가열(IH) 방식(전기밥솥의 종류 2)으로 나눌 수 있다. 전열선 가열 방식은 밥솥 아래에 있는 히터 선에 전류를 흘려 히터를 가열하고 이 열이 밥솥에 전달되어 밥이 지어지는 원리이다.(문제 1 - ②, ④ 관련) 하지만 요즈음 판매되는 전기밥솥은 대부분 전자기 유도 가열(IH) 방식을 사용한다. 이때 이 IH (Induction Heating)라는 이름은 전자기 유도 원리에서 유래되었다.

1문단 요약 답 | 전기밥솥은 열을 발생시키는 방식에 따라 전열선 가열 방식과 (**전자기 유도**) 가열 방식이 있다.

② 전자기 유도의 원리는(IH 전기밥솥의 핵심 원리) 물리학자 패러데이가 발견하였다. 패러데이는 전류가 흐르는 도선 주위에 자기장이 형성되는 것에 착안하여 이와 반대로 자기장을 이용해 전류를 만들 수 있지 않을까(자기를 통한 전기의 유도) 하는 생각을 가지고 있었다. 그리고 1831년 도선 주위에 자석을 운동시켜 전류를 유도해 내는 데 성공했는데, 이를 '전자기 유도'라고 한다.(문제 1 - ① 관련, 전자기 유도의 원리와 개념) 이때 유도된 전류는 자기장의 세기가 변하면, 그 변화 속도에 비례하여 커진다.(전류의 세기와 자기장의 변화 속도는 비례함.)

2문단 요약 답 | (**자기장**)을 이용하여 전류를 유도하는 것을 '전자기 유도'라고 한다.

③ 『IH 방식의 경우 전기밥솥에 220V 가정용 교류 전원을 연결하면 밥솥 주위의 코일에 전류가 흘러 밥솥 주위에 자기장을 만든다.(문제 2 - ①, ② 관련) 교류 전기는 전기의 극성이 수시로 바뀌기(→ 전기의 극성이 수시로 바뀜.) 때문에 이때 발생하는 자기장 역시 극성과 세기가 연속적으로 변하는 교류 자기장이 된다.』(『 』: 전기로 자기장을 만드는 과정) 이 교류 자기장에 의해 밥솥의 스테인리스 스틸 층에 소용돌이 모양의 맴돌이 전류가 유도된다.(자기장으로 전기를 유도하는 과정) 이 맴돌이 전류가 밥솥에 열을 발생시키면 이 열이 밥솥 안쪽의 열전도율이 높은 알루미늄 층을 통해 밥솥 전체에 퍼져(문제 1 - ②, 문제 2 - ③, ④, ⑤ 관련, 열의 발생과 전도의 과정) 전열선 가열 방식보다 쌀이 고르게 익게 한다. 이런 IH 방식의 장점은 밥솥 자체가 열을 발생시키므로 전열선 가열 방식보다 열효율이 매우 높고 쌀을 고르게 익힐 수 있다는 것이다.(문제 1 - ⑤ 관련)

3문단 요약 답 | IH 방식은 밥솥 자체가 열을 발생시키므로 전열선 가열 방식보다 (**열효율**)이 높다.

④ 『패러데이가 전자기 유도 현상(원리)을 발견했을 때 전기밥솥의 작동 원리(응용)가 될 줄은 상상도 못했을 것이다. 마치 맥스웰이 전기와 자기 현상을 통합하고 전자기파를 발견(원리)했을 때 휴대 전화 등의 무선 통신(응용)을 예상하지 못한 것과 같다.』(『 』: 문제 3 관련) 이렇듯 새로운 과학적 원리의 발견은 뜻하지 않게 우리가 사용하는 문명의 이기(전기밥솥, 무선 통신 등)로 발전하여 우리의 삶을 보다 편리하게 하는 동력이 되기도 한다.

4문단 요약 답 | 새로운 (**과학적 원리**)의 발견은 우리 삶을 편리하게 한다.

해제 | 이 글은 전자기 유도 원리를 활용한 IH 방식의 전기밥솥의 구성 요소와 작동 원리에 대해 설명하고 있다.
주제 | 전기밥솥의 작동 원리
출전 | 한국물리학회, 《속 보이는 물리 II : 전기와 자기 밀고 당기기》

지문 분석하기

전기밥솥의 종류	방식	내용
	(전열선) 가열 방식	밥솥 아래에 있는 히터 선에 전류를 흘려 (히터)을/를 가열 → 밥솥에 열 전달
	전자기 유도 가열 방식	밥솥 주위 (코일)에 전류를 흘려 밥솥 주위에 자기장 생성 → 스테인리스 스틸 층에 맴돌이 전류 (유도) → 맴돌이 전류로 인해 밥솥에 열 발생 → (알루미늄) 층을 통해 밥솥 전체에 열 전달

1 이 글은 전기밥솥에 대해 설명하고 있을 뿐 압력 밥솥에 대해서는 설명하고 있지 않다.

오답 풀이 ① 2문단에 전자기 유도 원리와 개념이 제시되어 있다.
② 1문단에서 전열선 가열 방식의 전기밥솥이 열을 발생시키는 방식, 3문단에서 전자기 유도 가열 방식의 전기밥솥이 열을 발생시키는 방식을 설명하고 있다.
④ 1문단에서 전열선 가열 방식의 전기밥솥의 작동 원리가 제시되어 있다.
⑤ 3문단에 전자기 유도 가열 방식의 전기밥솥의 장점으로 높은 열효율과 쌀을 고르게 익히는 기능이 제시되어 있다.

2 3문단에 따르면 ㉠에서는 전자기 유도 현상으로 맴돌이 전류가 유도되고, ㉢은 맴돌이 전류가 발생시킨 열을 골고루 전달하는 역할을 한다고 볼 수 있다. 따라서 ㉢에서는 전자기 유도 현상이 나타난다고 보기 어렵다.

오답 풀이 ①, ② 3문단에서 IH 방식의 전기밥솥에 가정용 교류 전원을 연결하면 밥솥 주위의 코일에 극성이 수시로 변하는 전류가 흘러 자기장을 만든다고 하였다.
④, ⑤ 3문단에서 스테인리스 스틸 층에 맴돌이 전류가 유도되면 이 전류가 밥솥에 열을 발생시키고, 이 열이 열전도율이 높은 알루미늄 층을 통해 밥솥 전체에 퍼져 나간다고 하였다.

3 4문단에서 전자기파의 발견이 무선 통신에 사용된 것처럼 전자기 유도 현상(원리)의 발견이 전기밥솥의 작동 원리로 기능하게 되었다는 내용을 확인할 수 있다.

기술 08 똑똑한 옷은 똑똑한 섬유로 만든다

본문 106~107쪽

1 ② **2** ④ **3** 전도성

① 발열 패딩, 친환경 태양광 셔츠, 자세 교정 양말, 시각 장애인 길 안내 신발 등 다양한 기능을 가진 제품이 시장에 나오면서 (스마트 의류 기술 적용의 사례) 스마트 의류 기술에 많은 관심과 기대가 쏟아졌다. 그런데 스마트 의류가 어떤 기능을 수행하려면 센서 같은 전자 기기를 의류에 부착하거나 초소형 컴퓨터 칩을 섬유에 넣는 방법 등을 사용해야만 했다. (문제 1 – ④ 관련, 기존 스마트 의류의 불편함) 이러한 불편함을 해소하기 위해 섬유 자체가 디지털 센서 기능을 하도록 만드는 기술이 연구되었는데, 이를 통해 개발된 것이 바로 스마트 섬유이다.

(1문단 요약 답) (**스마트 섬유**)의 개발로 기존 스마트 의류의 불편함을 해소할 수 있게 되었다.

② 스마트 섬유는 별도의 전자 기기를 따로 부착하지 않아도 섬유 자체가 디지털 센서 기능을 가지고 있어 외부 자극을 감지하고 반응할 수 있도록 만든 섬유이다. (문제 1 – ① 관련, 스마트 섬유의 의미) 이러한 기능을 수행하기 위해서 스마트 섬유는 전기가 흐를 수 있는 전도성을 가지고 있어야 한다. (스마트 섬유의 조건) 때문에 스마트 섬유에는 전도성이 강한 구리, 은, 탄소 등의 물질을 잉크처럼 만들어 섬유에 인쇄하거나 기존의 옷감에 전도성이 있는 실로 수를 놓거나 직접 옷감을 짜는 방식이 사용되고 있다. (문제 2 – ④, 문제 3 관련, 스마트 섬유 기술의 원리) 전도성이 있는 실은 전도성이 강한 물질들을 가열하여 이 물질들을 실처럼 가늘게 뽑아내는 기술을 통해 만들어진다. 이렇게 만들어진 실로 기존의 옷감을 짜거나 이 실로 기존의 옷감에 수를 놓아 ㉠섬유에 전기가 흐르도록 할 수 있는 것이다.

(2문단 요약 답) 스마트 섬유가 기능을 수행하기 위해서는 (**전기**)가 흐를 수 있는 전도성이 있어야 한다.

③ 대표적인 스마트 섬유로는 히텍스를 사례로 들 수 있다. (문제 1 – ⑤ 관련, 스마트 섬유의 사례 1) 히텍스는 전류가 흐르는 잉크를 섬유에 인쇄하여 섬유 자체가 온도 조절을 할 수 있도록 만든 스마트 섬유로, (문제 2 – ① 관련, 히텍스의 제작 방식과 기능) 보조적인 장치를 추가하면 최대 50도에 이르는 열이 발생한다. (히텍스의 특징) 또 다른 사례인 히토에는 (문제 1 – ⑤ 관련, 스마트 섬유의 사례 2) 최첨단 소재인 폴리에스터 나노 섬유 원단에 전도성이 높은 물질을 코팅하여 생체 신호를 측정할 수 있도록 한 스마트 섬유이다. (문제 2 – ⑤ 관련, 히토에의 제작 방식과 기능) 이 섬유를 이용하면 심박수와 심전도 등의 생체 정보를 감지하여 스마트 기기로 보낼 수 있기 때문에 각광을 받고 있다. (문제 2 – ② 관련, 히토에의 특징)

(3문단 요약 답) 스마트 섬유의 사례로는 섬유 자체가 온도 조절을 할 수 있는 히텍스와 (**생체 신호**)를 측정할 수 있는 히토에가 있다.

④ 이외에도 스마트 섬유를 만들 때 어떠한 물질을 사용하고 어떠한 각도로 옷감을 짜느냐에 따라 섬유마다 다른 양의 전류를 흐르게 할 수 있다. (문제 2 – ③, ④ 관련) 그리고 이렇게 함으로써 다양한 기능을 가진 스마트 섬유 개발이 가능하다. 따라서 스마트 섬유를 사용한 의류 제품들도 더 다양해질 것으로 전망되어, 스마트 의류에 대한 기대감이 더욱 높아지고 있다. (문제 1 – ③ 관련)

(4문단 요약 답) 또한 어떠한 물질을 사용하고 (**어떠한 각도로 옷감을 짜느냐**)에 따라 다양한 스마트 섬유 개발이 가능하다.

해제 | 이 글은 스마트 섬유 기술의 원리와 적용 사례, 그리고 스마트 의류의 발전 전망 등에 대해 설명하고 있다.

주제 | 스마트 섬유 기술의 원리 및 적용 사례

지문 분석하기

기존 스마트 의류의 불편함		스마트 섬유 개발		
(전자 기기)을/를 옷에 부착해야 기능을 수행할 수 있음.	해소 가능 →	스마트 섬유 개발	전도성 (잉크)을/를 섬유에 프린팅하는 방식 / 전도성이 있는 (실)으로 옷감을 짜거나 수를 놓는 방식	→ 사용 물질의 종류와 옷감을 짜는 방식에 따라 다양한 스마트 섬유 개발이 가능함.

1 이 글에서 다양한 스마트 섬유 개발로 인한 스마트 의류의 발전 전망에 대해서는 언급되었지만, 스마트 섬유의 발전 과정에 대한 정보는 나타나 있지 않다.

오답 풀이 ① 2문단에서 스마트 섬유는 섬유 자체에 디지털 센서 기능이 있어 외부 자극을 감지하고 반응할 수 있도록 만든 섬유라고 밝혔다.
③ 4문단에 다양한 기능을 가진 스마트 섬유의 개발로 인해 스마트 의류에 대한 기대감이 더욱 높아지고 있다는 것이 나타나 있다.
④ 1문단에서 기존 스마트 의류는 센서 같은 전자 기기를 의류에 부착하거나 초소형 컴퓨터 칩을 섬유에 넣는 방법 등을 사용해야만 했기 때문에 불편함이 있었다는 점을 밝히고 있다.
⑤ 3문단에서 스마트 섬유의 사례로 히텍스와 히토에를 제시하였다.

2 2문단에 따르면 스마트 섬유는 전도성이 강한 여러 물질을 사용하여 만든다. 이를 전제로, 4문단에서는 어떠한 물질을 사용하느냐에 따라 스마트 섬유에 다른 양의 전류를 흐르게 할 수 있다고 했을 뿐이므로, 항상 일정한 양의 전류가 흘러 사용이 편리할 것이라는 추론은 적절하지 않다.

오답 풀이 ① 3문단에서 히텍스는 전류가 흐르는 잉크를 섬유에 인쇄하여 만들었다고 했으므로 이를 사용한 의류에는 전류가 흐를 수 있는 별도의 전자 기기를 부착할 필요가 없다.
② 3문단에서 히토에는 심박수 등 생체 신호를 측정할 수 있다고 하였다.
③ 4문단에서 스마트 섬유를 만들 때 어떠한 각도로 옷감을 짜느냐에 따라 다른 양의 전류를 흐르게 할 수 있고, 이에 따라 다양한 스마트 섬유를 개발할 수 있다고 하였다.
⑤ 히토에에는 전도성이 높은 물질이 코팅되어 있는데 여기에 절연 물질을 바르면 전도성이 사라지므로 기능을 제대로 발휘하지 못할 수도 있다.

3 2문단에서 스마트 섬유가 디지털 센서 기능을 하도록 전기가 흐르게 하기 위해서 구리, 은, 탄소 등과 같이 전도성이 강한 물질을 잉크처럼 만들어 섬유에 인쇄하거나 기존의 옷감에 전도성이 있는 실로 수를 놓거나 옷감을 직접 짜는 방식을 사용한다고 하였다.

예술 09 만화의 의사소통

본문 108~109쪽

1 ⑤ **2** ⑤ **3** 복합적

① 만화란 '대화를 삽입하여 이야기 따위를 간결하고 익살스럽게 그린 그림'이다. 영화가 사물의 운동이나 시간을 재현하는 예술이라면, 만화는 정지된 그림이 의도된 순서에 따라 공간적으로 나열되는 예술이다. 문학이 문자만으로 구성된 언어적 의사소통이라면, 만화는 글로 구성된 문학적 요소와 그림으로 구성된 미술적 요소가 연속적으로 나열되어 이야기를 전달하는 복합적 의사소통이다.

(만화의 개념 / 문제 1 – ④ 관련, 영화의 특징 / 만화의 특징 1 / 문학의 특징 / 문제 3 관련, 만화의 특징 2)

1문단 요약 답 | (**만화**)는 영화나 문학과 구분될 수 있는 복합적 의사소통이다.

② 문학과 같이 문자로 된 언어적 의사소통은 '실체 → 언어 → 기호화 → 인지'라는 전환 과정을 거친다. 작가는 자신이 의도하는 바를 자신의 언어로 정리하여 기호인 문자로 표현한다. 독자는 문자를 학습하여 작가의 기호들을 인지하는 것이다. 이와 달리 정지된 그림이 중심이 되는 만화는 이러한 전환이나 학습의 과정 없이 '실체 → 그림 → 인지'라는 직접적인 경로를 통해 상대적으로 간편한 인지가 가능하다. 이때 만화의 정지된 그림은 인물이나 물체의 주변에 그어진 효과선을 통해 독자의 상상 속에서 움직일 수도 있다. 이런 장점 때문에 고금을 막론하고 만화는 어떤 내용을 전달하는 적극적인 도구로 활용되어 왔다.

(언어를 통한 정보 전달 과정 / 문제 2 – ① 관련, 그림을 통한 정보 전달 과정 / 만화의 장점 / 문제 1 – ⑤ 관련 / 만화의 구성 요소 1 / 역사적으로도 만화는 오랫동안 쓰여 왔음.)

2문단 요약 답 | 문학과 달리 만화는 전환 과정 없이 (**직접적인 경로**)를 통해 간편하게 인지할 수 있다.

③ 만화는 글이나 그림을 담고 있는 각 칸으로 구성되는데, 만화의 칸은 다른 표현 양식과 달리 만화를 만화답게 보이게 하는 효과가 있다. 만화에서는 칸으로 구분되는 각각의 공간들을 따라서 독자의 시선이 일정하게 이동한다. 때문에 각 칸은 전체 작품에서 독자의 시선의 방향을 일정하게 유도한다고 할 수 있다.

(만화의 구성 요소 2 / 문제 1 – ① 관련 / 문제 2 – ③ 관련 / 문제 2 – ⑤ 관련, 칸의 기능 1)

3문단 요약 답 | 만화를 구성하는 칸은 독자의 (**시선의 방향**)을 일정하게 유도한다.

④ 그러나 만화의 칸은 크기와 모양이 하나로 고정된 것이 아니다. 만화의 칸은 내부의 그림과 말풍선을 통해 나타난 인물의 심리나 작품 속 상황에 따라서 크기나 모양을 자유롭게 할 수 있다. 이는 독자의 읽기 시간에 변화를 주어 장면을 극대화하거나 축소할 수 있다.

(문제 2 – ⑤ 관련 / 문제 2 – ② 관련, 칸의 기능 2)

4문단 요약 답 | 만화의 칸은 작품 속 상황에 따라 (**크기나 모양**)을 자유롭게 할 수 있다.

⑤ 칸과 칸 사이의 여백 역시 독자의 상상력을 극대화한다. 만화에서는 칸 내부의 그림이나 말풍선 등의 내용이 사건의 중심이지만, 독자는 칸과 칸 사이의 여백을 통해 제시된 내용보다 훨씬 더 풍부한 상상의 세계를 경험하게 된다. 또 칸 내부의 그림이 정지된 것이라 하더라도 칸과 칸 사이의 여백을 통해 칸 내부의 그림들이 연속적이고 역동적으로 느껴지기도 한다. 이 과정에서 독자는 상상력을 통해 정지된 그림으로부터 움직임을 이끌어 낸다.

(만화의 구성 요소 3 / 문제 1 – ③ 관련 / 칸과 칸 사이의 여백의 기능 1 / 문제 2 – ④ 관련, 칸과 칸 사이의 여백의 기능 2)

5문단 요약 답 | 칸과 칸 사이의 여백은 독자의 (**상상력**)을 극대화한다.

해제 | 이 글은 복합적 의사소통 방식인 만화의 구성 요소와 그 기능에 대해 설명하고 있다.

주제 | 만화의 구성 요소와 의사소통 방식

지문 분석하기

만화		
	특징	정지된 그림에 의도된 순서에 따라 공간적으로 나열되는 예술이며, 글과 그림이 연속적으로 (나열)되어 이야기를 전달하는 복합적 의사소통
	장점	'실체 → (그림) → 인지'의 직접적인 경로로 간편한 인지 가능
	구성 요소	① 효과선: 정지된 그림을 독자의 상상 속에서 움직일 수 있게 함. ② 칸: 독자의 시선의 방향을 유도하고, 읽기 시간에 변화를 줌. ③ 칸과 칸 사이의 (여백): 독자의 상상력을 극대화함.

1 2문단에서 만화의 정지된 그림은 인물이나 물체의 주변에 그어진 효과선을 통해 독자의 상상 속에서 움직일 수도 있다고 하였다. 효과선이 문자의 학습을 돕는 것은 아니다.

오답 풀이 ① 3문단에서 만화의 칸은 다른 표현 양식과 달리 만화를 만화답게 보이게 하는 효과가 있다고 하였다.
② 1문단에서 만화는 정지된 그림이 의도된 순서에 따라 공간적으로 나열되는 예술이며, 글로 구성된 문학적 요소와 그림으로 구성된 미술적 요소가 연속적으로 나열되어 이야기를 전달하는 복합적 의사소통이라고 하였다.
③ 5문단에서 칸과 칸 사이의 여백은 독자의 상상력을 극대화한다고 하였다.
④ 1문단에서 영화는 사물의 운동이나 시간을 재현하는 예술이라고 하였다.

2 만화에서 각 칸은 전체 작품에서 독자의 시선의 방향을 일정하게 유도하는 역할을 한다. 칸의 모양은 다양하게 변할 수 있지만, 그 모양이 독자의 시선 방향을 다양하게 유도할 수 있다고 보기는 어렵다.

오답 풀이 ① 만화는 '실체 → 그림 → 인지'라는 직접적인 경로를 통해 간편한 인지가 가능하다.
② 칸의 크기나 모양에 변화를 줌으로써 장면을 극대화하거나 축소하여 독자의 읽기 시간에 변화를 줄 수 있다.
③ 만화에서는 칸으로 구분되는 공간을 따라 독자의 시선이 일정하게 이동한다.
④ 만화의 그림이 정지된 것이라 하더라도 칸과 칸 사이의 여백을 통해 내부의 그림들이 연속적이고 역동적으로 느껴지는 효과가 있다.

3 1문단에서 만화는 글과 그림으로 구성되어 이야기를 전달하는 복합적 의사소통 방식이라고 밝히고 있다.

예술 10 동양 산수화에서의 점경 인물

본문 110~111쪽

1 ⑤ **2** ②

① 동양 산수화의 주된 소재는 나무와 바위, 산과 계곡 등 자연물이다. 그런데 훌륭하다고 평가받는 대부분의 산수화에는 사람이 그려져 있다. 배를 타고 산을 향해 다가간다거나 낚시를 한다거나 풍경을 즐긴다거나 하는 사람들은 그림의 전체 크기에 비하면 아주 작고 간단하게 그려져 있다. 점경 인물(點景人物)은 동양 산수화에 등장하는 작고 간단하게 묘사된 인물상을 의미하는 것으로, 주로 절경을 여행하며 자연과 교감하는 인간을 그린 것이다. 여기에는 하늘과 땅과 인간이 별개로 존재하는 것이 아니라 하나의 원리로 연결되어 있다는 사상이 깔려 있다. 이런 점에서 동양의 산수화는 자연의 섭리와 만물의 질서를 형상화한 것이며, 이때 인간은 자연과 대립하는 존재가 아니라 자연과 조화를 이루는 존재이므로 산수화의 일부로 포함되는 것이 당연하다.

(문제 1 - ① 관련 / 동양 산수화의 특징 / 산수화에서 사람을 표현하는 방식 / 문제 1 - ④ 관련, 점경 인물의 개념 / 점경 인물의 사상적 배경 / 문제 2 - ④ 관련, 동양에서의 자연관)

1문단 요약 답 동양 산수화에 작게 묘사된 인물상을 (**점경 인물**)이라고 한다.

② 점경 인물의 전통은 중국을 중심으로 10세기 후반부터 본격적으로 나타나기 시작했다. 북송 시대(960~1127)에는 높은 산이나 계곡을 유람하는 여행자들을 고정적으로 그렸는데, 이때 거대한 산 사이를 여행하며 자연과 교감하는 인간의 모습이 중요한 구성 요소로 자리 잡게 되었다. 한편 남송 시대(1127~1279)에는 인물의 이목구비를 생략하고 간략하게 표현하는 기법이 유행하였는데, 이는 사실성은 다소 떨어뜨리지만 작품 전체의 생동감을 증대하는 효과를 주었다. 이러한 그림 방식들은 명나라 시대에 들어와 일정한 형식과 틀을 갖추어 감상자에게 해석의 방향을 제시하게 되었다. 예를 들어 승려나 도사가 등장하면 종교적 분위기를 띠며, 홀로 낚시하는 어부가 등장하면 소박한 삶을 상징하게 된 것이다.

(「」: 점경 인물 전통의 변화 과정 / 점경 인물의 발전 과정 1 / 문제 2 - ① 관련, 산수화의 구성 요소로서의 인간 / 점경 인물의 발전 과정 2 / 문제 1 - ②, 문제 2 - ② 관련 / 점경 인물의 발전 과정 3 / 문제 1 - ③ 관련)

2문단 요약 답 점경 인물의 전통은 북송·남송·명을 거쳐 발전하면서 일정한 (**형식과 틀**)을 갖추었다.

③ 이러한 점경 인물의 전통은 조선의 산수화에도 수용되었다. 이는 조선 전기의 〈사시팔경도〉와 같은 산수화가 송나라 시대의 〈소상팔경도〉의 인물상을 그대로 반복한 것을 보면 알 수 있다. 그러나 조선 후기에 이르러서는 산수화 속 점경 인물의 표현에도 조선만의 특징이 나타나기 시작했다.

(「」: 조선 시대 점경 인물 전통의 변화 과정 / 문제 1 - ⑤ 관련 / 중국의 점경 인물 전통을 수용함. / 조선만의 특징이 나타남.)

3문단 요약 답 중국의 점경 인물의 전통은 조선의 산수화에도 (**수용**)되었다.

④ 조선 전기의 화풍과 달리 조선 후기의 화가들은 현장의 경험과 화가의 반응을 그림에 생생하게 담아내는 예술을 추구하였는데, 그러기 위해서는 대상에 대한 사실적 묘사가 필요했다. 때문에 회화의 소재가 되는 장소뿐만 아니라 건물, 의관, 제도, 풍속 등을 조선의 것으로 표현했다. 또 점경 인물의 대상도 유형화된 인물은 물론 마부나 가마꾼, 시종 등에까지 확대하여 표현하였다. 이전까지의 산수화가 가 보지 않은 중국의 산수를 모방하여 그린 것이었다면, 조선 후기의 산수화는 조선의 산천과 생활상을 그린 진경산수화나 풍속화로 발전하였다.

(문제 2 - ⑤ 관련 / 조선 후기 산수화의 특징 1 / 문제 2 - ③ 관련 / 조선 후기 산수화의 특징 2)

4문단 요약 답 조선 후기에는 대상을 생생하게 담아내는 예술을 추구하기 위해 대상에 대한 (**사실적 묘사**)를 중시하는 조선만의 화풍이 자리 잡았다.

해제 | 이 글은 동양 산수화에서의 점경 인물의 개념과 발전 과정, 특징에 대해 설명하고 있다.

주제 | 동양 산수화에서의 점경 인물의 개념과 특징

지문 분석하기

점경 인물	• 개념: (동양 산수화)에서 인물을 작고 간단하게 묘사하는 것 • 특징: 자연과 (인간)이/가 하나의 원리로 연결되어 있다는 사상을 바탕으로 함.	→	중국의 북송·남송·명을 거치며 정형화됨.	→	조선 (후기) 그림의 특징으로 사실적 묘사의 화풍이 자리 잡음.

1 2, 3문단에 북송·남송·명나라 시대를 거쳐 형성된 점경 인물의 전통이 조선 전기의 산수화에 수용되었음이 나타나 있다.

오답 풀이 ① 1문단에서 동양 산수화의 주된 소재는 나무, 바위 등의 자연물임이 나타나 있다.
② 2문단에서 남송 시대에는 산수화에서 인물의 이목구비를 생략하고 간략하게 표현하는 기법이 유행하였다고 하였다.
③ 2문단에서 점경 인물의 방식은 명나라 시대에 들어와 감상자에게 해석의 방향을 제시하게 되었다고 하였다.
④ 1문단에서 점경 인물은 동양 산수화에 등장하는 작고 간단하게 묘사된 인물상을 의미하는 것이라고 하였다.

2 〈보기〉는 조선 후기 겸재 정선의 그림으로 조선 후기 점경 인물의 특징이 담겨 있다. 조선 후기에는 회화의 소재가 되는 장소, 건물, 의관 등을 조선의 것으로 표현하는 등의 사실적 묘사와 점경 인물의 대상이 확대되었다고 하였을 뿐, 〈보기〉의 그림에서 경관을 둘러보는 점경 인물의 모습이 섬세하게 표현되었다고 보기는 어렵다.

오답 풀이 ① 2문단에서 북송 시대에 자연과 교감하는 인간의 모습이 중요한 구성 요소로 자리 잡게 되었다고 하였으며, 겸재 정선의 그림에서 바위에서 경치를 즐기는 사람들의 모습 등을 통해 이러한 특징이 나타남을 알 수 있다.
③ 4문단에서 점경 인물의 대상이 유형화된 인물에서 마부나 가마꾼, 시종 등에까지 확대되었다고 하였다.
④ 1문단에서 인간은 자연과 조화를 이루는 존재이기 때문에 산수화의 일부로 포함되어 작게 표현되었다는 것을 알 수 있다.
⑤ 4문단에서 조선 후기의 화가들은 사실적 묘사를 통해 현장의 경험과 화가의 반응을 그림에 생생하게 담아내는 예술을 추구하였다고 하였다. 〈보기〉의 그림에서 사람과 자연뿐만 아니라 이동하는 데 사용된 네 마리의 말까지 표현한 것은 이러한 진경산수화의 특징을 잘 보여 준다고 할 수 있다.

통합 11 암호는 어떻게 만들어질까

본문 112~113쪽

1 ④ **2** ① **3** ② **4** ③

①「1918년 제1차 세계 대전, 프랑스군은 독일의 무선 통신을 도청하던 중 AGFGXD, AADXFX와 같이 A, D, F, G, X의 다섯 개 철자만으로 나열된 형태의 새로운 암호문을 발견한다.」 이때 독일이 사용한 새로운 암호 체계는 폴리비우스 암호를 적용한 것으로, 알파벳을 이루는 26개 철자를 〈표〉와 같이 정해서 폴리비우스 암호표를 만들고 가로 · 세로 줄에 숫자 대신 A, D, F, G, X를 정해 놓는다. 〈표〉에 따라 문자 'a'는 (A, A), 문자 'b', 'f'는 (D, A), (A, D)가 될 것이다. 'AADAAD'라는 암호문을 받은 사람이 이를 해독한다면 같은 〈표〉를 이용하여 'abf'라는 내용을 알 수 있을 것이다.

「」: 제1차 세계 대전 중 폴리비우스 암호를 사용한 독일군의 사례 / 좌표의 개념을 사용해 암호를 만듦.

	A	D	F	G	X
A	a	b	c	d	e
D	f	g	h	i/j	k
F	l	m	n	o	p
G	q	r	s	t	u
X	v	w	x	y	z

〈표〉

(1문단 요약) 폴리비우스 암호는 알파벳을 이루는 26개의 철자를 사용한 표를 활용하여 암호문을 만들고 해독한다.

② 그러던 중 프랑스군이 폴리비우스 암호의 원리를 알아내 독일군의 암호를 해독하는 데 성공하자, 독일군은 다시 ㉠가로 · 세로 줄의 A, D, F, G, X에 V를 첨가하여 표를 36칸으로 확장하고 표에 0~9까지의 숫자도 포함시켰다. 그러나 프랑스군은 바뀐 암호문을 해독하는 데 어려움을 겪지 않았다. 그 이유는 무엇일까? 폴리비우스 암호는 암호문을 만드는 사람과 암호를 해독하는 사람이 같은 '비밀 열쇠'를 가지고 있어야 한다. 이렇게 양쪽이 같은 비밀 열쇠를 가지고 있는 암호 체계를 ⓐ'대칭 열쇠 관리'라고 한다. 〈대칭 열쇠 관리는 양쪽이 사전에 비밀 열쇠에 대해 약속하고 있어야 하며 둘 중 하나라도 열쇠를 분실하거나 열쇠가 공개되는 순간 보안성이 매우 떨어진다.〉 때문에 이미 비밀 열쇠를 파악했던 프랑스군이 독일군의 바뀐 암호 또한 쉽게 해독할 수 있었던 것이다.

암호를 더 복잡하게 만들어 풀지 못하게 하기 위해 / 암호를 푸는 원리는 같기 때문에 / 폴리비우스 암호의 특징 / 암호를 만들 때와 풀 때의 열쇠가 같음. / 대칭 열쇠 관리의 취약점

(2문단 요약) 폴리비우스 암호와 같은 대칭 열쇠 관리 암호문의 경우 비밀 열쇠를 파악하면 쉽게 해독할 수 있다.

③ [이후 이러한 단점을 보완하기 위해 개발된 암호 체계가 ⓑ'비대칭 열쇠 관리'이다. 비대칭 열쇠 관리는 수학적 원리를 이용하여 만드는 암호인 '공개 열쇠'와 암호를 해독하는 '비밀 열쇠'가 서로 다른 것이 대칭 열쇠 관리와 구별되는 특징이다.] 미국의 MIT 컴퓨터 공학 연구원들은 이 비대칭 열쇠 관리를 이용한 RSA 암호 체계를 개발하였다. RSA 암호 체계는 1과 자기 자신으로만 나누어 떨어지는 소수의 원리를 이용한다.

대칭 열쇠 관리의 단점을 보완하는 비대칭 열쇠 관리 / 문제 4 - ③ 관련, 암호를 만들 때와 풀 때의 열쇠가 다름. / 문제 1 - ② 관련, RSA 암호 체계에 사용된 수학적 원리

(3문단 요약) 대칭 열쇠 관리의 단점을 보완하기 위해 수학적 원리를 이용하여 암호문을 만드는 비대칭 열쇠 관리가 개발되었다.

④ RSA 암호 체계는 두 개의 큰 소수들의 곱과 추가 연산을 통해 공개 열쇠와 비밀 열쇠를 구한다. 즉 $n=p\times q$일 때, p와 q로 n을 구하기는 쉬우나 n으로 p와 q를 찾기 힘들다는 소인수 분해의 어려움을 이용한 것이다. 예를 들어 소수 $p=17$과 $q=19$로 $n=p\times q=323$을 구하기는 쉬우나 $n=323$만을 제시했을 때는 소수 p, q를 구하기 어렵다는 것이다. 소수의 값이 크면 클수록 보안의 안정성은 높아진다. RSA 암호 체계의 비밀 열쇠는 현대의 고성능 컴퓨터라 하더라도 암호를 알아내는 데 시간이 매우 오래 걸리기 때문에 금융 거래 등에 활용되고 있다.

암호를 알아내기 어려움. → 보안성이 높음. / RSA 암호 체계의 활용 분야

(4문단 요약) 비대칭 열쇠 관리인 RSA 암호 체계는 암호에 활용되는 소수의 값이 클수록 보안의 안정성이 높다.

해제 | 이 글은 대칭 열쇠 관리와 비대칭 열쇠 관리의 특징과 암호 체계의 발전 과정을 설명하고 있다.

주제 | 암호 체계의 특징과 발전 과정

지문 분석하기

대칭 열쇠 관리		비대칭 열쇠 관리
암호를 만들 때와 해독할 때의 비밀 열쇠가 같음. → 비밀 열쇠를 분실하거나 공개하는 순간 보안성이 떨어짐.	 단점 보완	암호를 만드는 공개 열쇠와 암호를 해독하는 비밀 열쇠가 다름. → 소수의 값이 크면 클수록 보안성이 높음.

1 이 글은 제1차 세계 대전 때 사용된 대칭 열쇠 관리 방식인 폴리비우스 암호와 이를 보완한 비대칭 열쇠 관리 방식인 RSA 암호 체계를 소개하고 있다. 따라서 대칭 열쇠 관리에서 비대칭 열쇠 관리로 암호 체계가 발전하는 과정을 보여 주고 있다고 할 수 있다.

오답 풀이 ① 비대칭 열쇠 관리 기술의 필요성을 밝히고 있지 않다.
② RSA 암호 체계에 활용되는 수학적 원리는 제시되어 있으나, 비대칭 열쇠 관리 기술 개발에 따른 수학의 발전을 설명한다고 할 수 없다.
③ 비대칭 열쇠 관리 기술의 폐해를 지적하는 구체적 사례는 제시되어 있지 않다.
⑤ 대칭 열쇠 관리와 비대칭 열쇠 관리 방식이 대비된다고 할 수 있으나 장단점을 나열하고 있지 않다.

2 폴리비우스 암호표에 따라 암호를 해독하는 방식은 암호를 두 글자씩 끊어서 암호표에 적용하는 방식이다. XF는 가로 줄의 X와 세로 줄의 F를 의미하므로 'p'에 해당한다. 같은 방식으로 XA는 'e'를, AA는 'a'를, FA는 'c'를, XA는 'e'를 가리키게 된다.

3 독일군은 암호문이 들통나자 암호표를 더욱 길게 만든다. 이는 암호표를 더욱 복잡하게 만들어 프랑스군이 암호문을 해독하지 못하게 하려는 의도이다.

4 대칭 열쇠 관리는 암호를 만드는 열쇠와 암호를 푸는 열쇠가 같지만, 비대칭 열쇠 관리는 암호를 만드는 열쇠와 암호를 푸는 열쇠가 다르다.

어휘 더 쌓기 114쪽

1 (1) ② (2) ④ (3) ③ (4) ① **2** ① **3** ③
4 (1) ③ (2) ① (3) ② (4) ④

인문 01 세종 대왕이 훈민정음을 만든 이유

본문 118~119쪽

1 ④ **2** ② **3** 한자음을 우리의 음으로 바로잡아 통일된 표준음을 정리하기 위해서이다.

① 훈민정음은 창제한 사람과 날짜가 알려져 있고 창제 원리가 명확히 기록된 세계 유일의 문자로, 세종 대왕이 1443년에 창제하여 1446년에 반포하였다. 훈민정음 해례본에는 "어리석은 백성이 말하고자 하는 바가 있어도 그 뜻을 펴지 못하는 사람이 많아"서 이를 불쌍히 여겨 훈민정음을 만들었다고 기록되어 있다. 백성을 사랑하는 마음, 즉 애민 정신이 훈민정음 창제의 정신적 바탕이 되었음을 분명히 알 수 있다.

(문제 1 – ① 관련, 훈민정음의 의미 / 문자 '훈민정음' / 문헌 '훈민정음' / 문제 2 – ① 관련 / 문제 1 – ③ 관련, 훈민정음의 바탕이 되는 사상)

1문단 요약 답 | 세종 대왕은 애민 정신을 바탕으로 (**훈민정음**)을 창제하였다.

② 그러나 '애민'은 구체적인 행동이라기보다 정서나 사상에 가깝다. 애민 정신이 가장 구체적으로 나타난 것은 표기 수단 제공이라는 훈민정음의 창제 목적이다. 당시 사용하던 한자나 이두는 일반 백성들이 배우고 익혀 쓰기가 어려웠다. 따라서 널리 사용할 수 있는 우수한 표기 수단을 제공하는 것이 훈민정음 창제의 으뜸가는 목적이었다고 할 수 있다.

(문제 1 – ④ 관련 / 훈민정음의 구체적인 창제 목적 1)

2문단 요약 답 | 훈민정음은 일반 백성들에게 우수한 (**표기 수단**)을 제공하기 위해 창제되었다.

③ 훈민정음의 또 다른 창제 목적은 '훈민정음'이라는 이름에서 찾아볼 수 있다. 세종은 한글 창제 이전에 《삼강행실도》를 편찬하도록 하고, 백성들이 그 내용을 쉽게 이해할 수 있게 그림을 그려 넣도록 하였다. 이는 조선 왕조 초기에 나라의 기틀을 만들고 유교적 질서를 세우기 위한 것이었다. 이후 새로 만든 문자는 이름 자체가 '훈민(訓民)'이니, 이 또한 글자를 통해 백성들을 훈도하고 교화하여 유교적 질서를 세우고자 한 것으로 이해할 수 있다. 더불어 세종은 훈민정음을 통해 각종 법령을 백성들에게 알리고, 훈민정음 창제 이전에 편찬한 《농사직설》을 훈민정음으로 번역하도록 하여 농사 지식을 전달하기도 하였다.

(유교 질서의 근거 / 훈민정음의 구체적인 창제 목적 2 / 문제 1 – ② 관련)

3문단 요약 답 | '훈민'에 주목할 때 훈민정음은 (**유교적 질서**)를 세우기 위해 창제되었다.

④ 더불어 '훈민정음'의 '정음(正音)'에 주목을 해서 한글 창제를 이해할 수도 있다. 당시 통일되지 못한 한자들의 발음을 정리하기 위해 '바른 소리'를 정했다는 것이다. 한자의 발음을 정리하기 위해서는 반드시 소리를 나타내는 글자가 필요했고, 그래서 만든 것이 우리의 글자인 훈민정음이라는 것이다. 이는 훈민정음 반포 1년 뒤인 1447년에 세종이 훈민정음 편찬에 참여한 여섯 명의 학자를 포함한 9명의 학자에게 《동국정운》을 편찬하게 한 것에서 나타난다. '동국정운'이란 '우리나라의 바른 음'이라는 뜻으로, 한자음을 우리의 음으로 바로잡아 통일된 표준음을 정리하려는 목적으로 편찬되었다.

(문제 1 – ⑤ 관련 / 동국정운의 의미 / 문제 3 관련, 훈민정음의 구체적인 창제 목적 3)

4문단 요약 답 | '(**정음**)'에 주목할 때 훈민정음은 한자음을 우리의 음으로 바로잡아 통일된 표준음으로 정리하기 위해 창제되었다.

⑤ 훈민정음의 창제 목적을 한 가지로 규정할 수는 없다. 그러나 세종 대왕이 밝힌 창제 목적을 중심으로 정치적, 사회적 맥락을 두루 살필 필요는 충분하다. 또 이러한 목적들이 모두 백성들을 사랑하는 세종 대왕의 사상을 바탕으로 한 것임을 부정할 수는 없을 것이다. 훈민정음 반포 후 세종은 새로운 우리 글자의 효용성을 입증하고, 백성들을 깨우치기 위하여 훈민정음으로 여러 책을 간행하였다.

(애민 사상 / 세종 대왕의 노력)

5문단 요약 답 | 훈민정음의 (**창제 목적**)을 다양한 맥락에서 살펴볼 수 있다.

해제 | 이 글은 애민 정신을 바탕으로 한 훈민정음의 창제 목적을 다양한 맥락에서 살펴보고 있다.

주제 | 훈민정음의 창제 목적

지문 분석하기

훈민정음의 (창제) 목적	우수한 표기 수단 제공	▶ 백성을 사랑하는 세종 대왕의 (애민 정신)이/가 드러남.
	유교적 질서 수립	
	한자음을 우리의 음으로 바로잡아 (통일된 표준음) 정리	

1 2문단에서 당시 사용하던 한자나 이두는 일반 백성들이 배우고 익혀 쓰기 어려워 널리 사용할 수 있는 우수한 표기 수단을 제공하는 것이 훈민정음 창제의 으뜸가는 목적이라고 하였다. 따라서 한자를 쉽게 배울 수 있도록 하기 위해 훈민정음을 창제한 것이 아니다.

오답 풀이 ① 1문단에서 훈민정음은 창제 원리가 명확히 기록된 세계 유일의 문자로, 세종 대왕이 창제하여 반포하였다고 하였다.
② 3문단에 따르면 세종 대왕은 훈민정음을 통해 각종 법령을 알리고 농사 지식을 전달하기도 하였다.
⑤ 4문단에서 한자의 발음을 정리하기 위해서는 소리를 나타내는 글자가 필요했고, 그래서 만든 것이 훈민정음이라고 하였다.

2 훈민정음이라는 우수한 표기 수단을 제공하는 것은 백성들이 뜻을 펼치게 하기 위함이다. <보기>에서는 백성의 뜻이 곧 하늘의 뜻이라고 하였으므로, 이는 하늘의 뜻을 받드는 것과 관련이 있다고 볼 수 있다.

오답 풀이 ①, ④, ⑤ 훈민정음 해례본에 따르면, 세종 대왕은 백성이 제 뜻을 펼 수 있도록 훈민정음을 창제하였다. 이는 곧 세종 대왕이 백성의 행복을 중시했기 때문으로 볼 수 있다. 따라서 훈민정음의 바탕인 애민 정신에는 민본주의의 뜻이 들어 있으며, 백성을 바르게 살게 하는 일을 하고자 한 세종 대왕의 생각이 들어 있다고 볼 수 있다.
③ 세종 대왕은 훈민정음을 통해 각종 법령을 알림으로써 백성들을 교화, 훈도하여 유교적 질서를 세우고자 하였다. 이는 나라의 기틀을 만들고 백성을 바르게 살게끔 한 것으로 볼 수 있으므로, 민본주의를 실현하기 위한 것이라 할 수 있다.

3 4문단에서 《동국정운》은 한자음을 우리의 음으로 바로잡아 통일된 표준음을 정리하려는 목적으로 편찬되었다고 하였다.

인문 02 정신 기능이 정지된 시체는 인간일까 본문 120~121쪽

1 ① **2** ② **3** ①

▲ 렘브란트, 〈튈프 박사의 해부학 강의〉

① 렘브란트의 그림 〈튈프 박사의 해부학 강의〉는 해부학자 튈프 박사가 일곱 명의 학생 앞에서 시체의 팔의 피부와 근육, 뼈의 구조들을 설명하는 장면을 나타내고 있다. 해부 대상이 '인간'이라고 생각했다면 인물들의 표정에 감정의 동요가 나타났을텐데, ㉠도구를 이용하여 해부를 하는 박사나 주변의 학생들은 모두 눈 하나 깜빡하지 않는다. 이들은 시체를 인간이 아닌 하나의 물체로 본 것이다. 이들에게 해부 작업은 시계를 분해하고 조립하는 것과 마찬가지였다.

문제 1 - 〈보기〉 나. 관련

박사와 주변 학생들이 눈 하나 깜빡하지 않은 이유

1문단 요약 답 렘브란트의 그림에 등장하는 인물들은 시체를 인간이 아닌 하나의 (**물체**)로 보았다.

② 이 그림은 데카르트의 인간 이해와 관련하여 참고할 만한 장면을 보여 준다. 인간의 본질을 '정신'에서 찾는 데카르트의 생각에 따르면, 정신 기능이 멈춘 시체는 물질적 성분을 중심으로 한 '물체'에 가깝다. 의심하고 탐구하는 정신이 인간의 존재를 증명해 준다면, 그림에서 탐구 정신을 보이는 박사나 학생들이 여기에 가깝다. 시체는 정신이 없는 육체일 뿐이므로, 인간이 아닌 것이다. 그렇다면 데카르트에게 인간이란 존재는 도대체 무엇일까? 그는 인간이라는 존재는 오직 하나의 생각이나 정신, 이성일 따름이라고 하였다. 정신과 이성만이 인간의 본질일 수 있다는 것이다. 데카르트가 한 유명한 말인 "나는 생각한다. 고로 존재한다."가 의미하는 바를 분명히 알 수 있는 부분이다.

문제 2 - ② 관련 / 인간의 본질에 대한 데카르트의 견해 / 문제 2 - ② 관련 / 데카르트가 생각한 인간의 본질

2문단 요약 답 데카르트는 (**정신과 이성**)만이 인간의 본질이라고 보았다.

③ 이처럼 인간을 정신과 육체로 분리하는 사고는 인간과 자연을 분리하는 사고로 연결된다. 육체의 세계, 자연의 세계는 일종의 기계적 세계로, 이는 인간 정신에 종속된다. 정신을 특징으로 하는 인간은 주체가 되고, 자연은 객체가 되어 관찰과 이용의 대상이 되어 버린다. 정신과 육체, 인간과 자연을 분리하는 이러한 사고방식을 기계적 이원론이라 부른다.

육체와 자연의 세계를 기계적 세계로 본 이유 → 정신이 없기 때문에 / 문제 3 - ① 관련 / 문제 1 - 〈보기〉 가. 관련, 기계적 이원론의 개념

3문단 요약 답 인간을 정신과 육체로 분리하는 사고는 (**인간**)과 자연을 분리하는 사고로 연결된다.

④ 데카르트의 기계적 이원론은 근대 이후 현대에 이르기까지 광범위하게 나타난 〈자연·생태계 파괴〉 문제의 가장 중요한 원인으로 지목될 수 있다. 왜냐하면 기계적 이원론은 자연을 인간을 위해 존재하는 것, 그래서 단순히 인간의 필요에 따라 이용의 대상이 되는 것으로 보기 때문이다. 따라서 현대인의 생각을 지배하고 있는 기계적 이원론을 극복하고 [인간과 자연을 하나로 이해하는 통합적 사고로 전환할 때 인류가 직면하고 있는 생태계 파괴의 문제가 해결될 수 있을 것이다.]

기계적 이원론으로 인한 문제점 / 문제 3 - ① 관련, 기계적 이원론이 자연·생태계 파괴의 원인으로 지목되는 이유 / 기계적 이원론으로 인한 문제를 해결하기 위한 방법

4문단 요약 답 자연·(**생태계 파괴**) 문제의 원인이 되는 기계적 이원론을 극복하고 통합적 사고로 전환해야 한다.

해제 | 이 글은 렘브란트의 그림을 통해 기계적 이원론을 살펴보며 이로 인한 문제점을 해결하기 위한 사고 전환의 필요성에 대해 설명하고 있다.

주제 | 자연과 생태계 파괴의 원인이 될 수 있는 기계적 이원론

출전 | 박홍순, 《세상의 모든 교양, 미술이 묻고 고전이 답하다》

지문 분석하기

인간 본질에 대한 (데카르트)의 관점

육체적 요소가 아닌 정신적 요소가 (인간)의 본질임.

→

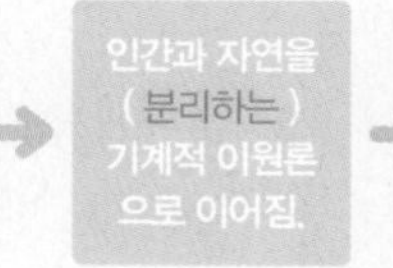

→ 자연과 생태계 파괴의 원인이 됨.

→ 인간과 자연을 하나로 이해하는 (통합적 사고)(으)로 전환해야 함.

1 가. 3문단에서 자연·생태계 파괴 문제의 원인이 되는 기계적 이원론이라는 개념을 제시하고 있다.

나. 1, 2문단에서 렘브란트의 그림을 구체적 예로 제시하여 설명하고 있다.

오답 풀이 다. 어떤 대상의 공통점과 차이점을 설명하고 있지 않다.

라. 화제의 변화 과정을 살펴보고 있는 글이 아니다.

2 해부를 하는 박사나 학생들이 눈 하나 깜빡하지 않는 것은 시체를 하나의 물체로 보았기 때문인데, 그 이유는 2문단에서 제시된 바와 같이 시체는 정신 기능이 멈춘, 즉 정신이 소멸된 것이기 때문이다.

3 〈보기〉를 통해 동양에서는 자연의 가치를 인정하고 자연과의 조화를 중시하고 있음을 알 수 있다. 반면 서양에서는 3, 4문단을 통해 알 수 있듯이 자연을 인간에 종속된 것으로 보고, 이용의 대상으로만 여기고 있음을 알 수 있다.

오답 풀이 ② 동양에서 자연을 대하는 태도로는 적합하다고 볼 수 있지만 서양에서는 자연을 필요에 따른 이용의 대상으로 보았기 때문에 적절하지 않다.

③ 자연을 인간으로부터 분리시켜 인간에 종속적인 존재로 본 것은 동양이 아니라 서양의 관점이다.

④ 〈보기〉를 통해 동양에서는 자연과 함께하는 삶을 즐겼다는 것을 이끌어 낼 수 있지만, 서양에서 이를 불편하게 여겼다는 내용은 확인할 수 없다.

⑤ 서양에서는 자연을 필요에 따라 이용의 대상으로 보았다고 했을 뿐, 서양에서 자연을 인간의 삶에 불필요한 존재로 인식했다는 설명은 적절하지 않다.

사회 03 메세나를 통한 기업의 이윤 추구 본문 122~123쪽

1 ③ 2 ⑤ 3 ④

① 자본주의 경제 체제에서 기업은 이윤 추구를 최우선의 목적으로 경제 활동을 한다. 그러나 기업이 이윤 추구 활동을 하며 부당한 이익을 얻거나 횡포를 부리는 등의 문제(문제 2 - ① 관련)가 나타나면서 기업에 대한 사회적 비판이 커지게 되었다(자본주의 경제의 문제점). 이에 기업은 부정적인 시선을 없애고 사회 전체의 발전을 이루기 위해(문제 1 - ④ 관련, 기업의 사회적 활동 참여 배경) 사회적 활동에 적극적으로 참여하고 있다(의식 변화에 따른 행동).

(1문단 요약 답) 기업에 대한 사회적 비판이 커지면서 기업은 (사회적 활동)에 적극적으로 참여하고 있다.

② 기업의 사회적 활동 중 대표적인 '메세나'는 예술·문화·과학을 보호하고 지원하는 것을 의미하는 프랑스어로, 넓은 의미에서는 예술을 넘어 사회적·인도적 공익사업에 대한 기업의 지원 행위를 말한다(문제 1 - ②, 문제 2 - ③ 관련, 메세나의 의미). 메세나의 대표적인 사례로는 르네상스 시대에 이탈리아 피렌체의 메디치 가문이 미켈란젤로 등의 예술가들을 지원한 것을 들 수 있다(문제 1 - ② 관련, 메세나의 대표적 사례).

(2문단 요약 답) (메세나)는 사회적·인도적 공익사업에 대한 기업의 지원 행위이다.

③ 메세나의 유형은 크게 세 가지로 구분해 볼 수 있다(문제 1 - ① 관련). 첫째, 기업의 경영 전략으로 조직 내의 교육, 복지 등에 예술을 활용하는 활동이다(메세나의 유형 1). 기업의 직원을 대상으로 예술 교육을 시행하여 조직 내의 갈등을 해결하고(문제 2 - ② 관련) 관계를 더 좋게 만들며 기업에 대한 충성도를 높이는 등 다양한 형태로 기업 문화를 만드는 것이다(예술을 통한 기업 문화 형성). 둘째, 마케팅 전략으로 홍보, 광고, 영업 등에 예술을 활용하는 활동이다(메세나의 유형 2). 예술의 독창적이고 친근한 이미지를 통해 제품을 홍보하거나 기업의 이미지를 높이는 것이다(예술을 통한 홍보 전략). 셋째, 이익을 바라지 않는 후원 활동(메세나의 유형 3)으로 예술 단체를 지원하거나 사회적·경제적으로 도움이 필요한 사람들에게 문화 활동을 누릴 수 있는 기회를 주는 것이 대표적이다(예술을 통한 사회적 활동).

(3문단 요약 답) 메세나는 크게 기업의 경영 전략, (마케팅 전략), 후원 활동으로 구분된다.

④ 메세나와 같은 사회적 활동에 기업이 적극적으로 참여하는 것은 메세나 과정에서 기업의 호감도가 자연스럽게 올라감으로써, 결과적으로 기업의 이윤 추구에 도움이 될 수 있기 때문이다. 과거의 투자자들은 기업의 자산 구조를 분석하여 이를 투자의 기준으로 삼았다(문제 2 - ⑤ 관련). 하지만 최근에는 메세나와 같은 사회적 활동을 통해 사회적 책임을 실천하는 기업에 적극적으로 자금을 투자하는 행위가 퍼지고 있다. 이를 '사회적 책임 투자'라고 한다(사회적 책임 투자의 의미, 투자 기준의 변화). 사회적 책임에 관심을 가지고 적극적으로 참여하는 기업이 장래에도 높은 업적을 달성할 가능성이 높다고 판단하는 것이다(이익의 형태로 돌아오는 메세나의 효과 1).

(4문단 요약 답) (사회적 책임 투자)가 퍼지고 있기 때문에 기업의 사회적 활동이 이윤 추구에 도움이 된다.

⑤ 또 이러한 사회적 활동은 제품과 서비스를 구입하는 소비자의 소비 행위에도 영향을 미친다. 최근의 소비자들은 제품과 서비스 자체뿐만 아니라 제품과 서비스를 제공하는 기업의 행동에도 관심을 가지고 이를 소비 행위에 반영한다(문제 1 - ⑤, 문제 2 - ④ 관련, 이익의 형태로 돌아오는 메세나의 효과 2). 기업의 환경 문제에 대한 대처, 지역 사회에 기여한 정도 등에 주목하여 자신의 소비뿐만 아니라 다른 소비자들의 소비 행위에 영향을 주는 것이다(소비 행동의 변화). 이는 경제적 이익뿐만 아니라 공익적 가치까지 고려하는 시장으로 진화했음을 드러낸다.

(5문단 요약 답) (공익적 가치)까지 고려하는 시장으로 진화했기 때문에 기업의 사회적 활동이 이윤 추구에 도움이 된다.

해제 | 이 글은 기업의 사회적 활동인 '메세나'의 배경과 유형, 효과에 대해 설명하고 있다.

지문 분석하기 **주제** | 기업의 메세나 활동

메세나(기업의 사회적 활동)

배경	유형	결과
기업의 (이윤 추구) 활동에서 나타난 여러 문제에 대한 사회적 비판이 커짐.	• (경영 전략): 조직 내 교육, 복지 등에 예술 활용 • 마케팅 전략: 홍보, 광고, 영업 등에 예술 활용 • 후원 활동: 소외 계층의 문화 활동 후원	• 투자자들의 투자 유도 • 소비자들의 (소비) 행위에 영향 → 기업의 이윤 추구에 도움이 됨.

1 4문단에서 사회적 책임 투자의 의미를 밝히고 있지만, 사례는 나타나 있지 않다.

오답 풀이 ① 3문단에서 메세나의 유형으로 기업의 경영 전략, 마케팅 전략, 후원 활동의 세 가지를 밝히고 있다.
② 2문단에서 메세나의 의미를 밝히고 이탈리아의 메디치 가문의 경우를 그 사례로 제시하였다.
④ 1문단에 기업들이 사회적 활동에 적극적으로 참여하게 된 배경이 나타나 있다.
⑤ 5문단에서 최근의 소비자들은 과거와 달리 기업의 행동에 관심을 가지고 소비 행위를 하게 되었다고 말하고 있다.

2 4문단에서 사회적 책임 투자는 사회적 책임을 실천하는 기업에 적극적으로 자금을 투자하는 행위라고 하였다. 기업의 자산 구조를 분석하여 이를 투자의 기준으로 삼았던 것은 과거의 투자자들이다.

오답 풀이 ① 1문단에서 자본주의 경제 체제에서 기업은 이윤 추구를 최우선의 목적으로 경제 활동을 한다고 하였다.
② 3문단에서 메세나의 유형을 구분하면서 기업의 경영 전략으로 조직 내에서 교육, 복지, 인사 등에 예술을 활용하는 활동을 소개하였다.
③ 2문단에서 메세나는 사회적·인도적 공익사업에 대한 기업의 지원 행위를 말한다고 하였다.
④ 5문단에서 최근의 소비자들은 기업의 행동에도 관심을 가지고 이를 소비 행위에 반영한다고 하였다.

3 〈보기〉는 이익을 바라지 않는 후원 활동의 일종으로 볼 수 있다. '○○ 기업'은 지역 주민 행사를 위해 기업 건물의 공간을 제공하는 것이므로 기업 내부 조직의 관계를 개선하는 것으로 이해하기 어렵다.

오답 풀이 ① 최근의 투자자들은 기업의 사회적 책임을 투자 기준으로 삼고 있으므로 '○○ 기업'은 많은 투자를 받을 수 있을 것이다.
② '○○ 기업'이 사람들이 문화 활동을 누릴 수 있도록 돕는 것은 후원 활동에 해당한다.
③ 미술품을 무료로 전시하는 메세나 과정에서 기업의 호감도가 자연스럽게 상승할 것이다.
⑤ 〈보기〉와 같은 메세나 활동은 결과적으로 기업의 이윤 추구에 도움이 될 수 있다.

사회 04 시장은 어떻게 만들어지는 것일까

본문 124~125쪽

1 ② **2** ⑤ **3** ㉠ 상설, ㉡ 정기

① 상품과 돈을 교환하는 장소인 시장은 오래 전부터 형성되어 왔다. 인구가 충분치 않은 지역에서는 매일 시장이 열리기가 어려워 일정한 간격을 두고 시장이 열리게 되는데, 5일장, 7일장 같은 이러한 시장을 정기 시장이라 한다. 대부분의 도시에는 주로 매일 문을 여는 상설 시장들이 있기 때문에 정기 시장을 찾아보기가 어렵다. 그러면 정기 시장과 상설 시장이 서는 곳에는 어떤 차이가 있을까? 이를 알기 위해서는 먼저 '최소 요구치'와 '재화의 도달 범위'를 이해해야 한다.

문제 1 - ① 관련, 정기 시장의 의미 / 상설 시장의 의미

1문단 요약 답 시장의 형성을 이해하기 위해 (**최소 요구치**)와 재화의 도달 범위를 알아야 한다.

② '최소 요구치'란 어떠한 중심 기능이 그 기능을 유지하기 위해 요구되는 최소한의 수요이다. 예를 들어 한 아이스크림 가게에서 2,000원짜리 아이스크림을 하루 평균 100개 정도 팔면 주인은 하루에 20만 원의 수익을 올릴 수 있다. 그런데 순수한 이익, 즉 순이익을 따져 보려면 아이스크림을 만드는 비용과 가게를 빌리는 비용, 전기세, 일하는 사람에게 주는 비용 등 제품을 생산·판매하는 데 드는 모든 비용을 수익에서 빼야 한다. 이렇게 계산한 총비용이 하루에 30만 원이라고 가정해 보자. 이 아이스크림 가게는 적자를 보고 가게 운영을 유지하기 어려울 것이므로 문을 닫는 것이 더 낫다.

최소 요구치의 개념 / 구체적 사례 제시

2문단 요약 답 어떤 중심 기능이 그 기능을 유지하기 위해 필요한 최소한의 (**수요**)를 최소 요구치라고 한다.

③ 따라서 아이스크림 가게가 문을 닫지 않기 위해서는 하루에 최소 30만 원어치의 아이스크림을 팔 수 있는 150명 이상의 구매자들이 있어야 하는데, 이 구매자들이 퍼져 있는 공간적 범위가 최소 요구치를 만족하는 범위이다. 결국 최소 요구치 범위란 어떤 기능이 이익을 만들 수 있는 공간적 손익 분기점으로도 볼 수 있다.

문제 1 - ③, 문제 2 - ② 관련 / 최소 요구치 범위의 의미

3문단 요약 답 최소 요구치 범위는 어떤 기능이 (**이익**)을 만들 수 있는 공간적 손익 분기점이다.

④ 그렇다면 '재화의 도달 범위'는 또 무엇일까? 재화란 사람들의 욕구를 만족시켜 줄 수 있는 물건을 두루 일컫는다. 그리고 재화의 도달 범위란 재화의 기능이 미치는 최대의 공간적 범위인데, 위의 사례에서는 아이스크림이 팔려 나가는 최대한의 공간적 범위이다. 재화의 판매를 통해 가게 운영이 유지되기 위해서는 최소 요구치 범위가 재화의 도달 범위 안에 포함되어야 하며, 그 반대의 상황에서는 가게가 유지되지 못한다.

재화의 도달 범위의 개념 / 문제 1 - ④ 관련 / 문제 2 - ⑤ 관련

4문단 요약 답 (**재화의 도달 범위**)는 재화의 기능이 미치는 최대의 공간적 범위이다.

⑤ 이 둘을 비교할 때 최소 요구치 범위보다 재화의 도달 범위가 넓어서 시장이 한곳에 계속 머무르며 유지될 수 있는 시장을 상설 시장이라고 한다. 이에 반해 재화의 도달 범위보다 최소 요구치 범위가 넓기 때문에 시장이 새로운 수요자를 찾아 이동할 수밖에 없는 경우에 생기는 시장이 정기 시장이다. 결국 인구가 많은 지역이나 경제적 수준이 높고 소비 지출 경향이 강한 도시 지역에는 (㉠) 시장이, 인구가 적고 경제적 수준이 낮은 지역에는 (㉡) 시장이 서게 된다.

문제 1 - ⑤ 관련, 상설 시장의 형성 / 문제 1 - ⑤ 관련, 정기 시장의 형성

5문단 요약 답 최소 요구치 범위보다 재화의 도달 범위가 (**넓을**) 경우에는 상설 시장이, 그 반대의 경우에는 정기 시장이 선다.

해제 | 이 글은 최소 요구치와 재화의 도달 범위라는 개념을 통해 정기 시장과 상설 시장의 형성 조건을 살펴보고 있다. / **주제** | 정기 시장과 상설 시장 형성의 조건 / **출전** | 박찬선, 《고교 독서평설》

지문 분석하기

상설 시장	(정기) 시장
재화의 도달 범위 안에 (최소 요구치 범위)	최소 요구치 범위 안에 재화의 도달 범위
최소 요구치 범위 〈 재화의 도달 범위	최소 요구치 범위 〉 재화의 도달 범위

- 아이스크림을 구매할 150명이 있는 범위
- 아이스크림이 팔려 나가는 범위

1 2문단에서는 아이스크림 판매의 예를 통해 '최소 요구치'의 개념을 설명하고 있다.

2 〈보기〉에서는 영수가 아이스크림이 녹지 않도록 얼음을 넣어 포장을 해 줌으로써 재화의 도달 범위가 더 늘어났다. 따라서 재화의 도달 범위가 늘어나 최소 요구치를 만족하였으므로 영수가 손해를 볼 것이라는 이해는 적절하지 않다.

오답 풀이 ① 영수가 가게 운영에 드는 모든 비용을 메우기 위해 하루에 팔아야 하는 아이스크림 개수는 100개이므로 손익 분기점은 아이스크림 개당 가격과 이 개수를 곱한 값인 30만 원이다.
② 최소 요구치 범위는 어떤 기능이 이익을 만들 수 있는 공간적 손익 분기점이므로, 학원이 문을 닫기 전 공간적 손익 분기점은 100명의 구매자가 포함된 공간인 3km라고 할 수 있다.
③ 학원이 문을 닫게 되면 잠재적 구매자는 70명이므로, 가게 운영을 유지하기 위해서는 30명 이상의 구매자가 필요하다. 이때 아이스크림 가게에서 5km 떨어져 있는 회사에 30명이 있으므로 최소 요구치 범위가 재화의 도달 범위인 3km보다 커졌다고 할 수 있다.
④ 재화의 도달 범위는 처음에는 3km였으나 아이스크림이 녹지 않도록 얼음을 넣어 포장을 해 주면서 5km까지 늘어났다.

3 ㉠ 시장이 서는 지역은 인구가 많거나 경제적 수준이 높고 소비 지출 경향이 강하다고 하였으므로 최소 요구치 범위가 좁다고 할 수 있다. 반면, ㉡ 시장이 서는 지역은 인구가 적고 경제적 수준이 낮다고 하였으므로 ㉠ 시장이 서는 지역보다 상대적으로 최소 요구치 범위가 넓다고 할 수 있다. 따라서 ㉠은 '상설', ㉡은 '정기'가 들어가는 것이 적절하다.

과학 05 삼각대는 어디에서든 안정적이라고? 본문 126~127쪽

1 ④ **2** 무게 중심, 밖 **3** ⑤

① 아름다운 경치를 배경으로 여러 명이 다 같이 사진을 찍기 위해서는 카메라와 카메라 삼각대가 필요할 것이다. 이때 카메라 삼각대는 다리가 세 개여서 다리들 사이의 공간이 삼각형을 이루는데, 바닥이 울퉁불퉁해도 삼각대는 흔들리지 않고 안정적으로 카메라를 받쳐 준다. 반면 우리가 사용하는 다리가 네 개인 대부분의 의자는 충격에 의해 의자 다리가 조금만 휘어져도 다리 하나가 바닥에 닿지 않고 들며 의자가 흔들리게 된다. 왜 다리가 세 개인 카메라 삼각대보다 다리가 네 개인 의자가 더 흔들릴까?

(문제 1 – ① 관련 / 삼각형의 안정성 / 사각형의 불안정성 / 화제 제시)

1문단 요약 답 다리가 세 개인 삼각대가 다리가 네 개인 (**의자**)보다 안정적이다.

② 1900년 수학자 힐베르트가 발표한 21개의 수학의 공리(더 이상 증명할 필요가 없는 원리)에는 다음의 내용이 포함되어 있었다.

(문제 1 – ⑤ 관련)

어떤 세 점이 한 직선 위에 있지 않을 때, 그 점을 모두 포함하는 평면은 단 하나만 존재한다.

2문단 요약 답 어떤 세 점이 한 직선 위에 있지 않을 때, 그 점을 모두 포함하는 평면은 (**하나**)만 존재한다.

③ 이 공리를 카메라 삼각대에 적용해 보자. 삼각대의 다리들이 바닥에 닿는 끝 부분을 하나의 '점'이라고 생각하면 삼각대의 다리 중 어느 하나가 다른 두 개에 비해 짧든 길든 상관없이 세 개의 다리는 눈에 보이지 않는 단 하나의 평면 위에 놓이게 된다. 그래서 삼각대는 다리의 길이가 같지 않아도 안정적인 평면을 찾을 수 있는 것이다. 반면, 다리가 네 개인 의자의 경우 다리 네 개의 끝을 사각형의 각 꼭짓점이라고 할 때, 사각형의 꼭짓점 네 개 중 세 개는 반드시 하나의 평면 위에 놓이게 되지만, 나머지 하나는 다리의 길이에 따라 같은 평면 위에 놓일 수도 있고 그렇지 않을 수도 있다.

(문제 3 – ㉠, ㉡ 관련, 삼각대가 안정적인 이유 / 결과 / 문제 1 – ④ 관련)

3문단 요약 답 삼각대는 (**다리의 길이**)가 같지 않아도 안정적으로 하나의 평면에 놓일 수 있다.

④ 그렇다면 우리는 왜 다리가 세 개가 아니라 네 개인 의자를 만드는 것일까? 그 이유는 무게 중심과 관련이 있다. 위의 그림처럼 같은 크기의 원에 내접하는 정다각형을 그려 보면 정다각형의 무게 중심이 되는 원의 중심에서 다각형의 가장자리까지의 길이가 가장 짧은 것은 정삼각형이고, 길이가 가장 긴 것은 원에 가까운 정육각형이다. 사람이 의자에 앉아 이리저리 몸을 움직이다가 몸의 무게 중심이 의자의 다리로 이루어진 다각형의 영역 밖으로 넘어가게 되면 의자는 균형을 잃고 쓰러지게 되므로 이를 방지하는 데는 원에 가까운 정다각형이 더 낫다. 카메라 삼각대의 경우에도 다리 길이의 차이가 많이 나서 다리가 놓인 점들이 만든 삼각형의 폭이 좁아지면 카메라의 무게 중심이 밖으로 넘어가기 쉬워진다. 따라서 『다리 길이가 모두 같은 의자를 평평한 바닥에서 사용한다고 가정했을 때는 정삼각형보다 무게 중심이 쉽게 넘어가지 않고, 정오각형보다 더 경제적인, 정사각형 모양의 다리가 네 개인 의자를 선호하게 되는 것이다.』

(문답법 / 문제 1 – ③ 관련 / 문제 2 관련 / 『 』: 문제 1 – ② 관련)

4문단 요약 답 의자를 만들 때는 무게 중심과 경제성을 고려하여 정사각형 모양의 (**다리가 네 개**)인 의자를 선호하게 되었다.

해제 | 이 글은 삼각대의 다리 길이가 다를 때에도 쓰러지지 않고 안정적인 이유에 대해 설명하고 있다.
주제 | 삼각대의 다리 길이가 다를 때에도 안정적인 이유 / **출전** | 이화영, 《수학이 보인다》

지문 분석하기

다리가 세 개인 삼각대		다리가 네 개인 의자
세 개의 다리의 (길이)이/가 같지 않아도 안정적으로 서 있을 수 있음.	↔	네 개의 다리의 길이가 같지 않으면 불안정하게 흔들거림.
무게 중심에서 다각형 가장자리까지의 길이가 가장 (짧아) 상대적으로 균형을 잃기 쉬움.		무게 중심에서 다각형 가장자리까지의 길이가 정삼각형보다 (길어) 의자로 사용하는 것을 선호함.

1 3문단에서 다리가 네 개인 의자의 경우 네 다리가 단 하나의 평면에 놓이기 위해서는 네 다리의 길이가 모두 같아야 한다는 것을 확인할 수 있다.

오답 풀이 ① 삼각대는 다리가 세 개이므로 다리들 사이의 공간은 삼각형이 된다.
② 정사각형의 의자 다리는 네 개가 필요하므로 다리가 다섯 개 필요한 정오각형 의자 다리에 비해 경제적이다.
③ 4문단에 따르면 무게 중심이 의자 다리로 이루어진 다각형의 범위에서 벗어나면 의자는 균형을 잃는다.
⑤ '어떤 세 점이 한 직선 위에 있지 않을 때, 그 점을 모두 포함하는 평면은 단 하나만 존재한다.'는 것은 증명할 필요가 없는 원리, 즉 공리라는 것을 2문단에서 확인할 수 있다.

2 4문단에 따르면 카메라 삼각대의 다리가 놓인 점들이 만든 삼각형의 폭이 좁아지면 카메라의 무게 중심이 밖으로 넘어가기 쉬워진다. '철수'가 사진을 찍으려 했던 상황에서 삼각대의 다리 길이가 아주 많이 차이 났고, 그 위에 카메라를 올려놓음으로써 무게 중심이 삼각형 밖에 위치하여 삼각대가 쓰러졌다고 할 수 있다.

3 ㉢, ㉣: 다리가 네 개인 경우 네 개의 다리의 길이가 모두 같지 않으면 하나의 평면에 놓일 수 없으므로 의자가 흔들리게 된다.
㉤: 다리 네 개의 길이가 같더라도 바닥이 고르지 않으면 다리 네 개의 길이가 같지 않은 것과 마찬가지이므로 의자가 흔들리게 된다.

오답 풀이 ㉠, ㉡: 다리가 세 개인 경우, 힐베르트의 공리에 따르면 다리의 길이와 상관없이 단 하나의 평면에 놓이게 되므로 의자가 흔들리지 않고 안정적이다.

과학 06 적도가 더 뜨거워지지 않는 이유 본문 128~129쪽

1 ① **2** ⑤ **3** 표층 해류는 해수면 위에서 부는 바람, 심층 해류는 바닷물의 밀도 차이 때문에 발생한다.

① 지구는 둥글기 때문에(원인) 단위 면적당 지표가 받는 태양 복사 에너지의 양은 위도에 따라 달라진다(결과). 즉 적도와 가까운 저위도 지역이 고위도 지역보다 태양의 고도가 높아 단위 면적당 받는 태양 에너지의 양이 많다(문제 2 - ④ 관련). 지속적으로 이렇게 되면 저위도 지역의 연평균 기온은 계속 올라가고 고위도 지역의 연평균 기온은 계속 내려가야 할 것이다. 하지만 지구의 위도별 연평균 기온은 거의 일정한 값을 유지한다. 그 이유는 무엇일까?(화제 제시)

1문단 요약 답 태양 복사 에너지의 양이 달라도 지구의 위도별 기온은 거의 (일정한 값)을 유지한다.

② 지구로 들어온 태양 에너지의 약 30%는 구름이나 지면, 빙하 등에 의해 반사되거나 공기 분자 등에 의해 흩어져서 우주 공간으로 다시 방출되고, 약 70%만 지구에 흡수된다. 그러나 이렇게 흡수된 에너지도 다시 우주 공간으로 방출되는데, 이것을 '지구 복사'라고 한다. 흡수된 태양 에너지와 지구 복사 에너지는 위도별로 차이가 있다. 「약 38° 이하의 저위도 지역은 흡수된 태양 에너지보다 방출된 지구 복사 에너지가 적어 에너지 과잉 상태가 되고, 고위도 지역은 그 반대가 되어 에너지 부족 상태가 된다.」(「」: 지구의 에너지 불균형 상태)

2문단 요약 답 저위도 지역은 에너지 과잉 상태가 되고, 고위도 지역은 반대로 (에너지 부족 상태)가 된다.

③ 이 같은 에너지 불균형은(원인) 대기와 해양의 순환을 일으킨다(결과). 대기는 쉽고 빠르게 움직일 수 있어서 효과적으로 에너지를 전달한다(대기의 특징). 전반적으로 에너지 과잉인 적도 지역의 따뜻한 공기는 상층부로 상승하여 극지방으로 이동하고, 에너지가 부족한 극지방의 찬 공기는 하강하여 적도 쪽으로 이동하는 순환을 한다(문제 2 - ⑤ 관련). 하지만 지구는 자전을 하기 때문에 실제 대기의 운동은 이보다 훨씬 복잡해진다. 이러한 에너지의 전달 과정에서 다양한 기상 변화가 나타난다. 특히 중위도 지역에서 역동적인 날씨 변화가 많이 일어나는데, 이것은 중위도가 열에너지 이동의 길목이기 때문이다(문제 2 - ② 관련).

3문단 요약 답 (에너지 불균형)은 대기와 해양의 순환을 일으킨다.

④ 해양의 순환은 대기의 순환에 비해 느리지만 해양 역시 효율적인 에너지 운송 수단이 된다. 해양의 순환은 표층 해류에 의한 순환과 심층 해류에 의한 순환으로 나눌 수 있다. 표층 해류는 주로 해수면 위에서 지속적으로 부는 바람 때문에 생겨나고, 심층 해류는 주로 수온과 염분의 변화로 인한 바닷물의 밀도 차이 때문에 생겨난다(문제 3 관련, 해류의 발생 원인). 표층 해류 중 난류는 따뜻한 적도 지역의 바닷물을 고위도 지역으로 이동시켜 고위도 지역의 기온이 일정 수준 이하로 내려가지 않게 하고(문제 2 - ③ 관련), 한류는 차가운 고위도 지역의 바닷물을 저위도 지역으로 이동시켜 저위도 지역의 기온이 일정 수준 이상 높아지지 않게 한다.

4문단 요약 답 해양의 순환은 대기의 순환보다는 느리지만 역시 효율적인 (에너지 운송 수단)이 된다.

⑤ 이처럼 지구는 대기와 해양의 순환을 통해 끊임없이 열에너지를 이동시키기 때문에(문제 1 - ① 관련, 지구의 위도별 기온이 유지되는 이유) 적도의 기온이 계속 올라가거나 극 지방의 기온이 계속 내려가는 일이 벌어지지 않는 것이다(문제 2 - ① 관련, 대기와 해양의 순환의 결과).

5문단 요약 답 (대기)와 해양의 순환을 통해 지구의 위도별 기온이 일정하게 유지된다.

해제 | 이 글은 대기와 해양의 순환을 중심으로 지구의 열에너지 순환에 대해 설명하고 있다.
주제 | 지구의 열에너지 순환

지문 분석하기

(대기)의 순환	• 저위도: 상승 기류(저위도 → 고위도) • 고위도: 하강 기류(고위도 → 저위도)	→ 지구의 위도별 (연평균 기온) 유지
해양의 순환	• 저위도: 난류의 이동(저위도 → 고위도) • 고위도: (한류)의 이동(고위도 → 저위도)	

1 이 글에서는 대기와 해양의 순환을 중심으로 지구의 열에너지가 어떻게 순환하여 일정한 온도를 유지하고 있는지 설명하고 있다.

오답 풀이 ② 이 글은 지구의 에너지 이동에 대해 설명하고 있으나 이를 대기와 해양의 순환으로 나누어 설명하였으므로 대기의 순환 과정만을 중심으로 본 부제는 적절하지 않다.
③ 이 글은 지구의 주기적인 기후 변화에 대해 설명하고 있지 않다.
④ 이 글은 지구의 온도가 계속 상승하지 않는 이유에 대해 설명하고 있다.
⑤ 이 글에 태양 에너지의 이동 경로에 대한 설명은 언급되어 있지 않다.

2 ㉠, ㉢ 지역은 에너지가 부족한 극지방으로, 이 지역의 찬 공기는 하강하여 ㉡으로 이동한다. 반면, ㉡은 에너지 과잉인 적도 지역으로, 이 지역의 따뜻한 공기는 상승하여 ㉠과 ㉢ 지역으로 이동한다.

오답 풀이 ① ㉠~㉢ 지역의 연평균 기온은 대기와 해양의 순환을 통한 에너지 이동으로 인해 각각 일정하게 유지된다.
② ㉠과 ㉡, ㉡과 ㉢이 만나는 지역은 중위도 지역으로, 에너지 이동의 길목이기 때문에 역동적인 날씨 변화가 많이 일어난다.
③ 4문단에 따르면 난류는 ㉡ 지역에서 ㉠, ㉢ 지역으로 바닷물을 이동시켜 에너지를 공급한다.
④ ㉡ 지역과 ㉠, ㉢ 지역 간의 태양 복사 에너지의 양의 차이는 지구가 둥글기 때문에 생기는 태양의 고도 차이 때문이다.

3 4문단에 따르면 표층 해류는 해수면 위에서 지속적으로 부는 바람 때문에 발생하고, 심층 해류는 수온과 염분의 변화로 인한 바닷물의 밀도 차이 때문에 발생한다.

어휘 더 쌓기 130쪽

1 (1) 과잉 (2) 이원론, 이두 (3) 훈도 (4) 반포 (5) 인도적 (6) 내접 (7) 공익, 수익 **2** ③
3 (1) 횡포 (2) 간행 (3) 적자 (4) 종속 (5) 교화

기술 07 난방과 취사를 한 번에 해결하는 온돌 본문 132~133쪽

1 ④ 2 ② 3 백운모, 두껍게, 얇게

① 「온돌은 아주 오래전부터 사용해 온 우리나라 고유의 난방 장치이다. 온돌은 아궁이에 불을 때면/ 열기가 방바닥 아래의 빈 공간을 지나면서 구들장을 덥히고,/ 따뜻해진 구들장의 열기가 방 전체에 전달되는 과정을 통해 난방이 된다.」 여기서 구들장은 방바닥 아래에 깔아 두는 넓적한 돌을 가리킨다.

「 」: 온돌의 난방 과정 / 온돌의 의미 / 구들장의 의미

1문단 요약 답 온돌은 (아궁이)의 열기가 구들장을 덥히는 과정을 통해 난방이 된다.

② 그러면 온돌은 어떤 구조로 되어 있을까? 온돌은 아궁이와 구들장, 부넘기, 고래, 개자리, 굴뚝 등으로 이루어져 있다. 온돌의 시작 부분인 아궁이는 열원의 최초 공급원으로, 아궁이에서 땔감을 태울 때 나오는 열에너지가 전달되어 방을 덥히게 된다. 이때 아궁이에서 구들장까지 높이가 서서히 높아져야 찬 공기가 자연스럽게 아래쪽 아궁이 속으로 들어가 덥혀진 공기를 밀어 줄 수 있다. 아궁이에서 구들장 밑으로 이어지는 입구에는 부넘기라는 것이 있는데 이 부분은 다른 부분보다 높게 쌓여 있다. 부넘기의 용도는 무엇일까? 「기체는 넓은 곳에서 좁은 곳을 지나가면 압력이 낮아지고 속도가 빨라진다. 즉 아궁이에서 데워진 공기는 부넘기에서 갑자기 좁은 통로를 만나 압력이 낮아지고 속도가 빨라져 뜨거운 공기가 구들장 밑 부분인 고래로 쉽게 들어갈 수 있게 된다.」 또한 압력이 아궁이보다 낮아지므로 아궁이의 열기는 계속 고래 안으로 들어온다. 부넘기를 넘어온 열기는 고래에서 머물며 구들장을 데운다./ 그리고 고래와 굴뚝 사이, 즉 온돌방의 윗목 쪽에는 고래보다 깊이 파인 골이 있는데, 이를 개자리라 한다. 개자리는 고래보다 깊게 파여 있기 때문에 열기가 일정 시간동안 머물다가 굴뚝으로 빠져나간다.// 이로 인해 구들장의 온기가 오래 유지될 수 있다.

문제 1 - ④ 관련 / 문제 2 - ① 관련 / 「 」: 문제 2 - ②, ③ 관련, 아궁이에서 데워진 공기가 고래로 들어가는 원리 / 문제 2 - ⑤ 관련, 개자리의 역할

2문단 요약 답 온돌은 아궁이, (구들장), 부넘기, 고래, 개자리, 굴뚝 등으로 이루어져 있다.

③ 온돌이 오랫동안 온기를 유지할 수 있는 또 다른 비결은 바로 구들장의 재료와 두께에 있다. 구들장의 재료로는 백운모를 쓰는데, 백운모는 열전도율이 낮은 재료이기 때문에 아래의 뜨거운 열기를 한꺼번에 방 안으로 전달하지 않는다. 또한 아랫목의 구들장의 경우 아궁이와 가깝기 때문에 너무 뜨거워질 수 있어 두꺼운 돌을 쓴다. 이 때문에 아랫목의 구들장은 많은 양의 열을 저장할 수 있다. 한편 윗목의 구들장은 아궁이와 거리가 멀기 때문에 두께를 얇게 해 빨리 따뜻해지도록 했다. 방이 식을 때 아궁이에서의 열 공급이 중단되면 아랫목에 저장된 열이 점점 빠져나가면서 고래에서의 대류로 인해 윗목의 구들장도 급속히 냉각되지 않는다.

문제 1 - ④ 관련 / 문제 3 관련, 백운모의 역할 / 문제 2 - ④, 문제 3 관련 / 윗목의 구들장이 쉽게 식지 않는 이유 - 대류 / 문제 2 - ④ 관련, 결과

3문단 요약 답 온돌의 온도 유지 비결은 구들장의 재료와 (두께)에 있다.

④ 온돌은 아궁이에서 발생된 열이 구들장 속에 오랫동안 머물러 있도록 만들어 에너지가 절약된다. 또 아궁이에서는 음식을 조리할 수도 있었다. 따라서 아궁이에 불을 땜으로써 난방과 동시에 취사도 할 수 있었다. 이처럼 온돌은 과학적이며, 효율적인 에너지 구조를 가지고 있는 훌륭한 전통 문화의 소산이다.

문제 1 - ④ 관련, 온돌의 장점

4문단 요약 답 (온돌)은 과학적이며 효율적인 에너지 구조를 가지고 있다.

해제 | 이 글은 전통적인 난방 장치인 온돌의 구조와 장점을 설명하고 있다. / **주제** | 온돌의 구조와 장점

지문 분석하기

온돌의 구조와 난방 과정	• 구조: 아궁이, 구들장, 부넘기, 고래, 개자리, 굴뚝 등 • 난방 과정(열기의 이동): 아궁이 → (부넘기) → 고래 → 개자리 → 굴뚝	온돌이 (온기)을/를 오랫동안 유지함.	온돌의 장점 ① (에너지)을/를 절약할 수 있음. ② 난방과 취사가 동시에 가능함.
(구들장)의 재료와 두께	• 재료: 백운모 • 두께: 아궁이와 가까운 아랫목은 두껍고, 아궁이와 먼 윗목은 얇음.		

1 2문단에서 온돌의 구조에 대해 설명하고 있으며, 3문단에서 온돌의 재료에 대해 설명하고 있다. 이를 통해 4문단에서 난방 장치로서 온돌의 장점을 정리하며 글을 마무리 짓고 있다.

오답 풀이 ① 온돌의 장점을 설명하고 있지만 다른 난방 장치와 비교하고 있지는 않다.
② 온돌을 기술적 측면에서 설명하고 있지만 이의 발전 과정을 언급하고 있지는 않다.
③ 온돌을 제작하는 과정에서의 문제점이나 해결 방안은 제시되지 않았다.
⑤ 온돌의 한계가 언급되지 않았고, 이를 보완할 수 있는 방법 또한 제시되지 않았다.

2 ㉡은 갑자기 좁아지는 통로이므로, 이를 지나는 기체의 주변 압력이 낮아지고 속도가 빨라지게 된다. 따라서 ㉡에서 기체의 압력이 높아진다는 설명은 적절하지 않다.

오답 풀이 ① ㉠에서 만들어진 열기는 방바닥을 덥히는 열원으로 작용한다.
③ ㉢은 ㉡보다 공간이 넓기 때문에 ㉢에서 기체의 속도가 느려진다.
④ 온돌은 ㉣의 두께를 ㉠과의 거리에 따라 달리하는데, ㉠에 가까울수록 두껍게, 멀수록 얇게 만들어 오랫동안 열을 유지한다. 이로 인해 열공급이 중단되더라도 급속히 냉각되지 않는다.
⑤ ㉤을 ㉢보다 깊게 파는 이유는 열기가 일정 시간 동안 ㉤에 머물다가 굴뚝으로 빠져나가게 하기 위함임을 알 수 있다.

3 3문단에 따르면 구들장의 재료는 열전도율이 낮은 백운모를 쓴다. 또한 아궁이와 가까운 아랫목의 구들장 두께는 두껍게, 아궁이와 먼 윗목의 구들장 두께는 얇게 만들어 아랫목의 구들장이 많은 양의 열을 저장하게 하고, 윗목의 구들장이 빨리 따뜻해지게 하였음을 알 수 있다.

기술 08 이것은 비행기인가 열차인가, 하이퍼루프 본문 134~135쪽

1 ② **2** ② **3** 추진력, 부상

① 서울에서 부산까지 간다고 할 때, 이동 시간은 얼마나 걸릴까? 일반적으로 차량을 이용할 때는 5시간, KTX 열차를 이용할 때는 3시간, 비행기를 이용할 때는 약 1시간 정도가 걸린다. 그런데 서울-부산 거리를 단 16분 만에 갈 수 있는 교통수단이 나타난다면 어떨까? 머지않은 미래에는 '하이퍼루프'를 통해 실현이 가능할지도 모른다. 하이퍼루프는 일반 비행기보다 빠른 최대 시속 1,000km의 속도로 달릴 수 있는 초고속 열차로, 도심과 도심을 빠르게 연결할 것으로 주목받고 있는 새로운 교통수단이다.

화제 제시 / 하이퍼루프의 의미 / 문제 1 - ① 관련

1문단 요약 답 | 시속 1,000km의 속도로 달릴 수 있는 (**하이퍼루프**)는 새로운 교통수단으로 주목받고 있다.

② 하이퍼루프와 같이 지상에서 이렇게 빠른 속도로 달리기 위해서는 두 가지 장애를 극복해야 한다. 첫 번째는 마찰력으로, 이는 물체가 어떤 면과 접촉하여 운동할 때 그 물체의 운동을 방해하는 힘이다. 두 번째는 공기 저항으로, 물체는 공기 중에서 이동할 때 그 이동 방향과 반대로 공기로부터 저항을 받는다. 이 두 가지 장애를 극복하기 위해 하이퍼루프 열차는 진공과 가까운 상태로 만든 튜브 안을 뜬 채로 달린다. 「튜브 안을 진공과 가까운 상태로 만들면 공기 저항을 줄일 수 있고, 또 자기 부상의 원리로 열차가 튜브 안에 떠 있으면 마찰력을 극복할 수 있다.」

문제 1 - ⑤ 관련 / 마찰력의 정의 / 공기 저항의 의미 / 마찰력과 공기 저항 / 문제 2- ⑤ 관련 / 「」: 마찰력과 공기 저항의 극복 방법

2문단 요약 답 | 하이퍼루프는 (**마찰력**)과 공기 저항을 극복하여 빠른 속도로 달린다.

③ 그러면 하이퍼루프가 기존의 자기 부상 열차와 다른 점은 무엇일까? 자기 부상 열차는 자력의 반발력으로 열차를 레일 위로 띄워야 하기 때문에 대량의 전력을 공급할 수 있는 전자석 코일이 있어야 한다. 그러나 하이퍼루프는 전자석 코일 대신에 열차와 레일에 자기 시스템을 탑재하고, 두 가지 핵심 장치를 통해 빠르게 달릴 수 있다. 우선 열차에 탑재된 배터리에서 전력을 공급받아 열차에 추진력을 주는 리니어 모터가 하나이고, 열차를 레일에서 부상시키는 역할을 하는 차체 바닥의 인덕트랙이 나머지 하나이다.

자기 부상 열차의 핵심 장치 / 문제 1 - ③ 관련 / 리니어 모터와 인덕트랙 / 리니어 모터의 역할 → 열차에 추진력을 줌. / 인덕트랙의 역할 → 열차를 부상시킴.

3문단 요약 답 | 하이퍼루프는 열차와 레일에 (**자기 시스템**)을 탑재한다.

④ 하이퍼루프의 구체적인 작동 과정에 대해 살펴보자. 「열차가 앞으로 나아가기 위해서는 구동력이 필요한데, 하이퍼루프는 이를 리니어 모터에서 만들어 낸다. 열차는 차체 측면에 달려 있는 리니어 모터를 이용해서 추진력을 얻어 달리기 시작하는 것이다./ 열차가 시속 32km에 도달하면 차체 바닥에 배치한 인덕트랙과 레일 사이에 유도 전류가 발생한다./ 유도 전류가 발생하면 인덕트랙과 레일 사이에 반발력이 생기는데, 이는 열차를 레일 위로 띄우는 힘으로 작용한다.」 따라서 추진력과 부상력 모두에 전력이 필요한 자기 부상 열차와 달리 하이퍼루프는 추진력을 얻는 데에만 전력이 필요하다.

「」: 하이퍼루프의 작동 과정 / 문제 2 - ① 관련 / 문제 2 - ②, ③ 관련 / 문제 2 - ④ 관련 / 문제 3 관련

4문단 요약 답 | 하이퍼루프는 리니어 모터를 이용해서 열차에 추진력을 얻고, (**인덕트랙**)과 레일의 유도 전류를 통해 부상력을 얻는다.

⑤ 하이퍼루프가 일상적으로 쓰이기 위해서는 아직 넘어야 할 문제들이 많다. 경제성을 높여야 하는 것 외에 안전성의 문제도 있다. 높은 속도로 인해 사고 발생 시 대형 참사로 이어질 가능성을 염려하는 것이다. 이런 문제들이 해결되면 하이퍼루프는 차세대 교통수단으로 우뚝 서게 될 것이다.

문제 1 - ④ 관련

5문단 요약 답 | 하이퍼루프의 문제점들이 해결되면 (**차세대 교통수단**)으로 우뚝 서게 될 것이다.

지문 분석하기

해제 | 이 글은 하이퍼루프의 원리 및 구조, 작동 과정을 설명하고 있다.

주제 | 하이퍼루프의 원리 및 작동 과정

하이퍼루프의 빠른 속도 비결	장치	내용	효과
	진공 튜브	튜브 안을 진공과 가까운 상태로 만듦.	(공기 저항) 감소
	(리니어 모터)	열차에 추진력을 줌.	마찰력 극복
	인덕트랙	시속 32km 도달 시 유도 전류 발생 → (반발력) 발생 → 열차를 레일 위로 띄움. → 열차에 부상력 부여	마찰력 극복

1 5문단에 하이퍼루프가 차세대 교통수단으로 우뚝 서게 될 것이라는 향후 전망은 제시되어 있으나 하이퍼루프의 발전 과정이 나타나지는 않는다.

오답 풀이 ① 1문단에서 하이퍼루프가 도심과 도심을 연결할 새로운 교통수단으로 주목을 받고 있다고 하였다.
③ 3문단에서 하이퍼루프는 자기 부상 열차와 달리 전자석 코일 대신 열차와 레일에 자기 시스템을 탑재했다고 하였다.
④ 5문단에서 하이퍼루프의 일상적인 사용을 위해 극복해야 할 점으로 경제성과 안전성의 문제를 지적하고 있다.
⑤ 2문단에서 열차가 지상에서 빠른 속도로 달리는 데 장애가 되는 요소로 마찰력과 공기 저항을 제시하고 있다.

2 4문단에 따르면 열차가 시속 32km에 도달하면 ㉡과 ㉢ 사이에 유도 전류가 발생하고 이로 인해 반발력이 생긴다. ㉠과 ㉡ 사이에서 반발력이 생기는 것은 아니다.

오답 풀이 ① 열차가 처음에 속력을 내기 위해 필요한 구동력은 ㉠에서 만들어진다.
③ ㉡과 ㉢ 사이의 유도 전류는 열차가 시속 시속 32km에 도달해야 발생한다. 열차가 정지된 상태에서는 유도 전류가 생기지 않는다.
④ 마찰력은 물체가 어떤 면과 접촉해 있기 때문에 생기는 것이다. 하이퍼루프 열차는 ㉢과 일정한 간격을 두고 떨어져 달리기 때문에 마찰력이 생기지 않는다.
⑤ 이동 속도에 영향을 미치는 공기 저항을 줄이기 위해서는 ㉣을 진공에 가까운 상태로 만들어야 함을 2문단을 통해 알 수 있다.

3 하이퍼루프는 열차의 속도가 높아짐에 따라 유도 전류가 발생하고, 이로 인해 반발력이 생겨 열차가 레일 위로 부상하게 된다. 따라서 하이퍼루프는 열차의 추진력만으로 열차를 부상시킬 수 있는 것이다.

예술 09 인물은 선명하게, 배경은 흐릿하게

본문 136~137쪽

1 ④ **2** ④ **3** ⓐ

① 사진을 찍을 때 우리는 카메라로 한 피사체를 향하여 초점을 맞추게 된다. 그때 그 피사체의 앞뒤의 일정한 거리 내에 초점이 맞는 공간이 만들어져 그 공간에 있는 다른 물체도 모두 초점이 맞는 상태가 된다. 그리고 그 공간을 벗어난 물체들은 모두 탈초점 상태가 되는데, 여기서 초점이 맞는 공간의 범위를 피사계 심도라고 한다.

피사계 심도의 개념 / 문제 1 - ④ 관련 / 1문단 요약 답: 카메라에서 초점이 맞는 공간의 범위가 (**피사계 심도**)이다.

② 초점이 맞는 범위가 넓을 때 심도가 깊다고 하고 그 범위가 좁을 때에는 심도가 얕다고 하는데, 나타내고자 하는 바가 무엇인지에 따라 심도의 깊이가 결정된다. 예를 들어 산이나 바다와 같은 넓은 풍경을 선명하게 보여 주고자 할 경우에는 심도를 깊게 해야 하며, 인물의 모습과 같은 좁은 범위에 초점을 맞추려면 심도를 얕게 해야 한다.

피사계 심도를 결정 짓는 요인 / 문제 2 - ① 관련 / 2문단 요약 답: 초점이 맞는 범위가 넓을 때 심도가 (**깊다**)고 하고, 그 반대의 경우 심도가 얕다고 한다.

③ 심도가 깊은 화면은 「초점이 맞는 범위가 넓어 화면의 거의 모든 부분이 선명하게 나타나므로 많은 정보를 화면에 담을 수 있다. 또한 특정한 부분에 집중할 필요가 없으므로 카메라의 움직임이 자유롭다는 장점도 있다.」 반면 모든 부분이 선명하여 보는 사람의 시선이 분산될 수 있으며 원근감이 약해진다는 단점이 있다. 이와 달리 심도가 얕은 화면은 초점이 맞는 범위가 상대적으로 좁아서 특정 부분에만 초점이 정확하게 맞고 다른 부분은 탈초점 상태가 된다. 따라서 초점이 맞는 피사체에 시선이 집중되는 효과가 있다. 그러나 초점이 맞는 구간이 좁기 때문에 카메라를 움직이면서 촬영하면 피사체가 탈초점 상태가 되기 쉽다는 단점도 있다.

「 」: 문제 2 - ② 관련, 심도가 깊은 화면의 장점 / 심도가 깊은 화면의 단점 / 문제 2 - ④ 관련 / 심도가 얕은 화면의 장점 / 문제 2 - ③, ⑤ 관련, 심도가 얕은 화면의 단점 / 3문단 요약 답: (**심도가 깊은**) 화면은 많은 정보를 담을 수 있고, 심도가 얕은 화면은 특정 부분에 시선을 집중시킬 수 있다.

④ 그렇다면 심도의 깊이는 무엇에 의해 결정될까? 심도에 가장 큰 영향을 주는 요인은 렌즈의 초점 거리이다. 초점 거리는 렌즈와 필름 면 사이의 거리로, 초점 거리가 짧은 광각 렌즈는 촬영 범위인 화각이 가장 넓으며 피사계 심도는 상대적으로 깊다. 반면 초점 거리가 긴 망원 렌즈는 화각이 좁고 피사계 심도는 상대적으로 얕다.

화각
초점 거리
광각 렌즈
렌즈
필름
망원 렌즈

심도에 영향을 주는 요인 1 / 초점 거리의 의미 / 문제 3 - 〈보기〉 ⓐ 관련, 광각 렌즈의 특징 / 망원 렌즈의 특징 / 4문단 요약 답: 렌즈의 (**초점 거리**)가 짧을수록 심도가 깊고, 초점 거리가 길수록 심도가 얕다.

⑤ 심도는 렌즈 구경에 의해서도 영향을 받는데, 「렌즈의 구경은 빛이 충분하기 때문에 조리개를 닫아 빛의 양을 제한해야 할 때 좁아진다. 반대로 빛이 충분하지 않아 조리개를 넓게 열어 빛을 많이 받아들여야 할 때 렌즈 구경이 커진다.」 렌즈 구경이 클수록, 즉 렌즈가 빛을 더 많이 받아들일수록 피사계 심도는 얕아지고, 렌즈 구경이 좁을수록 피사계 심도는 깊어진다. 따라서 밝은 대낮에 촬영을 하면 심도가 깊은 화면을, 어두운 날에 촬영을 하면 심도가 얕은 화면을 얻는 경우가 많다.

심도에 영향을 주는 요인 2 / 「 」: 밝은 대낮과 어두운 날의 심도가 달라지는 이유 / 문제 3 - 〈보기〉 ⓐ 관련 / 렌즈의 구경 차이에 따른 심도 / 5문단 요약 답: 렌즈 구경이 (**클수록**) 심도가 얕고, 구경이 작을수록 심도가 깊다.

해제 | 이 글은 피사계 심도의 개념을 정리한 후 이를 심도가 깊은 경우와 얕은 경우로 나누어 설명하고 있다.
주제 | 피사계 심도의 개념 및 특징과 결정 요인 / **출전** | 김광철 외, 《영화사전》

지문 분석하기

깊은 심도		얕은 심도	
• 장점: 화면이 선명한 범위가 (넓음), 카메라의 움직임이 자유로움. • 단점: 시선이 분산됨, (원근감)이/가 약해짐.		• 장점: 초점이 맞는 피사체에 시선이 집중됨. • 단점: 카메라를 움직이면서 촬영하기 힘듦.	
초점 거리가 짧은 광각 렌즈를 사용할 때	렌즈 구경이 작을 때	초점 거리가 긴 (망원) 렌즈를 사용할 때	렌즈 구경이 클 때

1 이 글은 중심 화제인 피사계 심도의 개념을 설명하고, 피사계 심도를 깊은 것과 얕은 것으로 나누어 그 원리를 대조적으로 나타내고 있다.

오답 풀이 ① 이 글에는 중심 화제와 유사한 대상이 제시되어 있지 않고, 따라서 둘의 공통점과 차이점을 설명하고 있지 않다.
② 이 글은 중심 화제인 피사계 심도의 특징을 설명하고 있을 뿐 그 의의와 가치를 강조하고 있지는 않다.
③ 이 글에는 피사계 심도에 대한 인식의 변화가 나타나지 않는다.
⑤ 이 글은 피사계 심도의 특징을 설명하고 있을 뿐, 이에 대한 다양한 주장을 제시하고 있지 않다.

2 피사체의 원근감이 약해지는 것은 피사계 심도가 깊을 때이다. ㉡의 화면은 ㉠보다 피사계 심도가 얕으므로 상대적으로 피사체의 원근감이 약해지는 것이 아니라 강해진다.

오답 풀이 ① ㉠은 넓은 풍경이므로 심도를 깊게 하는 것이 바람직하며, ㉡에서는 하나의 사물에 초점이 맞춰지므로 심도를 얕게 하는 것이 바람직하다.
② ㉠의 화면은 피사계 심도가 깊기 때문에 초점이 맞는 공간의 범위가 ㉡의 화면보다 넓다.
③ ㉠은 심도가 깊은 화면이므로 심도가 얕은 ㉡에 비해 탈초점 상태에 있는 피사체가 적다.
⑤ ㉡과 같이 심도가 얕은 화면의 경우 초점이 조금만 틀려도 피사체가 탈초점 상태가 되므로 카메라를 움직이면서 촬영하기 힘들다.

3 피사계 심도는 렌즈의 초점 거리와 구경에 의해 달라진다. 심도는 렌즈의 초점 거리가 짧을수록, 그리고 구경이 좁을수록 깊어진다. 렌즈의 초점 거리는 광각 렌즈를 사용할 때 짧아지므로, 구경이 좁은 광각 렌즈를 사용할 때 가장 심도가 깊은 화면을 얻을 수 있다.

예술 10 회화의 대상을 강조하고 싶다면? 본문 138~139쪽

1 ⑤ **2** ③ **3** ②

① 화가들은 작품을 만들 때 주제를 강조하거나 특정 이미지를 두드러지게 나타내기 위해 '강조'라는 조형의 원리를 사용하는데, 강조의 방법에는 대비, 분리, 배치 등이 있다.
문제 1 - ⑤, 문제 2 - ⑤ 관련 / 강조의 사용 목적
1문단 요약 답 | 회화에서 주제나 특정 이미지를 두드러지게 나타내기 위해 조형의 원리 중 (**강조**)를 사용한다.

② 회화에서 널리 사용하는 강조의 방법은 형태, 명암, 색채 등을 ㉠대비하는 것이다. 화면에서 밝음과 어두움의 극적인 대비, 강렬한 정서적 변화를 이끌어 내는 색채의 충돌 등은 화면 전체나 특정 부분을 강조하는 효과를 준다. 「화가 발로통의 목판화 〈플룻〉은 명암 대비의 효과를 강하게 느낄 수 있는 단색 판화로, 플룻을 연주하는 어두운 인물을 중심으로 왼쪽의 바닥과 오른쪽의 고양이가 밝게 강조되는 방식으로 대비되어 강렬한 분위기를 연출하고 있다.」
강조의 방법 1 / 문제 3 - 〈보기〉 ⓐ, ⓓ 관련 / 「 」: 구체적인 작품을 통해 살펴본 대비의 특징

▲ 펠릭스 발로통, 〈플룻〉

2문단 요약 답 | 대비에 의한 강조는 형태, 명암, (**색채**) 등의 대비를 활용한다.

③ ㉡분리에 의한 강조는 화면에서 중심 대상을 그 외 대상으로부터 떨어져 있게 함으로써 중심 대상을 강조하는 것이다. 이는 형태나 명암, 색채가 인접하면서 나타나는 대비와는 달리, 공간 속 중심 대상을 그 외의 대상들과 격리함으로써 만드는 것으로, 집단과 독립의 대비라고 할 수 있다. 「드가의 〈발레 수업〉은 스승의 설명을 듣고 있는 발레리나들의 모습을 담고 있는데, 스승은 화면에서 집단으로 길게 이어지는 발레리나들과 거리를 두고 서 있음으로써 강조되며 시각적인 중심은 물론 화면의 균형추 역할을 한다.」
강조의 방법 2 / 문제 3 - 〈보기〉 ⓒ 관련 / 문제 2 - ① 관련 / 문제 2 - ② 관련 / 「 」: 구체적인 작품을 통해 살펴본 분리의 특징

▲ 에드가 드가, 〈발레수업〉

3문단 요약 답 | (**분리에 의한**) 강조는 중심 대상을 그 외 대상으로부터 떨어져 있게 함으로써 중심 대상을 강조하는 것이다.

④ 화가들이 화면의 강조를 위해 사용하는 또 다른 방법은 ㉢배치이다. 이는 관람객의 시선이 중심 대상에 모이도록 중심 대상과 그 외 대상의 공간적 위치를 조정하는 것이다. 「로트렉의 작품 〈물랭루즈에서의 춤〉은 한 사내와 여인이 춤을 추는 순간을 표현한 것으로, 춤을 추는 사내와 여인을 중심으로 이를 구경하는 사람들과 무도장의 다른 사람들의 모습이 방사형으로 배치되어 있다. 이를 통해 자연스럽게 두 사람에게 시선이 집중되어 강조되는 효과가 나타난다.」
강조의 방법 3 / 문제 2 - ② 관련 / 「 」: 구체적인 작품을 통해 살펴본 배치의 특징

▲ 로트렉, 〈물랭루즈에서의 춤〉

4문단 요약 답 | 강조의 방법 중 (**배치**)는 중심 대상과 그 외 대상의 위치를 조정하여 중심 대상에 시선이 모이도록 하는 것이다.

⑤ 이처럼 회화 작품은 다양한 방식으로 강조의 원리를 사용하고 있다. 회화에서 강조의 정도는 작가의 의도에 의해 결정되고, 가장 강한 강조는 여러 가지 강조의 방법들을 동시에 효과적으로 사용할 때 나타날 수 있다. 그러나 중요한 점은 화면에서 강조하는 특정 부분이 전체와의 관계 속에서 질서를 유지해야 한다는 것이다. 강조가 주제나 소재, 표현 양식, 기법 등의 긴밀한 질서에서 벗어나면 본래의 역할을 다할 수 없기 때문이다.
문제 2 - ④ 관련 / 문제 1 - ⑤, 문제 2 - ③ 관련 / 강조 시 유의할 점 / 강조하는 특정 부분이 전체와의 관계 속에서 질서를 유지해야 하는 이유
5문단 요약 답 | 강조를 할 때는 전체와의 관계 속에서 (**질서**)를 유지해야 한다.

해제 | 이 글은 회화 작품 조형의 원리인 강조를 위해 사용되는 대비, 분리, 배치에 대해 설명하고 있다.
주제 | 강조를 위해 사용되는 대비, 분리, 배치의 기법 / **출전** | 최화삼, 〈그림감상과 실기의 기초〉

지문 분석하기

강조의 방법

(대비)	분리	배치
형태, 명암, 색채 등의 대비를 통해 화면 전체나 특정 부분을 강조하는 것	중심 대상을 그 외 대상으로부터 떨어져 있게 함으로써 중심 대상을 (강조)하는 것	중심 대상과 그 외 대상의 공간적 위치를 조정하여 중심 대상을 강조하는 것

1 2~4문단에서 강조를 위해 사용하는 방법들로 대비, 분리, 배치 등을 제시한 뒤, 5문단에서 강조를 할 때의 유의점으로 강조하는 특정 부분이 전체와의 관계 속에서 질서를 유지해야 한다는 점을 언급하고 있다.

오답 풀이 ① 이 글에는 강조의 기법을 활용한 미술가의 작품이 소개되어 있지만 강조에 대한 미술가들의 견해는 살펴볼 수 없다.
③ 이 글은 강조의 기법들이 발전해 온 과정을 서술하고 있지 않다.

2 화면에서 강조하는 특정 부분이 전체와의 관계 속에서 질서를 유지해야 효과적인 것은 ㉠~㉢ 등 모든 강조의 방법들에 해당하므로 ③은 적절하지 않다.

오답 풀이 ① ㉠은 형태, 명암, 색채들이 인접하면서 강조의 효과를 나타낸다.
② ㉡과 ㉢은 모두 화면의 대상들이 어떻게 자리잡는가에 따라 나타나는 강조의 방법으로 볼 수 있다.
④ 5문단에 따르면 가장 강한 강조는 여러 가지 강조의 방법을 동시에 효과적으로 사용할 때 나타난다고 했으므로, ㉠~㉢을 함께 사용하면 강조의 효과가 극대화될 수 있다.
⑤ ㉠~㉢은 모두 강조의 방법으로, 강조는 화면의 특정 이미지를 두드러지게 나타내거나 주제를 강조하기 위해 사용한다는 것을 1문단을 통해 알 수 있다.

3 ⓐ: 화면에서 밝음과 어두움을 통해 강조하는 것은 대비의 방법으로 볼 수 있다.
ⓒ: 화면에서 어떤 요소를 나머지 것들과 떨어져 있게 격리하여 강조하고 있으므로, 이는 분리에 의한 강조로 볼 수 있다.

오답 풀이 ⓑ: 시각적인 중심과 화면의 균형추 역할과 관련된 강조의 방법은 분리이다.
ⓓ: 배치는 화면에서 중심 대상과 그 외의 대상들의 공간적 위치를 조정함으로써 중심 대상에 시선이 모이도록 하는 것이다. 유니폼 색을 강하게 대조하는 것은 대비에 의한 강조라고 보는 것이 적절하다.

통합 11 탄소를 배출할 때도 돈을 내야 하나요 본문 140~141쪽

1 ⑤ **2** ② **3** ②

① 이산화 탄소는 탄소 원자 하나에 산소 원자 둘이 결합한 화합물로 화학식은 CO_2이다. 이산화 탄소는 온실 효과를 일으키는 기체로, 지구 복사를 통해 우주 공간으로 나가는 에너지 중 일부를 다시 지구로 되돌린다. 이러한 이산화 탄소의 성질은 지구의 에너지 평형을 깨트려서, 지구 온난화의 원인이 된다.(문제 1 - ① 관련) 이산화 탄소는 화석 연료와 같이 탄소를 포함한 물질을 완전히 태울 때 만들어져 배출되는데,(문제 1 - ② 관련) 화석 연료의 사용이 크게 늘면서 이산화 탄소의 배출도 늘어 지구 온난화를 더욱 심화하고 있다. 이에 따라 이산화 탄소의 배출을 줄이기 위해 지구적 차원에서 노력하고 있는데, 대표적인 것이 탄소세와 탄소 배출권 거래 제도이다.(중심 화제 제시)

1문단 요약 지구 온난화의 원인이 되는 이산화 탄소의 배출을 줄이기 위한 것으로 탄소세와 탄소 배출권 거래 제도가 있다.

② 탄소세 제도는 이산화 탄소를 배출하는 석유, 석탄 등 각종 화석 연료의 사용량에 따라 세금을 부과하는 것이다.(문제 1 - ③ 관련, 탄소세의 개념) ㉠탄소세 제도를 실시하면 오염 배출자는 오염 물질 1단위를 추가로 배출함으로 인해 내야 하는 세금이 한계 감축 비용, 즉 오염 물질 1단위를 덜 배출하기 위해 드는 비용보다 큰 경우, 그 둘이 같아질 때까지 지속적으로 오염 배출을 줄이게 된다. 이로 인해 사회 전체의 오염 수준이 줄어들 수 있다.(오염 배출의 수준을 줄이기 때문) 하지만 탄소세가 부과되면 에너지 가격이 올라 최종 상품의 가격도 높아진다. 또한 난방 수단으로 석탄, 석유와 같은 화석 연료를 필요로 하는 저소득 계층의 부담이 커질 수 있다.(문제 3 - <보기> ⓐ, ⓒ 관련, 탄소세 부과의 문제점)

2문단 요약 탄소세의 부과로 오염 수준을 줄일 수 있지만, 최종 상품의 가격이 상승하고 저소득 계층의 부담이 커질 수 있다.

③ 탄소 배출권 거래 제도는 『사회 전체적인 오염 통제 목표를 설정하고 그 목표를 달성할 수 있는 범위 내에서 오염 배출자들에게 오염 배출 권리를 나누어 준 다음에 그 권리에 따라 오염 배출을 할 수 있도록 하고, 필요에 따라 오염 배출자들이 그 배출권을 사고팔 수 있게 하는 제도이다.』(『』: 문제 2 - ③, ④ 관련 / 탄소 배출권 거래 제도의 개념) 『제시된 그림과 같이 A 기업이 탄소 배출 허용량보다 실제 배출량이 적고 B 기업이 탄소 배출 허용량보다 실제 배출량이 많을 경우, A 기업은 배출권을 팔고 B 기업은 배출권을 사서 오염 물질을 배출하는 것이다.』(『』: 구체적인 예 제시) 이때 배출권의 가격은 배출권에 대한 수요와 공급이 균형을 이루는 지점에서 형성된다.(문제 1 - ⑤ 관련)

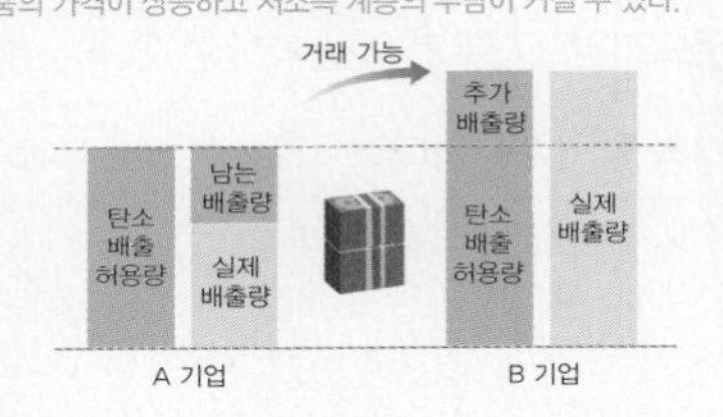

3문단 요약 탄소 배출권 거래 제도에서 배출권의 가격은 수요와 공급이 균형을 이루는 지점에서 형성된다.

④ 『배출권 거래 제도에서는 오염 배출자들이 배출권의 가격과 자신의 한계 감축 비용을 고려하여 더 저렴한 방법으로 오염 수준을 조정하므로, 오염 통제에 드는 비용이 아주 적어진다는 장점이 있다.』(『』: 문제 1 - ④ 관련, 배출권 거래 제도의 장점) 반면에 배출권 자체가 시장의 가격에 의해 정해지므로 투기의 대상이 될 우려가 있으며,(문제 1 - ⑤ 관련 / 탄소 배출권 거래 제도의 문제점 1) 배출권을 사고파는 시장에서 판매자와 구매자의 수가 충분히 많지 않으면 시장 실패가 발생할 수 있다.(문제 2 - ① 관련, 탄소 배출권 거래 제도의 문제점 2)

4문단 요약 배출권 거래 제도는 오염 통제 비용이 적게 들지만 투기의 대상이 되거나 시장 실패가 일어날 우려가 있다.

해제 | 이 글은 탄소세와 탄소 배출권 거래 제도의 특징에 대해 설명하고 있다.

주제 | 이산화 탄소 감축을 위한 탄소세와 탄소 배출권 거래 제도

지문 분석하기

이산화 탄소의 배출을 줄이기 위한 노력

탄소세	탄소 배출권 거래 제도
이산화 탄소를 배출하는 화석 에너지의 사용량에 세금을 부과하는 제도	오염 물질의 배출 권리를 나누어 주고, 서로 사고팔 수 있게 하는 제도
• 장점: 사회 전체의 오염 수준이 줄어들 수 있음. • 단점: 최종 상품의 가격이 오르고, 저소득층의 부담이 커질 수 있음.	• 장점: 오염 통제에 드는 비용이 아주 적어짐. • 단점: 투기의 대상이 될 우려가 있으며, 시장 실패가 발생할 수 있음.

1 3, 4문단에 따르면 배출권 거래 제도에서 배출권의 가격은 시장에 의해 정해진다.

오답 풀이 ①, ② 이산화 탄소는 화석 연료와 같이 탄소를 포함한 물질을 완전히 태울 때 만들어지며 지구 온난화를 일으키는 원인 중에 하나이다.
③ 탄소세는 이산화 탄소를 배출하는 화석 에너지의 사용량에 따라 부과되는 세금이다.
④ 4문단에 따르면 배출권 거래 제도를 통해 오염을 통제하는 비용이 아주 적어진다.

2 배출권의 거래가 없다면 이산화 탄소 감축 비용은 A 기업은 24,000원(2톤×12,000원), B 기업은 16,000원(1톤×16,000원), C 기업은 30,000원(2톤×15,000원)이 발생할 것이다. 따라서 가장 큰 비용이 발생하는 기업은 B가 아니라 C이다.

오답 풀이 ① 배출권의 가격이 17,000원이면 모든 기업의 한계 감축 비용보다 크다. 따라서 모든 기업이 배출권을 구매하지 않아 시장 실패가 발생할 수 있다.
③ 배출권의 가격이 12,000원에서 15,000원 사이라면 B 기업은 한계 감축 비용보다 작기 때문에 배출권을 사려 할 것이다.
④ 배출권의 가격이 12,000원을 초과한다면 A 기업은 자신의 한계 감축 비용보다 높기 때문에 배출권을 모두 판매하고 감축 시설을 설치할 것이다.
⑤ 배출권의 거래가 허용되지 않는다면 이산화 탄소의 감축을 위해 A 기업은 24,000원(2톤×12,000원), B 기업은 16,000원(1톤×16,000원), C 기업은 30,000원(2톤×15,000원)이 발생하므로 사회적 총 비용은 70,000원이 된다.

3 ⓐ: 탄소세가 부과되면 난방 수단으로 화석 연료에 대한 의존도가 높은 저소득 계층의 부담이 커질 수 있다.
ⓒ: 탄소세가 부과되면 에너지 가격이 올라 최종 상품의 가격도 높아진다. 따라서 소비자 물가가 올라갈 수 있다.

어휘 더 쌓기 142쪽

1 (1) ② (2) ④ (3) ③ (4) ① **2** (1) 격리, ⓒ (2) 냉각, ⓛ (3) 투기, ⓡ (4) 탑재, ㉠ **3** (1) 실시 (2) 인접 (3) 열원 (4) 반발력

그림 · 사진 자료 출처

독해 실전 1회

본책 54쪽	폴 세잔, 〈사과 광주리가 있는 정물〉_ 위키 미디어, Paris 16
본책 55쪽	파블로 피카소, 〈파란색 칼라를 한 여자〉_ 알파포토
본책 59쪽	폴 세잔, 〈사과와 오렌지〉_ 위키 미디어, Acacia217
본책 59쪽	액자_ 셔터스톡, Iakov Filimonov

독해 실전 2회

본책 81쪽	피에트 몬드리안, 〈붉은 나무〉_ 위키 미디어, Jan Arkesteijn
	피에트 몬드리안, 〈회색 나무〉_ 위키 미디어, Coldcreation
	피에트 몬드리안, 〈꽃피는 사과나무〉_ 위키 미디어, Jan Arkesteijn
	피에트 몬드리안, 〈나무가 있는 타원형 구성〉_ 위키 미디어, Hannolans
본책 83쪽	인도 산치의 탑_ 위키 미디어, Travel Miles With Smiles

독해 실전 3회

본책 103쪽	빅터 프랭클_ 알파 포토
	아우슈비츠 수용소_ 연합뉴스
본책 111쪽	정선, 〈백천교〉_ 국립중앙박물관
본책 115쪽	비상구_ 셔터스톡

독해 실전 4회

본책 120쪽	렘브란트, 〈튈프 박사의 해부학 강의〉_ 마우리츠하이스 왕립미술관
본책 131쪽	평창 엠블럼_ 셔터스톡
본책 138쪽	펠릭스 발로통, 〈플룻〉_ 에이치디시그니처
	에드가 드가, 〈발레 수업〉_ 위키 미디어, Eloquence
	앙리 드 툴루즈 로트렉, 〈물랭루즈에서의 춤〉_ 필라델피아 미술관
본책 143쪽	명재 고택 전경_ 논산명재고택

memo

memo

비문학

독해 DNA

깨우기

정답과 해설

DNA
깨우기

배움으로 행복한 내일을 꿈꾸는

천재교육 커뮤니티 안내

교재 안내부터 구매까지 한 번에!

천재교육 홈페이지

자사가 발행하는 참고서, 교과서에 대한 소개는 물론
도서 구매도 할 수 있습니다. 회원에게 지급되는 별을 모아
다양한 상품 응모에도 도전해 보세요!

다양한 교육 꿀팁에 깜짝 이벤트는 덤!

천재교육 인스타그램

천재교육의 새롭고 중요한 소식을 가장 먼저 접하고 싶다면?
천재교육 인스타그램 팔로우가 필수!
깜짝 이벤트도 수시로 진행되니 놓치지 마세요!

수업이 편리해지는

천재교육 ACA 사이트

오직 선생님만을 위한, 천재교육 모든 교재에 대한 정보가 담긴
아카 사이트에서는 다양한 수업 자료 및 부가 자료는 물론
시험 출제에 필요한 문제도 다운로드하실 수 있습니다.

https://aca.chunjae.co.kr

천재교육을 사랑하는 샘들의 모임

천사샘

학원 강사, 공부방 선생님이시라면 누구나 가입할 수 있는 천사샘!
교재 개발 및 평가를 통해 교재 검토진으로 참여할 수 있는 기회는 물론
다양한 교사용 교재 증정 이벤트가 선생님을 기다립니다.

아이와 함께 성장하는 학부모들의 모임 공간

튠맘 학습연구소

튠맘 학습연구소는 초·중등 학부모를 대상으로 다양한 이벤트와 함께
교재 리뷰 및 학습 정보를 제공하는 네이버 카페입니다.
초등학생, 중학생 자녀를 둔 학부모님이라면 튠맘 학습연구소로 오세요!